Aquinas's Theory of
Knowledge

Aquinas's Theory of KNOWLEDGE

A Critique of the Thomistic Interpretation of Vital Act

William E. Murnion, Ph.D., S.T.L.

Philosophy Works
2014

Mill City Press, Inc.
322 First Avenue N, 5th floor
Minneapolis, MN 55401
612.455.2293
www.millcitypublishing.com

ISBN-13: 978-1-63413-595-5
LCCN: 2015921058

Book Design by B. Cook

Printed in the United States of America

PREFACE

*T**his book is the unrevised dissertation I successfully defended at* the Gregorian University in Rome in December 1969. Only the title is modified, to *Aquinas's Theory of Knowledge: A Critique of the Thomistic Interpretation of Vital Act*, the better to clarify the topic. I suppose I could have massaged the text to incorporate some of the things I have learned about Aquinas in the meantime. But just as it is, I believe it presents a clear and cogent argument for the claim I defended in it about Aquinas's explanation of the act of understanding. His explanation is misinterpreted in the Thomistic theory of vital act: that understanding is the unconscious and spontaneous reproduction of the object of a sensible species in a universal concept. Rather, Aquinas analyzed understanding as a conscious and deliberate effort to grasp the meaning and judge the truth of our representations of the objects of experience. To the best of my knowledge, this is not yet a generally accepted interpretation of Aquinas's thought among Thomists, except perhaps among followers of Bernard Lonergan, and even among them not in the terms in which I present it.

In 1973, I published both an excerpt from the last chapter of the dissertation, to fulfill the publication requirements for my doctorate,[1] and an article summarizing the entire last chapter.[2] But this is the first publication of the entire dissertation. I can only hope that the full exposition of my interpretation of Aquinas's theory of understanding will have more of an impact upon Thomistic scholarship than the earlier partial publications.

I am very grateful to Robert L. Stern, J.C.D., for his generous undertaking to ensure the accuracy and integrity of this publication of the entire original manuscript and to Jerome Miron, S.T.D., for his generous undertaking to defray the expenses of preparation for its publication.

William E. Murnion
Philosophy Works
March 14, 2014

---

[1] William E. Murnion, *The Meaning of Act in Understanding*: A Study of the Thomistic Notion of Vital Act and Thomas Aquinas's Original Teaching (Rome, 1973).

[2] William E. Murnion, "St. Thomas's Theory of the Act of Understanding," *The Thomist*, 37 (1973), 88-118.

CONTENTS

INTRODUCTION

S*ome time ago Bernard Lonergan asserted that the Thomistic no-*tion of vital act, an act by which a living thing is supposed to produce within its potencies the perfections proper to them, did not represent a position which Thomas Aquinas himself had held.[1] Lonergan had first challenged this interpretation of Thomas's thought when he showed that, contrary to the common Thomistic opinion, Thomas had conceived of love, not as a product of the will's own action, but as an operation caused in the will by the intellect.[2] He broadened his criticism of vital act as a valid interpretation of Thomas's thought by showing that Thomas had explained both life in general and life in God without having to resort to the supposition that the potencies of living things move

---

[1] *Divinarum personarum conceptionem analogicam* (1st ed.: Rome, 1957), pp.90-91; *De Deo Trino*, I. Pars Systematica (3rd rev. ed. of *Divinarum Personarum*: Rome, 1964), p.114.

[2] "The Concept of *Verbum* in the Writings of St. Thomas Aquinas," *Theological Studies*, 8 (1947), 406-409. See *De Deo Trino*, pp.109-114.

1

themselves to their actions.[3] Lonergan also argued that the notion of vital act would contradict Thomas's theory of knowledge, since Thomas held that sensible objects cause the act of sensation[4] and sensible imagery (*phantasmata*) is the proper object of the human intellect while united to the body.[5] To the possible objection that Thomas must have implied the notion of vital act, when he said the will moves itself to act, Lonergan replied that, in context, the self-movement Thomas spoke of consisted simply in the will's moving itself to choose means once God had moved it to choose its end.[6] In general, Lonergan contended that Aquinas accepted completely the Aristotelian axiom, whatever is moved is moved by another, and that he applied the axiom no less strictly to animate operation, including human behavior, than to simple physical movement.[7]

Since then, F.E.Crowe has built on the base established by Lonergan by showing that Thomas Aquinas tended to think of love as basically repose in complacency rather than as a movement of concern.[8] In his study Crowe said that the notion of vital act, besides containing certain intrinsic metaphysical difficulties, was an incorrect interpretation of Thomas's thought.[9] In what may have been an independent effort, Francis Nugent argued that the common Scholastic explanation of life as merely

---

[3] *Divinarum Personarum*, p.252; *De Deo Trino*, pp.271-72.

[4] *Ibid.*, pp.248-49 and p.268.

[5] *Ibid.*, pp.250-71 and pp.270-90.

[6] *Ibid.*, p.249 and p.269.

[7] *Ibid.*, p.248 and p.268. Lonergan has also mentioned the unnecessary difficulties that the doctrine of vital act raises for any attempt to understand the activities of Christ: *De Verbo Incarnato* (ad usum auditorum: Rome, ³1964), pp.260-61, 301, 305.

[8] "Complacency and Concern in the Thought of St. Thomas," *Theological Studies*, 20 (1959), 1-39, 198-230, 343-87.

[9] *Ibid.*, pp.14-16; cf. note 33.

an immanent action has obscured Thomas's distinction between life and mere movement.[10] Finally, in summarizing Lonergan's interpretation of Thomas's theory of abstraction, William S. Stewart pointed out that if the known object is an agent exercising efficient causality upon the knower to know, as Lonergan has shown, then the vital activity of knowing can hardly be an immanent activity efficiently produced by the knowing subject.[11]

Thus a number of people have approved of Lonergan's criticism of the Thomistic notion of vital act, but as yet no one has studied what Neo-Thomists mean by vital act, how they use the notion to explain knowledge and volition, or what documentation they provide for their assertion that in using this notion they are merely interpreting the mind of St. Thomas. Perhaps one reason for the delay is that the notion of vital act, as it is used by Neo-Thomists, seems to be less a defined theory than a vague assumption. It crops up in a variety of contexts with a certain fluidity of meaning. In general, vital act is the Thomistic designation for the dynamism in life, but, since various Thomists define life in different ways, they also have varying notions of what they mean by vital activity. Some think of life, and thus vital act, as a self-motion, to be contrasted with motion received from another.[12] Others define life and vital action

---

[10] "Immanent Action in St. Thomas and Aristotle," *New Scholasticism*, 37 (1963), 164-87; cf. p.187: "It is beyond question that the inner nature of immanent action has been obscured by the recent scholastic authors who treat immanence as the essential feature of organic vital operation, and go on to stretch the meaning of immanence to span the various levels of vital operation".

[11] "Abstraction: Conscious or Unconscious? The *Verbum* Articles," *Spirit as Inquiry*: Studies in Honor of Bernard Lonergan, *Continuum*, 2 (1964), 411.

[12] J. Gredt: "Vitae nomine omnes intelligunt sui-motionem. Quae enim movent seipsa, vivere dicuntur, et dicuntur vivere formaliter propter sui-motionem. Nam quamprimum movent seipsa, dicuntur vivere, et tamdiu dicuntur vivere, quamdiu movent seipsa. Ergo ratio formalis vitae in sui-motione consistit. Vita potest considerari in actu primo—substantia, cui competit se movere, et in actu secundo—actualis sui-motio seu operatio vitalis" *Elementa Philosophiae Aristotelico-Thomisticae*, ed. E. Zenzen (Barcelona-Freiburg im Br.-Rome-New York, [13]1961), I, 345. Cf. G. Sanseverino, *Philosophiae Christianae cum*

as an immanent process intrinsically different from the transient action in simple physical movement.[13] Others still say that the vitality in life comprises both spontaneity and immanence.[14] Yet others see life as a quality of being, which is as such self-causative, although this self-causality is to be found properly only in the intentional operations of intellect and will and fully only in God's innate self-sufficiency.[15] This range of opinion

---

antiqua et nova comparatae Compendium, ed. N. Signoriello (Naples, [10]1900), I, 98, 108, 110; Th. M. Zigliara, *Summa Philosophica* (Paris, [17]1926), II, 131-32; G. Klubertanz, *The Philosophy of Human Nature* (New York, 1953), pp.47-49, 89-90; P. Siwek, *Psychologia Metaphysica* (Rome, [6]1962), pp.45-46, 62-64; H. Renard, *The Philosophy of Man* (Milwaukee, 1948), p.15. Hereafter these and all other authors after the first citation will be cited with simply their name, the volume number or an abbreviation of the title if necessary, and the pages.

[13] D.J. Mercier, *Psychologie*, Bibliothèque de l'Institut Superieur de Philosophie, Cours de Philosophie (Louvain-Paris, [11]1923), II, 11, 42, 43-44, 46-47; IV, 47, 49, 50, 59, 64; A.G. Sertillanges, *S. Thomas d'Aquin* (Paris, 1925), I, 112; II, 72-75; F. Nugent, *op. cit.*, p.165 writes: "Present-day scholastics usually discuss immanent action in the context of the problem: what is the nature of vital operation? Most of the manualists who have written on this subject during the past fifty years have sought to define vital operation by means of immanent action. An immanent action is vital, these authors maintain, when it remains within the agent performing it and thus perfects the agent..." He cites four manuals besides those I mention.

[14] H.-D. Gardeil: "Le vivant est donc un être qui se meut soi-même. Que veut-on au juste signifier par là? Au premier abord on songe à la spontanéité, ou à ce jaillessement venant de l'interieur même qui paraît en effect caracteriser l'activité vitale: le vivant a comme en soi le principe efficient de son activité...Toutefois, 'se mouvoir soi-même' a encore une autre signification, que est plus fondamentale: cela veut dire que l'on se prend soi-même comme objet ou comme terme de son activité; les vivants sont à eux-mêmes des fins" *Initiation à la philosophie de S. Thomas d'Aquin*, Vol. III. *Psychologie* (Paris, [3]1957), pp.22-23; cf. p.171; R.E. Brennan, *General Psychology, An Interpretation of the Science of the Mind Based on Thomas Aquinas* (New York, 1937), p.50; V. Remer, *Psychologia*, ed. P. Geny, Summa Philosophiae Scholasticae, V. (Rome, [6]1928), pp.2-4; C. Boyer, *Cursus philosophiae, ad usum seminariorum* (Paris, 1950), I, 521-23; A Willwoll, *Psychologia metaphysica in usum scholarum*, Institutiones Philosophiae Scholasticae, Vol. V (Freiburg im Br.-Barcelona, 1952), pp.5-6; R. Verneaux, *Philosophie de l'homme*, Cours de philosophie thomiste (Paris, [2]1956), p.15.

[15] J. de Finance: "La vraie nature de l'immanence vitale reside dans le privilege qu'a le vivant d'être en quelque manière *causa sui*", *Être et agir dans la philosophie de Saint Thomas* (Rome, [2]1960), p.260; see esp. pp.38 (note 27), 115, 270, 274, 288-89, 294, 358;

barely hints at the multiplicity of contexts in which modern Thomists have employed the notion of vital act.

To test the Thomistic notion of vital act against Thomas Aquinas's own thought, I have chosen to study the way that Thomists who speak of vital act as self-motion have used it to interpret Thomas's theory of abstraction. This point seemed particularly appropriate to study since it is both the main use Thomists have made of the notion of vital act and also the gravamen of Lonergan's challenge to the commonly accepted interpretation of Thomas's theory of knowledge.[16] The point at issue is whether Aquinas explained abstraction as a vital act in which the intellect moves itself unconsciously but spontaneously to conceive ideas as objects to be understood or as a rationally conscious act in which the intellect inquires into sensible imagery, abstracts from it intelligible species, understands a quiddity or nature existing in corporeal matter, and then speaks an inner word to signify the meaning of this quiddity.

I have studied the question by considering five aspects of abstraction on which Lonergan challenged the more or less conventional neo-Thomistic interpretation. For each of these aspects, first I have given a summary of Thomistic interpretation drawn from manuals and monographs as well as major synthetic works.[17] Though I have attributed to each author

---

idem, Essai sur l'agir humain (Rome, 1962), p.111; J. Maréchal, *Le point de depart de la métaphysique*, Cahier V. *Le thomisme devant la philosophie critique* (Brussels-Paris, [2]1949), pp.594-97; P. Rousselot, *L'intellectualisme de Saint Thomas* (Paris, [3]1936), pp.xi, 3-4, 7, 11; A. Hayen, *L'intentionnel selon saint Thomas* (Paris-Bruges-Brussels, [2]1954), pp.124, 130-34, 137, 148-49, 151-52, 207, 216, 229, 236; *idem, La communication de l'être d'après saint Thomas d'Aquin.* Vol. II. L'ordre philosophique de saint Thomas (Paris-Louvain, 1959), pp.31, 99, 211, 215ff., 233, 258, 299, 305ff., 310ff.; S. Breton, "Saint Thomas et la métaphysique du vivant," *Aquinas*, 4 (1961), 257-92, esp. 281-83; J.I. Alacorta, "La spontanéité de la connaissance théorique et practique selon Saint Thomas," *L'Homme et son destin d'après les penseurs du moyen âge*: Actes du premier congrès international de philosophie médiéval (Louvain-Bruxelles, 1958; Louvain-Paris, 1960), pp.555-60.

[16] See W. Steward, *op. cit.*, p.11.

[17] Surveys of Thomistic thought can be found in the works of G. Van Riet, *L'épistémologie thomiste*: Recherches sur le problème de la connaissance dans l'école thomiste contemporaine

only what he himself has said, I have tried to sketch a pattern emerging from the range of studies I have checked.[18] Where there was general agreement I have cited a number of authors with references to the proper places in their works; where authors differ from one another I have made appropriate distinctions; and where a certain author has made a notable contribution to the general interpretation, or where it might be dubious that an author has actually written what I claim, I have quoted the reference. Wherever an author has referred to or quoted St. Thomas's writings to substantiate his position, I have given the citations.

Then, after this summary of Thomistic interpretation on each point, I have set forth in some detail Thomas Aquinas's own teaching on the matter. To determine what that teaching was, I checked the citations which Lonergan and the other authors had given to substantiate their interpretations and then broadened my research into what became a study of virtually everything Thomas had ever written. In presenting Thomas's thought, I have used the body of the text mainly to analyze logical relationships and the footnotes to document historical development, to refer to tangential matters, and to mention contributions of other authors. In

(Louvain, 1946); "La doctrine thomiste du jugement," *Revue philosophique du Louvain*, 46 (1948), 97-108; and *Problèmes d'épistémologie* (Louvain-Paris, 1960), pp.84-169; in E. Gilson's *Réalisme thomiste et la critique de la connaissance* (Paris, 1939); B. Garceau, "La doctrine thomiste du jugement: interprétations recentes et conditions de recherche," *Revue de l'Université d'Ottawa*, 32 (1962), 215-37 and 33 (1963), 5-27; H. J. John, "The Emergence of the Act of Existing in Recent Thomism," *International Philosophical Quarterly*, 2 (1962), 595-620; *idem, The Thomist Spectrum* (New York, 1966); O. Muck, *Die transzendentale Methode in der scholastischen Philosophie der Gegenwart* (Innsbruck, 1964), translated as *The Transcendental Method* (New York, 1968). Other studies of individual thinkers, particularly those of a transcendental bent, appear regularly, and the reviews in the *Bulletin Thomiste* keep the record up to date.

[18] My model is Gilson who said, *Réalisme thomiste*, pp.156-57: "La méthode qui consiste à examiner successivament plusiers positions concrètes du problème et à en discerner la valeur est à la fois inévitable et insuffisante... Il est en effet certain que toute doctrine philosophique comporte une certain proportions d'éléments contingents... D'autre part, chaque doctrine philosophique est régie par la nécessité intrinsèque de sa propre position et par les consequences qui en découlent en vertu des lois universelles de la raison..."

citing Thomas's works, I have quoted texts when the point at issue was central or controversial, and the texts I have quoted are those in which Thomas either seems to have treated the matter for the first time, or to have acknowledged his debt to Aristotle, or to have made the clearest summary of his thought on the matter—whichever seemed most pertinent to the issue I was treating in the body of the text. Otherwise, if the point I was mentioning was uncontroverted or tangential, I have merely cited the references in the order in which Thomas most probably wrote them.

Finally, for each of the five aspects of abstraction, I have itemized the main differences between the Thomistic interpretation which I have outlined and Thomas's own thought as it appears from his writings. The interpretation which I urge is quite close to Lonergan's, and it is a development of his. The main difference is that I have carried through to a further conclusion his program of interpreting Thomas's theory of understanding as an articulation of reflection upon rational consciousness. Therefore, the entire study is a confrontation between the interpretation that Thomas considered abstraction an unconscious mechanism to be explained, if at all, in terms of vital act and the interpretation that Thomas based his entire theory of abstraction upon the empirically verifiable data of consciousness.

Aquinas has said that "the study of philosophy is not undertaken to find out what men have said, but what the truth of things is,"[19] but this study is supposed to be solely a presentation of what certain men have said, particularly Aquinas himself. To echo Lonergan, "My purpose has been the Leonine purpose, *vetera novis augere et perficere*, though with this modality that I believed the basic task still to be the determination of what the *vetera* really were."[20] The theoretical question of what abstrac-

---

[19] *In I de Caelo*, lect.22, n.228.

[20] "The Concept of *Verbum*," *Theological Studies*, 10 (1949), 388-89.

tion really means and the value judgment about whether it adequately explains the way we understand are indeed important, but to fail to distinguish them from the historical question of what Thomas Aquinas meant by abstraction would result, as Lonergan also said, "not in economy but in confusion."[21] This historical study should also help to determine what the truth of things is, for, as Aquinas himself said:

> ...because man ought not be led in choosing opinions by love or hate of the one offering the opinion but rather by certitude of the truth...we must follow both—both those whose opinions we follow and those whose we reject. For both have tried to inquire after the truth, and by doing this they have helped us. But we must still be "persuaded by the more certain"; that is, follow the opinions of those who have more certainly attained the truth.[22]

I am grateful to the Reverend Bernard J.F. Lonergan, S.J., both for suggesting the topic of this dissertation and for directing me in the execution of it. I am also thankful to Mrs. Ann Clohessy, Miss Patricia Johnston, and Mrs. Rebecca Bezant for typing successive drafts of the manuscript for it and to the Messrs. Robert J. Boland and William J. Malloy for arranging for the typing of the final draft. I am especially indebted to my dear wife, Deborah, and to my family and my friends, especially the late Reverend Donald L. Thomas, for encouraging me in my belief that the end was in sight.

---

[21] *Ibid.*, 393.

[22] *In XII Meta.*, lect.9, n.2556.

CHAPTER ONE
THE PROPER OBJECTS OF
THE HUMAN INTELLECT

1. A THOMISTIC INTERPRETATION

*Q*uite *a number of modern Thomists have taken the position* that according to Thomas Aquinas all the human intellect properly perceives are its own concepts. So in their interpretation of Thomas's theory of abstraction, they are concerned with showing how the intellect can conceive the very objects it perceives. They say it is clear from logic that simple apprehension is an action of conception[1] and that the concept is the basic unit of scientific knowledge.[2] Likewise, they assert that

---

[1] Gredt, I, 16 (citing *In III de Anim.*, lect.11; *In I Periherm.*, lect.3, n.3; *In I Post. Anal.*, lect.1, n.4; *In III Sent.*, d.23, q.2, a.2, sol.1; *In VI Meta.*, lect.4, nn.1224, 1232ff.; *Sum. Theol.*, I, q.58. a.4; q.85, a.5 [I, 18]); H.-D. Gardeil, Vol.I. *Introduction, Logique*, 72-89; Verneaux, 95; Klubertanz, 174. See also Chapter 2, fn.5.

[2] R.E. Brennan in *General Psychology* says intellectual knowledge is a fashioning of concepts (322, 324) and the intellect "the power of forming concepts" (332; he cites *Sum. Theol.*, I, q.79, a.2c ad 2; a.3c; a.7c; *In II Sent.*, d.17, q.2, a.1). J. Maritain in *La philosophie bergsonienne* (Paris, ²1930) says, "L'intelligence voit en concevant, et ne concoit que pour voir" (p. xxxvi); see also *idem, Distinguer pour unir ou les degrés du savoir* (Paris, ⁵1948), pp.220-21, and *Sept leçons sur l'être et les premiers principes de la raison speculative* (Paris,

according to Aquinas deductive reasoning is the way the human intellect goes about understanding anything[3] and that reasoning consists of a chain of concepts[4] composed and divided in judgments.[5] Since they consider logic the proper science for the study of reasoning,[6] they concentrate in rational psychology upon the concept and conception.

The concept, as these Thomists conceive of it, is twofold, formal and

---

1934), pp.38, 54-55. E. Gilson in *Being and Some Philosophers* (Toronto, ²1952) says, "To know is to conceive knowledge. Every act of intellectual knowledge terminates in an intellection, that is, in what is intellectually known (*ipsum intellectum*), and what has thus been conceived is a 'conception' (*conceptio*) which expresses itself in words" (p.190); "The incontrovertible texts quoted by Fr. Regis make it abundantly clear that, in the language of St. Thomas, every cognition is a 'conception'…a concept…" (p.222; the texts are *In I Periherm.*, lect.1, n.5; lect.3, n.11; lect.5; lect.6, n.2; lect.8, n.17; *In Boeth, de Trin.*, q.5, a.3; plus some texts from the spurious section of *In II Periherm.*). A.G. Sertillanges in *St. Thomas d'Aquin* says, "Pouvoir actif d'idéalité'; pouvoir passif de reception idéal; pouvoir specificateur auquel l'idéalité donnée et reçue emprontera sa terme: telles sont donc les necessaires conditions du connaître" (I, 152; see pp.150-52). See Chapter 4, fn. 7.

[3] Gredt, I, 95-97 (citing *In IV Meta.*, lect.4, n.574; *In I Post. Anal.*, lect.20, n.5; lect.1, n.6; *In I Ethic*, lect.1, n.1 [I, 97]); Klubertanz, 173; Verneaux, 95-117; Zigliara, I, 10; II, 94; Remer, 133-34.

[4] Gredt, I. 51 (citing *In I Post. Anal.*, lect.1, n.4, n.6; *Sum. Theol.*, I, q.14, a.7; q.58, a.3; q.79, a.8; q.85, a.5; *Ver.*, q.8, a.15; q.15, a.1; *In III Sent.*, d.23, q.2, a.1 ad 4; *In I Post. Anal.*, lect.30, n.4; lect.1, n.11); H.-D. Gardeil, I, 114; Zigliara, I, 114-16; Verneaux, 117-18; Klubertanz, 177-79; E. Gilson, *Elements of Christian Philophy* (Garden City, New York, 1960), p.227.

[5] Gradt, I, 27-28; H.-D. Gardeil, I, 91-92; Verneaux, 107-09; Siwek, *Psychologia Metaphysica*, 378, 381-83, 384-86. Zigliara, I, 76-77; Klubertanz, 175-76. Gredt (I, 28) cites for this explanation of simple apprehension and judgment *In I Periherm.*, lect.3, nn.2, 3, 13; *Ver.*, q.14, a.1; *Sum. Theol.*, I, q.85, a.5 ad 3; q.58, a.4; *Ver.*, q.1, a.3; *In VI Met.*, lect.4, n.1223 ss.; IX, lect.11, n.1898 ss.; *Rat. Fid.*, c.3; *In I Periherm.*, lect.7, n.5.

[6] Gredt, I, 13-14 (citing *In I Periherm.*, lect.1, nn.1-5; *In I Post. Anal.*, lect.1, n.6; II, lect.4, n.2); see also I, 95-97, 106-107 and *Sum. Theol.*, II-II, q.47, a.2 ad 3; I-II, q.57, a.3 ad 3; *In Boeth. de Trin.*, q.5, a.1 ad 3 (cited on I, 86); *ibid.*, ad 2; *In IV Meta.*, lect.4, n.576ff. (cited on I, 102). The immediate source for this type of Thomism was John of St. Thomas; H.-D. Gardeil (I, 32, 59), Maritain (*Degrés*, 769, 772, 773, 778-9), and Gredt (table of contents and chapter headings) all openly acknowledge their debt to him; J. Peifer, in *The Concept in Thomism* (New York, 1952), gives a clear presentation of John of St. Thomas's doctrine on impressed and expressed species, formal and objective concepts.

objective. For some of them the rubrics, formal and objective, signify merely tow functions of the concept: it is formal insofar as it is formulated by the intellect and objective insofar as it represents things;[7] for others, though, formal and objective mean two different concepts,[8] one a formal sign which the intellect produces as a pure means of perceiving an

---

[7] Vernaeux admits that the concept is a medium with two aspects, objective ("en tant qu'il nous fait connaitre quelque chose, en tant qu'il représent un objet ou qu'il a un contenu; objet pensé") and formal ("en tant qu'il est concu par l'intelligence, en tant qu'il émane d'elle tout en restant en elle. C'est la pensée de l'objet") (p. 196); but he is leary of the distinction made by John of St. Thomas and Maritain between two concepts, one a formal and the other an instrumental sign (p.104). Brennan, *General Psychology*, says the concept is *id quo* not *id quod* the intellect understands (448-50). H.-D. Gardeil says: "Ainsi done, ce qui est saisi par l'espirit peut etre dit: et la chose elle-même, et la conception de l'intelligence…en sorte que, le verbe est a la fois: 'quod intellectum est' et 'id quo intelligitur'; il est bien un terme, mais un terme relatif seulement, le terme absolu etant la chose elle-même" (III, 111); but he admits that this poses a problem about the immediacy of intellectual knowledge and sees this as a conflict in St. Thomas's mind between Aristotelian philosophy and his own theological preoccupations (109; see also 109-12).

[8] Gredt, I, 16-17, 108-109, citing *In I de An.*, lect.2, n.16ff.; *In I Periherm.*, lect.2, nn.3, 6, 10; lect.3, n.13; *In I Sent.*, d.2, q.1, a.3; *C. Gent.*, c.75; *Secunda vero* (I, 18). Maritain, *Degrés*, 791-819, attempts to show that these distinctions, which he found in John of St. Thomas (cf. pp.769, 772, 777), are actually the same as those St. Thomas made. He makes a list of presuppositions taken from John of St. Thomas the principles for an extended gloss on selections, with internal deletions and emendations, from *In I Sent.*, d.2, q.1, a.3; *Pot.*, q.7, a.6; q.1, a.1 ad 10; *Quodl.*, V, a.9; *Pot.*, q.8, a.1; q.9, a.5; *C. Gent.*, I, c.53; IV, c.11; *Ver.*, q.4. a.2, c et ad 3; q.4, a.lc ad 7, ad 9; *Sum. Theol.*, I, q.34, a.lc and ad 2; q.34, a.3; q.85, a.2c ad 1, ad 3; *C. Gent.*, II, c.75; *In III de An.*, lect.8; *Comp. Theol.*, c.85; *In I Joan.*, c.l, lect.1. The gloss follows consistently from the presuppositions, but the texts do not mention the terms in question, and the concluding résumé (p. 819) is general enough to be acceptable even to those who might disagree with Maritain's doctrine of the concept. Even more, Maritain admits that St. Thomas did not make a disctinction between mental (formal) concept and objective concept, and was, in fact, not especially concerned about it: *Degrés*, p.774, n.1 "Saint Thomas etait ansi, semble-t-il, beaucoup plus préoccupé du rapport entre *la chose extramentale* et la forme prèsentative grâce à laquelle elle est rendue objet, que du rapport entre la forme présentative el l'*objet* luis-même pris comme tel. C'est pourquoi, comme nous le verrons plus loin, il arrive souvent qu'il parle du concept non pas en distinguant *concept mental et concept objectif…*"; see also pp.772-73, 792-94.

objective concept[9] and the other, the objective concept, an instrumental sign which has no efficient cause but is a mental image needed for the intellect to know things outside it.[10] The formal concept (or the concept as formal) these Thomists identify with what they call the expressed species, a likeness of the object which they say the intellect produces in the act of simple apprehension;[11] the objective concept (or the concept as objective, or as object) they identify with what Thomas Aquinas called the reason or idea, a mental image representing a determinate aspect of something which the intellect knows.[12] Thus their theory of understanding is that the intellect

---

[9] Gredt, I,17 (citing *In IV Sent.*, d.1, q.1, a.1, sol.1 ad 5; *Sum Theol.*, III, q.63, a.2 ad 3; I, q.35, a.1 ad 1; q.93 ad 1, ad 2, ad 9; *In I Perih erm.*, lect.2, n.9; *Ver.*, 9, a.4 ad 4 [I, 19]); Maritain, *Degrés*, 232-34 (citing sentences from *Sum. Theol.*, I, q.85, a.2; *C. Gent.*, II, c.75; *Comp. Theol.*, c.85; *Ver.*, q.10, a.9 ad 10); *ibid.*, pp.171-73, 775-77, 780-84. In general, the argument rests on the validity of attributing to the *species expressa* the properties of "*species*", which St. Thomas did not distinguish into "*impressa*" and "*expressa*". See Maritain, *Degrés*, 775: "D'autre part le texte capital où saint Thomas montre que les *species intelligibles* ne sont pas objet (quod), mais pur moyen (quo) de la connaissance (*Sum. Theol.*, I, 85, 2) ne vaut pas seulement pour la *species impressa*, mais de toute evidence il vaut aussi' pour le concept. Si les species etaient *quod intelligitur*, il n'y aurait pas de science des choses, mais seulement de ce qui est dans l'âme; et de plus les contradictoires seraient vraies à la fois, le jugement de l'intelligence ne portent alors que sur la facon dont elle est affectée en chacun". See also pp.771-72, 780; *La philosophie bergsonienne*, p.xxvi; *Sept leçons*, pp.54-55.

[10] Gredt, I, 95-97 (his citations from St. Thomas are the same as those in fn.3); Maritain, *Degrés*, 257-60, esp. 258, fn.1. See also fn.12.

[11] See fn.9.

[12] Gredt, I, 16, 95, 102-106 (citing *Sum. Theol.*, I, q.15, aa. 1, 3; *C. Gent.*, I, c.53; IV, c.11 [I, 19]; see also citations in fnn.20-26); Maritain, *Degrés*, 792-93; see esp. 779-80: "n. I – *L'ens reale*, objet direct de l'intelligence, n'implique pas l'existence actuelle, c'est ce qui exists ou *peut* exister hors de esprit, – dans la 'chose' (actuelle ou possible). n. II. – Cette *chose* peut etre considérée soit comme existant ou pouvant exister pour soi (chose en tant même que chose), soit comme existant ou pouvant exister pour l'espirit, atteinte par lui et rendue présente à lui (chose en tant qu'objet). n. III. – *L'object* ne fait qu'un avec la chose et n'en diffère que d'une distinction virtuelle ou de raison. Mais loins l'épuiser toute l'intelligibilité de la chose, il n'est que telle ou telle des déterminations intelligibles distinguables en elle (autrement dit la chose en tant qu'objectivale sous tel ou tel aspect)". Maritain cites *Ver.*, q.4, a.2 ad 7; *Pot.*, q.9, a.5; q.8, a.1 (p. 237), besides *loci* from John of St. Thomas. See also pp.175-91; *Sept leçons*, 66-67; *Réflexions sur l'intelligence et sur sa*

knows things objectively because, as they explain it, the intellect in the act of understanding perceives, not formal concepts (or concepts as formal) or objective concepts as mental images, but things as they are represented in objective concepts. Hence, these Thomists say, objective concepts (or concepts as objective) can as well be called the objects of the intellect,[13] for in them the intellect perceives within itself the things of which it conceives.[14]

By the object of the intellect modern Thomists usually mean the matter which confronts the intellect and the term it attains primarily and formally by its act; the object, as they present it, is the other insofar as it is or can be known.[15] Apparently they share the view, common among philosophers since the time of Descartes, that the object of the intellect

---

vie propre (Paris, 41938), p.19.

[13] Maritain, *Degrés*, 188-91, 201-02; Gilson, *Elements*, 221: "In common philosophical language, the objects of knowledge *considered as known* are called 'notions,' 'concepts,' even 'ideas'". See fn. 226.

[14] Maritain, *Sept leçons*, 38; *Degrés*, 772, 780.

[15] See S. Adamczyk, *De objecto formali intellectus nostri secundum doctrinam S. Thomae Aquinatis* (Analecta Gregoriana, 2: Rome, 21955), p.3: "Vox 'obiectum' etymologice a verbo latino 'obiecere' (obiacio) derivatur. Obiectum ergo est id, quod alicui obiectum i.e. ante aliquem positum est (graece: ἀντικείμενον). Haec autem etymologia 'obiecti' actionem praesupponit, quae aliquid alicui obicit. Ita objectum sculpturae est statua, obiectum legendi singulae litterae et propositiones scriptae, obiectum nutritionis alimenta (I-II, q.18, a.2 ad 3) etc., uno verbo 'obiectum…est…*material circa quam*' actio versatur (*Ib.*, ad 2). Attamen obiectum in significatione communiter usitata praeterea aliam adhuc notam habet. Est enin non solum id circa quod actio versatur, sed etiam in quo ipsa terminatur… [I]d, quod aliquo modo visui, auditui vel intellectui obiicitur, ab isdem potentiis attingitur" (citing *Sum. Theol.*, I, q.14, a.2c; q.79, a.3c; *In II de Anim.*, lect.13f.); see also pp.3, 5, 9, 39, 64 and *idem*, "De valore obiecti formalis in epistemologia thomista," *Gregorianum*, 38 (1957), 630-657. See Van Riet, *L'épistémologie thomiste*, 643-44; R. Arnou, *De subiecto et obiecto in cognitione nostra intellectiva* secundum textus selectos aliquos philosophorum recentium et Sancti Thomae (Textus et Documenta, Series Philosophica 17: Rome, 1960), pp.48-49, fn.14; pp.56-57, fn.18; A. Etcheverry, *L'homme dans le monde*: la connaissance humaine et sa valeur (Musuem Lessianum, Section Philosophique, 51: Paris-Burges, 1963), p.18; M. Dhavamony, *Subjectivity and Knowledge in the Philosophy of Saint Thomas Aquinas* (Analecta Gregoriana, 148: Rome, 1965), pp.5-6, 150-153.

is outside over and against it and the supposition, prevalent since the time of Kant, that the subject and object of knowledge are distinct and contrary.[16]

Thus Thomists distinguish intellect from sense according to the immateriality of the term each attains; whereas sense knows singulars, they say, the intellect knows universals, objects unique in themselves but communicable to many.[17] Objective concepts then, as some Thomists describe them, are supposed to be really the same as the things they represent but rationally different from them, for they are supposed really to represent things but to represent only their natures apart from the concrete conditions of actual existence but with the possibility of existence either in concrete singulars or in the intellect.[18] This is the fundamental

---

[16] For the first view, see Etcheverry, 16-25, and for a criticism of it see B.J. Lonergan, *Insight*: A Study of Human Understanding (New York-London, 1957), pp.250-54, 385-90. For an analysis of the second notion, see J. Brown, *Kierkegaard, Heidegger, Buber and Barth*, originally published as *Subject and Object in Modern Theology* (New York, 1962), p.18f.; and for a criticism of it, see M. Heidegger, *Sein und Zeit* (Tübingen, 91960), pp.59-62; *idem, Being and Time* (Trans. J. Macquarrie and E. Robinson: London, 1962), pp.86-90; and *idem, Kant und das Problem der Metaphysik* (Frankfurt, 21951), p.212.

[17] Gredt, I, 124-130 (citing *In VII Meta.*, lect.13, n.1570ff., 1574; *In I Periherm.*, lect.10, n.2ff.; *In I Meta.*, lect.10, n.158; X, lect.3, n.1963ff.; *C. Gent.*, II, c.75; *In I Post. Anal.*, lect.17, n.8; *In II de Anim.*, lect.12, n.377ff.; *Ente et ess.*, cc.3 and 4; *In II Sent.*, d.3, q.3, a.2 ad 1; *Sum. Theol.*, I, q.55, a.3 ad 1; q.85, a.2 ad 2, a.3; I-II, q.29, a.6; III, q.2, a.5 ad 2; *Anim.*, a.3 ad 8; a.4 [I, 113-14]); Maritain, *Degrés*, 237, 779-91; Boyer, *Cursus,* I, 213-21, 234-36 (citing *Sum. Theol.*, I, q.55, a.3 ad 1; *In VII Meta.*, lect.11, n.1536; *C. Gent.*, I, c.84); Adamcryk, *De obiecto*, 106-17, 128-29.

[18] Maritain, *Degrés*, 235-37, 778-79, citing *Quodl.*, VIII, a.4; *C. Gent.*, IV, c.14. Maritain cites and explains one of these texts inaccurately. He quotes from *C. Gent.*, IV, c.14, n.3500: "Nec tamen substantia Filio data desinit esse in Patre, quia nec etiam nos desinit esse propria natura in re quae intelligitur, ex hoc quod *verbum nostri intellectus ex ipsa re intellecta habet ut intelligibiliter camdem naturam numero contineat*" and comments: "Le verbe de notre intellect contient intelligiblement *la même nature, sans distinction numérique*, que la chose connue; on ne saurait s'exprimer plus nettement et plus fortement". (*Degrés*, pp.778-79). The text he cites, however, does not contain the word, *numero*, and in it Aquinas is explaining, not that the mental word is identical with the known object, but that the divine Word is identical with the Father and does not diminish the being of the Father any more than one of our concepts diminishes its

universal, as some Thomists name it, for it prescinds from any concrete things of which it can be predicated, but it is not known as either abstract or concrete.[19]

Yet since the universal can exist either in things or in the intellect, it can be called, these Thomists say, either material, insofar as it is really the nature of distinct concrete individuals in which it is only potentially intelligible, or formal, insofar as it is in the mind and can be studied in logic as abstract from all individuals and communicable to many.[20]

Therefore, when Thomists come to interpret what Thomas meant by the proper object of the human intellect, they debate whether he said the intellect had one formal object or two, and whether he thought that object was being or the quiddities of things or both together, as common and proper objects. Of those who maintain that he considered the quiddities of things to be in some sense the proper object of the human intellect, some say he meant the quiddities existing in individuals, but others maintain he meant universals, not the manhood in this, that, or the other man but man as such. Then, while all agree that Thomas con-

---

object: see *C. Gent.*, IV, c.10, n.3449 on this point. E. Gilson, *The Christian Philosophy of St. Thomas* (Trans. L. Shook: New York, 1994), pp.230, 476, holds the same position.

[19] Gredt, I, 130-34, 140-42, citing *In VII Meta.*, lect.12, n.1555ff.; *Sum Theol.*, I, q.76, a.3 ad 4; *C. Gent.*, I, c.25; *Ver.*, q.3, a.8 ad 2 (I, 119). Maritain, *Degrés*, 238-39, n.1, calls this facet of the object *esse intentionale* and refers to *Ente et ess.*, c.4; on pp.48-49 he writes: "Est-ça donc, que la science ne porte pas sur le réel? Non, elle ne porte pas directment sur le réel tout cru, sur le réel pris dans son existence concrète et singulière"; see pp.45-50 for Maritain's distinction of object and thing. Boyer, *Cursus*, I, 230-33, 236, states: "Universalia formalia sunt res existentes, *nego*; universalia materialia sunt res existentes, *subd.*, quoad id quod concipitur, *concedo*; quoad modum quo concipitur, *nego*".

[20] For the material universal see: Gredt, I, 136-39 (citing *Ente et ess.*, c.4 [I, 139-40, 150-51] and I, 173 (citing *In V Meta.*, lect.9, n.891f.; *In III Phys.*, lect.5, nn.13, 15 [I, 174-75]); Zigliara, I, 29; Boyer, *Cursus*, I, 238-39 (citing *Ente et ess.*, c.3 [p.18, n.28]). Maritain, in *Degrés*, 178, 238-39 (fn.1) calls this facet of the universal *esse naturae*. For the formal universal see: Gredt, I, 142-47 (citing *In II de Anim.*, lect.12, n.377f.; *Sum. Theol.*, I, q.28, a.1; q.79, a.3; *Op. tot. Log. Tract.*, 1, cc.1 and 2; *Ent et ess.*, c.4; *In I Periherm.*, lect.10, n.9 [I, 147-48]); Boyer, *Cursus*, I, 229, 233-34; Verneaux, 102. Maritain, in *Degrés*, 239 (fn.1) calls this facet of the universal *esse cognitum*. See also fn.19.

sidered these quiddities (in either sense) the proportionate object of the human intellect in union with the body, only some say he identified the proportionate object of the human intellect with its primary and proper object. Thus there are a number of modern Thomists who would insist that according to Thomas Aquinas the proper objects of the human intellect are the universal quiddities it perceives in its own concepts.[21] All of the Thomists we have cited agreed that Thomas considered the objective concept, or the concept as objective, to be the object which the intellect immediately perceives when it understand the quiddity of something. In this sense at lease, then, many modern Thomists interpret Thomas

---

[21] Adamczyk, *De obiecto*, summarized the range of Thomistic interpretations and the texts upon which each interpretation most depended. Regarding the formal object of the human intellect, see 41-50, where the author cites *In II Sent.*, d.44, q.2., a.1c; *C. Gent.*, II, c.83, n.31; *Ver.*, q.15, a.2 ad 3, ad 13; *Sum. Theol.*, I, q.79, a.9 ad 3; I-II, q.1, a.5c; q.10, a.l. ob.3, ad 3 for the opinion that it is the quiddities of things and *Sum. Theol.*, I-II, q-10, a.1 ad 3 for the opinion that it is being-in-general. To substantiate the latter opinion Gredt, I, 434 also cites *In III Sent.*, d.14, a.1, sol.2; *C. Gent.*, II, c.98; *Sum. Theol.*, I, q.5, a.2; q.12, a.4 ad 3; q.78, a.l; q.79, a.9 ad 3; q.82, a.4 ad 1; q.87, a.3 ad 1; q.105, a.4; I-II, q.3, a.8; q.8, a.1; q.94, a.2; *In III de Anim.*, lect.11, n.762; lect.13, n.787f.. Boyer, *Cursus*, I, 92-100, says this is the more common opinion and adds *Sum. Theol.*, I, q.1, a.7; q.79, a.7; q.85, a.8; *Carit.*, a.4 to the list of citations. Adamczyk, *De obiecto*, 34-35, says the solution of the controversy hinges on whether the formal object is a term attained or a reason the term is attained and gives us the key texts as *C. Gent.*, II, c.83, n.14; *Sum. Theol.*, I, q.14, a.2c; q.45, a.4 ad 1; q.87, a.3; see also pp.63-82, 90-92. Regarding the meaning of quiddity, see Adamczyk, *De obiecto*, pp.51-52, where he cites *C. Gent.*, II, c.83, n.14; *Sum. Theol.*, I-II, q.29, a.6c. Regarding the identity or distinction of the proportionate and proper objects, see Adamczyk, *De obiecto*, 9-12, 28-29, 54-57, 104-32, where he cites *Sum. Theol.*, I, q.17, a.3 ad 1; q.57, a.l ad 2; q.58, a.5c; q.85, a.6c; *C. Gent.*, III, c.56, n.4 to show that quiddity is proper and *Sum. Theol.*, I, q.84, a.7c; q.12, a.4c; q.85, a.5 ad 3; a.8c; q.89, a.1c; *Ver.*, q.10, a.2 ad 7 to show it is proportionate. For the opinion that the object which the intellect actually knows is the universal, see: Gredt, I, 508-14 (citing *In III de Anim.*, lect.8, nn.705, 709, 711; lect.13, n.791; lect.9, n.722; lect.12, n.770; *Anim.*, aa.8, 15, 16; *Sum. Theol.*, I, q.84, aa.6, 7; q.18, a.2; q.79, a.2; q.85, a.l; q.86, a.l; q.89, a.l; *In II Sent.*, d.20, q.2, a.2 ad 2-3; III, d.31, q.2, a.4; *Ver.*, q.10, a.2 ad 7; a.6; a.8 ad 1; q.19, a.l; *C. Gent.*, II, c.81; *Sciendum*; *Comp.* 81ff.; *In de Mem et rem.*, lect.2, n.312ff. [I, 475-76]); Boyer, *Cursus*, II, 96-101, 105 (adding *Sum. Theol.*, I, q.1, a.7; q.12, a.4; q.85, aa.3, 8); Remer, 155ff.; H.-D. Gardeil, III, 86-87; Verneaux, 78-80 (adding *C. Gent.*, II, c.66); see also such classic authors as Sanseverino, I, 136-37, 216; Mercier, *Psychologie* (Louvain-Paris, 91912), II, 10-13, citing *C. Gent.*, II, c.98; *Ver.*, q.1, a.1.

to have said that the proper objects of the human intellect are its own concepts.

2. THOMAS AQUINAS'S TEACHING

When we turn to what Aquinas himself wrote, however, a much different picture emerges. To begin, Aquinas based his study of human understanding not upon the conclusions of logic but upon his own experience of understanding. What he recognized from this experience, he said, was that human intellect's proper object is sensible imagery, not just because it is the measure of what we can understand, but also because it is the motive for understanding what we do understand. Yet Aquinas did not take this to mean that understanding is no more than sensation, for he said we know from experience that when we consider sensible imagery, we understand the essences of things, not just their appearances. In understanding things, he said, we know universals, not in the Platonic sense that we know universal objects, but in the Aristotelian sense that we know concrete things universally, that is, apart from the material conditions in which they appear to us. Hence, Aquinas said, because the human intellect's proper object is sensible imagery, we must realize that its primary and proportionate objects are the quiddities or natures existing in corporeal matter. Therefore, Aquinas's conception of human understanding is that we know the natures of individual things and not just quiddities in the abstract or our concepts of such quiddities.

What is the evidence for this interpretation of Aquinas's teaching? Let us consider it in some detail.

2.1. TO UNDERSTAND UNDERSTANDING

Aquinas said that the study of human understanding begins with reflection upon the act of understanding rather than with an assumption taken from logic that understanding is just a process of reasoning. In logic we explain the significance of verbal reasoning by postulating the existence of concepts in the intellect,[22] but in psychology we are concerned with trying to understand these concepts as passions of the soul.[23] What is more, the proper operation of the intellectual soul is not the process of reasoning, but the act of understanding.[24] For understanding in the strict sense is to be distinguished from understanding in the broad sense inclusive of the reasoning studied in logic; as Augustine said, understanding is free from the activity implied in thinking and discerning and is to be taken to mean the simple insight that occur when something is intelligibly present to the intellect.[25] Though understanding can legitimately be taken in a broad sense to include all the operations of the intellect, even reasoning and opinion, yet, properly speaking it means the kind of penetrating knowledge that consists in grasping the essences of things and realizing the immediate necessity of the first principles.[26]

---

[22] That words signify concepts: see *Sum. Theol.*, I, q.34, a.1c; *In I Periherm.*, lect.2, n.15. That logic is concerned with the order man gives to words to make them meaningful: see *In I Ethic.*, prooem., n.2; *In I Periherm.*, lect.2, nn.3, 13; *In I Post. Anal.*, prooem., nn.1-3. See fnn.199, 205.

[23] *In I Periherm.*, lect.2, n.22: "Quales sint animae passiones, et quomodo sint rerum similitudines, dictum est in libro *De anima*. Non enim hoc pertinet ad logicum negocium, sed ad naturale"; see also nn15-16; *In I de Anim.*, lect.2, nn.16-22.

[24] *In I de Anim.*, lect.2, n.17: "Sed si aliqua operatio esset propria animae, appareret hoc de operatione intellectus. Intelligere enim, quae est operatio intellectus, maxime videtur proprium esse animae"; see also nn.16-22; *Ver.*, q.1, q.12c (fn.26).

[25] *In I Sent.*, d.3, q.4, a.5, sol.: "...secundum Augustinum, *De util. credendi*, cap. xi, differunt cogitare, discernere et intelligere. Discernere est cognoscere rem per differentiam ab aliis. Cogitare autem est considerare rem secundum partes et proprietates suas: unde dicitur quasi coagitare. Intelligere autem dicit nihil aliud quam simplicem intuitum intellectus in id quod sibi est praesens intelligibile"; see also *Ver.*, q.14, a.1c ad 9; *Sum. Theol.*, I, q.34, a.1c ad 2; q.79, a.10 ad 3; II-II, q.2, a.1; *In I de Anim.*, lect.10, n.164; *Spir. creat.*, a.2 ad 12; *In I Ioan.*, lect.1, n.26. See fnn.26 and 90 for the Aristotelian notion of cogitation.

[26] *Ver.*, q.1, a.12c: "...nomen intelleltus sumitur ex hoc quod intima rei cognoscit; est enim intelligere quasi intus legere; sensus enim et imaginatio sola exteriora accidentia cognoscunt; solus autem intellectus ad essentiam rei pertingit. Sed ulterius intellectus ex essentiis rerum comprehensis diversimode negotiatur ratiocinando et inquirendo.

Understanding in this sense is intelligence in act,[27] the action proper to man as man,[28] and as his noblest and most perfect operation, it is the basis for his desire, and his possible achievement, of happiness.[29] It is

---

Nomen ergo intellectus *duplciter* accipi potest. *Uno modo* secundum quod se habet ad hoc tantum a quo primo nomen impositum fuit; et sic dicitur proprie intelligere cum apprehendimus quidditatem rerum, vel cum intelligimus illa quae statim nota sunt intellectui notis rerum quidditatibus, sicut sunt prima principia, quae cognoscimus cum terminos cognoscimus; unde et intellectus habitus principiorum dicitur... *Alio modo* potest accipi intellectus communiter, secundum quod ad omnes operations se extendit, et sic comprehendit opinionem et ratiocinationem; et sic in intellectu est falsitas; nunquam tamen si recte fiat resolutio in prima principia"; see also *Sum. Theol.*, II-II, q.8, a.1c; q.45, a.5 ad 3. This is the kind of knowedge that is a consequence of truth in the intellect: see *In I Sent.*, d.19, q.5, a.1 ad 7; *Ver., ibid.; C. Gent.*, I, c.59; III, c.108; *Sum. Theol.*, I, q.12, a.3c; q.58, a.5c; q.85, a.6; *In III de Anim.*, lect.11; *In I Periherm.*, lect.3; *In VI Meta.*, lect.4; IX, lect.11; because it is an effect of the union of the intellect with its object: see *In III Sent.*, d.35, q.1, a.1, sol, 1; *Sum. Theol.*, I, q.54, a.1 ad 3; such as occurs more or less perfectly in science, the perfection of human understanding: see *In I de Anim.*, lect.1, n.3 (also lect.2, n.17f.; II, lect.1, n.216; lect.10, n.355; lect.11, nn.359-72; lect.12, nn.373-82; III, lect.8, nn.700-703; lect.10, nn.740-45); *In I Meta.*, lect.1, nn.1-4; *Ver.*, q.2, a.1 ad 4; so that science is to be distinguished from mere opinion because of its certainty: see *In Boeth. de Trin.*, q.6, a.1; *Ver.*, lq.15, a.2 ad 3; *Sum. Theol.*, I, q.79, a.10 ad 3; *In I Post. Anal.*, lect.44, n.10; and in this sense science includes knowledge of the first principles: see *Sum. Theol.*, I, q.12, a.13 ad 3; *In I Phys.*, lect.1, n.7; *In I Post. Anal.*, lect.4, nn.5-6; lect.7, nn.5-6; lect.44, nn.2-7; but, more precisely, science is to be distinguished from the habit of intellect as the habit of demonstrable knowledge: see *In I Phys.*, lect.1, n.5; *In I Post. Anal.*, lect.4, nn.9-10; lect.10, n.8; lect.36, n.11; lect.41, n.8; lect.42, nn.2-3; lect.44, n.11; lect.20, n.5; nevertheless, scientific understanding is to be distinguished from the art of reasoning: see *In Boeth. de Trin.*, q.6, a.1 ad prim quae t.; *Ver.*, q.15, a.2 ad 3; *Sum. Theol.*, I, q.79, a.9 ad 3; *In VI Ethic.*, lect.1, n.1118.

[27] *Sum. Theol.*, I, q.79, a.10c: "...hoc nomen *intelligentia* proprie significat ipsum actum intellectus qui est intelligere"; see also *In I de Anim.*, lect. 8, n.111. This is the act proper to any intellectual substance: see *C. Gent.*, II, c.91, n.1779; *Sub. sep.*, c.19, n.171.

[28] *In I Meta.*, lect.1, n.3: "Propria autem operatio hominis in quantum homo, est intelligere"; see also *Ver.*, q.13, a.1c; *C. Gent.*, II, c.59, n.1367; c.76, nn.1575, 1579; c.79, n.1601; *Sum. Theol.*, I, q.76, a.1c; *Q. de Anim.*, a.2; a.3c post med.; a.15 ad 10; *Unit. intell.*, c.3 (K, n.80); *In X Ethic.*, lect.10, esp. n.2080.

[29] *Sum. Theol.*, 1, q.12, a.1c: "...ultima hominis beatitudo in altissima eius operatione consistat, quae est operatio intellectus"; see also *In IV Sent.*, d.49, q.1, a.l, sol.2; sol.3; *C. Gent.*, I, c.100; II, c.83, n.1675; III, c.25, n.2057; c.37; c.48; *Comp.* c.107; *Sum. Theol.*, I, q.26, aa.2, 3; II-II, q.2, a.7c; q.3, a.5c; *Q. de Anim.*, a.16c; *In I Ethic.*, lect.10; X, lect.10-12.

truly the highest kind of life,[30] the life proper to man,[31] and therefore evidence for the nature of the human soul[32] as known from an analysis of the human intellect.[33] Thus rational psychology, which is the study of man's life, has a certain unique certitude since it alone of all the sciences is based upon something we experience within us, the life of our own souls.[34]

In a certain sense, then, it can be said with Augustine that the soul understands itself by itself, for in its self-presence it has a kind of habitual self-knowledge, ready to become actual whenever it understands anything else, without its having to acquire any other information about itself.[35] Hence, the so-called return of the soul in every complete act of

---

[30] *In XVII Joan.*, lect.1, n.2186: "Inter opera vitae altius est opus intelligentiae, quod est intelligere; et ideo operatio intellectus maxime est vita"; see also *C. Gent.*, I, c.98, n.818; *Sum. Theol.*, I, q.18, a.3c ad 1; q.54, a.2 ad 1; *In II de Anim.*, lect.1, n.219; *In XII Meta.*, lect.4, n.2476; lect.8, n.2544.

[31] *C. Gent.*, II, c.60, n.1371: "Operationes enim vitae comparantur ad animam ut actus seundi ad primum: ut patet per ARISTOTELEM, in II *de Anima*. Actus autem primus in eodem praecedit tempore actum secundum: sicut scientia est ante considerare. In quocumque igitur invenitur aliqua operatio vitae, oportet in eo ponere aliquam partem animae quae comparetur ad illam operationem sicut actus primus ad secundum. Sed homo habet propriam operationem supra alia animalia, scilicet intelligere et ratiocinari, quae est operatio hominis inquantum est homo, ut ARISTOTELES dicit, in I. *Ethicorum*"; see also *In I Ethic.*, lect.10, nn.123-26; *Spir. creat.*, a.11 ad 14 (K, p.147).

[32] *Sum. Theol.*, I, q.88, a.2 ad 3: "…anima humana intelligit seipsam per suum intelligere, quod est actus proprius eius, perfecte demonstrans virtutem eius et naturam"; see also *In I de Anim.*, lect.2, n.20; *Spir. creat.*, a.2c (K, p.27).

[33] *Unit. intell.*, c.3 (K, n.60): "Et quia, secundum doctrinam Aristotelis, oportet ex actibus principia actuum considerare, ex ipso actu proprio intellectus qui est intelligere primo hoc considerandum videtur"; see also n.71; *Sum. Theol.*, I, q.76, a.1c.

[34] *In I de Anim.*, lect.1, n.6: "Haec autem scientia, scilicet de anima, *utrumque habet*: quia et *certa est*, hoc enim quilibet experitur in seipso, quod scilicet habeat animam, et quod anima vivificet. Et quia *est nobilior*, anima enim est nobilior inter inferiores creaturas".

[35] *Ver.*, q.10, a.8c: "Sed quantum ad cognitionem *habitualem*, sic dico, quod anima per essentiam suam se videt, id est ex hoc ipso quod essentia sua est sibi praesens, est potens exire in actum cognitionis sui ipsius; sicut aliquis ex hoc quod habet alicuius scientiae

understanding is based upon the natural self-presence of any spirit because of its intelligence.[36]

Because of such self-presence, a spirit can understand itself to the extent it actually is. Since the human soul is like pure matter in the spiritual realm, absolutely uninformed until it knows something through experience, it is not actually itself until it understands something else. Thus, in a truer sense, it can be said that the soul understands itself just as it understands anything else, for it discovers its own nature only

---

habitum, ex ipsa praesentia habitus, est potens percipere illa quae subsunt illi habitui. Ad hoc autem quod percipiat anima se esse, et quid in seipsa agatur attendat, non requiritur aliquis habitus; sed ad hoc sufficit sola essentia animae, quae menti est praesens: ex ea enim actus progrediuntur, in quibus actualiter ipsa percipitur" (see also *1a* series *obj.* and *arg.*); see also *C. Gent.*, III, c.46., nn.2227-32; *Sum. Theol.*, I, q.87, a.1c. In the early part of his career Aquinas called this presence a kind of constant knowledge in the sense of *intelligere*, as opposed to *discernere* or *cogitare* or to the attention required for becoming aware of the action of the agent intellect (see *In I Sent.*, d.3, q.4, a.5 sol. [fn.9]); but later he said such knowledge was absent in sleep (see *Sum. Theol.*, q.93, a.7 ad 4); see B.J. Lonergan, "The Concept of *Verbum* in the writings of St. Thomas Aquinas," *Theological Studies*, 8 (1947), 76 and *Verbum*: Word and Idea in Aquinas (Ed. D.B. Burrell: Notre Dame, Ind., 1967), p.91.

[36] *Sum. Theol.*, I, q.14, a.2 ad 1: "…quod *redire ad essentiam suam* nihil aliud est quam rem subsistere in seipsa. Forma enim, inquantum perficit materiam dando ei esse, quodammodo supra ipsam effunditur: inquantum vero in seipsa habet esse, in seipsam redit. Virtutes igitur cognoscitivae quae non sunt subsistentes, sed actus aliquorum organorum, non cognoscunt seipsas; sicut patet in singulis sensibus. Sed virtutes cognoscitivae per se subsistentes, cognoscunt seipsas. Et propter hoc dicitus in libro *de Causis*, quod *sciens essentiam suam, redit ad essentiam suam*. Per se autem subsistere maxime convenit Deo. Unde secundum hunc modum loquendi, ipse est maxime rediens ad essentiam suam, et cognoscens seipsum"; see also *In I Sent.*, d.17, q.1, a.5 ad 3; *Ver.*, q.2, a.2 ad 2; and at the source *In Lib. de Caus.*, prop.15 (S. pp.88-92). It would seem that the presence of the mind to itself—whether it is attending to others, to itself, or to God—is the reason for it alone to be able to be the image of God: see the treatments in *In I Sent.*, d.3, q.3; II, d.16; III, d.2, q.1; d.10, q.2, a.2, qc.2; *Ver.*, q.10 (esp. aa.1, 7); *Pot.*, q.9, a.9; *C. Gent.*, II, c.26; *Sum. Theol.*, I, q.93 (esp. a.6c); the analogy obtains principally insofar as the mind acts and therefore, understands: see *Ver.*, q.10, a.3; *Sum. Theol,*. I, q.93, a.7c; for there is nothing nobler or more perfect among creatures than the act of understanding; see *Pot.*, q.9, a.5c; although there is a vast difference between an act of human understanding and God's intelligent being: see *Subst. sep.*, c.14, nn.120-27; *Sum. Theol.*, I, q.14, a.4 ad 2; *In XII Meta.*, lect.11, nn.2601-20. See Lonergan, "The Concept of *Verbum*," *Theological Studies*, 10 (1949), 359-88 and *Verbum*, 183-220.

through reflection upon the species by which it is informed about the other things it understands. Through these species, the intellect in the act of understanding becomes identical with what it understands, so that from one and the same act it can either work outward to discern the intelligible natures of material things or turn inward to reflect upon its own intelligent nature.[37] For in one and the same act of understanding the intellect knows both its own act and whatever it happens to be considering.[38]

---

[37] *Sum. Theol.*, I. q.87, a.1c: "Intellectus autem humanus se habet in genere rerum intelligibilium ut ens in potentia tantum, sicut et materia prima se habet in genere rerum sensibilium; unde *possibilis* nominatur. Sic igitur in sua essentia consideratus, se habet ut potentia intelligens. Unde ex seipso habet virtutem ut intelligat, non autem ut intelligatur, nisi secundum id quod fit actu… Sed quia connaturale est intellectui nostro, secundum statum praesentis vitae, quod ad materialia et sensibilia respiciat, sicut supra dictum est; consequens est ut sic seipsum intelligat intellectus noster, secundum quod fit actu per species a sensibilibus abstractas per lumen intellectus agentis, quod est actus ipsorum intelligibilium, et eis mediantibus intellectus possibilis. Non ergo per essentiam suam, sed per actum sum se cognoscit intellectus noster"; (see also *sed contra.*, ad 3); see also *In Boeth. de Trin.*, q.1, a.3c (D, p.71); *In III Sent.*, d.23, q.1, a.2 ad 3; *Ver.*, q.8, a.6c; q.10, a.8c, *2a series obj. et arg.*; *C. Gent.*, II, c.75, n.1556; c.98, nn.1828-29; III, c.26, n.2080; c.46, n.2233; *Sum. Theol.*, I, q.14, a.2 ad 3; q.89, a.2c; *Q de Anim.*, a.3 ad 4; a.16 ad 8; *In Lib. de Caus.*, prop.10 (S, pp.70-71); prop.15 (S, p.92). At the source in Aristotle Thomas commented (*In III de Anim.*, lect.9, n.724): "Dicit ergo primo, quod intellectus possibilis est intelligibilis non per suam essentiam, sed per alliquam speciem intelligibilem, sicut et alia intelligibilia. Quod probat ex hoc, quod intellectum in actu et intelligens in actu, sunt unum, sicut et supra dixit, quod sensibile in actu at sensus in actu sunt unum. Est autem aliquod intelligibile in actu, per hoc quod est in actu a materia abstractum: sic enim supra dixit, quod sicut res sunt separabiles a materia, sic sunt et quae sunt circa intellectum. Et ideo hic dicit, quod 'in his quae sunt sine materia'. Id est si accipiamus intelligibilia actu, idem est intellectus et quod intelligitur, sicut idem est sentiens in actu et quod sentitur in actu" (See also lect.8, n.704; lect.10, n.740; lect.11, n.764; lect.12, n.784; lect.13, n.788).

[38] *In I Sent.*, d.10, q.1, a.5 ad 2: "…non alio actu potentia fertur in obiectum et in actum sum, eodem enim actu intellectus intelligit se et intelligit se intelligere…" (see also d.1, q.2, a.1 ad 2); *Sum. Theol.*, I, q.111, a.1 ad 3: "…operatio intellectualis, et illuminatio, duplicitar possunt considerari. Uno modo, ex parte rei intellectae: et sic quicumque intelligit vel illuminatur, cognoscit se intelligere vel illuminari; quia cognoscit rem sibi esse manifestam. Alio modo, ex parte principii: et sic non quicumque intelligit aliquam veritatem, cognoscit quid sit intellectus, qui est principium intellectualis operationis. Et similiter non quicumque illuminatur ab angelo, cognoscit se ab angelo illuminari"; (see

So, as Augustine says, the soul knows itself in two ways.[39] It can understand its own nature scientifically, as Aristotle has shown, by reflecting upon the species which is the form of its act and from the universality of the species grasping the penetration of its act, the potential infinity of the intellect, and the immateriality and incorruptibility of the soul.[40]

---

also q.93, a.7 ad 4); see fn. 43.

[39] *Ver.*, q.10, a.8c: "Ad cuius rei evidentiam notandum est, quod de anima *duplex* cognitio haberi potest ab unoquoque, ut Augustinus dicit in IX *de Trinit.* [cap. IV]: *Una* quidem, qua uniuscuiusque anima se tantum cognoscit quantum ad id quod est ei proprium; et *alia* qua cognoscitur anima quantum ad id quod omnibus animabus est commune. Illa enim cognitio quae communiter de omni anima habetur, est qua cognoscitur animae natura; cognitio vero quam quis habet de anima quantum ad id quod est sibi proprium, est cognitio de anima secundum quod habet esse in tali individuo. Unde per *hanc* cognitionem cognoscitur an est anima, sicut cum aliquis percipit se habere animam; per *aliam* vero cognitionem scitur quid est anima, et quae sunt per se accidentia eius": see also *In III Sent.*, d.23 q.1, a.2 ad 3; *C. Gent.*, II, c.75, n.1556; *Sum Theol.*, I, q.87, a.1c; *Malo*, q.16, a.8 ad 7; *Unit. intel.*, c.5 (K, n.113); see A. Gardeil, "La perception experimentale de l'âme par elle-même," Mélanges Thomiste (Kain, 1923), pp.219-36.

[40] *Ver.*, q.10, a.8c: "Unde mens nostra non potest seipsam intelligere ita quod seipsam immediate apprehendat; sed ex hoc quod apprehendit alia, devenit in suam cocgnitionem; sicut et natura materiae primae cognoscitur ex hoc ipso quod est talium formarum receptive. Quod patet intuendo modum quo *philosophi* naturam animae investigaverunt. Ex hoc enim quod anima humana universales rerum naturas cognoscit, percipit quod species qua intelligimus, est immaterialis; alias esset individuata, et sic non duceret in cognitionem universalis. Ex hoc autem quod species intelligibilis est immaterialis, intellexerunt quod intellectus est res quaedam independens a materia; et ex hoc ad alias proprietates intelletivae potentiae cognoscendas processerunt. Et hoc est quod Philosophus dicit in III *de Anima* [comm.16], quod intellectus est intelligibilis, sicut alia intelligibilia: quod exponens Commentator dicit quod *intellectus intelligit per intentionem in eo, sicut alia intelligibilia*: quae quidem intentio nihil aliud est quam species intelligibilis. Sed haec intentio est in intellectu ut intelligibilis actu; in aliis autem rebus non, sed ut intelligibilis potentia"; see also q.2, a.2 ad 2; *In III Sent.*, d.23, q.1, a.2 ad 3; *C. Gent.*, III, c.46, nn.2233, 2237 (see all of II, cc.46-90 for a step-by-step execution of the analysis); *Pot.*, q.3, a.11c; *Sum. Theol.*, I, q.77, a.3c (see qq.75-89 for a doctrinal synthesis and q.94, a.2c [fn.46] for the place of the study of man in the overall structure of man's knowledge); *Q. de Anim.*, a.13 (the whole question is an essay at defining the soul as the natural source of man's ability to understand all corporeal natures). Thomas's comments on Aristotle's plan are at *In II de Anim.*, lect.6, nn.304-307; on the pertinence of the plan to the intellect at *ibid.*, n.308; and on the execution of the plan with regard to the intellect at *ibid.*, III, lect.7, n.671-lect.13, n.794.

The definition of the soul formulated from such a study must be assessed in light of the eternal truths, which we know in the first principles and share in the native light of our own intellects, before we can judge the soul really to be as we have understood it. Hence, the soul also knows itself by itself in the sense that it measures the adequacy of its knowledge of itself by a criterion which, though essential to God, is participatively natural to it.[41] But the philosophic understanding of the soul, a long and arduous study which few have made and fewer still have succeed at,[42] is based upon the experiential knowledge each man has of his own soul in every act of understanding. As we understand anything at all, including the act of understanding, we are aware of understanding.[43] What is more,

---

[41] *Sum. Theol.*, I, q.87, a.1c: "Alio modo, in universali, secundum quod naturam humanae mentis ex actu intellectus consideramus. Sed verum est quod iudicium et efficacia huius cognitionis per quam naturam animae cognoscimus, competit nobis secundum derivationem luminis intellectus nostri a veritate divina, in qua rationes omnium rerum continentur, sicut supra dictum est. Unde et Augustinus dicit, in IX *de Trin.*: *Intuemur inviolabilem veritatem, ex qua perfecte, quantum possumus, definimus non qualis sit uniuscuiusque hominis mens, sed qualis esse sempiternis rationibus debeat"*; see also *Ver.*, q.10, a.8c. For our participation in the eternal truths see *In Boeth. de Trin.*, q.1, a.3 ad 1 (D, p.72); *In I Sent.*, d. 19, q.5, a.2 sol.; IV, d.49, q.2, a.7 ad 9; *Ver.*, q.1, a.4 ad 5; q.10, a.6c; q.21, a.4 ad 5; q.27, a.l ad 7; *C. Gent.*, I, cc.28-29; II, c.75, n.1558; *Sum. Theol.*, I, q.12, a.11 ad 3; q.16, a.6c ad 1; q.84, a.4 ad 1; a.5c; q.88, a.3 ad 1; q.105, a.3c; I-II, q.109, a.l; *Comp.*, c.129; *Spir. creat.*, a.10 ad 8. For our participation in God's own light see *In III Sent.*, d.9, q.1, a.2 ad 4; *Ver.*, q.11, a.1c ad 12; a.2; a.3c; *C. Gent.*, II, c.75, n.1558; *Sum. Theol.*, I, q.117, a.1c; *Unit. intell.*, c.5 (K, n.113). See also Lonergan, "The Concept of *Verbum*," *Theological Studies*, 8 (1947), 69-70 and *Verbum*, 83-84.

[42] *Sum. Theol.*, I, q.87, a.1c: "Sed ad secundum cognitionem de mente habendam, non sufficit eius praesentia, sed requiritur diligens et subtilis inquisitio. Unde et multi naturam animae ignorant, et multi etiam circa naturam animae erraverunt"; see also *In Boeth. de Trin.*, q.1, a.3c (D, p.71); *Ver.*, q.10, a.8 ad 2; a.9 (ad init.); *C. Gent.*, III, c.46, n.2230; *Sum. Theol.*, I, q.111, a.1 ad 3.

[43] *Ver.*, q.10, a.8c: "Quantum igitur ad *actualem* cognitionem, qua aliquis considerat se in actu animam habere, sic dico, quod anima cognoscitur per actus suos. In hoc enim aliquis percipit se animam habere, et vivere, et esse, quod percipit se sentire et intelligere, et alia huiusmodi vitae opera exercere; unde dicit Philosophus in IX *Ethicorum* [cap. IX]: *Sentimus autem quoniam sentimus; et intelligimus quoniam intelligimus; et quia hoc sentimus, intelligimus quoniam sumus.* Nullus autem percipit se intelligere nisi ex hoc quod aliquid intelligit: quia prius est intelligere aliquid quam intelligere se intelligere;

in every complete act of understanding the intellect understands that it understands. Not only does it become aware of its act, much as sense becomes aware of sensation whenever it occurs,[44] but the intellect also grasps its natural capacity to be conformed to the natures of things and thus to know things as they really are.[45]

---

et ideo pervenit anima ad actualiter percipiendum se esse, per illud quod intelligit, vel sentit"; see also *C. Gent.*, III, c.46, n.2234; *Sum. Theol.*, I, q.87, a.1c; *Malo*, q.16, a.8 ad 7. Hence, it is better to say each man understands by his intellect or his soul than that the soul or intellect understands by itself, for, since actions pertain to a substance, it is the whole man who is aware of what he is doing, including understanding, rather than a particular faculty such as the intellect: see *In I de Anim.*, lect.10, n.152; *Ver.*, q.2, a.6 ad 3; *Sum. Theol.*, I, q.75, a.2 ad 2; *Spir. creat.*, a.10 ad 15 (K, p.134). Because of the concomitant self-knowledge in every thought, no one can really believe he doesn't exist (see *Ver.*, q.1, a.5 ad 5; q.10, a.12 ad 7). Because the will is intellectually present to man, man perceives each act of the will and can understand the nature of the will (see *In III Sent.*, d.23, q.1, a.2 ad 3; *Sum. Theol.*, I, q.87, a.4c). See also fn.38.

[44] *Ver.*, q.1, a.9c: "Sed veritas est in sensu sicut consequens actum eius; dum scilicet iudicium sensus est de re, secundum quod est; sed tamen non est in sensu sicut cognita a sensu: si enim sensus vere iudicat de rebus, non tamen cognoscit veritatem, qua vere iudicat: quamvis enim sensus cognoscat se sentire, non tamen cognoscit naturam suam, et per consequens nec naturam sui actus, nec proportionem eius ad res, et ita nec veritatem eius"; see also *In III de Anim.*, lect.2, n.584-91; *In IV Ethic.*, lect.11, n.1908.

[45] *Ver.*, q.1, a.9c: "...veritas est in intellectu et in sensu, licet non eodem modo. In intellectu enim est sicut consequens actum intellectus, et sicut cognita per intellectum. Consequitur namque intellectus operationem, secundum quod iudicium intellectus est de re secundum quod est. Cognoscitur autem ab intellectu secundum quod intellectus reflectitur supra actum suum, non solum secundum quod cognoscit actum suum, sed secundum quod cognoscit proportionem eius ad rem: quod quidem cognosci non potest nisi cognita natura ipsius actus; quae cognosci non potest, nisi cognoscatur natura principii activi, quod est ipse intellectus, in cuius natura est ut rebus conformetur; unde secundum hoc cognoscit veritatem intellectus quod supra seipsum reflectitur"; see also *In I Sent.*, d.19, q.1, a.5 ad 7; *Ver.*, q.1, a.3c; q.10, a.9c; q.24, a.2c; *C. Gent.*, II, c.49, nn.1254-55; *Sum. Theol.*, I, q.16, a.2c; q.85, a.2c; *In I Periherm.*, lect.3, n.31; *In VI Meta.*, lect.4, n.1236; V, lect.11, n.912; IX, lect.6, n.2240. Hence, truth is formally in the intellect when it knows its conformity to being: see *In I Sent.*, d.19, q.5, a.1 sol.: II, d.25, q.1, a.2 sol.; d.39, q.1, a.2 sol.; III, d.14, q.1, a.1 sol.2; d.17, q.1, a.1 sol.3 ad 3; d.23, q.1, a.2 ad 3; *Ver.*, q.1, a.2c; a.3c; a.4 ad 1; a.8c ad 7; a.9c; a.10 ad 1 (2ae ser.); a.11c; q.21, a.1c; *C. Gent.*, I, c.59, n.496; *Sum. Theol.*, I, q.5, a.2c; q.16, a.1c ad 3; a.2c; a.3 ad 3; aa. 6-8; q.17, a.2c; q.55, a.2c; q.79, a.7c; a.8 ad 3; a.9 ad 3; q.82, a.4 ad 1; q.87, a.4 ad 2; I-II, q.2, n.8c; q.3, a.7c; q.9, a.1c; q.10, a.1 ad 3; q.60, a.1 ad 1; II-II, q.25, a.2c; *Virt.*, a.6 ad 5; *Malo*, q.6c; *In III de Anim.*, lect.11, nn.750-51; *In I Meta.*, lect 9, n.158;

It is clear, then, that the intellect understands itself by understanding its own act, for the act of understanding perfectly manifests its own nature and thereby the nature of the intellect as its principle.[46] In fact, if we did not understand the power of the intellect in the act of understanding, we would never know it or be able to study its nature.[47] But because we experience the soul in our activities, it becomes manifest to us in its essence.[48]

2.2. THE PROPER OBJECT OF THE HUMAN INTELLECT

Our own experience tells us, then, that Aristotle was correct in insisting we have a natural orientation toward understanding the natures of material things, for we know we can understand nothing except by turning

---

V, lect.9, n.895; VI, lect.4, nn.1230-32, 1235-36; *In I Periherm.*, lect.3, n.7; *In I Post. Anal.*, lect 16, nn.6-8; lect.19, n.8. Such knowledge occurs in the second operation of the intellect when it reflects upon the first: see *Ver.*, q.1, aa.3, 9; *Sum. Theol.*, I, q.16, a.2c; *In III de Anim.*, lect.11, nn.746-51; *Spir. creat.*, a.9 ad 6 (K, p.113); *In IV Meta.*, lect.6, n.605; VI, lect.4, n.1232. Thus the truth of the intellect consists not in an affirmation of its own ideas but in its conformity to things: see *Sum. Theol.*, I, q.16, a.5 ad 2; *In IX Meta.*, lect.11, n.1898; *In I Periherm.*, lect.3, nn,2, 3, 13; lect.7, n.5; *Quodl. VIII*, a.1c. See also fn.26.

[46] *Sum. Theol.*, I, q.88, a.2 ad 3 (fn.32); see also q.3, a.1 ad 5; q.87, a.3c; q.94, a.2c; also fn.32 and Lonergan, "The Concept of *Verbum*," *Theological Studies*, 7 (1946), 380-83; 8 (1947), 61-65 and *Verbum*, 33-36, 75-79.

[47] *In III de Anim.*, lect.9, n.724: "Unde et supra Philosophus per ipsum intelligere, et per illud quod intelligitur, scrutatus est naturam intellectus possibilis. Non enim cognoscimus intellectum nostrum nisi per hoc, quod intelligimus nos intelligere"; *C. Gent.*, II c.76, n.1577; *Unit. intell.*, c.3 (K, n.61).

[48] *Ver.*, q.10, a.8 ad 2 (2ae ser.): "Sicut enim in visione corporali aliquis intuetur corpus, non ita quod inspiciat aliquam corporis similitudinem, quamvis per aliquam corporis similitudinem inspiciat: ita in visione intellectuali aliquis inspicit ipsam essentiam rei sine hoc quod aliquis inspiciat ipsam similitudinem rei, quamvis quandoque per aliam similitudinem illam essentiam aspiciat; quod etiam experimento patet. Cum enim intelligimus animam, non confingimus nobis aliquod animae simulacrum quod intueamur, sicut in visione imaginaria accidebat; sed ipsam essentiam animae consideramus. Non tamen ex hoc concluditur quod ista visio non sit per aliquem speciem".

to sensible imagery, and that Plato was incorrect in speculating we understand material things merely by applying to them the ideas which he supposed were the primary and essential objects of our intellects.[49] Because of the natural union of our souls with our bodies, the proper object of our intellects in their present state is a quiddity or nature existing in corporeal matter. Such a nature appears to us in sensible imagery, and other natures which are not thus apparent can be understood only by comparison to them.[50] Even the naturally and necessarily intelligible

---

[49] *Sum. Theol.*, I, q.88, a.1c: "…secundum opinionem Platonis, substantiae immateriales non solum a nobis intelliguntur, sed etiam sunt prima a nobis intellecta. Posuit enim Plato formas immateriales subsistentes, quas *ideas* vocabat, esse propria obiecta nostri intellectus: et ita primo et per se intelliguntur a nobis. Applicatur tamen animae cognito rebus materialibus, secundum quod intellectui permiscetur phantasia et sensus. Unde quanto magis intellectus fuerit depuratus, tanto magis percipit immaterialium intelligibilem veritatem. Sed secundum Aristotelis sententiam, quam magis experimur, intellectus noster, secundum statum praesentis vitae, naturalem respectumn habet ad naturas rerum materialium; unde nihil intelligit nisi convertendo se ad phantasmata, ut ex dictis patet. Et sic manifestum est quod substantias immateriales, quae sub sensu et imaginatione non cadunt, primo et per se, secundum modum cognitionis nobis expertum, intelligere non possumus".

[50] The source is to be found in *In III de Anim.*, lect.8, n.717: "Apparet autem ex hoc quod Philosophus hic dicit, quod proprium obiectum intellectus est quidditas rei, quae non est separata a rebus, ut Platonici posuerunt. Unde illud, quod est obiectum intellectus nostri non est aliquid extra res sensibiles existens, ut Platonici posuerunt, sed aliquid in rebus sensibilibus existens; licet intellectus apprehendat alio modo quidditates rerum, quam sint in rebus sensibilibus. Non enim apprehendit eas cum conditionibus individuantibus, quae eis in rebus sensibilibus adiunguntur" (see also n.705f.); St. Thomas himself added in *Sum. Theol.*. I, q.84, a.7c: "Intellectus autem humani, qui est coniunctus corpori, proprium obiectum est quidditas sive natura in materia corporali existens; et per huiusmodi naturas visibilium rerum etiam in invisibilium rerum aliqualem cognitionem ascendit"; see also q.84, a.8c; q.85, a.1c; a.5c; a.6c; q.86, a.2c; q.87, a.3c; q.88, a.1c; a.3c. Aquinas also affirmed the normative and exclusive nature of this kind of knowledge in such places as *Sum. Theol.*, I, q.84, a.7 ad 3: "…incorporea, quorum non sunt phantasmata, cognoscuntur a nobis per comparationem ad corpora sensibilia, quorum sunt phantasmata. Sicut veritatem intelligimus ex consideratione rei circa quam veritatem speculamur; Deum autem, ut Dionysius dicit, cognoscimus ut causam, et per excessum, et per remotionem; alias etiam incorporeas substantias, in statu praesentis vitae, cognoscere non possumus nisi per remotionem, vel aliquam comparationem ad corporalia. Et ideo cum de huiusmodi aliquid intelligimus, necesse habemus converti ad phantasmata corporum, licet ipsorum non sint phantasmata"; also a.8c; *Q. de Anim.*,

first principles can be understood only insofar as we grasp the meaning of
their terms in sensible imagery;[51] for that reason they cannot be used as a

---

q.4c; a.7c.

[51] Since reasoning proceeds from the known to the unknown (see *In I Phys.*, lect.1, nn.6-
8), specifically from the sensible to the intelligible and from the vague and confused to
the clear and concise (see *ibid.*; *In I Post. Anal.*, lect.4, nn.15-16; *In I Meta.*, lect.2, nn.45-
46; and the summary in *Sum. Theol.*, I, q.85, a.3), all doctrine and discipline suppose
prior knowledge (see *In I Post. Anal.*, lect.1, nn.8-12; lect.4, n.16). Thus a scientific
demonstration supposes a knowledge of definitions (see *In I Post. Anal.*, lect.2, n.3; lect.5,
n.9; lect.10, n.8; lect.13, n.3; lect.16, nn.4, 5; II, lect.1, n.9; lect.2-6; lect.8, n.5f.; *Ver.*,
q.2, a.7 ad 5; *Sum. Theol.*, I, q.17, a.3 ad 1); each science has its presuppositions and all
science relies upon indemonstrable axioms (see *In I Post. Anal.*, lect.2, n.5; lect.4, n.10f.;
lect.5, nn.6-9; lect.19, n.4; *In IV Meta.*, lect.6, n.598). From the naturally known first
principles all research begins and to them all discoveries are resolved (*Ver.*, q.11, a.1c; *Sum.
Theol.*, I, q.84, a.3 ad 3; q.117, a.1c), for they guarantee the certitude of demonstration
(see *In I Post. Anal.*, lect.3, n.1; lect.7, n.8) but are not the principles proper to any
science or the premises in any demonstration (see *Ver.*, q.11, a.1c; *In I Post. Anal.*, lect.4,
n.11; lect.18, nn.6-8; lect.36, n.11; lect.41, nn.10, 12; lect.43, nn.7, 9, 13; *In X Meta.*,
lect.2). They can be understood explicitly only when one has understood something in
particular (see *Sum. Theol.*, I, q.87, a.3c; q.85, a.6c). Since they express the nature of the
intellect (see *In I Post. Anal.*, lect.7, nn.5-6; lect.44, nn.3-10; II, lect.20, n.15; *Ver.*, q.11,
a.1c; *C. Gent.*, II, c. 75, n.1558; *Sum. Theol.*, I, q.117, a.1c), they can be understood
without fear of error or need of demonstration (see *In I. Post. Anal.*, lect.19, nn.2-3;
In IV Meta, lect.6, nn.599, 609), so that demonstration is saved from being circular or
interminable (see *In I. Post Anal.*, lect.4, nn.10ff.; lect.6; lect.7, esp. nn.7-8; lect.8, esp.
nn.2-4; lect.31-36, esp. lect.5, n.10, and lect.36, nn.7-15; *In IV Meta.*, lect.6, n.607;
Sum. Theol., II-II, q.8, a.1c ad 2). Since the predicates of these principles are contained in
the meaning of the subjects, once the terms are understood, the principles are understood
(see *In I Post. Anal.*, lect.5, nn.5-7; lect.6, n.8; lect.10; *In IV Meta.*, lect.6, n.599; and
also *Ver.*, q.10, a.12c; *Pot.*, q.7, a.2 ad 11; *Sum. Theol.*, I-II, q.94, a.2c), and the contrary
cannot really be thought (see *In I Post. Anal.*, lect.19, n.3; lect.4, n.5; lect.27, n.3; lect.44,
n.8; *In IV Meta.*, lect.6, nn.597, 603). Nevertheless, one cannot understand the meaning
of the principles unless he grasps the mearning of the terms (*Sum. Theol.*, I, q.2, a.1c ad
2; I-II, q.94, a.2c; and *C. Gent*, I, c.11, n.66), and the terms can be understood only
through a process of sense, memory and experiment (see *In II Post. Anal.*, lect.20, nn.11-
14; *In I Meta.*, lect.1, nn.14ff; IV, lect.6, n.599; and *In II Sent.*, d.3, q.1, a.2 sol.; d.39,
q.3, a.l sol.; III, d.14, a.1, sol.3). For, though it is evident that a whole is greater than any
of its parts, one cannot understand what a whole is except in sensible particulars (*In I
Post. Anal.*, lect.30, n.5; *C. Gent.*, II, c.83, n.1679; and *Sum. Theol.*, I, q.85, a.3c). These
principles, therefore, do not suppose prior reasoning or need demonstration, but they do
suppose prior sense knowledge: *In II Post. Anal.*, lect, 20, n.11; and *In IV Sent.*, d.49, q.2,
a.7 ad 12; *Ver.*, q.8, a.15c; q.10, a.13c; *Q. de Anim.*, a.15 ad 20.

basis for understanding the natures of substances which are separate from matter.[52] Thus in this life we can have no positive understanding into the nature of separate substances.[53] Though we do have a natural desire to understand God inasmuch as we wonder about the causes of things and are capable, therefore, of understanding *that* He must be, still we do not understand *what* He must be, for His essence transcends any finite traces of it in sensible creation, and our finite minds are capable only of dis-

---

[52] *In Boeth. de Trin.*, q.6, a.4c (D, p.227): "Phantasmata autem a sensu accipiuntur; unde principium cognitionis praedictorum principiorum [*A 103 vb*] est ex sensu et memoria, ut patet per Philosophum in fine Posteriorum, et sic huiusmodi principia non docunt nos ulterius nisi ad ea quorum cognitionem accipere possumus ex his quae sensu comprehenduntur. Quiditas autem substantiarum separatarum non potest cognisci per ea quae a sensibus accipimus, ut et praedictis patet, quamvis per sensibilia possimus devenire ad cognoscendum praedictas substantias esse et aliquas earum condiciones. Et ideo per nullam scientiam speculativam potest sciri de aliqua substantia separata quid est, quamvis per scientias speculativas possimus scire ipsas esse at aliquas earum condiciones, utpote quod sunt intellectuales, incorruptibiles et huiusmodi" (see also q.1, a.4c [D, p.76f.]); see also *In I. Sent.*, d.3, q.1, a.4; *Ver.*, q.10, a.13c; *C. Gent.*, III, c.41, esp. n.2190; *Sum. Theol.*, I, q.32, a.1c; *In I Periherm.*, lect.6, nn.113-22; *In I Post Anal.*, lect.41, n.8.

[53] Aquinas said Aristotle preferred to leave this question open in the *De Anima* (see *In III de Anim.,* lect.12, n.785; lect.8, n.716; and also *Ver.*, q.18, a.5 ad 8; *Q. de Anim.*, a.16c). Aquinas undertook to settle this question by saying we must learn about these substances by studying sensible nature, and from such study we might acknowledge *that* they are, but we could not properly understand or define *what* they are except by denying of them all material limitations (see *In IV Sent.,* d. 49, q.2, a.7 ad 12; *In Boeth. de Trin.*, q.6, a.3c [D, pp.220-23]; *Ver.*, q.10, a.11; q.18, a.3; *C. Gent.*, II, c.60, n.1387; III, cc. 41-46; *Sum. Theol.*, I, q.88, a.2; *Q. de Anim.*, a.16; *Spir. creat.*, a.8 ad 6; *In I Post. Anal.*, lect.41; *In Lib. de Caus.*, prop.7). Hence, he said, although there can be a science of separate substances, in fact, wisdom, the highest of the sciences (*In II Meta.*, lect.1), yet this is not a science in any ordinary sense of demonstrating passions of sensible subjects (*In I Post. Anal.*, lect.41, n.3). Nevertheless, Aquinas added, we might have some understanding of these substances by reflection upon our own soul (*Sum. Theol.*, I, q.88, a.1 ad 1; *Q. de Anim.*, a.17c) limited though such knowledge might be (*Sum. Theol.*, I, q.94, a.2c). An understanding of separate substances might even be said to constitute the ultimate perfection of our natural knowledge (*Q. de Anim.*, a.17 ad 3), though not the ultimate perfection of which we are capable. Finally, Aquinas said that we might hope to understand, though not to comprehend, the nature of separate substances in a state of separation from the body (*C. Gent.*, III, c.45; *Quodl.* 3, q.9, a.1; *Q. de Anim.*, a.17).

cerning these remote approximations to God's infinitely perfect nature.[54]

Since the only things we can immediately know are in corporeal mat-

---

[54] Aquinas's teaching on the human understanding of God is nuanced and complex. According to Aquinas we have an intimate knowledge of God (*In Boeth. de Trin.*, q.1, a.2c; *In I Sent.*, d.2, q.1, a.2, sol.) as the principle of our being and end of our happiness (*In Boeth. de Trin.*, q.1, a.3 ad 4; *Ver.*, q.10, a.11 ad 10; *Sum. Theol.*, I, q.2, a.1 ad 1; *In I Meta.*, lect.3, n.64), whom we thus naturally desire to know (*C. Gent.*, I, c.10; III, cc.25, 50-51; *Sum. Theol.*, I, q.12, aa.1, 4, 12, 13; I-II, q.2, a.8c; q.3, aa.7-8) and whom we know and desire in knowing and desiring anything else (*Ver.*, q.14, a.8 ad 4; *Sum. Theol.*, I, q.44, a.4 ad 3). Because we are aware of this inclination to know God (*Ver.*, q.10, a.11 ad 12; a.12 ad 1; *Sum. Theol.*, I, q.88, a.3 ad 1), we have some notion of what the name "God" means, as is necessary for any demonstration of His existence (*Sum. Theol.*, I, q.2, a.2 ad 2; *In I Post. Anal.*, lect.2, n.17; II, lect.8, n.6). We can know about His existence only as much as a study of sensible nature allows (*Ver.*, q.10, a.6 ad 2; *Pot.*, q.7, a.5 ad 3, 4; *Sum. Theol.*, I, q.12 ad 2, 12; q.16, a.1 ad 2, a.6; q.44, aa.1, 3; q.84, a.1; q.88, a.3 ad 2; *In VII Div. Nom.*, lect.4, n.731). But, since sensible nature is inadequate to reveal His power, we do not understand His essence from the study of nature (*In I. Sent.*, d.3, q. un.; d.3, div. prim. text.; q.1, aa.1, 3; d.35, q.1, a.1; III, d.27, q.3, a.1; *In Boeth. de Trin.*, q.1, a.2; *In VII Div. Nom.*, lect.4; *Pot.*, q.7, a.5 ad 2; *C. Gent.*, IV, c.1; *Sum. Theol.*, I, q.32, a.1c; q.64, a.1 ad 2; q.84, a.7 ad 3; q.86, a.2 ad 1), and in what we say about Him we must distinguish what we mean from any material connotations it may have (*In I Div. Nom.*, lect.1, n.29; *Pot.*, q.7, a.5c; *C. Gent.*, I, c.30; *Sum. Theol.*, I, q.13, a.2 ad 2, a.3, a.9 ad 3; *In Lib. de Caus.*, prop.6 [S, pp.43, 47]), for God is outside any category (*Ente et ess.*, c.4; *Sum. Theol.*, I, q.3, a.5c). Because our mode of understanding is proportionate to material natures, we understand what we intend to mean about God only in a limited way (*In I Sent.*, d.22, q.1, a.2 ad 2; *Sum. Theol.*, I, q.13, a.1 ad 1, a.2, a.12 ad 3; *In Lib. de Caus.*, prop.6 [S, p.43]). Thus we cannot understand His essence at all in this life of union with the body (*In III Sent.*, d.27, q.3, a.1; d.35, q.2, a.2, sol.2; IV, d.49, q.2, a.7; *Ver.*, q.10, a.11; *In II Cor.*, c.12, lect.1; *C. Gent.*, III, c.47; *Sum. Theol.*, I, q.12, a.11; II-II, q.175, aa.4-5; q.180, a.5; *Quodl.*, I, q.1, a. un.) or in any positive way by natural reason (*In II Sent.*, d.4, a.1; d.23, q.2, a.1; IV, d.49, q.2, a.6; *Ver.*, q.8, a.3c; *C. Gent.*, I, c.3; III, cc.49, 52; *In I Trin.*, c.6, lect.3; *Sum. Theol.*, I, q.12, a.4c; q.56, a.3c; q.64, a.1 ad 2; q.88, a.3; I-II, q.5, a.5c; q.62, a.1c; *Q. de Anim.*, a.17 ad 10), for the manner in which something is known is proportionate to the manner in which the knower knows it (*In. I Sent.*, d.22, a.1 ad 1 sol.; d.8, q.1, a.1 ad 3, ad 4; *C. Gent.* I, c.14; III, c.39; *Sum. Theol.*, I, q.3, a.3 ad 1; q.12, a.4c, a.6 ad 1, a.8c ad 4, a.11c). Therefore, in some way we know God's simple and unique perfection by the process of composition and division natural to us (*Ver.*, q.2, a.7c; q.8, aa.14-15; q.14, a.8 ad 5; *Sum. Theol.*, I, q.14, a.14c; q.58, aa.2-4; q.85, aa.4-5; II-II, q.1, a.2c); but it is truer still to say we know *that* God is but do not understand *what* He is (*In Boeth. de Trin.*, q.2, a.2 ad 2; *Ver.*, q.2, a.1 ad 9; q.10, a.11 ad 4, ad 5; *In IV de Div. Nom.*, lect.7, n.731). See D. Burrell, "Aquinas on Naming God," *Theological Studies*, 24 (1963), 183-212.

ter, we need our bodies for the operations of both sense and intellect,[55] though the use of the body is different for either faculty, sense needing bodily organs for the very exercise of its activity but the intellect requiring sense for the presentation of its objects.[56] Experience shows, then, that the intellect, or the intellective soul, is nothing less than the form of the body, for each of us experiences himself both understanding and sensing, and we know that sense cannot operate without bodily organs and often operates in opposition to the intellect.[57] Evidently, the human

---

[55] *Sum. Theol.*, I, q.12, a.4c: "Ea igitur quae non habent esse nisi in materia individuali, cognoscere est nobis connaturale: eo quod anima nostra, per quam cognoscimus, est forma alicuius materiae. Quae tamen habet duas virtutes cognoscitivas. Unam, quae est actus alicuius corporei organi. Et huic connaturale est cognoscere res secundum quod sunt in materia individuali: unde sensus non cognoscit nisi singularia. Alia vero virtus cognoscitiva eius est intellectus, qui non est actus alicuius organi corporalis. Unde per intellectum connaturale est nobis cognoscere naturas, quae quidem non habent esse nisi in materia individuali; non tamen secundum quod sunt in materia individuali, sed secundum quod abstrahuntur ab ea per considerationem intellectus. Unde secundum intellectum possumus cognoscere huiusmodi res in universali: quod est supra facultatem sensus"; see also q.13, a.1 ad 3; q.84, a.4c; *Q. de Anim.*, a.1 ad 7; a.2 a 14.

[56] *Pot.*, q.3, a.9 ad 22: "…intellectus in corpore existens non indiget aliquo corporali ad intelligendum, quod simul cum intellectu sit principium intellectualis operationis, sicut acidit in visu: nam principium visionis non est visus tantum, sed oculus constans ex visu et pupilla. Indiget autem corpore tamquam obiecto, sicut visus indiget pariete in quo est color: nam phantasmata comparantur ad intellectus ut colores ad visum, sicut dicitur in III *de Anima* [com.18]. Et ex hoc est quod intellectus impeditur in intelligendo, laeso organo phantasiae: quia quamdiu est in corpore indiget phantasmatibus non solum quasi accipiens a phantasmatibus dum acquirit scientiam, sed etiam comparans species intelligibiles phantasmatibus dum utitur scientia acquisita. Et propter hoc exempla in scientiis sunt necessaria"; see also *C. Gent.*, II, c.80, n.1618; *Sum. Theol.*, I, q.75, a.2 ad 3; q.84, a.6c; *In I de Anim.*, lect.2, n.19; III, nn.770, 772, 791, 854.

[57] To appreciate the argument that the intellect, or the intellective soul, is the form of the body, the whole of *Sum. Theol.*, I, q.76, a.1c must be read, but the experiential datum to be explained is found in one sentence: "Si quis autem velit dicere animam intellectivam non esse corporis formam, oportet quod inveniat modum quo ista actio quae est intelligere, sit huius hominis actio: experitur enim unusquisque seipsum esse qui intelligit"; see also *C. Gent.*, II, cc.56-59, 68-73; *Q. de Anim.*, aa.1-2; *Spirit. creat.*, a.2c (K, pp.24-25); *Unit. intell.*, c.3 (K, pp.45-50); *In II de Anim.*, lect.4, nn.271-75; III, lect.7; *In VIII Meta.*, lect.2, nn.1696-98. That the intellective soul is unique in the body is also shown from experience; *Q. de Anim.*, a.11c: "Unde anima rationalis dat corpori humano quidquid

intellect needs the body because, being the least of spirits, it enters the world like a clean slate, at first understanding nothing and only gradually getting to understand anything.[58] Without the senses we could never understand anything, for we know from experience that anyone who lacks a given sense also lacks the science corresponding to it.[59] If the senses were

---

dat anima sensibilis brutis, vegetabilis plantis, et ulterius aliquid; et proper hoc ipsa est in homine et vegetabilis et sensibilis et rationalis. Huic etiam attestatur, quod, cum operatio unius potentiae fuerit intensa, impeditur alterius operatio, et e contra fit redundatia ab una potentia in aliam: quod non esset, nisi omnes potentiae in una essentia animae radicarentur"; see also *In IV Sent.*, d.44, q.1, a.1, qc.1 ad 4; *Pot.*, q.3, a.9 ad 9; *C. Gent.*, II, c.58; *Comp.*, cc. 90-92; *Sum. Theol.*, I, q.76, aa.3-4; *Q. de Anim.*, a.9; *Spirit. creat.*, a.3c (K, pp.39-45); *Quodl. XI*, a.5. The summary import of this argument for Aquinas is evident in *C. Gent.*, II, 73, n.1502: "Id autem quo intelligimus, est illud quo homo est homo: cum intelligere sit propria operatio hominis consequens eius specium"; and n.1491: "Non est igitur possibile quod anima canis ingrediatur corpus lupi, vel anima hominis aliud corpus quam hominis. Sed quae est proportio animae hominis ad corpus hominis, eadem est proportio animae huius hominis ad corpus huius hominis. Non est igitur possibile animam huius hominis ingredi aliud corpus quam istius homonis. Sed anima huius hominis est per quam hic homo intelligit: *homo enim per animam intelligit* secundum sententiam ARISTOTELIS in I *de Anima*. Non est igitur unus intellectus istius et illius hominis".

[58] *Sum. Theol.*, I, q.79, a.2c: "Intellectus autem humanus, qui est infimus in ordine intellectuum, et maxime remotus a perfectione divini intellectus, est in potentia respectu intelligibilium, et in principio est *sicut tabula rasa in qua nihil est scriptum*, ut Philosophus dicit in III *de Anima*.; quod manifeste apparet ex hoc, quod in principio sumus intelligentes solum in potentia, postmodum autem efficimur intelligentes in actu"; see also *In III Sent.*, d.14, q.1, sol.3; *Ver.*, q.16, a.1 ad 13; *C. Gent.*, II, c.68, n.1453; *Sum. Theol.*, I, q.84, a.3 *sed contr.*; q.84, a.6c; q.101, a.1c; *Q. de Anim.*, a.8c; *Unit. intell.*, c.4 (K. n.93, p.60); *In III de Anim.*, lect.7; lect.9, n.722. As a consequence the first philosophers were ignorant (*In I Meta.*, lect.17, n.272), and only gradually did they discover first matter and then form, and only later did Aristotle distinquish form from matter (*ibid.*, n.275ff.; see also *Pot.*, q.3, a.5c; *Sub. sep.*, c.9, nn.94ff.; *Sum. Theol.*, I, q.44, a.2c).

[59] *C. Gent.*, II, c.83, n.1674: "Necesse est dicere quod anima humana aut indigeat sensibus: aut non. Videtur autem manifeste per id quod experimur, quod indigeat sensibus: quia qui caret sensu aliquo, non habet scientiam de sensibilibus quae cognoscuntur per sensum illum; sicut caecus natus nullam scientiam habet nec aliquid intelligit de coloribus"; *In I Post. Anal.*, lect.30, n.6: "Homines autem carentes sensu aliquo non possunt inductionem facere de singularibus pertinentibus ad sensum illum, quia singularium, ex quibus procedit inductio, est solum cognitio sensus. Unde oportet quod omnino sint huiusmodi singularia ignota, quia non contingit quod aliquis carens sensu accipiat talium singularium scientam; quia neque ex universalibus potest demonstrare sine inductione,

not necessary conditions for understanding anything, there would never be the ordination of sensual knowledge to intellectual that we experience in the sequence of sense, memory, and experiment from which we derive a comprehension of the universals of science and the principles of art.[60] Hence, the human intellect needs the body because the human mode of understanding needs the powers of sense and imagination, which operate through bodily organs.[61] Thus we delight in the senses, especially sight, because we realize they are the only avenues of information we have.[62] It is because of such dependence upon sense that the human intellect does not understand things immediately and intuitively but must reason in order to understand.[63]

---

per quam universalia cognoscuntur, ut dictum est; neque per inductionem potest aliquid cognosci sine sensu, qui est singularium, ex quibus procedit inductio"; (see also nn.2-5); see also *Comp.*, c.82; *Sum. Theol.*, I, q.84, a.4c.

[60] *C. Gent.*, *loc. cit.*: "Ex praeterea, si non sunt necessarii humanae animae sensus ad intelligendum, non inveniretur in homine aliquis ordo sensitivae et intellectivae cognitionis. Cuius contrarium experimur: nam ex sensibus fiunt in nobis memoriae, ex quibus experimenta de rebus accipimus, per quae ad comprehendendum universalia scientiarum et atrium principia pervenimus"; see also *In II Post. Anal.*, lect.20; *In I Meta.*, lect.1.

[61] See *Sum. Theol.*, I, q.110, a.1c; *Spir. creat.*, a.5c (K, p.68); a.7c (p. 85); *Q. de Anim.*, a.2 and fnn.55-56.

[62] *In I Meta.*, lect 1, n.5: "...quia cum sensus ad duo nobis deserviant; scilicet ad cognitionem rerum, et ad utilitatem vitae; dilinguntur a nobis propter seipsos, inquantum cognoscitivi sunt, et etiam propter hoc, quod utilitatem ad vitam conferunt. Et hoc patet ex hoc, quod ille sensus maxime ab omnibus diligitur, qui magis cognoscitivus est, qui est visus, quem diligimus non solum ad agendum aliquid, sed etiam si nihil agere deberemus. Cuius causa est, quia iste sensus, scilicet visus, inter omnes magis facit nos cognoscere, et plures differentias rerum nobis demonstrat".

[63] *Q. de Anim.*, a.7 ad 1: "...angelus intelligit sine discursu, anima autem cum discursu; quae necesse habet ex sensibilibus effectibus in virtutes causarum pervenire, et ab accidentibus sensibilibus in essentias rerum, quae non subiacent sensui"; see also *In Boeth. de Trin.*, q.6, a.1c (D, p.206); *In III Sent.*, d.14, q.1, a.3 sol.3; II, d.3, q.1, a.2 sol.; d.39, q.3, a.l. sol.; *Ver.*, q.15, a.1 ad 7, ad 8; *Sum. Theol..* II-II, q.180, a.6 ad 2. Thus human science and art are directed to discerning the meaning of things in sensible data: see *In III Sent.*, d.31, q.2, a.4 sol.; *C. Gent.*, II, c.75, n.1550; *Sum. Theol.*, I, q.12, a.13 ad 3.

We find, then, that since the body exists for the sake of the soul, man's body is optimal, particularly in the basic sense of touch, for the purpose of gathering information for the use of reason.[64] And it is a matter of experience that the better disposed the body, the more brilliant the man who is blessed with it.[65] Likewise, the very use of reason depends

---

See chapter 5, fn. 96.

[64] *Sum. Theol.* I, q.76, a.5c: "…cum forma non sit propter materiam, sed potius materia propter formam; ex forma oportet rationem accipere quare materia sit talis, et non e converso. Anima autem intellective, sicut supra habitum est, secundum naturae ordinem, infimum gradum in substantiis intellectualibus tenet; intantum quod non habet naturaliter sibi inditam notitiam veritatis, sicut angeli, set oportet quod eam colligat ex rebus divisibilibus per viam sensus, ut Dionysius dicit, 7 cap. *de Div. Nom.*. Natura autem nulli deest in necessariis: unde oportuit quod anima intellectiva non solum haberet virtutem intelligendi, sed etiam virtutem sentiendi. Actio autem sensus non fit sine corporeo instrumento. Oportuit igitur animam intellectivam tali corpori uniri, quod possit esse conveniens organum sensus. Omnes autem alii sensus fundantur supra tactum. Ad organum autem tactus requiritur quod sit medium inter contraria, quae sunt calidum et frigidum, humidum et siccum, et similia, quorum est tactus apprehensivus; sic enim est in potentia ad contraria, et potest ea sentire. Unde quanto organum tactus fuerit magis reductum ad aequalitatem complexionis, tanto perceptibilior erit tactus. Anima autem intellectiva habet completissime virtutem sensitivam: quia quod est inferioris praeexistit perfectius in superiori ut dicit Dionysius in libro *de Div. Nom.*. Unde oportuit corpus cui unitur anima intellectiva, esse corpus mixtum, inter omnia alia magis reductum ad aequalitatem complexionis. Et propter hoc homo inter omnia animalia melioris est tactus. - Et inter ipsos homines, qui sunt melioris tactus, sunt melioris intellectus. Cuius signum est, quod *molles carne bene aptos mente videmus*, ut dicitur in II *de Anima*"; see also *In II Sent.*, d.1, q.2, a.5 sol.; *Pot.*, q.3, a. 10c *med.*; *C. Gent.*, II, c.89, n.1758; *Sum. Theol.*, I, q.91, a.3; a.4 ad 3; q.118, a.3; *Q. de Anim.*, a.8c ad 15; *Malo*, q.5, a.5; *In II de Anim.*, lect.19, n.483. The soul must endure, of course, the limitations of union with the body which are matter (*Q. de Anim.*, a.8c), corruption (*ibid.*, a.2 ad 15), and death (*Sum. Theol.*. II-II, q.164, a.1 ad 1).

[65] *Sum. Theol.*, I, q.85, a.7c: "SED CONTRA est quod per experimentum inveniuntur aliqui aliis profundius intelligentes; sicut profundius intelligit qui conclusionem aliquam potest reducere in prima principia et causas primas, quam qui potest reducere solum in causas proximas…Hoc autem circa intellectum contingit dupliciter. Uno quidem modo, ex parte ipsius intellectus, qui est perfectior. Manifestum est enim quod quanto corpus est melius dispositum, tanto meliorem sortitur animam; quod manifeste apparet in his quae sunt secundum speciem diversa. Cuius ratio est, quia actus et forma recipitur in materia secundum materiae capacitatem. Unde cum etiam in hominibus quidam habeant corpus melius dispositum, sortiuntur animam maioris virtutis in intelligendo: unde dicitur in II *de Anima* quod *molles carne bene aptos mente videmus*. - Alio modo contingit hoc ex parte

upon the proper use of the senses, for dreamers and neurotics lose the perfect use of reason because their senses are bound and sensitive powers impeded.[66] So also boys are too hot-headed to use their reason to acquire the wisdom needed for metaphysics or to appreciate the role of right reason in ethical behavior.[67]

2.3. THE PRIORITY OF SENSE

The dependence of the intellect upon sense for all its information means that sense knowledge is prior and propaedeutic to intellectual.[68] From experience we realize that the first things we know are not God,[69] or sepa-

---

inferiorum virtutum, quibus intellectus indiget ad sui operationem; illi enim in quibus virtus imaginativa et cogitativa et memorativa est melius disposita, sunt melius dispositi ad intelligendum"; see also a.1 ad 1; I-II, q.5, a.1c; *C. Gent.*, II, c.73, n.1512; *Q. de Anim.*, a.5 ad 5; a.6 ad 4; a.7 ad 7; a.8c; *In II de Anim.*, lect.19, nn.481-86.

[66] *Sum. Theol.*, I, q.101, a.2c: "…usus rationis dependet quodammodo ex usu virium sensitivarum: unde legato sensu, et impeditis interioribus viribus sensitivis, homo perfectum usum rationis non habet, ut patet in dormientibus et phreneticis. Vires autem sensitivae sunt virtutes quaedam corporalium organorum: et ideo, impeditis earum organis, necesse est quod earum actus impediantur, et per consequens rationis usus"; see also q.84, a.8 ad 2; q.94, 4c.

[67] *Ibid.*: "In pueris autem est impedimentum harum virium, propter nimiam humiditatem cerebri. Et ideo in eis non est perfectus usus rationis, sicut nec aliorum membrorum"; see also *In VII Phys.*, lect.6, n.925; *In I Ethic.*, lect.3, n.40; and *C. Gent.*, II, c.60, n.1380; c.81, n.1625.

[68] See *Sum. Theol.*, I, q.85, a.3c; *In I Phys.*, lect.1, n.7; *In I Meta.*, lect.2, n.45; *In I Post. Anal.*, lect.4, nn.15-16; lect.30, nn.5-6; see also fn.51.

[69] *In Boeth. de Trin.*, q.1, a.3c: "…quidam dixerunt quod primum, quod a mente humana cognoscitur etiam in hac vita, est ipse deus qui est veritas prima, et per hoc omnia alia cognoscuntur. Sed hoc apparet esse falsum, quia cognoscere deum per essentiam est hominas beatitudo, under sequeretur omnem hominem beatum esse. Et praeterea, cum in divina essentia omnia quae dicuntur de ipsa sint unum, nullus erraret circa ea, quae de deo dicuntur, quod experimento patet esse falsum. Et iterum ea, quae sunt primo in cognitione intellectus, oportet esse certissima, under intellectus certus est se ea intelligere, quod patet in proposito non esse"; see also *Sum. Theol.*, I, q.84, a.5c; q.87, a.3c; and fn.31.

rate species,[70] or innate ideas, but sensible singulars, for we know nothing until we become informed through sensible data.[71] Thus we rely upon experience, the knowledge of singulars by sense, for our information.[72] Apparently our intellectual ability is so slight that we cannot grasp the meaning of things distinctly in universal likenesses but, like dolts, only in individual sensible examples.[73] Hence, in the development of understanding we can go only as far as we are led by sense;[74] we cannot consider

---

[70] *Sum. Theol.*, I, q.88, a.1c (fn.49); see also q.84, a.4.

[71] *Sum. Theol.*, I, q.84., a.3c: "Videmus autem quod homo est quandoque cognoscens in potentia tantum, tam secundum sensum quam secundum intellectum. Et de tali potentia in actum reducitur, ut sentiat quidem, per actiones sensibilium in sensum; ut intelligat autem, per disciplinam aut inventionem. Unde oportet dicere quod anima cognoscitiva sit in potentia tam ad similitudines quae sunt principia sentiendi, quam ad similtudines qua sunt principia intelligendi. Et propter hoc Aristoteles posuit quod intellectus, quo anima intelligit, non habet aliquas species naturaliter inditas, sed est in principio in potentia ad huiusmodi species omnes"; see also *In IV Sent.*, d.49, q.2, a.6 ad 3; d.50, q.1, a.1 sol.; *Ver.*, q.10, a.6c; q.11, a.1; q.19, a.1c; *Q. de Anim.*, a.8c. The initial ignorance of the human intellect is the basis for its knowing unit, negations, contaries, and privation as a lack of something: *In III de Anim.*, lect.11, nn.725-27; and *Ver.*, q,2, a.2 ad 2; *C. Gent.*, I, c.71, n.613.

[72] *Sum. Theol.*, I, q.54, a.5c: "- *Experiantia* vero angelis attribui potest per similitudinem cognitorum, etsi non per similitudinem virtutis cognoscitivae. Est enim in nobis experientia, dum singularia per sensum cognoscimus; angeli autem singularia cognoscunt, ut infra patebit, sed non per sensum": see also q.58, a.3 ad 3; q.114, a.2c; q.115, a.5c.

[73] *Q. de Anim.*, a.15c: "...anima, cum sit infima in ordine intellectivarum substantiarum, infimo et debilissimo modo participat intellectuale luman, sive intellectualem naturam... Anima ergo humana, quae est infima, si acciperet formas in abstractione et universalitate conformes substantiis separatis, cum habeat minimam virtutem in intelligendo, imperfectissimam cognitionem haberet, utpote cognoscens res in quadam universalitate et confusione. Et ideo ad hoc quod eius cognitio perficiatur, et distinguatur per singula, oportet quod a singulis rebus scientiam colligat veritatis; lumine tamen intellectus agentis ad hoc necessario existente, ut altiori modo recipiantur in anima quam sint in materia"; see also a.16; *Sum. Theol.*, I, q.89, aa.1c, 3c, 4c; *In Lib. de Caus.*, prop.10 (S, pp.70-71); *Comp.*, c.81.

[74] *Sum. Theol.*, I, q.12, a.12c: "...naturalis nostra cognitio a sensu principium sumit; unde tantum se nostra naturalis cognito extendere potest, inquantum manuduci potest per sensibilia"; see also *Ver.*, q.10, a.6 ad 2; *Pot.*, q.7, a.5 ad 3, ad 4; *Sum. Theol.*, I, q.117, q.1c; *Q. de Anim.*, a.16c. See Burrell, 195.

whatever we want, but only what we perceive through our senses;[75] in human affairs we cannot hope to become expert except by taking time to acquire the appropriate experience.[76]

The experience of understanding shows, then, that all our understanding originates from the senses, not just because sense data stimulate us to recall ideas we somehow already knew but had forgotten (as Plato said) or because they prompt us to turn to a separate intellect to understand things for us (as Avicenna said), but, as Aristotle said, because sensible imagery actually presents us with the proper object of our intellect.[77]

Plato's parable in the *Meno* of the boy who displayed fresh knowledge when he was questioned does not prove we can draw from our minds knowledge for which we have no corresponding experience—unless we are to suppose with the Platonists that we possess forgotten knowledge acquired in a previous existence, but then there would be no reason for us to have bodies.[78] No, the example can be better interpreted to mean we

---

[75] *In III de Anim.,* lect.12, nn.375-76: "Sed sentire non potest aliquis cum vult; quia sensibilia non habet in se, sed oportet quod adsint ei extra...Et sicut est de operatione sensuum, ita est in scientiis sensibilium; quia etiam sensibilia sunt de numero singularium, et eorum quae sunt extra animam. Unde homo non potest considerare secundum scientum, omnia sensibilia quae vult, sed illla tantum, quae sensu percipit"; see also lect.11, n.360. Hence, we have no hope of ever learning all about everything, and because of that we know our happiness is to be sought not so much in breadth of knowledge as in depth of understanding: see *Q. de Anim.,* a.16c; and fnn.54-55.

[76] *In VI Ethic.,* lect.6, n.1208: "...non autem videtur quod iuvenis fiat prudens. *Cuius causa est,* quia prudentia est circa singularia quae fiunt nobis cognita per experientiam. Iuvenis autem non potest esse expertus, quia ad experientiam requiritur multitudo temporis'; see also I, lect.3, nn.37-38; lect.4, n.53.

[77] *Q. de Anim.,* a.15c: "Et ideo aliter dicendum est quod potentiae sensitivae sunt necessariae animae ad intelligendum, non per accidens tamquam excitantes, un Plato posuit; neque disponentes tantum, sicut posuit Avicenna; sed ut repraesentantes animae intellectivae proprium obiectum, ut dicit Philosophus in III *de Anima* [comm.39]: *Intellectivae animae phantasmata sunt sicut sensibilia sensui*"; see also *C. Gent.,* II, c.76, nn.1564-71; *Sum. Theol.,* I, q.84, a.6c; *In III de Anim.,* lect.10, n.728-31.

[78] *C. Gent.,* II, c.83, n.1674: "Si autem anima humana non indiget sensibus ad intelligendum, et propter hoc dicitus absque corpore fuisse creata; oportet dicere quod,

can be taught to draw the conclusions implicit in the principles naturally and necessarily understood by everyone in sensible experience.[79]

Avicenna's theory contradicts the experience of understanding because we realize, first, that we go about understanding things for ourselves and, secondly, that we understand only as much as we can gather and consider through our senses.[80] Neither Plato nor Avicenna could ex-

---

antequam corpori uniretur, omnium scientarum veritates intelligebat per siepsam. Quod et Platonici concesserunt, dicentes *ideas*, quae sunt formae rerum intelligibiles separatae secundum Platonis sententiam, causam scientiae esse: unde anima separata, cum nullum impedimentum adesset, plenarie omnium scientiarum cognitionem accipiebat. Oportet igitur dicere quod, dum corpori unitur, cum inveniatur ignorans, oblivionem praehabitae scientiae patiatur. Quod etiam Platonici confitentur: huius rei signum esse dicentes quod quilibet, quantumcumque ignoret, ordinate interrogatus de his quae in scientiis traduntur, veritatem respondet; sicut, cum aliquis iam oblito aliquorum quae prius scivit, seriatim proponit ea quae prius fuerat oblitus, in eorum memoriam ipsum reducit. Ex quo etiam sequebatur quod discere non esset aluid quam reminisci. Sic igitur ex hac positione de necessitate concluditur quod unio corporis animae praestet intelligentiae impedimentum. Nulli autem rei natura adiungit aliquid propter quod sua operatio impediatur; sed magis ea per quae fiat convenientior. Non igitur erit unio corporis et animae naturalis. Et sic homo non erit res naturalis, nec eius generation naturalis. Quae patet esse falsa"; see also *Ver.*, q.10, a.5c; *Sum. Theol.*, I, q.84, a.3c; a.4c; *Q. de Anim.*, a.15c.

[79] *Ibid.*, n.1676: "Si aliquis scientiarum ignarus de his quae ad scientias pertinent interrogetur, non respondebit veritatem nisi de universalibus principiis, quae nullus ignorat, sed sunt ab omnibus eodem modo et naturaliter cognita. Postmodum autem ordinate interrogatus, respondebit veritatem de his quae sunt propinqua principiis, habito respectu ad principia; et sic deinceps quousque virtutem primorum principiorum ad ea de quibus interrogatur, applicare potest. Ex hoc igitur manifeste apparet quod per principia prima, in eo qui interrogatur, causatur cognitio de novo. Non igitur prius habitae notitiae reminiscitur" (see also nn.1677-1679); see also *Sum. Theol.*, I, q.84, a.3 ad 3; *In I Post. Anal.*, lect.3, nn.2-6.

[80] Aquinas used the first argument against Themistius who held much the same view as Avicenna—*Spir. creat.*, a.10c (K, p.125): "Anima autem humana est perfectissima eorum quae sunt in rebus inferioribus. Unde oportet quod praeter virtutem universalem intellectus superioris, participetur in ipsa aliqua virtus quasi particularis ad hunc effectum determinatum, ut scil, fiant intelligibilia actu. Ed quod hoc verum sit, experimento apparet: unus enim homo particularis, ut Socrates vel Plato, facit cum vult intelligibilia in actu, apprehendendo scil. universale a particularibus, dum secernit id quod est commune omnibus individuis hominum, ab his quae sunt propria singulis. Sic igitur actio intellectus agentis, quae est abstrahere universale, est actio huius hominis, sicut et considerare vel iudicare de natura communi, quod est actio intellectus possibilis. Omne

plain with his theory what we all know from experience, that a man born blind cannot understand the meaning of color. For if sense experience served only to provoke or to alert the intellect, but not to inform it in any specific way, then any experience should serve to tell even someone lacking a sense everything to be learned from experience.[81] The only theory, therefore, that adequately explains the experience we have of understanding just what is presented to us in sensible imagery is Aristotle's—that sensible imagery contains all the information we can understand.

For, as the experience of understanding shows, we need sensible imagery either to discover something for ourselves or to learn about it from another; to reconsider, to apply, or to teach what we already understand; and to judge the reality of what we may have understood.

First, to discover something new we must follow the sequence of sense, memory, and experiment.[82] What we have sensed we can remem-

---

autem agens quamcumque actionem, habet formaliter in se ipso virtutem, quae est talis actionis principium"; see also *Sum. Theol.*, I, q.79, aa.4-5; *Q. de Anim.*, a.5c. The second argument was his standard response to Avicenna—*Ver.*, q.10, a.6c: "Sed ista opinio non videtur rationabilis: quia secundum hoc non esset dependentia necessaria inter cognitionem mentis humanae et virtutes sensitivas: cuius apparet contrarium manifeste: *tum* ex hoc quod deficiente sensu deficit scientia de suis sensibilibus, *tum* ex hoc quod mens nostra non potest actu considerare etiam ea quae habitualiter scit, nisi formando aliqua phantasmata; unde etiam laeso organo phantasiae impeditur consideratio"; see also *Sum. Theol.*, I, q.84, a.4c; *Q. de Anim.*, a.15c; and also part of his argument against Averroes: see *Sum. Theol.*, I, q.88, a.1c; see fn.59.

[81] *C. Gent.*, II, c.74, n.1531: "Sed si diligenter consideretur, haec positio, quantum ad originem, parum aut nihil differt a positione Platonis. Posuit enim Plato formas intelligibiles esse quasdam substantias separatas, a quibus scientia fluebat in animas nostras. Hic autem ponit ab una substantia separata, quae est intellectus agens secundum ipsum, scientiam in animas nostras fluere. Non autem differt, quantum ad modum acquirendi scientiam, utrum ab una vel pluribus substantiis separatis scientia nostra causetur: utrobique enim sequetur quod scientia nostra non causetur a sensibilibus. Cuius contrarium apparet per hoc quod qui caret aliquo sensu, caret scientia sensibilium quae cognoscuntur per sensum illum"; see also *Sum. Theol.*, I, q.84, a.3c; a.4c; *Q. de Anim.*, a.15c *med.*

[82] *In II Post. Anal.*, lect.20, n.11; see also *In III Sent.*, d.14, a.3, sol.3; and fnn.59-60.

ber;[83] what we have remembered we can experiment with;[84] what we have experimented with we can understand.[85] For the intellect understands what sense perceives; in fact, unless sense perceived what the intellect understood, the intellect could learn nothing from it.[86]

Yet the function which sensation, memory, and experiment play in the development of intelligence intrinsically differentiates human sensibility from that of brute animals. In man, sense can be said to proceed from intellect as a certain deficient participation in intelligence that renders sensible imagery apt to be understood.[87] Human sense memo-

---

[83] *Ibid.*, n.9: "In quibuscunque igitur animalibus omnino nulla impressio remanet sensibilium, huiusmodi animalia nullam cognitionem habent, nisi dum sentient. Et similiter animalia in quibus nata est remanere talis impressio, si circa aliqua sensibilia in eis non remaneat, non possunt habere aliquam cognitionem nisi dum sentiunt. Sed animalia in quibus inest huiusmodi remansio impressionis, contingit adhoc habere quamdam cognitionem in anima praeter sensum; et ista sunt quae habent memoriam"; see also *In I Sent.*, d.3, q.4, a.1 ad 2; *Ver.*, q.10, a.2c ad 1; q.18, a.8c; *Sum. Theol.*, I, q.78, a.4c; *Anim.*, a.13c; *In I Meta.*, lect.1, n.14.

[84] *In I Meta.*, lect.1, n.17: "...ex memoria in hominibus experimentum causatur. Modus autem causandi est iste: quia ex multis memoriis unius rei accipit homo experimentum de aliquo, quo experimento potens est ad facile et recte operandum"; see also *In I Post. Anal.*, lect.20, n.11 (fn.82).

[85] *Ibid.*, n.18: "...ex experientia in hominibus fit scientia et ars...Modus autem quo ars fit ex experimento, est idem cum modo praedicto, quo experimentum fit ex memoria. Nam sicut ex multis memoriis fit una experimentalis scientia, ita ex multis experimentis apprehensis fit universalis acceptio de omnibus similibus"; *Sum. Theol.*, II-II, q.173, a.2c.

[86] *In II Post. Anal.*, lect.20, n.14: "Manifestum est enim quod singulare sentitur *proprie et per se*, sed tamen sensus est quodammodo etiam ipsius universalis. Cognoscit enim Calliam non solum in quantum est Callias, sed etiam in quantum est hic homo, et similiter Socratem in quantum est hic homo. Et exinde est quod tali acceptione sensus praeexistente, anima intellectiva potest considerare hominem in utroque. Si autem ita esset quod sensus apprehenderet solum id quod est particularitatis, et nullo modo cum hoc apprehenderet universalem naturam in particulari, non esset possibile quod ex apprehensione sensus causaretur in nobis cognito universalis"; see also *In II de Anim.*, lect.13, n.396; *Sum. Theol.*, I, q.17, a.2c.

[87] *Sum. Theol.*, I, q.77, a.7c: "Videmus enim quod sensus est propter intellectum, et non e converso. Sensus etiam est quaedam deficiens participatio intellectus: unde secundum naturalem originem quodammodo est ab intellectu, sicut imperfectum a perfecto"; see

ry is not simply a capacity to recall previous imagery, but an ability to reminisce methodically until one retrieves the information he needs to understand something.[88] And experiment, the ability to collate and test sensible imagery in order to discern the universal in the particular,[89] is an exercise proper to reason,[90] so that the cogitative sense in human beings, which performs experiments, is different from the estimative sense which enables brute animals to detect only the significance of individual situ-

---

also *In I Sent.*, d.3, q.4, a.3 sol.; II, d.24, q.1, a.2 sol.; *Q. de Anim.*, a.13 ad 7; *Sum. Theol.*, I, q.85, a.1 ad 4: "…sicut pars sensitiva ex coniunctione ad intellectivam efficitur virtuosior, ita phantasmata ex virtute intellectus agentis redduntur habilia ut ab eis intentiones intelligibiles abstrahantur". See also fn.42 and N. Lobkowicz, "Deduction of Sensibility: The Ontological Status of Sense Knowledge in St. Thomas," *International Philosophical Quarterly*, 3 (1963), 215-20.

[88] *Q. de Anim.*, a.13c: "…requiritur quod ea quae prius fuerunt apprehensa per sensus et interius conservata, iterum ad actualem considerationem revocentur. Et hoc quidem pertinet ad rememorativam virtutem: quae in aliis quidem animalibus absque inquisitione suam operationem habet, in hominibus autem cum inquisitione et studio; unde in hominibus non solum est memoria, sed reminiscentia"; see also *Sum. Theol.*, I, q.78, a.4c ver. fin.

[89] *In II Post. Anal.*, lect.20, n.11: "Sed tamen experimentum indiget aliqua ratiocinatione circa particularia, per quam confertur unum ad aliud, quod est proprium rationis. Puta cum aliquis recordatur quod talis herba multoties sanavit multos a febre, dicitur esse experimentum quod talis sit sanativa febris. Ratio autem non sistit in experimento particularium, sed ex multis particularibus in quibus expertus est, accipit unum commune, quod firmatur in anima, et considerat illud absque consideratione alicuius singularium; et hoc commune accipit ut principium artis et scientiae. Puta quamdiu medicus consideravit hanc herbam sanasse Socratem febrientam, et Platonem, et multos alios singulares homines, est experimentum; cum autem sua consideratio ad hoc ascendit quod talis species herbae sanat febrientem simpliciter, hoc accipitur ut quaedam regula artis medicinae"; see also *Sum. Theol.*, I, q.54, a.5c (fn.72); q.58, a.3 ad 3; q.114, a.2c.

[90] *In I Meta.*, lect.1, n.15: "Experimentum enim est ex collatione plurium singularium in memoria receptorum. Huiusmodi autem collatio est homini propria, et pertinet ad vim cogitativam, quae ratio particularis dicitur: quae est collativa intentionum individualium sicut ratio universalis intentionum universalium". Because cogitation is caused by reasoning and is characteristic of man, reasoning itself is often called thought: see *Ver.*, q.14, a.1 ad 9; *In I Ioan.*, lect.1, n.26; also fn.26. For the meaning of cogitation in an Augustiniam context see fn.25.

ations for their well-being.[91] Then, too, in man the influence of the intellect upon the imagination can cause it to compose and divide sensible imagery in novel ways unknown to sense and causative of the diversity of intelligible species in the intellect.[92]

From the process of sense, memory, and experiment emerges the universal in the particular, "man" in this man and that;[93] and just as sense

---

[91] *Sum. Theol.*, I, q.78, a.4c: "Considerandum est autem quod, quantum ad formas sensibiles, non est differentia inter hominem et alia animalia: similiter enim immutantur a sensibilibus exterioribus. Sed quantum ad intentiones praedictas, differentia est: nam alia animalia percipiunt huiusmodi intentiones solum naturali quodam instinctu, homo autem etiam per quandam collationem. Et ideo quae in aliis animalibus dicitur aestimativa naturalis, in homine dicitur *cogitativa*, quae per collationem quandam huiusmodi intentiones adinvenit. Unde etiam dicitur *ratio particularis*, cui medici assignant determinatum organum, scilicet mediam partem capitis: est enim collativa intentionum individualium, sicut ratio intellectiva intentionum universalium" (see also ad 5); see also *In III Sent.*, d.23,q.2, a.2, sol.1-3; *Ver.*, q.14, a.1 ad 9; q.15, a.1c; *C. Gent.*, II, c.73, n.1501; *Q. de Anim.*, a.13c; *In II de Anim.*, lect.13, nn.396-98; *In I Meta.*, lect.1, n.15.

[92] *Sum. Theol.*, II-II, q.173, a.2c: "In imaginatione autem non solum sunt formae rerum sensibilium secundum quod accipiuntur a sensu, sed transmutantur diversimode: vel propter aliquam transmutationem corporalem, sicut accidit in dormientibus et furiosis; vel etiam secundum imperium rationis disponuntur phantasmata in ordine ad id quod est intelligendum. Sicut enim ex diversa ordinatione earundem litterarum accipiuntur diversi intellectus, ita etiam secundum diversam dispositionem phantasmatum resultant in intellectu diversae species intelligibiles"; see also I, q.78, a.4c *ad fin.*; q.84, a.6 ad 2; q.85, a.2 ad 3. At one point Thomas said the first operation of the intellect could be called imagination (see *In I Sent.*, d.19, q.1, a.5 ad 7); later, however, he said the possible intellect could not be the imagination because the possible intellect is moved by sensible imagery, whereas the imagination moves sensible imagery, and the same thing cannot move and be moved (*C. Gent.*, II, c.67, nn.1443-45; see also *In II Sent.*, d.17, q.2, a.1; *In III de Anim.*, lect.4, nn.632-36; lect.7, nn.684-85). See also N. Lobowicz, *op. cit.*, pp.222-23, though the author unfortunately confuses imagination with cogitative power.

[93] *In II Post. Anal.*, lect.20, n.13: "…illud quod supra dictum est, et non plane, quomodo scilicet ex experimento singularium fiat universale in anima, iterum oportet dicere, ut planius manifestetur. Si enim accipiantur multa singularia, quae sunt indifferentia quantum ad aliquid unum in eis existens, illud unum secundum quod non differunt, in anima acceptum, est primum universale, quidquid sit illus, sive scilicet pertineat ad essentiam singularium, sive non. Quia enim invenimus Socratem et Platonem et multos alios esse indifferentes quantum ad albedinem, accipimus hoc unum, scilicet album, quasi universale quod est accidens. Et similiter quia invenimus Socratem et Platonem

causes memory, and memory experiment, so also experiment causes understanding, for the intellect can consider the universal as such, "man", apart from the universal in the particular, "man" in Plato and Socrates.[94] But since the process of induction is so difficult and arduous, we are prone to error; in fact, most of the time we are in error, and without teachers we could never avoid it.[95] Teachers are essential also just to get

---

et alios esse indifferentes quantum ad rationalitatem, hoc unum in quo non differunt, scilicet rationale, accipimus quasi universale quod est differentia"; *Sum. Theol.*, I-II, q.29, a.6 ad 1: "…sensus non apprehendit universale, prout est universale: apprehendit tamen aliquid cui per abstractionem accidit universalitas"; see also *In I Post. Anal.*, lect.42, n.7; n.10. See fn.86.

[94] *In II Post. Anal., loc. cit.*, n.11: "Hoc est ergo quod dicit, quod sicut ex memoria fit experimentum, ita etiam ex experimento, aut etiam ulterius *ex universali quiescente in anima* (quod scilicet accipitur ac si in omnibus ita sit, sicut est exprimentum in quibusdam. Quod quidem universale dicitur esse quiescens in anima; in quantum scilicet consideratur praeter singularia, in quibus est motus. Quod etiam decit esse *unum praeter multa*, non quidem secundum esse, sed secundum considerationem intellectus, qui considerat naturam aliquam, puta hominis, non respiciendo ad Socratem et Platonem. Quod etsi secundum considerationem intellectus sit unum praeter multa, tamen secundum esse est in omnibus singularibus unum et idem, non quidem numero, quasi sit eadem humanitas numero omnium hominum, sed secundum rationem speciei. Sicut enim hoc album est simile illi albo in albedine, non quasi una numero albedine existente in utroque, ita etiam Socrates est similis Platoni in humanitate, non quasi una humanitate numero in utroque existente) ex hoc igitur experimento, et ex tali universali per experimentum accepto, est in anima id quod est principium artis et scientiae"; see also *In I Meta.*, lect.1, n.15.

[95] *In III de Anim.,* lect.4, n.624: "…deceptio videtur esse magis propria animalibus quam cognitio secundum conditionem suae naturae. Videmus enim quod homines ex seipsis decipi possunt et errare. Ad hoc autem quod veritatem cognoscant, oportet quod ab aliis doceantur". The difficulty in discovering the meaning of something is exacerbated, Thomas said, by the deceptiveness of some sensible data and the weakness of our senses: see *Sum. Theol.*, I, q.17, a.1c; q.89, a.6c. Thomas knew the distinction between true scientific opinion and mere sense appearances, and he was right about the sum being larger than it seemed (see *In III de Anim.*, lect.5, nn.653-54) but not about the speed of light being instantaneous (see *ibid.*, lect.14, nn.410-12) or about the location and the movement of the earth (see *In II de Caelo,* lect.21-26). Aquinas's criterion in the latter case was the seeming accord of his opinion with sensible appearances (see *ibid.*, lect.11, nn.1-2; lect.12, n.7; lect.15, n.2; lect.16, n.5; lect.21, n.4; lect.26, n.10; lect.28, nn.3-4), which he considered the only reasonable criterion under the circumstances (see *ibid.*, I, lect.19, n.11; II, lect.3, n.6; lect.15, n.2; lect.16, n.2; lect.17, n.1). See fn.132.

the intellect moving out of its original ignorance.[96] Even with teachers it still takes a long time and much study to learn anything, and even then we scarcely know the truth.[97] For the acquisition of science takes determination and discipline.[98] Yet teachers cannot obviate the necessity of gaining an understanding of the world from sensible imagery, for if they want to make someone understand something new, all they can do is follow the natural course of discovery by proposing to the student the implications of what he already understands and pertinent examples for what he does not yet understand.[99]

Once we are informed about a certain sensibly manifest quiddity, no longer do we need to wait for chance or investigation or teaching to reveal the appropriate sensible imagery, but still sensible imagery remains

---

[96] *Ver.*, q.11, a.1 ad 12: "Sed potentia intellectiva, cum sit collativa, ex quibusdam in alia devenit; unde non se habet aequaliter ad omnia intelligibilia consideranda; sed statim quaedam videt, ut quae sunt per se nota, in quibus implicite continentur quaedam alia quae intelligere non potest nisi per officium rationis ea quae in principiis implicite continentur, explicando; unde ad huiusmodi cognoscenda, antequam habitum habeat, non solum est in potentia accidentali, sed etiam in potentia essentiali; indigent enim motore, qui reducat eum in actum per doctrinam, ut dicitur in VIII *Physic.* [comm.32]: quo non indiget ille qui habitualiter iam aliquid novit. Doctor ergo excitat intellectum ad sciendum illa quae docet, sicut motor essentialis educens de potentia in actum".

[97] *In III de Anim., loc. cit.*: "Et iterum pluri tempora anima est in deceptione quam in cognitione veritatis; quia ad cognitionem veritatis vix pervenitur post stadium longi temporis".

[98] *In II de Anim.*, lect.12, n.373: "Sensus autem naturaliter inest animali: unde sicut per generationem acquirit propriam naturam, et speciem, ita acquirit sensum. Secus autem est de scientia, quae non inest homini per naturam sed acquiritur per intentionem et disciplinam".

[99] *Sum. Theol.* I, q.117, a.1c: "Ducit autem magister discipulum ex praecognitis in cognitionem ignotorum, dupliciter. Primo quidem, proponendo ei aliqua auxilia vel instrumenta, quibus intellectus eius utatur ad scientiam acquirendam: puta cum proponit ei aliquas propositiones minus universales, quas tamen ex praecognitis discipulus diiudicare potest; vel cum proponit ei aliqua sensibilia exempla, vel similia, vel opposita, vel aliqua huiusmodi ex quibus intellectus addiscentis manuducitur in cognitionem veritatis ignotae"; see also *Ver.*, q.11, a.1c; *C. Gent.*, II, c.75, n.1558.

the permanent source of understanding,[100] for, because of the union of the soul with the body, we always need sensible images as particular examples in which to inspect universal doctrines.[101] Once we understand something, though, we can fashion suitable imagery for ourselves from our understanding of the quiddity of the thing. Nevertheless, sensible imagery remains as necessary for the use of knowledge as for the acquisition; in the acquisition it functions as a motive, in the use as an instrument.[102] For we know from experience that when we want to reconsider something we already have understood, we form for ourselves sensible images in which we can inspect, as it were, what we want to understand.[103] In this life we can understand nothing except by turning to sensible imagery.

---

[100] *In Boeth. de Trin.*, q.6, a.2 ad 5 (D, p.218): "...phantasma est principium nostrae cognitionis, ut ex quo incipit intellectus operatio non sicut transiens, sed sicut permanens ut quoddam fundamentum intellectualis operationis; sicut principia demonstrationis oportet manere in omni processu scientiae, cum phantasmata comparentur ad intellectum ut obiecta, in quibus inspicit omne quod inspicit vel secundum perfectam repraesentationem vel per negationem".

[101] *C. Gent.*, II, c.73, n.1523: "Intellectus enim possibilis, sicut et quaelibet substantia, operatur secundum modum suae naturae. Secundum autem suam naturam est forma corporis. Unde intelligit quidem immaterialia, sed inspicit ea in aliquo materiali. Cuius signum est, quod in doctrinis universalibus exempla particularia ponuntur, in quibus quod dicitur inspiciatur"; see also *In IV Sent.*, d.50, q.1, a.2 sol.; *Sum. Theol.*, I, q.84, a.7c; q.85, a.l ad 2, ad 5; q.89, a.1c; *Q. de Anim.*, a.16c; *In III de Anim.*, lect.12, nn.777ff. See also fnn.56, 58, 100.

[102] *Ibid.*: "Alio ergo modo se habet intellectus possibilis ad phantasma quo indiget, ante speciem intelligibilem: et alio modo postquam recepit speciem intelligibilem. Ante enim, indiget eo ut ab eo accipiat speciem intelligibilem: unde se habet ad intellectum possibilem ut obiectum movens. Sed post speciem in eo receptam, indiget eo quasi instrumento sive fundamento suae speciei: unde se habet ad phantasmata sicut causa efficiens; secundum enim imperium intellectus formatur in imaginatione phantasma conveniens tali speciei intelligibili, in quo resplendet species intelligibilis sicut exemplar in exemplato sive in imagine. Si ergo intellectus possibilis semper habuisset species, nunquam compararetur ad phantasmata sicut recipiens ad obiectum motivum"; see also *Ver.*, q.10, a.2 ad 7; *Malo*, q.16, a.8 ad 3.

[103] *Sum. Theol.*, I, q.84, a.7c: "Secundo, quia hoc quilibet in seipso experiri potest, quod quando aliquis conatur aliquid intelligere, format aliqua phantasmata sibi per modum exemplorum, in quibus quasi inspiciat quod intelligere studet".

Thus people who have already understood something can be prevented from actually understanding it again if injury to a sense organ or to the brain prohibits them from recalling apt sensible imagery. For we need to use imagination and cogitative power even to reconsider what we already have understood.[104] To understand anything, therefore, we must have the presence of sensible imagery, a proper disposition of sensitive powers, and—to the extent the understanding of conclusions depends upon the understanding of principles—some practice in understanding.[105]

Then, when we wish to apply what we have understood, we must turn again to sensible imagery, for, like an interior word, it acts as a medium between our ideas and our speech.[106] Hence, through the cogitative

---

[104] *Ibid.*: "…impossibile est intellectum nostrum, secundum praesentis vitae statum, quo passibili corpori coniungitur, aliquid intelligere in actu, nisi convertendo se ad phantasmata. Et hoc duobus indiciis apparet. Primo quidem quia, cum intellectus sit vis quaedam non utens corporali organo, nullo modo impediretur in suo actu per laesionem alicuius corporalis organi, si non requireretur ad eius actum actus alicuius potentiae utentis organo corporali. Utuntur autem organo corporali sensus et imaginatio et aliae vires pertinentes ad partem sensitivam. Unde manifestum est quod ad hoc quod intellectus actu intelligat, non solum accipiendo scientiam de novo, sed etiam utendo scientia iam acquisita, requiritur actus imaginationis et ceterarum virtutum. Videmus enim quod, impedito actu virtutis imaginativae per laesionem organi, ut in phreneticis; et similiter impedito actu memorativae virtutis, ut in lethergicis; impeditur homo ab intelligendo in actu etiam ea quorum scientiam praeaccepit"; see also q.85, a.1 ad 5; *Ver.*, q.10, a.2 ad 7; q.19, a.1c *ad fin.*; *C. Gent.*, II, c.60, n.1382; c.76, n.1567; c.81, n.1625; *In III de Anim.*, lect.12, n.772; lect.13, n.791; lect.17, n.854.

[105] *Ibid.*, q.79, a.4 ad 3: "Et inde est etiam quod quando alium volumus facere aliquid intelligere, proponimus ei exampla, ex quibus sibi phantasmata formare posit ad intelligendum".

[106] *Ver.*, q.4, a.1c: "Et ideo, sicut in artifice *tria* consideramus, scilicet *finem* artificii, et *exemplar* ipsius, et *ipsum artificium* iam productum, ita etiam in loquente *triplix* verbum invenitur: scilicet *id quod* per intellectum *concipitur*, ad quod significandum verbum exterius profertur: et hoc est *verbum cordis* sine voce prolatum; item *exemplar* exterioris verbi, et hoc dicitur *verbum interius* quod habet imaginem voois; et *verbum exterius expressum*, quod dicitur *verbum vocis*. Et sicut in artifice praecedit intentio finis, et deinde sequitur excogitatio formae artificiati, et ultimo artificiatum in esse producit; ita verbum cordis in loquente est prius verbo quod habet imaginem vocis, et postremum est verbum vocis"; see also *In I Sent.*, d.27, q.2, a.1 sol.; *Ver.*, q.3, a.1c; q.4, a.1 ad 7; *Pot.*, q.8, a.1c; q.9, a.5c; *Sum. Theol.*, I, q.34, a.1c; q.85, a.2 ad 3; *In II de Anim.*, lect.18, n.477.

sense (or particular reason) the intellect can apply reasons to speech or models to work in a kind of syllogism, in which the idea in the intellect is the major, the image in the cogitative sense or particular reason is the minor, and speech and work are conclusions.[107] Through such a syllogism we can make a choice about a particular situation.[108] In this way we can control sensual appetites, for, as experience shows, we can mitigate or instigate anger or fear or anything of the sort by the application to the appetites of universal considerations.[109] Perhaps the main application of any

---

[107] *Ver.*, q.10, a.5c *fin.*: "…motus qui est ab anima ad res, incipit a mente, et procedit in partem sensitivam, prout mens regit inferiores vires. Et sic singularibus se immiscet mediante ratione particulari, quae est potentia quaedam individualis quae alio nomine dicitur cogitativa, et habet determinatum organum in corpore, scilicet mediam cellulam capitis. Universalem vero sententiam quam mens habet de operabilibus, non est possibile applicare ad particularem actum nisi per aliquam potentiam mediam apprehendentem singulare, ut sic fiat quidam syllogismus, cuius maior sit universalis, quae est sententia mentis; minor autem singularis, quae est applicatio particularis rationis; conclusio vero electio singularis operis, ut patet per id quod habetur III *de Anima* [comm.58 et 77]"; see also *In III de Anim.*, lect.16, nn.845-46. See chapter 3, fn. 57.

[108] *Sum. Theol.*, I, q.86, a.1 ad 2: "…electio particularis operabilis est quasi conclusio syllogismi intellectus practici, ut dicitur in VII *Ethic.* Ex universali autem propositione directe non potest conclude singularis, nisi mediante aliqua singulari propositione assumpta. Unde universalis ratio intellectus practici non movet nisi mediante particulari apprehensione sensitivae partis, ut dicitur in III *de Anima*"; see also *Ver.*, q.2, a.6 ad 2; *In VII Ethic.*, lect.3, nn.1345-46; and *Sum. Theol.*, I-II, q.13, a.1 ad 2; 3c; q.76, a.1c; q.77, a.2 ad 4; q.90, a.1 ad 2. Thus the will is free to direct the intellect to choose between contraries (see *Pot.*, q.2, a.3 ad 4, ad 7) by reasoning about what to do (see *In I Meta.*, lect.1, n.34). See J. Lebacqz, *Libre arbitre et jugement* (Museum Lessianum, Section Philosophique, n.47: Paris, 1960), p.27, for other citations and a more detailed analysis.

[109] *Sum. Theol.*, I, q.81, a.3c: "Loco autem aestimativae virtutis est in homine, sicut supra dictum est, vis cogitativa; quae dicitur a quibusdam ratio particularis, eo quod est collativa intentionum individualium. Unde ab ea natus est moveri in homine appetitus sensitivus. Ipsa autem ratio particularis nata est moveri et dirigi secundum rationem universalem: unde in syllogisticis ex universalilbus propositionibus concluduntur conclusiones singulares. Et ideo patet quod ratio universalis imperat appetitui sensitivo, qui distinguitur per concupiscibilem et erascibilem, et hic appetitus ei obedit. - Et quia deducere universalia principia in conclusiones singulares, non est opus simplicis intellectus, sed rationis; ideo irascibilis et concupiscibilis magis dicuntur obedire rationi, quam intellectui. - Hoc etiam quilibet experiri potest in seipso: applicando enim aliquas universales considerationes, mitigatur ira aut timor aut aliquid buiusmodi, vel etiam

learning, though, is teaching another what we ourselves have understood, and we know from experience that whenever we want to communicate something we immediately propose sensible examples.[110]

Besides needing sensible imagery as the source of all our information and as the condition for reconsidering, applying, or teaching what we have understood,[111] we also need it as a condition for rendering judgment. We need it, then, not just in the direct act by which we grasp the quiddities of things, but especially in the reflective act in which we assess the truth of our knowledge. In fact, the necessity of normal experience for the supply of sensible imagery in the direct act of understanding can be complemented by the action of heavenly spirits or heavenly bodies, either impressing images upon the senses while we are awake or else introducing images into the imagination while we dream.[112] And the impact of sensual stimulation can be so exciting to boys, who have not yet learned to curb their passions, that they are incapable of studying metaphysics patiently or ethics dispassionately.[113] Thus detachment in dreams

---

instigatur".

[110] *Sum. Theol.*, I, q.84, a.7c: "Et inde est etiam quod quando alium volumus facere aliquid intelligere, proponimus ei exempla, ex quibus sibi phantasmata formare possit ad intelligendum"; see also fn.100.

[111] See also Lonergan, "The Concept of *Verbum*," *Theological Studies*, 7 (1946), 372-79 and *Verbum*, 25-33.

[112] *Sum. Theol.*, I, q.111, a.4c: "...sensus immutatur dupliciter. Uno modo, ab exteriori; sicut cum mutatur a sensibili. Alio modo, ab interiori: videmus enim quod, perturbatis spiritibus et humoribus immutatur sensus; lingua enim infirmi, quia plena est cholerico humore, omnia sentit ut amara; et simile contingit in aliis sensibus. Utroque autem modo angelus potest immutare sensum hominis sua naturali virtute. Potest enim angelus opponere exterius sensui sensibile aliquod, vel a natura formatum, vel aliquod de novo formando; sicut facit dum corpus assumit, ut supra dictum est. Similiter etiam potest interius commovere spiritus et humores, ut supra dictum est, ex quibus sensus diversimode immutentur"; see also a.3c; q.86, a.4 ad 2; *C. Gent.*, II, c.81, n.1625; *Malo*, q.16, a.8 ad 2.

[113] See fn.67.

from ordinary sensory stimulation does have the distinct advantage of rendering us more prompt to divine inspiration, just as the practice of virtue brings the rational control over the senses that we need for serious study.[114] Yet there are limits to the value of sensory deprivation, for in dreams we cannot make the distinction between illusion and reality that is possible when we are awake,[115] nor can we syllogize without committing some fallacy.[116] We know, too, that boys are incapable of studying ethics as much for lack of experience as for lack of virtue, since no one can judge what he does not understand.[117] Hence, we have to be awake and have had adequate experience to presume to judge, for judgment means a resolution of our knowledge to its principles, and the first principle of our knowledge is sense.[118]

---

[114] *C. Gent.*, II, c.81, n.1625: "Nam anima, quando impeditur ab occupatione circa corpus proprium, redditur habilior ad intelligendum aliqua altiora: unde et virtus temperantiae, quae a corporeis delectationibus retrahit animam, praecipue facit homines ad intelligendum aptos. Homines etiam dormientes, quando corporeis sensibus non utuntur, nec est aliqua perturbatio humorum aut fumositatum impediens, percipiunt de futuris, ex superiorum impressione, aliqua quae modum ratiocinationis humanae excedunt. Et hoc multo magis accidit in syncopizantibus et exstasim passis: quanto magis fit retractio a corporeis sensibus. Nec immerito hoc accidit. Quia, cum anima humana, ut supra (1453) ostensum est. in confinio corporum et incorporearum substantiarum, *quasi in horizonte existens aeternitatis et temporis*, recedens ab infima, appropinquat ad summum"; see also c.74, n.1532; *Sum. Theol.*, I, q.12, a.11c; q.84, a.8 ad 2; q.86, a.4 ad 2; q.112, a.1 ad 3.

[115] *Sum. Theol.*, 1, q.94, a.4c: "Manifestum est autem ex praemissis quod intellectus circa proprium obiectum semper verus est. Unde ex seipso nunquam dicipitur: sed omnis deceptio accidit in intellectu ex aliquo inferiori, puta phantasia vel aliquo huiusmodi. Unde videmus quod, quando naturale iudicatorium non est ligatum, non decipimur per huiusmodi apparitiones: sed solum quando ligatur, ut patet in dormientibus"; see also q.84, a.8 ad 2; *Ver.*, q.12, a.3 ad 2. See fn.66.

[116] *Sum. Theol.*, I, q.84, a.8 ad 2: "Sic igitur per modum quo sensus solvitur et imaginatio in dormiendo, liberatur et iudicium intellectus, non tamen ex toto. Unde illi qui dormiendo syllogizant, cum excitantur, semper recognoscunt se in aliquo defecisse".

[117] See fn.76.

[118] *Ver.*, q.28, a.3 ad 6: "Sed perfectum *iudicium* intellectus non potest esse in dormiendo, eo quod tunc ligatus est sensus, qui est primum principium nostrae cognitionis. Iudicium

Positively speaking, sense is necessary for the exercise of judgment because a judgment is supposed to express knowledge of a thing as it actually is, and that we can know only through the use of sense.[119] Since the truth of a judgment is commensurate to the adequacy of our information about a thing,[120] we have to know its present state if we are to be sure the tense of the verb we are using in a judgment is correct at the time we use it.[121] Thus

---

enim fit per resolutionem in principia; unde de omnibus oportet nos iudicare secundum id quod sensu accipimus, ut dicitur in III *Caeli et mundi*"; see also q.12, a.3 ad 2; *In II Sent.*, d.15, q.2, a.3, sol.2 ad 2; *Sum. Theol.*, I, q.84, a.8c (fn.123); II-II, q.154, a.5 ad 3.

[119] See fn.68.

[120] *Sum. Theol.*, I, q.21, a.2c: "...veritas consistit in adaequatione intellectus et rei, sicut supra dictum est. Intellectus autem qui est causa rei, comparatur ad ipsam sicut regula et mensura: e converso autem est de intellectu qui accipit scientiam a rebus. Quando igitur res sunt mensura et regula intellectus, veritas consistit in hoc, quod intellectus adaequatur rei, ut in nobis accidit: ex eo enim quod res est vel non est, opinio nostra et oratio vera vel falsa est. Sed quando intellectus est regula vel mensura rerum, veritas consistit in hoc, quod res adaequantur intellectui; sicut dicitur artifex facere verum opus, quando concordat arti"; see also *In I Sent.*, d.19, q.5, a.1 sol.; *Ver.*, q.1, aa.1-4; a.6 ad 2; a.10; *C. Gent.*, I, c.59, n.495; *Sum. Theol.*, I, q.16, aa.1-2; q.17, a.1c; q.18, a.1c; I-II, q.64, a.3c; *In III de Anim.*, lect.11, n.760; *In V Meta.*, lect.22; VI, lect.4, n.1225; VII, lect.6-8; *In I Periherm.*, prooem., nn.1-3; lect.3, nn.2-4, 6-8; *In I Post. Anal.*, prooem., n.4.

[121] *Ver.*, q.1, a.6c: "Si autem consideretur veritas rei in ordine ad intellectum humanum, vel e converso, tunc quandoque fit mutatio de veritate in falsitatem, quandoque autem de una veritate in aliam. Cum enim veritas sit adaequatio rei et intellectus, ab aequalibus autem si aequalia tollantur, adhuc aequalia remanent quamvis non eadem quantitate, oportet quod quando similiter mutatur intellectus et res, remaneat quidem veritas, sed alia; sicut si Socrate sedente intelligatur Socratem sedere, et eo postmodum non sedente intelligatur non sedere. Sed quia ab uno aequalium si aliquid tollatur, et nihil a reliquo, vel si ab utroque inaequalia tollantur, necesse est inaequalitatem provenire, quae se habet ad falsitatem sicut aequalitas ad veritatem; inde est quod si intellectu vero existente mutetur res non mutato intellectu, vel e converso, aut utrumque mutetur, sed non similiter, provenit falsitas; et sic erit mutatio de veritate in falsitatem, sicut si Socrate existente albo, intelligatur albus esse, verus est intellectus; si autem postea intelligit eum nigrum, Socrate albo remanente, vel e converso Socrate mutato in nigredinem, adhuc albus intelligatur; vel eo mutato in pallorem, intelligatur esse rubeus, erit falsitas in intellectu"; see also aa.5, 12; q.14, a.1c; *Pot.*, q.7, aa.10-11; *C. Gent.*, I, c.59, n.496; c.96, n.1820; *Sum. Theol.*, I, q.16, a.1 ad 3; a.3; a.5 ad 2; a.8c ad 3, ad 4; q.17, a.3c; q.86, a.3; *In III de Anim.*, lect.5, nn. 653-54; lect.8, nn.700-704; *In VI Meta.*, lect.4, nn.1225, 1234; IX, lect.11, n.1899f.; *In I Periherm.*, lect.3, nn.2-3, 9, 13; lect.7, n.3; lect.9, nn.2-3; lect.14, n.19; lect.15, nn.2-

temporal qualifications enter every judgment[122] because the meanings of the things about which we can judge become evident to us only in sensible imagery.[123] And science, though it is a universal and necessary kind of knowledge, is a knowledge of the particular and contingent things whose meanings the intellect has abstracted from sensible data.[124]

To sensible data, then, which are the origin of what we understand, we must resolve the meaning of the things we understand.[125] To sense we

---

5; *In I Post Anal.*, lect.27, nn.2-3.

[122] *Sum. Theol.*, I, q.85, a.5 ad 2: "….intellectus et abstrahit a phantasmatibus; et tamen non intellligit actu nisi convertendo se ad phantasmata, sicut supra dictum est. Et ex ea parte qua se ad phantasmata convertit, compositioni et divisioni intellectus adiungitur tempus". The process of studying sensible imagery also pin-points temporally individual acts of understanding: See *ibid.*, q.79, a.6 ad 2. Temporality does not, therefore, characterize God's act of understanding, which is His eternal being (see *In I Sent.*, d.17, q.5, a.3; *Sum. Theol.*, I, q.16, a.7) or angels' acts of understanding, which are not consequent upon the reception of information from material things (see *In II Sent.*, d.3, q.3, a.1 ad 2; *In VII de Div. Nom.*, lect.2, nn.710-12; *Ver.*, q.8, a.9; *Sum. Theol.*, I, q.55, a.2c; q.51, a.2c; *In Lib. de Caus.*, prop.10).

[123] *Sum. Theol.*, I, q.84, a.8c: "Omnia autem quae in praesenti statu intelligimus, cognoscuntur a nobis per comparationem ad res sensibiles naturales. Unde impossibile est quod sit in nobis iudicium intellectus perfectum, cum ligamento sensus, per quam res sensibiles cognoscimus"; see also fnn.71-76.

[124] *Sum. Theol.*, I, q.86, a.3c: "Dictum autem est supra quod per se et directe intellectus est universalium; sensus autem singularium, quorum etiam indirecte quodammodo est intellectus, ut supra dictum est. Sic igitur contingentia, prout sunt contingentia, cognoscuntur directe quidem sensu, indirecte autem ab intellectu: rationes autem universales et necessariae contingentium cognoscuntur per intellectum. Unde si attendantur rationes universales scibilium, omnes scientiae sunt de necessariis. Si autem attendatur ipsae res, sic quaedam scientia est de necessariis, quaedam vero de contingentibus"; see also a.4c; *In Boeth. de Trin.*, q.5, a.2c (D. pp.175-77). See also Lonergan, "The Concept of *Verbum*," *Theological Studies,* 10 (1949), 13-17, 28-29 and *Verbum*, 151-56, 168-69.

[125] See fn.188.

must resolve universal statements[126] and specific definitions[127] as well as particular observations,[128] the first principles of intellect[129] as much as the conclusions of science.[130] Upon sensible singulars we rely to eliminate the ineluctable equivocation in all terminology.[131] In physical science there is no other criterion than sensible appearances for judging the validity of any theory;[132] likewise, in psychology there is no better basis than the

---

[126] *In I Post. Anal.*, lect.30, n.4: "Si ergo universalia, ex quibus procedit demonstratio, cognosci possent absque inductione, sequeretur quod homo posset accipere scientiam eorum, quorum non habet sensum. Sed impossibile est universalia speculari absque inductione. Et hoc quidem in rebus sensibilus est magis manifestum, quia in eis per experientiam, quam habemus circa singularia sensibilia, accipimus univeralem notitiam, sicut manifestur in principio *Metaphysicae*"; see also n.2-6; lect.1, n.11; lect.42, nn.7-10; II, lect.30, n.14.

[127] See *ibid.*, lect.2, n.9; lect.34, n.5; lect.36, n.7.

[128] See fn.124.

[129] *C. Gent.*, II, c.83, n.1679: "Id quod per sensum in nobis acquiritur, non infuit animae ante corpus. Sed ipsorum principiorum cognitio in nobis ex sensibilibus causatur: nisi enim aliquod totum sensu percepissemus, non possemus intelligere quod *totum esset maius parte*; sicut nec caecus natus aliquid percipit de coloribus"; see also *In I Post. Anal.*, lect.30, n.5. See fn.51.

[130] *In I Post. Anal.*, lect.1, n.11: "In inductione autem concluditur universale ex singularibus, quae sunt manifesta quantum ad sensum"; but see lect.42, n.7 for a balancing statement.

[131] *Ibid.*, lect.22, n.5: "In fallacia vero aequivocationis est quidem idem medium secundum vocem, non autem secundum rem. Et ideo quando in voce proponitur, latet, sed si ad sensum demonstretur, non potest ibi esse aliqua deceptio. Sicut hoc nomen *circulus* aequivoce dicitur de figura et de poëmate. *In rationibus ergo*, idest in argumentationibus, *latet*, idest deceptio potest accidere; ut si dicatur: *Omnis circulus est figura*; *poëma Homeri est circulus*; *ergo poëma Homeri est figura*. Si vero describatur ad sensum circulus, nulla potest esse deceptio: manifestum enim erit quod carmina non sunt circulus".

[132] *Sum. Theol.*, I, q.64, a.8c: "...sicut dictum est, proprium obiectum intellectui nostro proportionatum est natura rei sensibilis. Iudicium autem perfectum de re aliqua dari non potest, nisi ea omnia quae ad rem pertinent cognoscantur; et praecipue si ignoretur id quod est terminus et finis iudicii. Dicit autem Philosophus, in III *de Caelo*, quod *sicut finis factivae scientiae est opus, ita naturalis scientiae finis est quod videtur principaliter secundum sensum*: faber anim non quaerit cognitionem cultelli nisi propter opus, ut operetur hunc particularem cultellum; et similiter naturalis non quaerit cognoscere naturam lapidis et equi, nisi ut sciat rationes eorum quae videntur secundum sensum. Manifestum est autem

facts of human experience for rejecting a theory as worthless.[133] Even in theology, sensible experience is a valid criterion of judgment: Maimonides's belief that only God actually causes anything is to be deemed worthless because it contradicts what is sensibly apparent.[134]

---

quod non posset esse perfectum iudicium fabri de cultello, si opus ignoraret; et similiter non potest esse perfectum iudicium scientiae naturalis de rebus naturalibus, si sensibilia ignorentur"; see also fnn.95, 118, 123, 142. Thus sense is the criterion for deciding that there is movement (see *In VIII Phys.*, lect.5, n.3); that some things move and others rest (*ibid.*); that not everything is always in motion (*ibid.*, lect.8, nn.1-6); that elements do not have souls (*In I. de Anim.*, lect.13, n.195); that illumination is instantaneous (*ibid.*, II, lect.14, nn.410, 412); that light and darkness, odor and sound do not have as such physical effects (*ibid.*, lect.24 , n.560); and that air receives form, not matter, from fire (*ibid.*, n.551). See also *In I de Caelo*, lect.19, n.11; II, lect.3, n.6; lect.11, nn.1-2; lect.12, n.7; lect.15, n.2; lect.16, nn.2, 5; lect.17, n.1; lect.21, n.4; lect.26, n.10; lect.28, nn.3-4. See fn.95.

[133] *Unit. intell.*, c.4 (K, n.89, p.57): "Si igitur sit unus intellectus omnium, ex necessitate sequitur quod sit unus intelligens, et per consequens unus volens, et unus utens pro suae voluntatis arbitrio omnibus illis secundum quae homines diversificantur ad invicem. Et ex hoc ulterius sequitur quod nulla differentia sit inter hominess, quantum ad liberam voluntatis electionem, sed eadem sit omnium, si intellectus, apud quem solum residet principalitas et dominium utendi omnibus aliis, est unus et indivisus in omnibus: quod est manifeste falsum et impossibile. Repugnat enim his quae apparent, et destruit totam scientiam moralem et omnia quae pertinent ad conversationem civilem, quae est hominibus naturalis, ut Aristoteles dicit"; see also *ibid.*, K, n.81, pp.51-52. See fnn.57, 77-81.

[134] *Pot.*, q.3, a.7c: "…simpliciter concedendum est Deum operari in natura et voluntare operantibus. Sed quidam hoc non intelligentes, in errorem inciderunt; attribuentes Deo hoc modo omnem naturae operationem quod res penitus naturalis nihil ageret per virtutem propriam; et ad hoc quidem ponendum sunt diversis rationibus moti. *Quidam* enim loquentes in lege Maurorum, ut *Rabbi Moyses* narrat, dixerunt, omnes hiusmodi naturales formas accidentia esse: et cum accidens in alius subiectum transire non possit, impossibile reputabant quod res naturalis per formam suam aliquo modo iduceret similem formam in alio subiecto; unde dicabant quod ignis non calefacit, sed Deus creat calorem in re calafacta. Sed *si obiiceretur* contra eos, quod ex applicatione ignis ad calefactibile, semper sequatur calefactio, nisi per accidens esset aliquid impedimentum igni, quod ostendit ignem esse causam caloris per se; dicebant, quod Deus ita statuit ut iste cursus servaretur in rebus, quod nunquam ipse calorem causaret nisi apposito igne; non quod ignis appositus aliquid ad calefactionem faceret. Haec *autem positio* est manifeste *repugnans sensui*: nam cum sensus non sentiat nisi per hoc quod a sensibili patitur (quod etsi in visu sit dubium, propter eos qui visum extra mittendo fieri dicunt, in tactu et in aliis sensibus est manifestum), sequiter quod homo non sentiat calorem

2.4. SENSIBLE IMAGERY AS THE PROPER OBJECT OF THE HUMAN INTELLECT

Since sensible imagery is the source of all information, the context for understanding, the basis of art and science, and the grounds for judgment, it can be called the proper object of the human intellect in its natural state.[135] For sensible imagery has the same relationship to the intellect that sensible qualities have to the senses.[136] It not only manifests to

---

ignis si per ignem agentem non sit similitudo caloris ignis in organo sentiendi. Si enim illa species caloris in organo ab alio agente fieret, tactus etsi sentiret calorem, non tamen sentiret calorem ignis nec sentiret ignem esse calidum, cum tamen hoc iudicet sensus, cuius iudicium in proprio sensibili non errat".

[135] *Ver.*, q.18, a.8 ad 4: "...secundum Philosophum in III *de Anima*, intellectiva comparatur ad phantasmata sicut ad obiecta propria. Unde non solum indiget intellectus noster converti ad phantasmata in acquirendo scientiam, sed etiam in utendo scientia acquista; quod patet ex hoc quod si laedatur organum imaginativae virtutis, ut fit in phraeneticis, scienta prius acquisita homo tunc uti non potest dum anima est in corpore. Dictum autem Avicennae intelligitur de anima a corpore separata, quae habet alium modem intelligendi". Elsewhere Thomas called sensible imagery simply the object of the intellect: *In I Sent.*, d.3, q.4, a.3 sol.; II, d.8, q.1, a.5 sol.; d.20, q.2, a.2 ad 3; d.23, q.2, a.2 ad 3; d.24, q.2, a.2 ad1; III, d.27, q.3, a.1 sol.; *In Boeth. de Trin.*, q.6, a.2c ad 5 (D. pp.215, 218); *C. Gent,*, II, c.73, n.1523; c.80, n.1618; c.96, n.1813; *Q. de Anim.*, a.1 ad 11; a.15c ad 3; *Sum. Theol.*, I-II, q.50, a.4 ad 1; *Unit. Intell.*, c.1 (K, n.40, p.27); *In I de Anim.*, lect.2, n.19; or a quasi-object: *In IV Sent.*, d.50, q.1, a.2 sol.; *Ver.*, q.10, a.11c. See Lonergan, "The Concept of *Verbum*," *Theological Studies*, 8 (1946), 375-76; 10 (1949), 20-24 and *Verbum*, 27-29, 159-63. The basic argument, however, for showing that Thomas considered sensible imagery the proper object of the intellect is not the name he called it, but the reason he chose the name (fnn.82-134).

[136] Ver., q.10, a.2 ad 7: "...nulla potentia potest aliquid cognoscere non convertendo se ad obiectum suum, ut visus nihil cognoscit nisi convertendo se ad colorem. Unde, cum phantasmata se habeant hoc modo ad intellectum possibilem sicut sensibilia ad sensum, ut patet per Philosophum in III *de Anima* [comm.39], quantumcumque aliquam speciem intelligibilem apud se habeat, nunquam tamen actu aliquid considerat secundum illam speciem, nisi convertendo se ad phantasmata. Et ideo, sicut intellectus noster secundum statum viae indiget phantasmatibus ad actu considerandum antequam accipiat habitum, ita et postquam acceperit. Secus autem videtur de angelis, quorum intellectus obiectum non est phantasma". This analogy is Aristotle's own; Thomas commented on it in *In III de Anim.*, lect.12, nn.77ff. and used it constantly: see *In II Sent.*, d.20, q.2, a.2 ad 2; *In Boeth. de Trin.*, q.1, a.2c (D, p.65); q.6, a.3c (D, p.220); *Ver.*, q.5, a.10c; q.10, aa.9c, 11c; *C. Gent.*, II, c.60, n.1387; *Comp.*, c.85, n.153; *Sum. Theol.*, I, q.76, a.1c; *Q. de Anim.*,

the intellect the likenesses of the things the intellect understands, it also causes the act of understanding to occur.[137] For sensible imagery moves the intellect to understand whatever it comes to understand.[138]

What the intellect considers, therefore, in the act of understanding are the appearances of particular things as they are apprehended by the senses,[139] discriminated and combined by common sense, retained and rearranged by the imagination, sought and retrieved by memory, and investigated and verified by the cogitative sense or particular reason.[140] Yet the intellect is not

---

a.2c; *Spir. creat.*, a.2c (K, p.26); *In I de Anim.*, lect.2, n.19; III, lect.13, n.791.

[137] *Sum. Theol.*, I, q.84, a.6c: "...ex parte phantasmatum intellectualis operatio a sensu causatur"; *Q. de Anim.*, a.15 ad 20: "...scientia in anima nata est causari a phantasmatibus secundum statum quo est corpori unita..."; see also fnn.77, 81. There is one apparent exception: "Non tamen oportet quod omnis cognitio in nobis causetur ex phantasmatibus; quaedam enim cognitis in nobis causatur ex revelatione" (*Malo*, q.16, a.8 ad 5); but this *caveat* would seem to apply only to the natural causality of phantasms since elsewhere Thomas alleges the necessity of sensible imagery even for divine revelation as an argument for the irreplaceable rôle of sensible imagery in the act of understanding (*Q. de Anim.*, a.15c: "Manifestum est etiam quod in revelationibus quae nobis divinitus fiunt per influxum substantiarum superiorum, indigemus aliquibus phantasmatibus").

[138] *In II Sent.*, d.17, q.2, a.1c: "...phantasmata quae sunt in imaginativa, se habent ad intellectum humanum sicut colores ad visum: et ideo oportet quod phantasmata sint moventia intellectum possibilem, sicut color movet visum..."; *Ver.*, q.5, a.10c: "...intellectus enim naturaliter movetur a sensitiva apprehensiva motiva, per modum quo obiectum movet potentiam, quia phantasma se habet ad intellectum sicut color ad visum, ut dicitur in III *de Anima* [comm.39]; et ideo, perturbata vi sensitiva interiori, de necessitate perturbatur intellectus; sicut videmus quod laeso organo phantasiae, de necessitate impeditur actio intellectus"; *C. Gent.*, II, c.60, n.1384: "Perfectio autem intellectus possibilis dependet ab operatione hominis: dependet enim a phantasmatibus, quae movent intellectum possibilem"; *In III de Anim.*, lect.12, n.770: "Dicit ergo primo, quod phantasmata se habent ad intellectivam partem animae, sicut sensibilia ad sensum. Unde sicut sensus movetur a sensibilibus, ita intellectus a phantasmatibus".

[139] Sensible imagery consists of likenesses of particular things (*Sum. Theol.*, I, q.84, a.7 ad 3), existing in corporeal organs (*ibid.*, q.85, a.1 ad 3); sensible images are appearances (*In III de Anim.*, lect.5, n.638) or apparitions (*ibid.*, lect.2, n.590) which are made initially upon the imagination (*ibid*, II, lect.6, n.302), by sense insofar as it is in act (*ibid.*, III, lect.6, esp. nn.659, 666; see also II, lect.4, nn.265, 267; III, lect.4, n.632; lect.13, n.792) but which the imagination can rearrange as well as retain (see fn.92).

[140] See fnn.82-92.

confined to perceiving merely sensible appearances, for, even when sensible imagery serves to represent adequately the object of the intellect, what the intellect understands in that case is a universal imperceptible to the senses; and, besides being able to know objects that can be adequately represented in sensible imagery, the intellect can also understand things that sensible imagery only symbolizes or just indicates.[141]

Thus, in physical science sensible imagery represents what the intellect understands.[142] To the inquiring intellect it presents instances of what is to be understood,[143] to the scientist it serves as an experiment to test what he has understood.[144] For in the darkening of the moon we find the material for understanding the meaning of an eclipse,[145] and in inde-

---

[141] *In Boeth. de Trin.*, q.6, a.2 ad 5 (fn.100).

[142] *In Boeth. de Trin.*, q.6, a.2c (D, p.216): "Quando que enim proprietates et accidentia rei, quae sensu demonstrantur, sufficienter exprimunt naturam rei, et tunc oportet quod iudicium de rei natura quod facit intellectus conformetur his quae sensus de re demonstrat. Et huiusmodi sunt omnes res naturales, quae sunt determinatae ad materiam sensibilem, et ideo in scientia naturali terminari debet cognitio ad sensum, ut scilicet hoc modo iudicemus de rebus naturalibus, secundum quod sensus eas demonstrat, ut patet in III *Caeli et mundi*; et qui sensum neglegit in naturalibus, incidit in errorem. Et haec sunt naturalia quae sunt concreta cum materia sensibili et motu et secundum esse et secundum considerationem"; see also q.5, a.2 (D, pp.173-79). See fn.132.

[143] *In I Meta.*, lect.3, nn.54-55: "Quod autem ignorantiam fugere quaerant, patet ex hoc quia illi, qui primo philosophati, sunt, et qui nunc philosophantur, incipiunt philosophari propter admirationem alicuius causae; aliter tamen a principio, et modo: quia a principio admirabantur dubitabilia pauciora, quae erant in promptu, ut eorum causae cognoscerentur: sed postea ex cognitione manifestorum ad inquisitionem occultorum paulatim procedentes dubitare de maioribus et occultioribus, sicut de passionibus lunae, videlicet de eclypsi eius...Constat autem quod dubitatio et admiratio ex ignorantia provenit. Cum enim aliquos manifestos effectus videamus, quorum causa nos latet, eorum tunc causam admiramur. Et ex quo admiratio fuit causa inducens ad philosophiam..."; see also fnn.82-86.

[144] *Sum. Theol.*, I, q.114, a.2c: "...tentare est proprie experimentum sumere de aliquo. Experimentum autem sumitur de aliquo, ut sciatur aliquid circa ipsum: et ideo proximus finis cuiuslibet tentantis est scientia"; see also fnn.101-105.

[145] *In II Post. Anal.*, lect.1, n.11: "...ex hoc ipso quod sentiremus particulare, scilicet quod, hoc corpus lunae tunc subintrat hanc umbram terrae, statim accideret nobis quod

pendence of movement we discover the data for the meaning of life.[146] Yet we do not literally see what we understand, for in these cases sensible imagery provides individual cases of what we understand, but what we understand is a meaning always and everywhere the same, as long as the causes for the events we have witnesses also remain the same.[147]

In mathematics, sensible imagery no longer represents what we understand, but it does symbolize it, for the diagrams used in geometry, for instance, through they do not depict anything in particular, yet present imaginative schemes for the dimensions of what we want to understand.[148] Thus sensible imagery remains essential for mathematics, despite

---

sciremus universale. Sensus enim noster esset de hoc quod nunc lumen solis obstruitur per oppositionem terrae; et per hoc manifestum esset nobis quod luna nunc deficit. Et quia nos coniiceremus quod semper hoc modo accideret lunae defectus, statim in nostra scientia sensus rei singularis fieret universale. Et ex hoc exemplo concludit quod idem est scire *quod quid est* et *propter quid*. Nam ex hoc quod videmus terram interpositam inter solem et lunam, sciremus et *quid est* defectus lunae et *propter quid* luna deficit"; see also lect.7, n.8; I, lect.42, n.7; lect.44, n.12.

[146] *In II de Anim.,* lect.13, n.396: "Quod ergo sensu proprio non cognoscitur, si sit aliquid universale, apprehenditur intellectu; non tamen omne quod intellectu apprehendi potest in re sensibili, potest dici sensibile per accidens, sed statim quod ad occursum rei sensatae apprehenditur intellectu. Sicut statim cum video aliquem loquentem, vel movere seipsum, apprehendo per intellectum vitam eius, unde possum dicere quod video eum vivere". See chapter 5, fnn.208ff.

[147] *In I Post. Anal.,* lect.42, n.10: "Quaedam enim sunt de quibus non quaereremus dubitando, si ea vidissemus; non quidem eo quod scientia consistat in videndo, sed in quantum ex rebus visis per viam experimenti accipitur universale, de quo est scientia. Puta si videremus vitrum perforatum, et quomodo lumen pertransit per foramina vitri, sciremus propter quid vitrum est transparens"; *Sum. Theol.* I, q.12, a.3 ad 2: "...*sicut homines, inter quos viventes motusque vitales exerentes vivimus, mox ut aspicimus, non credimus vivere, sed videmus...*Vita autem non videtur oculo corporali, sicut per se visibile, sed sicut sensibile per accidens: quod quidem a sensu non cognoscitur, sed statim cum sensu ab aliqua alia virtute cognoscitiva". See also fnn.89, 93-94.

[148] *In Boeth. de Trin.,* q.6, a.2c (D, p.216): "Quaedam vero sunt, quorum iudicium non dependet ex his quae sensu percipiuntur, quia quamvis secundum esse sint in materia sensibili, tamen secundum rationem diffinitivam sunt a materia sensibili abstracta. Iudicium autem de unaquaque re potissime fit secundum eius diffinitivam rationem. Sed quia secundum rationem diffinitivam non abstrahunt a qualibet materia, sed solum

its abstractness, for anyone who does not consider the meaning of mathematical theorems in figures remains confused about their meaning;[149] and
if one does not understand a theorem, he has only to draw the proper di-
agram and he will immediately perceive the significance of it.[150] Sensible
imagery serves much the same function in teaching as in mathematics,
for the teacher usually tries to communicate abstract notions through the
use of examples,[151] which represent individuals only vaguely.[152]

---

a sensibili et remotis sensibilibus condicionibus remanet aliquid imaginabile, ideo in
talibus oportet quod iudicium sumatur secundum id quod imaginatio demonstrat.
Huiusmodi autem sunt mathematica. Et ideo in mathematicis oportet cognitionem
secundum iudicium terminari ad imaginationem, non ad sensum, quia iudicium
mathematicum superat apprehensionem sensus. Unde non est idem iudicium quandoque
de linea mathematica quod est de linea sensibili, sicut in hoc quod recta linea tangit
sphaeram solum secundum punctum, quod convenit rectae lineae separatae, non autem
rectae lineae in materia, ut dicitur in I *De anima*" (see also q.5, a.3 [D, pp.179-90]); *In
I Post. Anal.*, lect.25, n.4: "Mathematicae enim scientiae sunt circa species. Non enim
earum consideratio est *de subiecto*, idest de materia; quia quamvis ea, de quibus geometria
considerat, sint in materia, sicut linea, superficies et huiusmodi; non tamen considerat
de eis geometria, secundum quod sunt in materia, sed secundum quod sunt abstracta.
Nam geometria ea, quae sunt in materia secundum esse, abstrahit a materia secundum
considerationem" (see also lect.41, nn.357-60); see also *In IX Meta.*, lect.10, n.1888f.

[149] *Sum. Theol.*, I, q.86, a.2 ad 2: "...intellectus noster natus est cognoscere species per
abstractionem a phantasmatibus. Et ideo illas species numerorum et figurarum quas quis
non est imaginatus, non potest cognoscere nec actu nec habitu, nisi forte in genere et in
principiis universalibus; quod est cognoscere in potentia et confuse".

[150] See *In II de Anim.*, lect.3, where Acquinas demonstrates the meaning and differences of
squares, rectangles, and rhomboids by illustration (n.248); asks one to imagine how the
lines of a square or rectangle intersect to bound a plane (n.249) and how a square with
sides equal to the difference between the sides of a rectangle will be equal to the rectangle
(n.250); and says the definition of a square as the invention of the median shows a grasp
of the cause for a square being an equilateral quadrangle (n.251); see also *In IX Meta.*,
lect.10, n.1888f.. See Lonergan, "The Concept of *Verbum*," *Theological Studies*, 7 (1946),
374-76 and *Verbum*, 26-29.

[151] See fnn.99, 110.

[152] *In I de Gen.*, lect.8, n.2: "Hoc autem exemplum [of being as fire and non-being as
earth] non procedit secundum sententiam Aristotelis, qui existimavit utrumque esse
ens: et ideo subiungit quod nihil differt ad propositum talia exempla vel alia supponere.
Quaerimus enim, inducendo exempla, modum, sed non subiectum; non curantes scilicet

In theology sensible imagery has essentially the negative function of indicating the characteristics to be denied of spirits.[153] Only a study of sensible imagery entitles us to posit the existence of separate substances to account for the occurrence of events naturally inexplicable, and yet such a study tells us nothing positive about the essences of such substances.[154] Likewise, sensible imagery enables us to conclude to the necessity for the existence of God, as the first mover and last cause of bodily move-ments,[155]—to the extent that if our imagination is impaired, we cannot

---

utrum sic se habeat in his terminis, vel in quibuscumque aliis. Et propter hoc etiam in libris Logicae utitur exemplis secundum opiniones aliorum philosophorum; quae non sunt inducenda quasi sint verba Aristotelis"; see also *In I Post. Anal.*, lect.41, n.4. For the meaning of "individuum vagum" see *Sum. Theol.*, I, q.30, a.4c: "Sed individuum vagum, ut *aliquis homo*, significat naturam communem cum determinato modo existendi qui competit singularibus, ut scilicet sit per se subsistens distinctum ab aliis. Sed in nomine *singularis designati*, significatur determinatum distinguens: sicut in nomine Socratis haec caro et hoc os".

[153] *In Boeth. de Trin.*, q.6, a.2c (D, pp.216-17): "Quaedam vero sunt quae excedunt et id quod cadit sub sensu et id quod cadit sub imaginatione, sicut ella quae omnino a materia non dependent neque secundum esse neque secundum considerationem, et ideo talium cognitio secundum iudicium neque debet terminari ad imaginationem neque ad sensum. Sed tamen ex his, quae sensu vel imaginatione apprehenduntur, in horum cognitionem devenimus vel per viam causalitatis, sicut ex effectu causa perpenditur, quae non est effectui commensurata, sed excellens, vel per excessum vel per remotionem, quando omnia, quae sensus vel imaginatio apprehendit, a rebus huiusmodi separamus; quos modos cognoscendi divina ex sensibilibus ponit Dionysius in libro *De divinis nominibus*. Uti ergo possumus in divinis et sensu et imaginatione sicut principiis nostrae considerationis, sed non sicut terminis, ut scilicet iudicemus talia esse divina, qualia sunt quae sensus vel imaginatio apprehendit" (see also q.5, a.4 [D, pp.190-200]); see also fn. 52. Thus we can know separate substances only negatively (as immaterial, incorporeal): *Sum. Theol.*, I, q.88, a.2; *In V Meta.*, lect.7, n.865; X, lect.4, n.1990; *In III de Anim.*, lect.11, n.758.

[154] *Sum. Theol.*, I. q.84, a.7, ad 3 (fn.50); see also fn.53. We know *that* separate substances are, not *what* they are: *Q. de Anim.*, a.16; *In I Post. Anal.* lect.41, n.363; *In VII Meta.*, lect.17, nn.1669-71.

[155] *Malo*, q.16, a.8 ad 3: "...usu cognoscendi quamdiu in hac vita sumus, semper est nobis phantasma necessarium, quantumcumque sit spiritualis cognitio, quia etiam Deus cognoscitur a nobis per phantasma sui effectus in quantum cognoscimus Deum per negationem, vel per causalitatem, vel per excellentiam, ut Dionysius dicit in libro *de*

think about God[156]—and yet we must deny of God any of the material characteristics in the images we use to think about Him.[157] What is more, we have to deny that the formal perfections we predicate of Him imply any of the restrictions correlative to the limited way in which we understand them in sensible imagery.[158] Thus, we know positively only *that* God is, not *what* He is.[159] Such knowledge amounts to a faith in the existence of the object of our desire to understand,[160] a judgment

---

divinis Nominibus"; see also *Sum. Theol.*, I, q.12, a.12c et *loc. par* (fn.54).

[156] *In Boeth. de Trin.*, q.6, a.2 ad 6: "Et ideo quando phantasmatum cognitio impeditur, oportet totaliter impediri cognitionem intellectus etiam in divinis. Patet enim quod non possumus intelligere deum esse causam corporum sive supra omnia corpora sive absque corporeitate, nisi imaginemur corpora".

[157] See *Ver.*, q.2, a.11c; *Pot.*, q.7, a.5c; *In I de Div. Nom., lect.*3, nn.104-05.

[158] See fn.54 for this and the other points in this paragraph. Hence, there is an analogy of predication by which God is known as cause, with a power beyond what we can learn of it from His effects and an essence from which all limitation is excluded: see *In VII de Div. Nom.*, lect.4, n.731; *In Boeth. de Trin.*, q.6, a.3c; *Pot.*, q.7, a.5 ad 2; *Sum. Theol.*, I, q.12, a.12c; q.84, a.7 ad 3. See R. McInerny, *The Logic of Analogy*: An Interpretation of St. Thomas (The Hague, 1961), pp.153-65. See chapter 5, section 2.3.2.

[159] *In VII de Div. Nom.*, lect.4, n.731: "Dicit ergo primo quod quia a creaturis in Deum ascendimus et *in omnium ablatione et excessu et in omnium causa*, propterea *Deus cognoscitur in omnibus*, sicut in effectibus *et sine omnibus*, sicut ab omnibus remotus et omnia excedens; et propter hoc etiam *cognoscitur Deus per cognitionem* nostram, quia quidquid in nostra cognitione cadit, accipimus ut ab Eo adductum; et iterum cognoscitur *per ignorantiam* nostram, inquantum scilicet hoc ipsum est Deum cognoscere, quod nos scimus nos ignorare de Deo quid sit"; see also *In Boeth. de Trin.*, q.2, a.2 ad 2; *Ver.*, q.2, a.1 ad 9; q.10, a.11 ad 4, ad 5; *Sum. Theol.*, I, q.2, a.2 ad 3. There is, then, a difference between our knowledge of God and our knowledge of other spirits; see *Sum. Theol.*, I, q.88, a.2 ad 4: "...substantiae immateriales creatae in genere quidem naturali non conveniunt cum substantiis materialibus, quia non est in eis eadem ratio potentiae et materiae: conveniunt tamen cum eis in genere logico, quia etiam substantiae immateriales sunt in praedicamento Substantiae, cum earum quidditas non sit earum esse. Sed Deus non convenit cum rebus materialibus neque secundum genus naturale, neque secundum genus logicum; quia Deus nullo modo est in genere, ut supra dictum est. Unde per similitudines rerum materialium aliquid affirmative potest cognosci de angelis secundum rationem communem, licet non secundum retionem speciei; de Deo autem nullo modo".

[160] See Burrell, 204-05, 206-10.

for which there is no adequate sensible or imaginable basis.[161] Hence, those who are absorbed in sensual matters are not apt to contemplate the things of God,[162] and those who cannot rise above the level of imagination can have no understanding of separate substances.[163] In theology, then, sensible imagery serves only to signify the necessity of God's existence for reality to be intelligible and to indicate the limitations in our understanding of His essence.

Therefore, though sensible imagery is in all cases at the origin of understanding, it is never as such the term of understanding, and its use in the term of understanding varies, depending on whether things are to be understood in sensible, or imaginable, or strictly intelligible terms.[164]

---

[161] *In Boeth. de Trin.*, q.6, a.2 ad 5: "...non tamen iudicium divinorum secundum imaginationem formatur. Et ideo quamvis imaginatio in qualibet divinorum consideratione sit necessaria secundum statum viae, numquam tamen ad eam deduci opertet in divinis"; see also fn.153. This prospect presented no great difficulty for Aquinas (*Sum. Theol.*, I, q.84, a.6 ad 3): "...sensitiva cognitio non est tota causa intellectualis cognitionis. Et ideo non est mirum si intellectualis cognitio ultra sensitivam se extendit"; see also II-II,, q.1, a.4; a.5; q.2; q.4, a.1; a.2.

[162] *Sum. Theol.*, I, q.112, a.1 ad 3: "...in nobis exterior occupatio puritatem contemplatonis impedit, quia actioni insistimus secundum sensitivas vires, quarum actiones cum intenduntur, retardantur actiones intellectivae virtutis"; see also fnn.112-14.

[163] *Subst. sep.*, c.9, n.94: "Processit enim supradicta opinio ex hoc quidem quod spirituales substantias eiusdem rationis esse existimavit cum materialibus substantiis, quae sensu percipiuntur: quod est eorum qui imaginationem transcendere non valent". K. Rahner, in *Geist in Welt: Zur Metaphysik der endlichen Erkenntnis bei Thomas von Aquin* (Munich, 21957) has worked out, from a post-Kantian perspective, Thomas's teaching on man's knowledge of God from sensible imagery.

[164] *In Boeth. de Trin.*, q.6, a.2c: "...in qualibet cognitione duo est considerare, scilicet principium et termnum. Principium quidem ad apprehensionem pertinet, terminus autem ad iudicium; ibi enim cognito perficitur. Principium igitur cuiuslibet nostrae cognitionis est in sensu, quia ex apprehensione sensus oritur apprehensio phantasiae, quae est 'motus a sensu factus', ut dicit Philosophus, a qua iterum oritur apprehensio intellectiva in nobis, cum phantasmata sint intellectivae animae ut obiecta, ut patet in III *de anima*. Sed terminus cognitionis non semper est uniformiter: quandoque enim est in sensu, quandoque in imaginatione, quandoque autem in solo intellectu. Deduci autem ad aliquid est ad illud terminari. Et ideo in divinis neque ad imaginationem neque ad sensum debemus deduci, in mathematicis autem ad imaginationem et non ad sensum, in

But, if the terms of understanding need not be sensibly or imaginatively evident, then the object which the intellect understands at the source of its information need not be merely sensible imagery. Take the case of the first principles: they must be understood *in* sensible imagery, but it cannot be said they are known *from* sensible imagery,[165] for one realizes the meaning of these principles only in the native light of the intellect.[166] In this light it becomes immediately evident that the intellect cannot but assent to these principles, for the principle of direct understanding is being, which the intellect knows in grasping the nature of anything,[167] and the principle of reflective understanding is that nothing can be other than it is, which the intellect knows in grasping its own nature.[168] Like-

---

naturalibus autem etiam ad sensum. Et propter hoc peccant qui uniformiter in his tribus speculativae partibus procedere nituntur".

[165] See fn.51.

[166] *In II Post. Anal.*, lect.20, n.12: "Posset autem aliquis credere quod solus sensus, vel memoria singularium, sufficiat ad causandum intelligibilem cognitionem principiorum, sicut posuerunt quidam antiqui, non discernentes inter sensum et intellectum; et ideo ad hoc excludendum Philosophus subdit quod simul cum sensu oportet praesupponere talem naturam animae, quae *possit pati hoc*, idest quae sit susceptiva cognitionis universalis, quod quidem fit per intellectum possibilem; et iterum quae possit agere hoc secundum intellectum agentem, qui facit intelligibilia in actu per abstractionem universalium a sinqularibus"; see also n.7; *In IV Meta.*, lect.6, n.599; and *Ver.*, q.10, a.13c; q.11, a.1c; a.3c.

[167] *C. Gent.*, II, c.83, n.1678: "Cum natura semper ordinetur ad unum, unius virtutis oportet esse naturaliter unum obiectum: sicut visus colorem, et auditus sonum. Intellectus igitur cum sit una vis, est eius unum naturale obiectum, cuius per se et naturaliter cognitionem habet. Hoc autem oportet esse id sub quo comprehenduntur omnia ab intellectu cognita; sicut sub colore comprehenduntur omnes colores, qui sunt per se visibiles. Quod non est aliud quam *ens*. Naturaliter igitur intellectus nostar cognoscit ens, et ea quae sunt per se entis inquantum huiusmodi; in qua cognitione fundatur primorum principiorum notitia, ut *non esse simul affirmare et negare*, et alia huiusmodi. Haec igitur sola principia intellectus noster naturaliter cognoscit, conclusiones autem per ipsa; sicut per colorem cognoscit visus tam communia quam sensibilia per accidens"; see also *Ver.*, q.1, n.1c; *Sum. Theol.*, I-II, q.94, a.2c.

[168] *In IV Meta.*, lect.6, n.605: "....cum duplex sit operatio intellectus: una, qua cognoscit quod quid est, quae vocatur indivisibilium intelligentia: alia, qua componit et dividit: in

wise, only the intellect itself can know the exigence of the wonder which inspires it to investigate the reasons for the things represented in sensible imagery[169] and the independence of judgment which enables it to base its assent to the truth upon a grasp of its own sufficiency.[170] For the intellect is conscious of, reflects upon, and studies the act in which it understands the natures of things.[171] Hence, sensible imagery does not make the terms of understanding intelligible, nor does it substantiate the principles upon which understanding is based, and above all, it does not reveal the power of intelligence.

---

utroque est aliquid primum: in prima quidem operatione est aliquid primum, quod cadit in conceptione intellectus, scilicet hoc qood dice ens; nec aliquid hac operatione potest mente concipi, nisi intelligatur ens. Et quia hoc principium, impossibile est esse et non esse simul, dependet ex intellectu entis, sicut hoc principium, omne totum est maius sua parte, ex intellectu totius et partis: ideo hoc etiam principium est naturaliter primum in secunda operatione intellectus, scilicet componentis et dividentis. Nec aliquis potest secundum hanc operationem intellectus aliquid intelligere, nisi hoc principio intellecto. Sicut enim totum et partes non intelliguntur nisi intellecto ente, ita nec hoc principium omne totum est maius sua parte, nisi intellecto praedicto principio firmissimo". Lonergan gives a different interpretation in "The Concept of *Verbum*," *Theological Studies*, 8 (1947), 43-45 and *Verbum*, 56-58.

[169] See fnn.101-105, 145, and also Lonergan, "The Concept of *Verbum*," *Theological Studies*, 8 (1947), 70-71 and *Verbum*, 86.-87.

[170] *Sum. Theol.*, II-II, q.173, 3c: "Circa cognitionem autem humanae mentis duo oportet considerare: scilicet acceptionem, sive repraesentationem rerum; et iudicium de rebus praesentatis. Repraesentantur autem menti humanae res aliquae secundum aliquas species: et secundum naturae ordinem, primo oportet quod species praesententur sensui; secundo, imaginationi; tertio, intellectui possibili, qui immutatur a speciebus phantasmatum secundum illustrationem intellectus agentis...Iudicium autem humanae mentis fit secundum vim intellectualis luminis"; see also *In IV Sent.*, d.49, q.2, a.7 ad 9; *Quodl.*, X, a.7c; *In Boeth. de Trin.*, q.1, a.3 ad 1; *Ver.*, q.1, a.4 ad 5; a.9c; q.10, a.8c *ad fin*; q.11, a.1c *ad fin.*; *Sum. Theol.*, I, q.12, a.11 ad 3; q.16. a.6 ad 1; q.84, a.5; a.6 ad 1; q.88, a.3 ad 1; I-II, q.109, a.1c *init.*; II-II, q.171, a.3c; q.173, a.2c; *Spir. creat.*, a.10c ad 8. See Lonergan, *ibid.*, 69-70 and 84-87. See also fnn. 26, 41, 44 and 45.

[171] See fnn.35-48. See also Lonergan, *ibid.*, 69-73 and 84-88.

2.5. Intellect vs. Sense

It cannot be said, therefore, that understanding is the same as sensing or that intellect is no different from sense. Far from it. Experience shows that in the act of understanding, although the intellect must consider sensible imagery, must even inspect its object in sensible imagery, yet it abstracts from the sensibility of the imagery to grasp the universal.[172] It is a matter of experience, then, that while sense is of the singular, science is of the universal,[173] for where sense perceives only appearances the intellect gets right to the essences of things.[174] Though we never get to understand immediately or completely the essence of anything else—since corporeal natures do not become patent in the accidents and effects in which we study them[175] and spiritual natures cannot become evident in

---

[172] *Sum. Theol.*, I, q.85, a.1 ad 1: "Similiter dico quod ea quae pertinent ad rationem speciei cuiuslibet rei materialis, puta lapidis aut hominis aut equi, possunt considerari sine principiis individualibus, quae non sunt de ratione speciei. Et hoc est abstrahere universale a particulari, vel speciam intelligibilem a phantasmatibus, considerare scilicet naturam speciei absque consideratione individualium principiorum, quae per phantasmata repraesentantur"; see also q.86, aa.1, 3; and fnn.56, 85-94.

[173] *C. Gent.*, II, c.66, n.1438: "Intellectus autem est cognoscitivus universalium, ut per experimentum patet. Differt igitur intellectus a sensu"; see also n.1439f., c.60, n.1382; and *In Boeth. de Trin.*, q.5, a.2 ad 4 (D, p.178); *In II Sent.*, d.15, q.1, a.3; d.19, a.1; *Ver.*, q.2, aa.5-6; q.10, aa.5-6; *Sum. Theol.*, I, q.86, a.1; *In I Phys.*, lect.1, n.8; *In I de Gen.*, lect.8; *In I Meta.*, lect.1, nn.19, 23-30; IV, lect.12; *In II de Anim.*, lect.11, n.360; lect.12, nn.375-77; III, lect.3, n.601; lect.4; lect.7, n.687; *In I Post. Anal.*, lect.9, nn.2-11; lect.19, n.8; lect.42, nn.4-10; II; lect.1, n.11; lect.20, nn.11-14; *In VI Ethic.*, lect.1, nn.1117-23.

[174] *Ver.*, q.10, a.6 ad 2: "...circa idem virtus superior et inferior operantur, non similiter, sed superior sublimus; unde et per formam quae a rebus accipitur, sensus non ita efficaciter rem cognoscit sicut intellectus: sed sensus per eam manuducitur in cognitionem exteriorum accidentium; intellectus vero pervenit ad nudam quidditatem rei, secernendo eam ab omnibus materialibus conditionibus. Unde pro tanto dicitur cognitio mentis a sensu originem habere, non quod omne illud quod mens cognoscit, sensus apprehendat; sed quia ex his quae sensus apprehendit, mens in aliqua ulteriora manuducitur, sicut etiam sensibilia intellecta manuducunt in intelligibilia divinorum"; see also q.8, a.7 ad 4 (3ae ser.); q.10, a.4 ad 1; a.5 ad 5; *In III de Anim.*, lect.3, n.601; lect.8, nn.709-14.

[175] Thomas makes this point in both his independent writings (see *In Boeth. de Trin.*, q.6, a.4 ad 2 [D, p.228]; *Ver.*, q.4, a.8 ad 1; q.10, a.1c; *C. Gent.*, I, c.3, n.18; *Sum. Theol.*, I,

sensible data[176]—yet we can abstract from sensible imagery reasons which transcend a mere description of the sensible circumstances of time and place.[177]

Hence, sensible imagery is said to be only the quasi-object of the intellect,[178] for *in* it the intellect discerns the quiddities which are its proper object,[179] and *from* it shine forth the intelligible species through which the intellect actually understands.[180] Because sensible imagery is itself only potentially intelligible, it is less the cause of understanding than the matter for the cause of understanding, which is the intellect itself.[181] Hence, the analogy between the function of colors for sight and

---

q.85, a.3 ad 4; a.8 ad 1; *Spir. creat.*, a.11 ad 6 [K, pp.144-45]; *In VI de Div. Nom.*, lect.2, nn.711, 713) and in his commentaries on Aristotle, from whom he adopted the notion (see *In VIII Meta.*, lect.2; and also VII, lect.12, n.1552; *In II de Caelo,* lect.4, n.3; *In I de Gen.*, lect 8, n.5; *In I de Anim.*, lect.1, n.15; *In II Post. Anal.*, lect.8, n.6).

[176] See fnn.93f., 141f.

[177] *In II Post Anal.*, lect.8, n.6: "...supponit primo quod definitio sit ratio significativa ipsius quod quid est. Si autem non posset haberi aliqua alia ratio rei quam definitio, impossibile esset quod sciremus aliquam rem *esse*, quin sciremus de ea *quid est*; quia impossibile est quod sciamus rem aliquam esse, nisi per aliquam illius rei rationem. De eo enim quod est nobis penitus ignotum, non possumus scire si est aut non. Invenitur autem aliqua alia ratio rei praeter definitionem: quae quidem vel est ratio expositiva significationis nominis, vel est ratio ipsius rei nominatae, altera tamen a definitione, quia non significat *quid est*, sicut definitio, sed forte aliquod accidens. Sicut forte invenitur aliqua ratio, quae exponit quid significat hoc nomen *triangulus*. Et per huiusmodi rationem habentes *quia est*, adhuc quaerimus *propter quid est*, ut sic accipiamus *quod quod est*"; see fnn. 55, 82ff. and *Q. de Anim.*, a.15c; *In III de Anim.*, lect.13, n.791; *In I Meta.*, lect.1, nn.15-18.

[178] See *In IV Sent.*, d.50, q.1, a.2 sol. ad fin.; *Ver.*, q.10, a.11c. See also fnn.135, 150.

[179] See fnn.49-50, 82ff., 141ff.

[180] *Ver.*, q.10, a.11c: "Mens enim nostra naturali cognitione phantasmata respicit quasi obiecta, a quibus species intelligibiles accipit, ut dicitur in III *de Anima* [comm.59]; unde omne quod intelligit secundum statum viae, intelligit per species a phantasmatibus abstractas".

[181] *Sum. Theol.*, I, q.84, a.6c: "...ex parte phantasmatum intellectualis operatio a sensu causatur. Sed quia phantasmata non sufficiunt immutare intellectum possibilem, sed oportet quod fiant intelligibilia actu per intellectum agentem; non potest dici quod

sensible imagery for the intellect definitely limps, for sight actually knows the colors which inform it, but from sensible imagery the intellect abstracts the species which inform it so that it knows, not individual appearances, but essential natures. Thus sensible imagery is a medium in which the intellect knows the things whose natures it understands, much as one might see colors in a mirror.[182]

So the role of sensible imagery as the proper object of the human intellect is confined to the period/condition when the intellect must acquire information from the senses because of being in a state of union with the body, and it is not supposed to be necessary when the soul is separated from the body.[183] What is more, the modal difference in the presentation of information in either state does not differentiate the nature of the act of understanding, for in both states the object of the intellect is the quiddities of things.[184] Those philosophers, therefore, who do

---

sensibilis cognitio sit totalis et perfecta causa intellectualis cognitionis, sed magis quodammodo est materia causae"; see also ad 3 (fn.161); *C. Gent.*, II, c.59, n.1365; c.73, nn.1496-99; *Q. de Anim.*, a.15 ad 18.

[182] *Ver.*, q.2, a.6c: "...ut enim Philosophus dicit in III *de Anima* [com.39], phantasmata se habent ad intellectum nostrum sicut sensibilia ad sensum, ut colores, qui sunt extra animam, ad visum; unde, sicut species quae est in sensu, abstrahitur a rebus ipsis, et per eam cognitio sensus continuatur ad ipsas res sensibiles; ita intellectus noster abstrahit speciem a phantasmatibus, et per eam cognitio eius quodammodo ad phantasmata continuatur. Sed tamen tantum interest; quod similitudo quae est in sensu, abstrahitur a re ut ab obiecto cognoscibili, et ideo res ipsa per illum similitudinem directe cognoscitur; similitudo autem quae est in intellectu, non abstrahitur a phantasmate sicut ab obiecto cognoscibili, sed sicut a medio cognitionis, per modum quo sensus noster accipit similitudinem rei quae est in speculo, dum fertur in eam non ut in rem quamdam, sed ut in similitudinem rei. Unde intellectus noster non directe ex specie quam suscipit, fertur ad cognoscendum phantasma, sed ad cognoscendum rem cuius est phantasma": see also *Sum. Theol.*, III, q.11, a.2 ad 1 and fn.136.

[183] See *In III Sent.*, d.31, q.2, a.4 sol.; IV, d.50, q.1, a.1 sol.; *Ver.*, q.18, a.8 ad 4; q.19, a.1c; *Quodl.*, III, a.21; *C. Gent.*, II, c.80, n.1618; c.81, n.1625; *Sum. Theol.*, I, q.89, a.1c; I-II, q.50, a.4 ad 1; q.67, a.2; *Q. de Anim.*, a.1 ad 11; a.14 ad 14; a.15.

[184] *Q. de Anim.*, a.15 ad 10: "...operatio propria animae est intelligere intelligibilia actu. Nec per hoc diversificatur species intellectualis operationis, quod intelligibilia actu sunt accepta a phantasmatibus vel aliunde"; see also ad 18. See also Lonergan, "The Concept

not acknowledge a real difference between sense and intellect obviously must never have understood anything, and thus they are not to be taken seriously when they speak about understanding.[185]

2.6. THE UNIVERSAL AS THE OBJECT OF THE INTELLECT

Hence, the object of the intellect as such is the universal, for we understand things apart from any individuating circumstances of time and place.[186] The universal in this sense means the natures of things, regardless of any mode of existence, either in things themselves or in the intellect.[187]

---

of *Verbum*," *Theological Studies*, 10 (1949), 28-29 and *Verbum*, 168-69.

[185] *In I de Anim.*, lect.3, n.39: "Democritus credebat quod nihil esset in mundo nisi sensibilia: et sicut nihil erat in mundo nisi sensibilia, ita dicebat, quod nulla vis apprehensiva erat in anima, nisi sensitiva. Unde fuit huius opinionis, quod nulla veritas determinate haberetur de rebus, et quod nihil determinate cognoscitur, sed quicquid apparet, verum esst; et non magis illud quod cogitat unus de re aliqua, quam illud quod cogitat alius de eadem re, eodem tempore, verum esse: et ex hoc sequebatur, quod poneret contradictoria simul esse vera. Cuis ratio est, quia ipse, ut dictum est, non utebatur intellectu, qui est circa veritatem, idest virtute intellectiva, per quam anima intelligit intelligibilia, sed solum vi sensitiva; et quod nihil cognosceretur nisi sensibile, cum nihil poneret in rerum natura nisi sensibile". Thomas seconded Aristotle's rejection of the materialism (*ibid.*, III, lect., n.595; lect.4, nn.617-20, 623; *In I de Gen.*, lect.8; *In II Sent.*, d.15, q.1, a.3 sol.; *Sum. Theol.*, I, q.84, a.6), empiricism (*In II de Anim.*, lect.12, nn.375-77; III, lect.2, n.594), skepticism (*ibid.*, I, lect.3, n.39; III, lect.2, nn.595; lect.4, n.625; *In IV Meta.*, lect.6, n.606-lect.15, n.719), and sophism (*In III de Anim.*, lect.2, n.596) in such an approach to understanding and delineated the differences between the objects of sense and intellect (*ibid.*, lect.4, nn.628-35; *C. Gent.*, II, c.66). See also chapter 2, section 2.1. and chapter 5, section 2.2.3.

[186] *Sum. Theol.*, I, q.57, a.2 ad 1: "Philosophus loquitur de intellectu nostro, qui non intelligit res nisi abstrahendo; et per ipsam abstractionem a materialibus conditionibus, id quod abstrahitur, fit universale"; see also *In II Sent.*, d.3, q.3, a.2 ad 1; *C. Gent.*, I, c.26, nn.241, 247; c.75, n.1551; *In III de Anim.*, lect.12, n.377 (fn.192); *Q. de Anim.*, a.2c ad 5; a.3 ad 7; a.4c; a.20c. See also fnn.172-74, 177.

[187] It would seem that Aquinas meant the same idea when he used the terms (1) universal as such apart from any mode of being (*Ente et ess.*, c.4 [B, pp.29-30]: "Natura autem vel essentia sic accepta potest dupliciter considerari. Uno modo, secundum rationem propriam, et haec est absoluta consideratio ipsius: et hoc modo nihil est verum de ea nisi quod convenit sibi secundum quod huiusmodi: unde, quidquid aliorum sibi attribuitur,

The only real existence the universal can have, though, is in concrete individuals,[188] for we understand the natures or quiddities of things only in sensible data.[189] Thus, what we understand in the universal is things,

---

falsa est attributio. Verbi gratia homini, in eo quod est homo, convenit rationale et animal et alia quae in eius definitione cadunt; album vero vel nigrum, vel quidquid huiusmodi quod non est de ratione humanitatis, non convenit homini in eo quod est homo. Unde si quaeratur utrum ista natura sic considerata possit dici una vel plures, neutrum concedendum est: quia utrumque est extra intellectum humanitatis, et utrumque potest sibi accidere"; see also *Quodl.VIII*, a.1c; *In II de Anima.*, lect.12, n.378), (2) universal known directly in knowing the thing (*Sum. Theol.*, I, q.85, a.3 ad 1: "...quod universale dupliciter potest considerari. Uno modo, secundum quod natura universalis consideratur simul cum intentione universalitatis. Et cum intentio universalitatis, ut scilicet unum et idem habeat habitudinem ad multa, proveniat ex abstractione intellectus, oportet quod secundum hunc modum universale sit posterius...Alio modo potest considerari quantum ad ipsam naturam, scilicet animalitatis vel humanitatis, proud invenitur in particularibus"; see also q.55, a.3 ad 1; q.85, a.3 ad 4; I-II, q.29, a.6 ad 1; *In I Sent.*, d.19, q.5, a.1c; II, d.3, q.3, a.2 ad 1; *In I Periherm.*, lect.10, n.9), and (3) universal known by the intellect but not reflectively known as universal (see *Sum. Theol.*, I, q.85, a.2 ad 2: "...cum dicitur *intellectum in actu*, duo importantur: scilicet res quae intelligitur, et hoc quod est ipsum intelligi. Et similiter cum dicitur *universale abstractum*, duo intelliguntur: scilicet ipsa natura rei, et abstractio seu universalitas. Ipsa igitur natura cui accidit vel intelligi vel abstrahi, vel intentio universalitatis, non est nisi in singularibus; sed hoc ipsum quod est intelligi vel abstrahi, vel intentio universalitatis, est in intellectu... Similiter humanitas quae intelligitur, non est nisi in hoc vel in illo homine: sed quod humanitas apprehendatur sine individualibus conditionibus, quod est ipsam abstrahi, ad quod sequitur intentio universalitatis, accidit humanitati secundum quod percipitur ab intellectu, in quo est similitudo naturae speciei, et non individualium principiorum"; see also *In VII Meta.*, lect.13, n.1570). This universal is used in a definition which expresses what a thing is as a whole and not just what is intelligible about a thing (see *In I Sent.*, d.23, q.1, a.1 sol.; *Ente et ess.*, c.3 [B, pp.26-27]; *In Boeth. de Hebdom.*, lect.2, n.25; *Quodl.*, II, a.4c; *Sum. Theol.*, I, q.3, a.3c; *In VII Meta.*, lect.3; lect.9; lect.11, nn.1535-36; lect.13, n.1566; for an apparently different usage see *Quodl.*, IX, a.2 ad 4).

[188] *In II de Anim.*, lect.12, n.378: "Non enim est homo naturalis, id est realis, nisi in his carnibus, et in his ossibus, sicut probat Philosophus in *septimo Metaphysicae*. Relinquitur igitur, quod natura humana non habet esse praeter principia individuantia, nisi tantum in intellectu"; see also *In II Sent.*, d.17, q.1, a.1; *Ente et ess.*, c.3 (B, pp.26-27); c.4 (B, p.32); *C. Gent.*, I, c.26, n.241; *Sum. Theol.*, I, q.85, a.2 ad 2; *In VII Meta.*, lect.11, nn.1535-36; lect.14, nn.1642-47; X, lect.3, nn.1963-1964; *In I Periherm.*, lect.10, n.3.

[189] *Sum. Theol.*, I, q.84, a.7: "Intellectus autem humani, qui est coniunctus corpori, proprium obiectum est quidditas sive natura in materia corporali existens; et per huiusmodi naturas visibilium rerum etiam in invisibilium rerum aliqualem cognitionem

as Aristotle insisted, and not simply our own ideas of things, as Plato tried to contend.[190] We realize that the universality of our understanding is not a condition of the things we understand, but of the abstract way we understand them.[191] The information we get about things becomes

---

ascendit. De ratione autem huius naturae est, quod in aliquo individuo existat, quod non est absque materia corporali: sicut de ratione naturae lapidis est quod sit in hoc lapide, et de ratione naturae equi quod sit in hoc equo, et sic de aliis. Unde natura lapidis, vel cuiuscumque materialis rei, cognosci non potest complete et vere, nisi secundum quod cognosicitur ut in particulari existens. Particulare autem apprehendimus per sensum et imaginationem. Et ideo necesse est ad hoc quod intellectus actu intelligat suum obiectum proprium, quod convertat se ad phantasmata, ut speculetur naturam univeralem in particulari existentem"; see also *Ente et ess.*, c.1 (B, p.13); *In III de Anim.*, lect.8, n.717 (fn.50); and also fnn.49-50, 86, 93-94.

[190] *Sum. Theol.*, I, q.84, a.1c: "Plato, ut posset salvare certam cognitionem veritatis a nobis per intellectum haberi, posuit praeter ista corporalia aliud genus entium a materia et motu separatum, quod nominabat *species* sive *ideas*, per quarum participationem unumquodque istorum singularium et sensibilium dicitur vel homo vel equus vel aliquid huiusmodi. Sic ergo dicebat scientias et definitiones et quidquid ad actum intellectus pertinet, non referri ad ista corpora sensibilia, sed ad illa immaterialia et separata; ut sic anima non intelligat ista corporalia, sed intelligat horum corporalium species separatas... Videtur autem in hoc Plato deviasse a veritate, quia, cum aestimaret omnem cognitionem per modum alicuius similitudinis esse, credidit quod forma cogniti ex necessitate sit in cognoscente eo modo quo est in cognito. Consideravit autem quod forma rei intellectae est in intellectu universaliter et immaterialiter et immobiliter: quod ex ipsa operatione intellectus apparet, qui intelligit universaliter et per modum necessitatis cuiusdam; modus enim actionis est secundum modum formae agentis. Et ideo existimavit quod oporteret res intellectas hoc modo in seipsis subsistere, scilicet immaterialiter et immobiliter"; see also the many repetitions of this point in q.6, a.4; q.79, a.3; q.84, aa.1-4; q.85, a.2; a.3 ad 4; *Ver.*, q.3, a.2; q.10, a.6; *Q. de Anim.*, a.3 ad 8; a.4c; a.15c; *In III de Anim.*, lect.8, n.718; *Spir. creat.*, a.3 (K, pp.40-41); *In II Phys.*, lect.3, n.162; *In I Meta.*, lect.10, n.158; VII, lect.13, n.1570; lect.16, nn.1642-47; X, lect.3, nn.1963-64; *In I Periherm.*, lect.2, n.5; lect.10, nn.4, 9.

[191] *In II de Anim.*, lect.12, n.379: "Nec tamen intellectus est falsus, dum apprehendit naturam communem praeter principia individuantia, sine quibus esse non potest in rerum natura. Non enim apprehendit hoc intellectus, scilicet quod natura communis sit sine principiis individuantibus; sed apprehendit naturam communem non apprehendendo principia individuantia; et hoc non est falsum"; see also *In II Sent.*, d.17, q.1, a.1; *Ente et ess.*, c.3 (B, p.26); c.4 (B, p.32); *Ver.*, q.1, a.1 ad 3; q.21, a.1c init.; *C. Gent.*, I, c.26, n.241; c.75, n.1552; *Sum. Theol.*, I, q.85, a.1 ad 1; a.2 ad 2; *In VII Meta.*, lect.11, nn.1535-36; lect.14, nn.1642-47; X, lect.3, nn.1963-64; *In I Periherm.*, lect.10, n.3. See chapter 4, fn.61.

universal because of the immaterial way we receive it in our intellects.[192] Thus the natures of things are universal only as they exist in the intellect, and it is to this mode of their existence that we attribute the logical intentions, such as genus and species, which signify natures as universal.[193] We must realize, then, that universality pertains to the natures of things not as these natures exist in things or even as we understand things according to their natures, but as these natures exist in the intellect according to the

---

[192] *In II de Anim.*, lect.12, n.377: "Circa ea vero quae hic dicuntur, considerandum est, *quare* sensus sit singularium, scientia vero universalium; et *quomodo* universalia sint in anima. Sciendum est igitur *circa primum*, quod sensus est virtus in organo corporali; intellectus vero est virtus immaterialis, quae non est actus alicuius organi corporalis. Unumquodque autem recipitur in aliquo per modum sui. Cognitio autem omnis fit per hoc, quod cognitum est aliquo modo in cognoscente, scilicet secundum similitudinem. Nam cognoscens in actu, est ipsum cognitum in actu. Oportet igitur quod sensus corporaliter et materialiter recipiat similitudinem rei quae sentitur. Intellectus autem recipit similitudinem eius quod intelligitur, in corporaliter et immaterialiter. Individuatio autem naturae communis in rebus corporalibus et materialibus, est ex materia corporali, sub determinatis dimensionibus contenta: univerale autem est per abstractionem ab huiusmodi materia, et materialibus conditionibus individuantibus. Manifestum est igitur, quod similitudo rei recepta in sensu repraesentat rem secundum quod est singularis; recepta autem in intellectu, repraesentat rem secundum rationem universalis naturae: et inde est, quod sensus cognoscit singularia, intellectus vero universalia, et horum sunt scientiae"; see also *C. Gent.*, II, c.60, n.1382; *Sum. Theol.*, I, q.14, a.11 ad 1; q.55, a.2c; a.3 ad 1; q.57, a.1 ad 3; *Q. de Anim.*, a.20c.

[193] *Ente et ess.*, c.4 (B, pp.31-32): "Relinquitur ergo quod ratio speciei accidat naturae humanae secundum illud esse quod habat in intellectu. Ipsa enim natura humana habet esse in intellectu abstractum ab omnibus individuantibus, et ideo habet rationem uniformem ad omnia individua quae sunt extra animam, prout aequaliter est similitudo omnium et inducens in cognitionem omnium, inquantum sunt homines. Et ex hoc quod talem relationem habet ad omnia individua, intellectus adinvenit rationem speciei et attribuit sibi"; see also c.4 (B, pp.28-34); *In II Gent.*, d.17, q.1, a.1; d.19, q.5; *C. Gent.*, I, c.26, n.241; *Sum. Theol.*, I, q.29, a.2 ad 3; q.85, a.2 ad 2; a.3 ad 1; *In VII Meta.*, lect.5; *Q. de Anim.*, a.3 ad 8; a.4c; *In II de Anim.*, lect.12, nn.377-80; *In I Periherm.*, lect.10, nn.4, 10. Hence genera mean really nothing but species (see *Ente et ess.*, c.3 [B, pp.22-23, 25]; *Sum. Theol.*, I, q.85, a.3 ad 4; *In VII Phys.*, lect.8, n.5; *In VII Meta.*, lect.14; *Spir. creat.*, a.1 ad 9), and species, nothing but individuals (see *Ente et ess.*, c.3 [B, pp.20-21, 26-27]; *In X Meta.*, lect.3, nn.1963-64), and substance in the abstract, nothing but substances in the concrete (*Sum. Theol.*, I, q.29, a.1c ad 2; *Q. de Anim.*, a.1c). Therefore logical intentions such as species cannot be predicated of things such as Socrates (see *Ente et ess.*, c.4 [B, p.34]).

way we understand things.[194]

Consequently, the ideas in which we give our reasons for things are also universal,[195] for they are terms in which we intend to express what we understand about things in the way we have understood them.[196] Because

---

[194] *In II de Anim.*, lect.12, n.380: "Sic igitur patet, quod naturae communi non potest attribui intentio universalitatis nisi secundum esse quod habet in intellectu: sic enim solum est unum de multis, prout intelligitur praeter principia, quibus unum in multa dividitur: unde relinquitur, quod universalia, secundum quod sunt universalia, non sunt nisi in anima. Ipsae autem naturae, quibus accidit intentio universalitatis, sunt in rebus. Et propter hoc, nomina communia significantia naturas ipsas, praedicantur de individuis; non autem nomina significantia intentiones. Socrates enim est homo, sed non est species, quamvis homo sit species"; see also *In I Sent.*, d.2, q.1, a.3 sol.; d.19, q.5, a.1 sol.; *Ente et ess.*, c.4 (B. pp.30-34, esp. p.34); *Quodl.*, VIII, a.1c; *Ver.*, q.10, a.4c; *Pot.*, q.7, a.6c; q.9c; *C. Gent.*, I, c.26, n.247; IV, c.11, n.3466; *Sum. Theol.*, I, q.3, a.3c; q.15, a.2 ad 2; q.55, a.3 ad 1; q.76, a.3 ad 4; q.85, a.2 ad 2; a.3 ad 1; *In I Periherm.*, lect.10, nn.4, 9; *In VII Meta.*, lect.13, n. 1571. Only because logical intentions signify the abstract way we understand things can they be used dialectically to study the natures of things as such: *Fallac.*, c.2, n.636; *In Boeth. de Trin.*, q.6, a.1 (1a resp.); *Sum. Theol.*, I, q.85, a.3 ad 4; *In IV Meta.*, lect.4, n.574; VII (the whole course of the argument; see chapter 4, section 2). Thus the species is actually to be reduced to the nature of the thing (see *Ente et ess.*, c.3 [B, pp.24, 27]; *Sum. Theol.*, I, q.85, a.3 ad 4) and is reducible to the formal difference of the nature (see *Ente et ess.*, c.3 [B, pp.21, 24-25]; *In IV Sent.*, d.44, q.1, a.1, sol.1 ad 4: *Quodl.*, IX, n.5c; I, a.6c; *In IX de Div. Nom.*, lect.2, n.826; *Pot.*, q.3, a.9 ad 9; *C. Gent.*, II, c.58; *Comp.*, c.90, nn.166-67; c.91, n.168; c.92, nn.169-72; *Sum. Theol.*, I, q.76, aa.3-4; *In VIII Phys.*, lect.8, n.9; *Spir. creat.*, a.1 ad 9; a.3; *Q. de Anim.*, aa.9, 11; *In I Cor. 15*, lect.6, nn.985-86; lect.7, n.992; *In I Thess. 5*, lect.2, n.137; *In Febr. 4*, lect.2, n.222), and the difference explains the basis for things having certain natures (see *Ente et ess.*, c.3 [B, pp.23-24]; *Sum. Theol.*, I, q.50, a.2 ad 1).

[195] *In I Periherm.*, lect.10, n.5: "Est autem considerandum quod intellectus apprehendit rem intellectam secundum propriam essentiam, seu definitionem, unde et in III *De anima* dicitur quod obiectum proprium intellectus est *quod quid est*. Contingit autem quandoque quod propria ratio alicuius formae intellectae non repugnat ei quod est esse in pluribus, sed hoc impeditur ab aliquo alio, sive sit aliquid accidentaliter adveniens, puta si omnibus hominibus morientibus unus solus remaneret, sive sit propter conditionem materiae, sicut est unus tantum sol, non quod repugnat rationi solari esse in pluribus secundum conditionem formae ipsius, sed quia non est alia materia susceptiva talis formae; et ideo non dixit quod universale est quod praedicatur de pluribus, sed *quod aptum natum est praedicari de pluribus*"; see also *In I de Caelo*, lect.19, nn.7-8; *In VII Meta.*, lect.8; *Sum. Theol.*, I, q.3, a.3c.

[196] *C. Gent.*, I, c.53, n.444: "Haec autem intentio intellecta, cum sit quasi terminus intelligibilis operationis, est aliud a specie intelligibili quae facit intellectum in actu,

our reasons reflect our information, we know in and by and through them the things whose nature they represent.[197] We realize that we know things in universal concepts because we can understand things whether they are present or absent and we always understand them apart from the material conditions in which they really exist.[198] Nevertheless, these concepts are not the things we know when we understand, but the media in which we

---

quam oportet considerari ut intelligibilis operationis principium: licet utrumque sit rei intellectae similitudo. Per hoc enim quod species intelligibilis quae est forma intellectus et intelligendi principium, est similitudo rei exterioris, sequitur quod intellectus intentionem formet illi rei similem: quia *quale est unumquodque, talia operatur.* Et ex hoc quod intentio intellecta est similis alicui rei, sequitur quod intellectus, formando huiusmodi intentionem, rem illam intelligat"; see also *In I Sent.*, d.2, q.1, a.3 sol.; d.27, q.2, a.2; *Ver.*, q.3, a.3c; q.10, a.9 ad 10; *Pot.*, q.7, a.5c; q.8, a.1c; q.9, a.5c; *In I Ioan.*, lect.1, n.25.

[197] *Ver.*, q.3, a.2c: "...in intellectu speculativo videmus quod species, qua intellectus informatur ut intelligat actu, est primum *quo* intelligitur; ex hoc autem quod est effectus in actu, per talem formam operari iam potest formando quidditates rerum et componendo et dividendo; unde ipsa quidditas formata in intellectu, vel etiam compositio et divisio, est quoddam operatum ipsius, per quod tamen intellectus venit in cognitionem rei exterioris; et sic est quasi secundum *quo* intelligitur": see also *Pot.*, q.8, a.1c; *C. Gent.*, I, c.53, n.444, IV, c.11, n.3466; *Quodl.*, V, a.9 ad 1; *In I Ioan.*, lect.1, n.25. See Lonergan, "The Concept of *Verbum*," *Theological Studies*, 10 (1949), 367-69 and *Verbum*, 191-93.

[198] *C. Gent.*, I, c.53, n.443: "...intellectus, per speciem rei formatus, intelligendo format in seipso quandam intentionem rei intellectae, quae est ratio ipsius, quam significat definitio. Et hoc quidem necessarium est: eo quod intellectus intelligit indifferenter rem absentem et praesentem, in quo cum intellectu imaginatio convenit; sed intellectus hoc amplius habet, quod etiam intelligit rem ut separatam a conditionibus materialibus, sine quibus in rerum natura non existit; et hoc non posset esse nisi intellectus sibi intentionem praedictam formaret"; see also *Ver.*, q.3, aa.1-2; q.4, a.1c ad 1; a.2 ad 5; *Pot.*, q.8, a.1c; q.9, a.5c; *In I Ioan.*, lect.1, n.25. The guiding notion is that what is understood must be present as such to the intellect, so that, when it is not thus present naturally, the intellect must make it so intentionally. The apex of such identity is in God whose Word is not so much united to Him as indistinct from Him because He is what He understands (see *C. Gent.*, IV, c.11, nn.3467-69; *Sum. Theol.*, I, q.16, a.5 ad 2). Yet even in God (as we know from revelation) there remains a real distinction between the intellect as conscious of understanding and the idea of what it has understood (*Ver.*, q.4, a.2c; *Pot.*, q.9, a.5c; *C. Gent.*, *loc. cit.*; *Sum. Theol.*, I, q.28, a.3c ad 1; a.4c ad 1; *Comp.*, c.52, n.91; *Rat. fid.*, c.3, nn.959-63)—so that the knower and the known, while identical, are never confused. See chapter 5, section 2.3.3.

know the things we understand.[199] They are like interior words[200] which

---

[199] *Pot.*, q.8, a.1c: "Intelligens autem in intelligendo ad quatuor potest habere ordinam: scilicet ad rem quae intelligitur, ad speciem intelligibilem, qua fit intellectus in actu, ad suum intelligere, et ad conceptionem intellectus. Quae quidem conceptio a tribus praedictis differt. *A re* quidem intellecta, quia res intellecta est interdum extra intellectum, conceptio autem intellectus non est nisi in intellectus; et iterum conceptio intellectus ordinatur ad rem intellectam sicut ad finem: propter hoc enim intellectus conceptionem rei in se format ut rem intellectum cognoscat"; see also q.2, a.1c; q.9, a.5c; a.9c; and *In I Sent.*, d.7, q.1, a.1; d.27, q.2, a.2 sol.; *Ver.*, q.4, a.2c; *C. Gent.*, IV, cc.10-14, esp. c.11, n.3466: "Dico autem *intentionem intellectam* id quod intellectus in seipso concipit de re intellecta. Quae quidem in nobis neque est ipsa res quae intelligitur; neque est ipsa substantia intellectus; sed est quaedam similitudo concepta in intellectu de re intellecta, quam voces exteriores significant; unde et ipsa intentio *verbum interius* nominatur, quod est exteriori verbo significatum. Et quidem quod praedicta intentio non sit in nobis res intellecta, inde apparet quod aliud est intelligere rem, et aliud est intelligere ipsam intentionem intellectam, quod intellectus facit dum super suum opus reflectitur: unde et aliae scientiae sunt de rebus, et aliae de intentionibus intellectis"; *Sum. Theol.*, I, q.27, a.1c; a.2c; q.34, a.1c; q.41, a.4c; *Comp.*, cc.40, 43; *In I Col.*, lect.4, nn.30-34. Thomas gradually developed his doctrine of the concept to explain generation in the Trinity: see R. Richard, *The Problem of Apologetical Perspective in The Trinitarian Theology of St. Thomas Aquinas* (Analecta Gregoriana 131: Rome, 1963). The function of the concept as a medium does not gainsay the fact that it is what the intellect primarily and essentially understands (see *Ver.*, q.4, a.1 ad 1; *Pot.*, q.9, a.5c; *C. Gent.*, IV, c.11, n.3469; *Sum. Theol.*, I, q.15, a.3c), for only in the concept does the intellect apprehend as such the meaning of what it has understood (see fn.198). In speech, then, we signify immediately concepts and only through concepts things (see *Pot.*, q.7, a.5c; a.6c; *Sum. Theol.*, I, q.13, a.1c; a.10 ad 1; *In I Periherm.*, lect.2, nn.15, 20; *In V Meta.*, lect.5, n.824; IX, lect.3, n.1805). See fn.205.

[200] *Ver.*, q.4, a.2c: "Unde, ad huius notitiam, sciendum est, quod verbum intellectus nostri, secundum cuius similitudinem loqui possumus de verbo in divinis, est id ad quod operatio intellectus nostri terminatur, quod est ipsum intellectum, quod dicitur conceptio intellectus; sive sit conceptio significabilis per vocem incomplexam, ut accidit quando intellectus format quidditates rerum; sive per vocem complexam, quod accidit quando intellectus componit et dividit. Omne autem intellectum in nobis est aliquid realiter progrediens ab altero; vel sicut progrediuntur a principiis conceptiones conclusionum, vel sicut conceptiones quidditatem rerum posteriorum a quidditatibus priorum; vel saltem sicut conceptio actualis progreditur ab habituali cognitione. Et hoc universaliter verum est de omni quod a nobis intelligitur, sive per essentiam intelligatur, sive per similitudinem. Ipsa enim conceptio est effectus actus intelligendi; unde etiam quando mens intelligit seipsam, eius conceptio non est ipsa mens, sed aliquid expressum a notitia mentis"; see also a.1c ad 7; *Pot.*, q.9, a.5c; *Sum. Theol.*, I, q.34, a.1c ad 2, ad 3; *In II de Anim.*, lect.18, n.477; *In I Ioan.*, lect.1, n.25. See Lonergan, "The Concept of Verbum," *Theological Studies*, 7 (1946), 356 and *Verbum*, 9. The inner word as understood intention represents the perfection of human understanding and can thus be predicted

we speak by the power of our intellects[201] when we have actually understood something[202] and want to propose a reason for it.[203]

---

even of God (see *Ver.*, q.4, a.1c); but as a concept distinct from the intellect and from the act of understanding, it is a peculiarity of the human intellect, which is not naturally whatever it understands (see fnn.198-99).

[201] *Sum. Theol.*, I, q.27, a.1c: "Quicumque enim intelligit, ex hoc ipso quod intelligit, procedit aliquid intra ipsum, quod est conceptio rei intellectae, ex vi intellectiva proveniens, et ex eius notitia procedens. Quam quidem conceptionem vox significat: et dicitur *verbum cordis*, significatum verbo vocis"; see also q.34, a.1 ad 2; *In I Sent.*, d.27, q.2, a.2, sol.1; II, d.11, q.2, a.3 sol.; *Ver.*, q.4, a.2c ad 5; q.3, a.2; *Pot.*, q.8, a.1c; q.9, a.5c; *Comp.*, c.52, nn.90, 91; *C. Gent.*, IV, c.11, n.3466.

[202] *In I Ioan.*, lect.1, n.26: "...cum volvo concipere rationem lapidis, oportet quod ad ipsam ratiocinando perveniam; et sic est in omnibus aliis, quae a nobis intelliguntur, nisi forte in primis principiis, quae cum sint simpliciter nota, absque discursu rationis statim sciuntur. Quamdiu ergo sic ratiocinando, intellectus iactatur hac atque illac, nec dum formatio perfecta est, nisi quando ipsam rationem rei perfecte conceperit; et tunc primo habet rationem rei perfectae, et tunc primo habet rationem verbi. Et inde est quod in anima nostra est cogitatio, per quam significatur ipse discursus inquisitionis, et verbum, quod est iam formatum secundum perfectam contemplationem veritatis"; see also n.25; *Ver.*, q.3, a.2c; q.4, a.1 ad 1; a.2c; *Pot.*, q.8, a.1c; q.9, a.5c; a.9c; *C. Gent.*, I, c.53, n.443; IV, c.11, nn.3473, 3499; *Quodl.*, V, a.9c; *Rat. fidei.*, c.3, n.958; *Comp.*, c.53, n.91; *Sum. Theol.*, I, q.34, a.1c ad 2, ad 3.

[203] *Ratio* is an analogous notion in the writings of Thomas Aquinas. In general it is a form which in irrational things is nature and in the rational is art (*Sum. Theol.*, I-II, q.13, a.2 ad 3). As nature, it is the essential form as opposed to both accidental aspects and the entire composite (*In Boeth. de Trin.*, q.5, a.2c [D, p.176]); it makes the composite actually something and, therefore, intelligible (*ibid.*, a.3c [D, p.182]) to everyone in the same way (*Spir. creat.*, a.10 ad 12) by determining it specifically (*C. Gent.*, q.95, n.1808; lect.12, n.773) so that it can be understood either physically or mathematically (*In I de Caelo*, lect.19, n.4). So it is the soul in an organic body (*In II de Anim.*, lect.2, nn.236, 274-75, 278, 320) and sense in a sensory organ (*ibid.*, lect.24, nn.554-57); it signifies the ordination of potency to act (*ibid.*, lect.3, n.209) and the determination of potency by act and of act by object (*ibid.*, lect.6, n.307; *Sum. Theol.*, I, q.77, a.3; q.79, a.7; q.82, a.3). Thus it is the measure of the human intellect when it attempts to understand something (*Quodl.*, VIII, a.1c). As art, *recta ratio* determines prudence in morals and skill in work (*In VI Ethic.*, lect.2, nn.1109-12) and is evidence of the light of the agent intellect (*Ver.*, q.10, a.8 ad 10 [2ae ser.]).

Since the *ratio* in a thing is a measure of the intellect, *ratio* can also mean the species by which God impresses angelic intellects with the meanings of things (*Sum. Theol.*. I, q.56, a.2c; q.54, a.2 ad 2).

Thus the adequacy of the reasons we give for things is proportionate to our information about them, our understanding of that information, and the ideas we have conceived from what we have understood.[204] The terms we use, then, signify immediately our concepts and only through them the natures of things themselves.[205] Nevertheless, things remain the measure of whatever we know about them,[206] and traces of the origin

---

Most often, however, *ratio* means a kind of *idea*, a principle of knowledge conceived by the intellect and intended for a speculative purpose (see *In I Sent.*, d.36, q.2, a.1 sol.; *In V de Div. Nom.*, lect.3, n.666; *Ver.*, q.3, a.1c; a.2c; a.3c; a.4c; a.5c; a.6c med.; a.8 ad 2; *Quodl.*, IV, a.1c; *Sum. Theol.*, I, q.15; q.44, a.3c; *In XII Meta.*, lect.11, nn.2619-20; *Q. de Anim.*, a.20 med.).

[204] Reason in this sense is the epitome of scientific knowledge about the natures of things (*In Boeth. de Trin.*, q.5, a.2 ad 4 [D, p.178]); *In I Sent.*, d.2, q.1, a.2 sol.; a.3 sol.; *Pot.*, q.8, a.2 ad 10; *Sum. Theol.*, I, q.5, a.2c; *In IVMeta.*, lect.7, n.613 [the basic source]); it is expressed in the reasons we give for assertions (see every article of the *Summa*; in particular see, e.g., *In I de Anim.*, lect.3, n.30; II, lect.15, n.430; III, lect.2, n.592; lect.4, n.635; lect.11, nn.758, 762) and in the names or terms we use formally (*Pot.*, q.9, a.4c; see also *In I Sent.*, d.27, q.2, a.2, sol.1; *Ver.*, q.4, a.2c; a.4 ad 4; *Pot.*, q.7, a.5c; a.7 ad 1, ad 3, ad 7; q.8, a.2 ad 10, ad 11; q.9, a.9 ad 7; *Sum. Theol.*, I, q.34, a.1; I-II, q.93, a.1), unequivocally (*Sum. Theol.*, I, q.13, a.4 ad 1; *In II de Anim.*, lect.2, n.239; *In IV Meta.*, lect.7, n.618; *In I Periherm.*, lect.2, n.10), and pointedly (*Pot.*, q.7, a.1 ad 5; a.7 ad 1, ad 3, ad 7; *In IV Meta.*, lect.7, n.616; lect.16, n.733). See fn.199.

[205] *Ver.*, q.2, a.1c: "Et quia nomina non significant res nisi mediante intellectu, ut dicitur in *I Periher.* [in princ.]; ideo imponit plura nomina rei secundum diversos modos intelligendi, vel secundum diversas rationes, quod idem est; quibus tamen omnibus respondet aliquid in re"; ad 3; q.4, a.2 ad 3; *Pot.*, q.8, a.1c; *C. Gent.*, I, c.35, c.53, nn.443-44; *Quodl.*, V, a.9 ad 1; *In I Periherm.*, lect.2, n.15. See also fnn.199, 203, 204. Thus words bespeak the intentions we have understood rather than any intention to understand: see *Ver.*, q.4, a.1c; *Pot.*, q.8, a.1c; q.9, a.5c; *Sum. Theol.*, I, q.85, a.2 ad 3. See fnn. 22 and 199.

[206] The truth of our words is measured by the truth of our knowledge: *Sum. Theol.*, I, q.16, a.7c: "...veritas enuntiabilium non est aliud quam veritas intellectus. Enuntiabile enim et est in intellectu, et est in voce. Secundum autem quod est in intellectus, habet per se veritatem. Sed secundum quod est in voce, dicitur verum enuntiabile, secundum quod significat aliquam veritatem intellectus; non propter aliquam veritatem in enuntiabili existentem sicut in subiecto"; see also *In I Sent.*, d.4, q.2, a.1 ad 1; d.11, q.1, a.4 ad 6; d.19, q.5, a.1 sol.; *Ver.*, q.1, a.1c ad 7; a.2 ad 1; a.3c; *Sum. Theol.*, I, q.16, aa.1-2, a.8 ad 3. The truth of our knowledge is measured by the being of things: *Sum. Theol.*, I, q.13, a.6 ad 7: "Si autem unum in sui intellectu claudat aliud, et non e converso, tunc non sunt simul natura. Et hoc modo se habent scientia et scibile. Nam scibile dicitur

of our concepts in sensible imagery remain in the terms we use. The names we give things reflect the circumstances in which we discover the meaning of them;[207] when we do not understand the essences of things, the names we give them denote only the sensible accidents in which they appear to us;[208] in the terms we use to signify God we must be careful to distinguish our intention in using them from the sensible connotations of their etymology.[209]

---

secundum potentiam: scientia autem secundum habitum, vel secundum actum. Unde scibile, secundum modum suae significationis, praeexistit scientiae. Sed si accipiatur scibile secundum actum, tunc est simul cum scientia secundum actum: nam scitum non est aliquid nisi sit eius scientia"; see *Ver.*, q.1, a.5 ad 16; q.4, a.5c; q.21, a.1c; *Pot.*, q.8, a.1c ad 3; *C. Gent.*, I, c.66, n.542; II, c.60, n.382; IV, c.14, n.3507; *Sum. Theol.*, I, q.13, a.7c; q.28, a.4 ad 1; *In IV Phys.*, lect.23, n.5 (but see the modification in *ibid.*, VII, lect.6, nn.5-9); *In I Periherm.*, lect.3, nn.7-8. The source of this doctrine is in *In V Meta.*, lect.17, nn.1026-30; see also IX, lect.11, n.1897f.; X, lect.2, n.1956f.; lect.8, nn.2088, 2095; lect.9, n.2103. See also fnn. 26, 41, 44, 45, 120, 121.

[207] *C. Gent.*, I, c.30, n.277: "Dico autem aliqua praedictorum nominum perfectionem absque defectu importare, quantum ad illud ad quod significandum nomen fuit impositum: quantum enim ad modum significandi, omne nomen cum defectu est. Nam nomine res exprimimus eo modo quo intellectu concipimus. Intellectus autem noster, ex sensibus cognoscendi initium sumens, illum modum non transcendit qui in rebus sensibilibus invenitur, in quibus aliud est forma et habens formam, propter formae et materiae compositionem"; see also *Pot.*, q.7, a.5c; q.10, a.1c; *Sum. Theol.*, I, q.13, aa.1-4.

[208] *Ver.*, q.10, a.1 ad 6: "...secundum Philosophum in VIII *Metaph.*, quia substantiales rerum differentiae sunt nobis ignotae, loco earum interdum definientes accidentalibus utuntur, secundum quod ipsa designant vel notificant essentiam, ut proprii effectus notificant causam: unde sensibile, secundum quod est differentia constitutiva animalis, non sumitur a sensu prout nominat potentiam, sed prout nominat ipsam animae essentiam, a qua talis potentia fluit. Et similiter est de ratione, vel de eo quod est habens mentem"; see also *C. Gent.*, I, c.3, n.18; *Sum. Theol.*, I, q.77, a.1 ad 3; and the source in *In VII Meta.*, lect.12, n.1552. See fn.175.

[209] *Pot.*, q.7, a.2 ad 7: "...modus significandi in dictionibus quae a nobis rebus imponuntur sequitur modum intelligendi; dictiones enim significant intellectum conceptiones, ut dicitur in principio *Periher*. Intellectus autem noster hoc modo intelligit esse quo modo invenitur in rebus inferioribus a quibus scientiam capit, in quibus esse non est subsistens, sed inhaerens. Ratio autem invenit quod aliquod esse subsistens sit; et ideo licet hoc quod dicunt *esse*, significetur per modum concreationis, tamen intellectus attribuens esse Deo transcendit modum significandi, attribuens Deo id quod significatur, non autem modum significandi"; see also *In I Sent.*, d.2, q.1, a.3 sol.; d.22, q.1, a.3 sol.; *Pot.*, q.7, a.5c ad 2;

So when we speak about the object of the intellect, we must be careful to distinguish whether we mean the thing which is understood, the intelligible species by which the intellect understands, the act of understanding, or the conception of the intellect, for they are all different from one another.[210] We must be particularly careful to distinguish the conception from the thing: the conception is an interior word which the intellect constitutes within itself from an intelligible species as the term of an act of understanding,[211] whereas the thing understood is the end for which the intellect forms a conception and is often something outside the intellect.[212] The thing understood is the object of the intellect in the precise way in which the intellect knows it.[213] Now the intellect can know

---

a.6c; q.10, a.1c; *C. Gent.*, I, c.30, n.277; *Comp.*, c.25; *Sum. Theol.*, I, q.13, aa.1-4. See also fnn.54, 153-63.

[210] *Pot.*, q.8, a.1c: "Intelligens autem in intelligendo ad quatuor potest habere ordinem: scilicet ad rem quae intelligitur, ad speciem intelligibilem, qua fit intellectus in actu, ad suum intelligere, et ad conceptionem intellectus". See fn.199.

[211] *Ibid.*: "Differt autem *a specie* intelligibili: nam species intelligibilis, qua fit intellectus in actu, consideratur ut principium actionis intellectus, cum omne agens agat secundum quod est in actu; actu autem fit per aliquam formam, quam oportet esse actionis principium. Differt autem *ab actione* intellectus; quia praedicta conceptio consideratur ut terminus actionis, et quasi quoddam per ipsam constitutum. Intellectus enim sua actione format rei definitionem, vel etiam propositionem affirmativam seu negativam. Haec autem conceptio intellectus in nobis proprie *verbum* dicitur: hoc enim est quod verbo exteriori significatur: vox enim exterior neque significat ipsum intellectum, neque speciem intelligibilem, neque actum intellectus, sed intellectus conceptionem qua mediante refertur ad rem". See also fnn.204ff..

[212] *Ibid.*: "*A re* quidem intellecta, quia res intellecta est interdum extra intellectum, conceptio autem intellectus non est nisi in intellectu; et iterum conceptio intellectus ordinatur ad rem intellectam sicut ad finem: propter hoc enim intellectus conceptionem rei in se format ut rem intellectam cognoscat". See also fnn.195ff..

[213] *Sum. Theol.*, I, q.1, a.7c: "Propria autem illud assignatur obiectum alicuius potentiae vel habitus, sub cuius ratione omnia referuntur ad potentiam vel habitum: sicut homo et lapis referuntur ad visum inquantum sunt colorata, unde coloratum est proprium obiectum visus"; see also a.3c; q.45, a.4 ad 1; q.59, a.4c; q.77, a.3c ad 2, ad 4; q.82, a.4 ad 1; *In II de Anim.*, lect.13, n.394; *In III Sent.*, d.24, q.1, a.1 sol., ad 3; *Q. de Anim.*, a.15 ad 18. See Lonergan, "The Concept of *Verbum*," *Theological Studies*, 3 (1947), 434,

a thing in three ways, as true, as being, and as quiddity;[214] as true insofar
as the intellect recognizes the adequacy of its knowledge,[215] as being insofar as its knowledge can be adequate to anything and everything,[216] and
as quiddity insofar as it knows things by understanding their natures.[217]

---

fn.189 and *Verbum*, 129-30, fn.189. See also fn.21.

[214] *Sum. Theol.*, I-II, q.10, a.1 ad 3: "…naturae semper respondet unum, proportionatum
tamen naturae. Naturae enim in genere, respondet aliquid unum in genere; et naturae in
specie acceptae, respondet unum in specie; naturae autem individuatae respondet aliquid
unum individuale. Cum igitur voluntas sit quaedam vis immaterialis, sicut et intellectus,
respondet sibi naturaliter aliquod unum commune, scilicet bonum; sicut etiam intellectui
aliquod unum commune, scilicet verum, vel ens, vel *quod quid est*".

[215] *Sum. Theol.*, I, q.16, a.2c: "...verum, sicut dictum est, secundum sui primam rationem
est in intellectu. Cum autem omnis res sit vera secundum quod habet propriam
formam naturae suae, necesse est quod intellectus, inquantum est congnoscens, sit
verus inquantum habet similitudinem rei cognitae, quae est forma eius inquantum est
cognoscens. Et propter hoc per conformitatem intellectus et rei veritas definitur. Unde
conformitatem istam cognoscere, est cognoscere veritatem"; see also *In I Sent.*, d.19, q.5,
a.1 sol.; II, d.25, q.1, a.2 sol.; d.39, q.1, a.2 sol.; III, d.14, q.1, a.1, qc.2, sol.; d.17, q.1,
a.1, qc.3 ad 3; d.23, q.1, a.2 ad 3; *Ver.*, q.1, a.2c; a.3c; a.4 ad 1; a.8c ad 7; a.9c; a.10 ad
1 in con.; a.11c; q.21, a.1c; *C. Gent.*, I, c.59, n.496; *Sum. Theol.*, I, q.5, a.2c; q.16, a.1c
ad 3; a.3 ad 3; aa.6-8; q.17. a.2c; q.55, a.2c; q.79, a.7c; a.8 ad 3; a.9 ad 3; q.82, a.4 ad 1;
q.87, a.4 ad 2; I-II, q.2, a.8c; q.3, a.7c; q.9, a.1c; q.10, a.1 ad 3; q.60, a.1 ad 1; II-II, q.25,
a.2c; *Virt.*, a.6 ad 5; *Malo*, q.6c; *In III de Anim.*, lect.11, nn.750-51; *In I Meta.*, lect.9,
n.158; V, lect.9, n.895; VI, lect.4, nn.1230-32, 1235-36; *In I Perihem.*, lect.3, n.7; *In I
Post. Anal.*, lect.16, nn.6-8; lect.19, n.8. See fn.206.

[216] *C. Gent.*, II, c.83, n.1678 (fn.167) and fn.21.

[217] *C. Gent.*, II, c.56, n.2328: "Nulla virtus cognoscitiva cognoscit rem aliquam nisi
secundum rationem proprii obiecti: non enim visu cognoscimus aliquid nisi inquantum
est coloratum. Proprium autem obiectum intellectus est *quod quid est*, idest substantia rei,
ut dicitur in III *de Anima*. Igitur quicquid intellectus de aliqua re cognoscit, cognoscit per
cognitionem substantiae illius rei: unde in qualibet demonstratione per quam innotescunt
nobis propria accidentia, principium accipimus *quod quid est*, ut dicitur in *I Posteriorum*.
Si autem substantiam alicuius rei intellectus cognoscat per accidentia, sicut dicitur in I
de Anima, quod *accidentia magnam partem conferunt ad cognoscendum quod quid est*; hoc
est per accidens, inquantum cognitio intellectus oritur a sensu, et sic per sensibilium
accidentium cognitionem oportet ad substantiae intellectum pervenire; propter quod hoc
non habet locum in mathematicis, sed in naturalibus tantum. Quicquid igitur est in
re quod non potest cognosci per cognitionem substantiae eius, oportet esse intellectui
ignotum"; see also *In III Sent.*, d.23, q.1, a.2, sol; *Ver.*, q.1, a.12c; q.15, a.2 ad 3; *Sum.*

Hence, truth is the formal ratio of the relationship of the intellect to its object,[218] being the common and essential basis for the intelligibility of the object,[219] and quiddity the proper and primary way for the object to affect the intellect.[220] Since the intellect understands anything according

---

Theol., I, q.17, a.3c; q.85, aa.6, 8; q.84, a.7c; the source in *In III de Anim.*, lect.8, nn.705-19. See also chapter 4, section 2.2. Above all, see Lonergan, "The Concept of *Verbum*," *Theological Studies*, 7 (1946), 364-72 and *Verbum*, 16-25, for the meaning of *quidditas*, *quod quid est*, and *quod quid erat* esse and *ibid.*, 10 (1949), 23; 162, for an exhaustive list of the places in which Thomas describes quiddity as object of the intellect and an anlysis of variations in Thomas's terminology. The point Lonergan makes which is pertinent to the present argument is that Thomas's statement, in *In I Sent.*, d.19, q.5, a.1 ad 7, "... quidditatis esse est quoddam esse rationis..." is exceptiontional: it refers to the act of defining; it explains how "*verum est in mente*"; and the context contrasts *quidditas* and *esse* as components in the thing.

[218] *Ver.*, q.1, a.1c: "Convenientiam vero entis ad intellectum exprimit hoc nomen *verum*. Omnis autem cognitio perficitur per assimilationem cognoscentis ad rem cognitam, ita quod assimilatio dicta est causa cognitionis; sicut visus per hoc quod disponitur per speciem coloris, cognoscit colorem. Prima ergo comparatio entis ad intellectum est ut ens intellectui correspondeat: quae quidem correspondentia, adaequatio rei et intellectus dicitur; et in hoc formaliter ratio veri perficitur. Hoc est ergo quod addit verum supra ens, scilicet conformitatem, sive adaequationem rei et intellectus; ad quam conformitatem, ut dictum est, sequitur cognitio rei. Sic ergo entitas rei praecedit rationem veritatis, sed cognitio est quidam veritatis effectus". See also chapter 2, fn.56.

[219] *Sum. Theol.*, I, q.79, a.7c: "...potentiae animae distinguuntur secundum diversas rationes obiectorum; eo quod ratio cuiuslibet potentiae consistit in ordine ad id ad quod dicitur, quod est eius obiectum. Dictum est etiam supra quod, si aliqua potentia secundum propriam rationem ordinetur ad aliquod obiectum secundum communem rationem obiecti, non diversificabitur illa potentia secundum diversitates particularium differentiarum: sicut potentia visiva, quae respicit suum obiectum secundum rationem colorati, non diversificatur per diversitatem albi et nigri. Intellectus autem respicit suum obiectum secundum communem rationem entis; eo quod intellectus possibilis est *quo est omnia fieri*. Unde secundum nullam differentiam entium, diversificatur differentia intellectus possibilia". See also fn. 216.

[220] *Ibid.*, q.87, a.3 ad 1: "...obiectum intellectus est commune quoddam, scilicet ens et verum, sub quo comprehenditur etiam ipse actus intelligendi. Unde intellectus potest suum actum intelligere. Sed non primo: quia nec primum obiectum intellectus nostri, secundum praesentem statum, est quodlibet ens et verum; sed ens et verum consideratum in rebus materialibus, ut dictum est; ex quibus in cognitionem omnium aliorum devenit".

to the form under which it knows it,[221] any object to be intelligible must specify the intellect by giving it the form by which the intellect understands.[222] The only objects specifying the human intellect in this way are the quiddities or natures existing in corporeal matter, for the intellect can understand nothing except by turning to sensible imagery.[223] Therefore, the primary objects proportionate to the human intellect in its present state—and in this sense its proper objects—are corporeal quiddities,[224] and its proper objects, in the sense of the motive causes of understanding,

---

[221] *Ibid.*, q.55, a.1c: "...illud quo intellectus intelligit, comparatur ad intellectum intelligentem ut forma eius: quia forma est quo agens agit. Oportet autem, ad hoc quod potentia perfecte compleatur per formam, quod omnia contineantur sub forma, ad quae potentia se extendit".

[222] *Ibid.*, q.14, a.2c: "...licet in operationibus quae transeunt in exteriorem effectum, obiectum operationis, quod significatur ut terminus, sit aliquid extra operantem; tamen in operationibus quae sunt in operante, obiectum quod significatur ut terminus operationis, est in ipso operante; et secundum quod est in eo, sic est operatio in actu. Unde dicitur in libro *de Anima*, quod sensibile in actu est sensus in actu, et intelligibile in actu est intellectus in actu. Ex hoc enim aliquid in actu sentimus vel intelligimus, quod intellectus noster vel sensus informatur in actu per speciem sensibilis vel intelligibilis. Et secundum hoc tantum sensus vel intellectus aliud est a sensibili vel intelligibili, quia utrumque est in potentia"; see also the sequence, *Ver.*, q.16, a.1 ad 13; *Sum. Theol.*, I, q.77, a.3c; I-II, q.18, a.2 ad 3; *Q. de Anim.*, a.13c, which derives from *In II de Anim.*, lect.3, n.305. This point represents more a convergence than a conclusion of two theorems: (1) that the intellect and the thing understood are as such identical; see the string of texts deriving from *In III de Anim.*, lect.9, n.724 (*ibid.*, lect.10, n.740; lect.11, n.764; lect.12, n.784; *In I Sent.*, d.35, q.1, a.1 ad 3; IV, d.49, q.2, a.1 ad 10; *Ver.*, q.8, a.6c ad 3, ad 11; *Quodl.*, VII, a.2c; *C. Gent.*, I, c.44, n.376; c.47, n.396f.; c.55, n.456; II, c.50, n.1261; c.55, n.1307; c.59, n.1365; c.98, n.1828f.; IV, c.11, n.3467f.; *Comp.*, c.75, n.130; c.83, n.145; *Sum. Theol.*, I, q.12, a.2, arg.3; a.9, arg.1; q.55, a.1 ad 2; q.79, a.4c; q.84, a.4, arg.1; q.85, a.2 ad 1; q.87, a.1 ad 3; *In Meta.*, proem: *Tertio*.) and (2) that the object of a passive potency specifies its operaton; see the texts deriving from *In II de Anim.*, lect.3, n.305 (*Ver.*, q.16, a.1 ad 13; *Sum. Theol.*, I, q.77, a.3c; I-II, q.18, a.2 ad 3; *Q. de Anim.*, a.13c). Thus the object specifying the act of understanding is united to the intellect as its form: see *Sum. Theol.*, I, q.14, a.5 ad 3; a.6 ad 1; a.15 ad 1; q.17, a.3c; q.54, a.1 ad 3; q.56, a.1c. See chapter 5, fnn.262ff..

[223] See fnn.49ff..

[224] See fnn.189ff..

are sensible images.[225] In other words, the natural objects for the human intellect to understand while it is itself the form of a body are the forms of other bodies.[226]

3. COMPARISON AND SUMMARY

Now that we have examined Thomas Aquinas's own teaching on the proper objects of the human intellect, how faithful does the conventional modern Thomistic interpretation seem by comparison? To put it bluntly,

---

[225] See fnn.135ff.. For the distinction between primary and proper see *Sum. Theol.*, I, q.45, a.4 ad 1: "...cum dicitur, *prima rerum creatarum est esse*, ly *esse* non importat subiectum creatum; sed importat propriam rationem obiecti creationis. Nam ex eo dicitur aliquid creatum, quod est ens, non ex eo quod est hoc ens: cum creatio sit emanatio totius esse ab ente universali, ut dictum est. Et est similis modus loquendi, sicut si diceretur quod *primum visibile est color*, quamvis illud quod proprie vedetur, sit *coloratum*"; note that this text repeats the terms which Thomas uses in the analogy between intellect and sight.

[226] *Sum. Theol.*, I, q.85, a.1c: "Intellectus autem humanus medio modo se habet: non enim est actus alicuius organi, sed tamen est quaedam virtus animae, quae est forma corporis, ut ex supra dictis patet. Et ideo proprium eius est cognoscere formam in materia quidem corporali individualiter existentem, non tamen prout est in tali materia. Cognoscere vero id quod et in materia individuali, non prout est in tali materia, est abstrahere formam a materia individuali, quam repraesentant phantasmata. Et ideo necesse est dicere quod intellectus noster intelligit materialia abstrahendo a phantasmatibus; et per materialia sic considerata in immaterialium aliqualem cognitionem devenimus, sicut e contra angeli per immaterialia materialia cognoscunt"; see also *Q. de Anim.*, a.1 ad fin.; and fnn.58, 73, 189. It is obvious, then, that there was no exclusive usage of the terms "primary" and "proper" in Thomas's vocabulary; he used them to indicate being, quiddity, corporeal quiddities, and sensible imagery. But it should also be fairly obvious that Thomas intended to the usage we have given in the texts and that, whatever the vagaries of his usage, he meant always that being is the basis for understanding anything, quiddity the meaning of beings as understood, and sensible imagery the object in which the human intellect understood the quiddities or natures of material things. It is also abundantly clear that all these terms applied to aspects of things and not just to our concepts of things. This is the position which Gilson takes in *The Christian Philosophy*, 218; but he regards the operation by which the intellect arrives at an understanding of things as unconscious (*ibid.*, 217f.), says the species is an image (*ibid.*, 227) and could be an object (*ibid.*, 228), claims there is a twofold likeness between the thing and the concept (*ibid.*, 229), and concludes that the concept represents and substitutes for the object (*ibid.*, 229); no wonder Van Riet, *L'épistémologie thomiste*, 499-500, adjudges Gilson's position inexplicable; see fn.13 and Gilson, *Elements*, 226.

it does not seem very faithful at all.

The differences between what Thomas wrote and what the Thomists we have mentioned say he wrote begin at the starting-point for the analysis of understanding. For Thomas, the basis for understanding was the act itself, and the way to understand it was to reflect upon it as we consciously perform it whenever we understand anything in particular. By contrast these Thomists have assumed that the meaning of understanding is clear from logic, which shows, as far as they are concerned, that understanding is a movement of reasoning punctuated by the formation of concepts. Thus, the Thomistic explanation of understanding has concentrated upon justifying the objectivity of reasoning by attempting to substantiate the validity of conceptual perception, whereas Thomas himself had been concerned with explaining how the intellect could understand universally the things which appeared to it in sensible imagery. The difference between the two is, then, that Thomas assumed from his consciousness of the fact that he understood that understanding was objective, and he attempted to explain what understanding meant by showing why the intellect could understand anything. But these Thomists, who assumed the meaning of understanding was clear from logic have tried to establish the fact that it could be objective.

The second major difference between Thomas's teaching and the interpretation we are examining is that, though Thomas had considered sensible imagery the proper objects for the human intellect to understand, the Thomists in question have said that the intellect perceived only its own concepts. Thomas took his position because his analysis of the performance of understanding showed him that Aristotle was correct in saying that the source of all our information is sensible imagery. These Thomists, though, having assumed that the intellect perceived only concepts, claim that in or through these concepts it, nevertheless, perceived things objectively—a position essentially the same as Plato's except that instead of an anamnesis they postulate a metaphysics of knowledge by assimilation to provide a substitute for the origin of these concepts. Thus these Thomists seem in fact to have come down on the opposite side from Thomas in the dispute between Plato and Aristotle.

This leads to the third major difference between Thomas's thought and what we have described as the conventional Thomistic interpretation of it. Because Thomas distinguished between the source of understanding in sensible imagery and the term of understanding in ideas, he made clear that he thought the quiddities we define in our ideas are the natures of the concrete things we inspect in sensible imagery. In other words, Aquinas said the universals which the human intellect understands are actually things themselves known apart from concrete circumstances. The Thomists in question, though, because they identify the principle and the term of understanding, say that in concepts the human intellect actually understands universal objects. As they explain it, objective concepts are really identical with the things they represent, but rationally distinct inasmuch as they represent singulars as universals. Whether these Thomists think reasons or ideas are identical with concepts or somehow different, they claim that Thomas thought we knew things because we understood reasons for them or ideas of them, whereas Thomas actually said that we can give reasons for things or have ideas of them *only* if we have understood them. Once again, at a point where Thomas agreed with Aristotle that the quiddities we understand are intrinsic ratios of things, the Thomists take a position remarkably similar to Plato's, that the quiddities we understand are intelligible reasons in our intellects. It is easy to see why these Thomists went on to interpret Thomas's theory of abstraction as a way to *formulate* concepts instead of, as Thomas himself intended, as a technique for discerning the substances of things.

Other differences between this Thomistic interpretation and Thomas's own thought might be mentioned, and we shall have to discuss in the next chapter the belief that Thomas distinguishes between an impressed and expressed species and identified the expressed species with the concept, but from what we have seen so far it is already clear that Lonergan was correct in his interpretation that Thomas based his analysis of understanding upon his performance of the act and not upon the supposed findings of logic, that in his analysis of understanding Thomas said the human intellect understands things in and from sensible imagery not in and from concepts, and that, when the human intellect understands, it knows the natures in and of concrete things and not just objective concepts of universal quiddities. Although at times Thomas did call the quiddity a term of understanding, he was comparing understanding to a movement, which is always specified by its term, and saying that the quiddity also specifies understanding, not as an outside term but through an intelligible species, which serves as a principle to inform the intellect in the act of understanding. Therefore, when he analyzed the interrelationship of the thing, the species, and the concept, he said that all three were different, that the thing was both the source of the species and the end of the concept, and that the species was the principle of understanding, but the concept a term constituted by understanding. If we were to synthesize these strands in Thomas's thought, we should say that according to Thomas the proper objects of the human intellect in its present state are bodies insofar as they appear to the intellect in sensible imagery and inform it with their species so that the intellect can understand their natures in the reasons which it conceives for them.

Such a synthesis might seem now to exceed the evidence, but the validity of this interpretation should become more evident as we concentrate upon what St. Thomas meant by species.

CHAPTER TWO
THE MEANING OF SPECIES

1. A THOMISTIC INTERPRETATION

*S*ome *Thomists think that according to Thomas Aquinas under-*standing cannot be simply a perception of an object but must be also an operation in which the intellect intentionally becomes the object it perceives.[1] The intellect assimilates the object in this way, they say, only when it produces within itself, by a vital operation, an expressed

---

[1] Remer, 63, 68: "[C]ognitio est...operatio immanens, quam cognoscens in seipso producit, quaque cognoscens est intentionaliter ipsum cognitum non solum in actu primo, sed etiam in actu secundo, qui est ipsa operatio". Maritain, *Degrés.* 224-25, 228-29: "En résumé la connaissance nous apparaît comme une opération immanente et vitale non pas à faire mais à être: à être ou devenir une chose—soi même ou les autres—autrement que par existence actuant un sujet...". Sertillanges, *St. Thomas d'Aquin*, II, 154: "Ce qui est requis, c'est un genre d'abstraction qui fasse appel à une *activité* explicative d'un devinir, non à un regard qui ne serait explicatif de rien". Mercier, I, 141. Gredt, I, 180-81, 386-87. H.-D. Gardeil, III, 76-77. Boyer, *Cursus*, II, 86. Klubertanz, 76. Renard, 78. See chapter 1, fnn.15ff.. Note well that Thomists do not think that knowledge is formally a production: see Gredt, I, 397-98; H.-D. Gardeil, III, 106-08; Maritain, *Degrés*, 221; and chapter 5, fnn. 44ff..

species or likeness of the object.[2] This mental representation of the object is, they say, a fruit of the stimulation which the intellect receives by getting from the object an impressed species.[3]

The expressed species is necessary, these Thomists argue, because the

---

[2] Maritain, *Degrés*, 240-41: "Fruit de l'intellection en acte, il [le concept] a pour contenu intelligible l'objet lui-même, mais ce contenu intelligible, qui comme objet est posé devant l'espirit, comme concept est vitalement proféré par l'espirit, et a pour existence propre l'acte d'intellection lui-même; quant à sa constitution intelligible le concept est donc identique à l'objet, —je ne dis certes pas entant qu'il serait *ce qui* est connu, je dis très précisément en tant qu'il est le signe et le terme interieur *par lequel* l'intellect devient, en acte ultime, ce qu'il connaît"; he cites *Sum. Theol.*, I-II, q.93, a.1 ad 2 and also recommends a look at Annexe I, pp.769-819. Siwek, *Psychologia Metaphysica*, 379: "Ut obiectum fiat *intelligibile in actu secundo*, opus est, ut obiectum absolutum a conditionibus materialibus (actione intellectus agentis) *transeat in actum vitalem* intelligentis; sed transire in *actum vitalem* intelligentis idem est atque reproduci *in* subiecto intelligente actione ipsius subiecti intelligentis. Sed rursus reproduci *in* subiecto intelligente actione ipsius subiecti intelligentis idem est ac *exprimi ab* intelligente *in* intelligente tamquam *imago* obiecti. Porro haec praecise sunt ipsa *definitio speciei expressae* (see *C. Gent.* II, c.53)". Sanseverino, I, 145. Gredt, I, 391, 511. See also chapter 1, fnn.18-20.

[3] Boyer, *Cursus*, II, 117: "[Intellectus] prius debet habere in se similitudinem, quae locum teneat obiecti et qua ponatur in actu imperfecto, seu accipiat virtutem agendi, et deinde agendo format novam similitudinem obiecti per quam existit in actu perfecto intellectionis, nam species intelligibilis "obiectum non repraesentat in actu secundo, sed solum in actu primo ac veluti in habitu (L. Billot, *De Deo uno et trino*, 4th ed., p.333)". Siwek, *Psychologia Metaphysica*, 376: "*Unio intellectus* (patientis) cum *specie* intelligibili impressa eo spectat, ut intellectus possit *se actu assimilare obiecto, exprimendo* in se *illud* intentionaliter. Ideo non immerito ista *unio* aequiparatur cuidam 'fecudationi,' ex qua proles nascitur; ipse autem actus, qui hoc modo oritur, bene nomine 'conceptus' ('conceptionis') insignitur". Sertillanges, *St. Thomas d'Aquin*, II, 158: "[P]ar automatisme ou par volonté, l'idée latente éclôt en idée actuelle, engendre un fruit idéal dont la forme reçue (*species impressa*) est le principe, et qui *exprime* l'idée comme par une sorte de *diction* interieure...Il y a un travail semblable à celui de l'imagination. C'est dans le verbe mental que s'achève le travail de l'espirit; en lui que se réalise pleinement, puisque c'est conscienment, l'unité du connu et du connaissant en tant que tels. Aussi le verbe mental est-il proprement *le connu*, bien qu'il ne soit pas *ce qui est connu*. Ce qui est connu, c'est le reél exterieur...". Zigliari, II, 291, 312. Mercier, II, 55-56. Remer, 72. Gredt, I, 385-86, 393-94, 402, citing *In III de Anim.*, lect.7, n.654ff; lect.8, n.718; lect.9, n.722; *In I Periherm.*, lect.2, nn.6, 9; *Sum. Theol.*, I, q.14, a.2; q.79, a.2; q.85, a.2; *Ver.*, q.3, a.1 ad 2; q.16, a.1 ad 13; *In III Sent.*, d.14, a.1, sol.2, (I, 368). Maritain, *Degrés*, 225. H.-D. Gardeil. III, 102-103. Renard, 78. B. Miller, *The Range of Intellect* (London, 1961), pp.101, 112-13.

concrete things which the intellect is supposed to understand are dispro-portionate to it as a cognitive faculty and, therefore, it must formulate for itself proportionate terms in which it can contemplate them as uni-versals.[4] The expressed species, they argue, is what Thomas Aquinas called the interior word which the intellect utters in the act of understanding.[5] In it[6] or by it,[7] they say, the intellect perceives things themselves.[8] Accord-ing to Aquinas, as they interpret him, the species is known in its univer-sality only in a subsequent reflection accomplished in logic.[9] Only then does the intellect recognize the species, some say, as a formally universal concept or, others say, as a formal concept distinct from an objective concept.[10]

---

[4] Gredt, I, 390-393, 397, 399ff.. Siwek, *Psychologia Metaphysica*, 379-80 citing *C. Gent.*, II, c.53. Boyer, *Cursus*, II, 114, citing *Sum. Theol.*, I, q.77, a.1; q.14, a.1. Gilson, *The Christian Philosophy*, 229-30, 476. See chapter 4, fn.7.

[5] Sanseverino, I, 138, 217, citing *Ver.*, q.10, a.9. Gredt, I, 415, 420-29, citing *In III de Anim.*, lect.7, n.675ff.; lect.8, n.718; lect.9, n.722ff.; *In I Perierm.*, lect.2, nn.6, 9; *Sum. Theol.*, I, q.14, a.2; q.79, a.2; q.85, a.2; *Ver.*, q.3, a.1 ad 2; q.16, a.1 ad 13; *In III Sent.*, d.14, a.1 sol.2 (for species); and *Quodl.*, V, a.9 ad 2; *In Ioan.*, c.1, lect.1; *Pot.*, q.8, a.1; *C. Gent.*, I, cc.46, 53; III, c.51; *Cum autem*; *Sum. Theol.*, I, q.34, a.1 (for interior word) (I, 395-96). Siwek, *Psychologia Metaphysica*, 375-84, citing *Sum. Theol.*, I, q.27, a.1; *Ver.*, q.4, a.2 and 3, ad 5; a.4; *C. Gent.*, II, c.53; IV, c.11; *In III Sent.*, d.14, q.1, a.1; *Pot.*, q.9, a.5. H.-D. Gardeil, III, 106-112. Remer, 69-70. Boyer, *Cursus*, II, 114-19. Verneaux, 95-98, 103-105. See also chapter 1, fnn.1, 11.

[6] Either because it is a formal sign revealing the object (Gredt, Maritain, *loc. cit.*) or because it is known objectively as the image of the thing, not subjectively in its own reality (Remer, Siwe, *loc. cit.*). See also chapter 1, fnn.7-9.

[7] Zigliara, II, 349-50, citing *Ver.*, q.4, a.1 ad 5; a.3 ad 3. H.-D. Gardeil, Verneau, *loc. cit.*.

[8] But Zigliara says that the interior word is also *that which* is known, citing *Ver.*, q.4, aa.1, 2; *Quodl.*, V, a.9; *Sum. Theol.*, I, q.27, a.1; and the spurious *Nat. Verbi intell.* (II, pp. 343-44). See fnn.2, 4 and chapter 1, fnn.13-14.

[9] Sanseverino, I, 28, 139-40, citing *Sum. Theol.*, I, q.85, a.2 ad 2. H.-D. Gardeil, *loc. cit.*. Verneaux, 95-96, 102. Siwek, *Psychologia Metaphysica*, 392-93. See also chapter 1, fnn.2, 6, 20.

[10] Gredt, I, 22-23, 124, 520-23, citing *In III de Anim.*, lect.8, n.704; lect.9, n.724ff.;

So, just as Thomists have interpreted Thomas Aquinas to have taught that the intellect knows things objectively by perceiving them in its own concepts, they have also claimed that he said the intellect could have objective concepts to perceive only if it formulated expressed species of things in their universality.[11] Once again their preoccupation seems to have been with the objectivity of understanding. Without resorting to the Platonic doctrine of anamnesis, they seem to have said, how are we to explain that our concepts enable us to know things? To this they answered, let us suppose that our concepts are mental images which the intellect somehow generates from the impressions things make upon it.

2. THOMAS AQUINAS'S TEACHING

Thomas Aquinas did explain human understanding in terms of assimilation, but the way in which he explained assimilation was a bit different from the way it has been interpreted by the Thomists whom we have just cited. Briefly, Aquinas said the species through which assimilation becomes perfect is what these Thomists have called the impressed species. The species, Aquinas said, is an intentional likeness which formally identifies the intellect with something so that we can understand it. We know this, Aquinas said, because in every complete act of understanding we reflect upon the act and understand the species by which we know the thing we are attending to. Thus we can be sure, he added, that the reasons we conceive for things are truly likenesses of them as we under-

---

Ver., q.8, a.6; q.10, aa.5, 6; *Anim.*, a.3 ad.4; a.16 ad 8; *C. Gent.*, II, c.75: *Licet autem*; c.98; III, c.46; *Sum. Theol.*, I, q.87, a.1; q.14, a.2 ad 1, ad 3; q.89, a.2 (I, 485-86, 489). Maritain, *Degrés*, 232-33, 771-72. See Zigliara for the similar distinction, "*idea logica*" and "*idea realis*" (I, 18). See also chapter 1, fnn.7-10.

[11] See chapter 2, fn.9. B. Milller, in *The Range of Reason* (London, 1964), pp.82-83, 91, denies the intellect has any need of an expressed species and says rather that it perceives its objects as directly as sense; his denial is made on theoretical, not historical, grounds, and it goes too far in denying the need of the concepts.

stand them. Let us consider in some detail the evidence for this other interpretation.

2.1. KNOWLEDGE BY ASSIMILATION

According to Aquinas, Plato was responsible for making the species the medium of knowledge, but by species Plato meant an idea separate from both the knower and the known but participated in by both, by the knower in order to know another and by the other in order, in a way, to be itself.[12] But Aristotle in adopting the notion of species also adapted it to his theory of knowledge. Whereas Plato thought of knowledge as a contact of the knower with another, Aristotle conceived of knowledge as an identity of the knower with the known;[13] and whereas Plato thought we knew things in ideas, Aristotle insisted we knew things themselves.[14]

---

[12] *Sum. Theol.*, I, q.84, a.4c: "Plato enim, sicut dictum est, posuit formas rerem sensibillium per se sine materia subsistentes; sicut formam hominis, quam nominabat *per se hominem*, et formam vel ideam equi, quam nominabat *per se equum*, et sic de aliis. Has ergo formas separatas ponebat participari et ab anima nostra, et a materia corporali; ab anima quidem nostra ad cognoscendum, a materia vero corporali ad essendum; ut sicut materia corporalis per hoc quod participat ideam lapidis, fit hic lapis, ita intellectus noster per hoc quod participat ideam lapidis, fit intelligens lapidem. Participatio autem ideae fit per aliquam similitudinem ipsius ideae in participante ipsam, per modum quo exemplar participatur ab exemplato. Sicut igitur ponebat formas sensibiles quae sunt in materia corporali, effluere ab ideis sicut quasdam earum similitudines; ita ponebat species intelligibiles nostri intellectus esse similitudines quasdam idearum ab eis effluentes. Et propter hoc, ut supra dictum est, scientias et definitiones ad ideas referebat"; see also a.1c (chapter 1, fn.190); q.44, a.3 ad 2; q.65, a.4c; q.88, a.1c (fn.77); q.110, a.1 ad 3; q.115, a.3 ad 2; and *In I Meta.*, lect.10, n.153.

[13] *C. Gent.*, II, c.98, n.1845: "...Aristotelis...ponit quod intelligere contingit per hoc quod *intellectum in actu est unum cum intellectu in actu*...Secundum autem positionem Platonis, intelligere fit per contactum intellectus ad rem intelligibilem". See Lonergan, "The Concept of *Verbum*," *Theological Studies*, 10 (1949), 359-66 and *Verbum*, 183-91. See chapter 5, section 2.3.3.

[14] *In III de Anim.*, lect.8, n.705: "Philosophus in *septimo Metaphysicae* inquirit, utrum quod quid est, idest quidditas, vel essentia rei, quam definitio significat, sit idem quod res. Et quia Plato ponebat quidditates rerum esse separatas a singularibus, quas dicebat ideas, vel species; ideo ostendit, quod quidditates rerum non sunt aliud a rebus nisi per

Hence, the species by which the knower knows is not separate but in the knower, not ideal but real, not something in itself but he form of the known.[15] Thus if the knower is the pure act of infinite understanding, he understands himself and everything else by his own essence, for it is a species perfectly intelligible in itself and containing he intelligibility of everything else. But if the knower's essence is finite, then, while he can know himself by his own essence, he can understand nothing else unless he is impressed by an intelligible species of it. And if the knower is not only finite but ignorant, then he must be assimilated to whatever he is to understand by receiving from it a likeness of its nature that serves as the species by which he knows it.[16] In human understanding, therefore, it is necessary for the intellect to become identified with whatever it knows

---

accidens; ut puta non est idem quidditas hominis albi, et homo albus; quia quidditas hominis non continet in se nisi quod pertinet ad speciem hominis; sed hoc quod dico homo albus habet aliquid in se praeter illud quod est de specie humana"; see also n.717 (chapter 1, fn.50); *In VII Meta.*, lect.5, nn.1356-80; *Sum. Theol.*, I, q.84, a.4c.

[15] *In III de Anim.*, lect.9, n.724: "Ipsa enim scientia speculativa, 'et sic scibile', idest scibile in actu, est idem. Species igitur rei intellectae in actu, est species ipsius intellectus; et sic per eam seipsum intelligere potest"; see also lect.10, n.740; lect.11, n.764; *Sum. Theol.*, I-II, q.51, a.1 ad 2: "Id enim quo aliquid cognoscitur, oportet esse actualem similitudinem eius quo cognoscitur...". See chapter 1, fnn.37, 198, 222.

[16] *C. Gent.*, II, c.98, n.1835: "Est enim proprium obiectum intellectus *ens intelligibile*: quod quidem comprehendit omnes differentias et species entis possibiles; quicquid enim esse potest, intelligi potest. Cum autem omnis cognitio fiat per modum similitudinis, non potest totaliter suum obiectum intellectus cognoscere nisi habeat in se similitudinem totius entis et omnium differentiarum eius. Talis autem similitudo totius entis esse non potest nisi natura infinita, quae non determinatur ad aliquam speciem vel genus entis, sed est universale principium et virtus activa totius entis: qualis est sola natura divina, ut in Primo (capp. 25, 43, 50) ostensum est. Omnis autem alia natura, cum sit terminata ad aliquod genus et speciem entis, non potest esse universalis similitudo totius entis. Relinquitur igitur quod solus Deus per suam essentiam omnia cognoscat; quaelibet autem substantiarum separatarum per suam naturam cognoscit, perfecta cognitione, suam speciem tantum; intellectus autem possibilis nequaquam, sed per intelligibilem speciem, ut supra (1828) dictum est"; see also *Subst. sep.*, c.15, n.135. For the application of the theorem to God see *In I Sent.*, d.35; *Ver.*, q.2; *C. Gent.*, I, cc.44-71; *Comp.*, cc.28-31; *Sum. Theol.*, I, q.14; *In XII Meta.*, lect.8ff. For the application to angels see *In II Sent.*, d.3, q.3; *Ver.*, q.8; *C. Gent.*, II, cc.96-101; *Sum. Theol.*, I, q.55.

through an intelligible species of it.[17]

Through his theory of the species Aristotle made sense of the axiom, commonplace among the pre-Socratics, that like is known to like.[18] To this aphorism Aristotle made three appreciable adjustments. First, instead of saying as the pre-Socratics did, that the soul must be actually composed of what it has yet to know,[19] he said, on the contrary, that a knower-to-be must be unlike what he has yet to know.[20] Only a knower that has nothing to learn can be actually everything, and such a knower would be infinite in his act of knowledge, his act of knowledge identical with being, and his being with his essence, so that through his essence he

---

[17] *Quodl.*, VII, a.2c: "...intellectus secundum actum est omnino, id est perfecte, res intellecta, ut dicitur in III *de Anima* [text. comment. 36]. Quod quidem intelligendum est, non quod essentia intellectus fiat res intellecta, vel species eius, sed quia complete informatur per speciem rei intellectae, dum eam actu intelligit". See also chapter 1, fnn.37, 49, 51, 32, 58.

[18] *Sum. Theol.*, I, q.85, a.2c: "Et hoc etiam patet ex antiquorum opinione, qui ponebant *simile simili cognosci*. Ponebant enim quod anima per terram quae in ipsa erat, cognosceret terram quae extra ipsam erat; et sic de aliis. Si ergo accipiamus speciem terrae loco terrae, secundum doctrinam Aristotelis, qui dicit quod *lapis non est in anima, sed species lapidis*; sequetur quod anima per species intelligibiles cognoscat res quae sunt extra animam"; see also q.84, a.2c.

[19] *In I de Anim.*, lect.12, n.179: "Quorum positio fuit quod anima cognosceret res omnes, quia cognitio fit per assimilationem, quasi hoc a longe divinantes, dicebant animam, ad hoc quod omnia cognosceret, esse compositam ex omnibus; et quod similtudo rerum omnium esset in anima secundum proprium modum essendi, scilicet corporalem. Unde, cum res constent ex elementis, dicebant, quod anima erat composita ex omnibus elementis, ut sentiat et cognoscat omnia quae sunt"; see also lect.5, nn.59, 65; *Sum. Theol.*, I, q.84, a.2c. Anaxagoras is exempted from this condemnation (*In I de Anima.*, lect.5, n.66).

[20] *In III de Anim.*, lect.7, n.677: "Ex eo ergo quod dictum est, quod intellectus non est actu intelligens, sed potentia tantum, concludit quod necesse est intellectum, propter hoc quod intelligit omnia in potentia, non esse mixtum ex rebus corporalibus, sicut Empedocles posuit, sed esse immixtum sicut dixit Anaxagoras"; see also nn.675-76; n.680 (fn.22); n.681 (fn.24); n.682: "...ille, qui vocatur intellectus animae, nihil est in actu eorum, quae sunt ante intelligere: quod est contrarium ei quod antiqui ponebant"; see also *Q. de Anim.*, a.2c (fn.23).

would know himself and everything else.[21] But an intellect such as ours, which is ignorant of all it has not yet either experienced or learnt, must lack an actual similarity to what it can understand.[22] Since it has a natural orientation to understand the natures of all bodies, it must be denuded of any corporeal nature;[23] in fact, it must have no nature but the nature to understand all other natures.[24] Because it is nothing actual until it understands, it can be said to be everything only in the sense that, like a clean slate, it can receive anything intelligible.[25] It is a capacity to be

---

[21] See fn.16; see also *In I de Anim.*, lect.10, nn.351-57; III, lect.11, n.759; *Sum. Theol.*, I, q.84, a.7c.

[22] *In III de Anim.*, lect.7, n.680: "Omne enim, quod est in potentia ad aliquid et receptivum eius, caret eo ad quod est in potentia, et cuius est receptivum; sicut pupilla, quae est in potentia ad colores, et est receptiva ipsorum, est carens omni colore: sed intellectus noster sic intelligit intelligibilia, quod est in potentia ad ea et susceptivus eorum, sicut sensus sensibilium: ergo caret omnibus illis rebus quas natus est intelligere"; see also *Comp.*, c.78, n.137; *Q. de Anim.*, aa.2-3; *Spir. creat.*, c.9 (K, p.107). See also fnn.16-17.

[23] *Q. de Anim.*, a.2c *init.*: "Hunc igitur intellectum possibilem necesse est esse in potentia ad omnia quae sunt intelligibilia per hominem, et receptivum eorum, et per consequens denudatum ab his: quia omne quod est receptivum aliquorum, et in potentia ad ea, quantum de se est, est denudatum ab eis; sicut pupilla, quae est receptiva omnium colorum, caret omni colore. Homo autem natus est intelligere formas omnium sensibilium rerum. Oportet igitur intellectum possibilem esse denudatum, quantum in se est, ab omnibus sensibilibus formis et naturis"; see also *In III de Anim.*, *loc. cit.*

[24] *In III de Anim.*, lect.7, n.681: "Concludit autem ex hoc quod non contingit naturam intellectus esse 'neque unam', idest nullam determinatam, sed hanc solam naturam habet, quod est possibilis respectu omnium. Et hoc quidem contingit intellectui, quia non est cognoscitivus tantum unius generis sensibilium, sicut visus vel auditus, vel omnium qualitatum et accidentium sensibilium communium vel propriorum; sed universaliter totius naturae sensibilis. Unde sicut visus caret quodam genere sensibilium, ita oportet quod intellectus careat tota natura sensibili"; see also nn.681-83; *Sum. Theol.*, I, q.75, a.2c; *Q. de Anim.*, a.1c; a.3 ad 4; a.14; *Spir. creat.*, a.2; *Subst. sep.*, c.16, n.141.

[25] *In III de Anim.*, lect.9, nn.722-23: "Intellectus igitur dicitur pati, inquantum est quodammodo in potentia ad intelligibilia, et nihil est actu eorum antequam intelligat. Oportet autem hoc sic esse, sicut contingit in tabula, in qua nihil est actu scriptum, sed plura possunt in ea scribi. Et hoc etiam accidit intellectui possibili, quia nihil intelligibilium est in eo actu, sed potentia tantum. Et per hoc excluditur tam opinio antiquorum naturalium, qui ponebant animam compositam ex omnibus, ut intelligeret omnia, quam etiam opinio Platonis, qui posuit naturaliter animam humanam habere

assimilated to any corporeal nature whose likeness it receives from sensible imagery.[26] Thus the ancients who said the soul must be composed of every element because knowledge consists of a similarity between knower and known were wrong because they failed to distinguish between act and potency.[27] Nevertheless, there was a spark of wisdom in the axiom that like is known to like, for there is a certain proportion between knower and known,[28] such that sight sees only colors and hearing hears

---

omnem scientiam, sed esse eam quodammodo oblitam, propter unionem ad corpus: dicens, quod addiscere nihil aliud est quam reminisci"; see also II, lect.5, n.284; III, lect.10, n.728; lect.13, nn.787-88, 790; and even *In III Sent.*, d.14, q.1, a.1 sol.2c; *Ver.*, q.1, a.3 ad 4; *C. Gent..* II, c.98, n.1828; *Sum. Theol.*, I, q.79, aa.2, 7; q.84, a.2 ad 2; q.86, a.2c. See the application to touch, the basic sense: *In II de Anim.*, lect.23, nn.546ff.. See chapter 5, fnn.169ff..

[26] *Sum. Theol.*, I, q.88, a.1 ad 2: "...similitudo naturae non est ratio sufficiens ad cognitionem: alioquin oporteret dicere quod Empedocles dixit, quod anima esset de natura omnium, ad hoc quod omnia cognosceret. Sed requiritur ad cognoscendum, ut sit similitudo rei cognitae in cognoscente quasi quaedam forma ipsius. Intellectus autem noster possibilis, secundum statum praesentis vitae, est natus informari similitudinibus rerum materialium a phantasmatibus abstractis: et ideo cognoscit magis materialia quam substantias immateriales"; see also *C. Gent.*, II, c.77, n.1581.

[27] *In II de Anim.*, lect.10, n.357: "*Ostendit secundum praedicta, quomodo antiquorum positio non possit esse vera, scilicet quod simile simili sentitur.* Dicit ergo, quod omnia quae sunt in potentia, patiuntur et moventur ab activo, et existente in actu; quod scilicet dum facit esse in actu ea, quae patiuntur, assimilat ea sibi: unde quodammodo patitur aliquis aliquid a simili, et quodammodo a dissimili, ut dictum est; quia a principio dum est in transmutari et pati, est dissimile; in fine autem, dum est in transmutatum esse et passum, est simile. Sic igitur et sensus postquam factus est in actu a sensibili, est similis ei: sed ante non est similis. Quod antiqui non distinguentes erraverunt"; see also nn.350ff.; lect.9, n.359; lect.11, n.366; lect.12, n.382; III, lect.2, nn.595-96; lect.9, nn.722-23; *In I de Gen.*, lect.19; and also *In III Sent.*, d.15, q.2, a.1, sol.1 and 2; *Sum. Theol.*, I, q.75, a.1 ad 2; I-II, q.22, a.1c.

[28] *Sum. Theol.*, I, q.12, a.4c: "Cognitio enim contingit secundum quod cognitum est in cognoscente. Cognitum autem est in cognoscente secundum modum cognoscentis. Unde cuiuslibet cognoscentis cognitio est secundum modum suae naturae. Si igitur modus essendi alicuius rei cognitae excedat modum naturae cognoscentis, oportet quod cognitio illius rei sit supra naturam illius cognoscentis"; see aa. 2, 5; q.84, a.7c; *In II de Anim.*, lect.11, n.366. See B.J. Longergan, "The Concept of *Verbum*," *Theological Studies*, 10 (1949), 10; *Verbum*, p.148.

only sounds;[29] that, while sense senses singulars, the intellect understands universals;[30] that the human intellect understands inferior natures more simply and superior natures less simply than they really are since it understands both natures according to its own nature;[31] and that the human intellect while in union with the body connaturally understands only corporeal natures, although intellect as such has all of being within its reach.[32]

Aristotle adjusted the venerable axiom of like by like, secondly, by saying that the assimilation—not the similarity—of the knower to the known must be formal, not material.[33] The early naturalists had thought everything was corporeal and thus had assumed the similarity necessary for knowledge was material.[34] But materiality prevents the identity nec-

---

[29] See *In III de Anim.*, lect.1, nn.556ff..

[30] See chapter 1, fnn.185-86.

[31] *Sum. Theol.*, I, q.50, a.2c: "Non est autem necessarium quod ea quae distinguuntur secundum intellectum, sint distincta in rebus: quia intellectus non apprehendit res secundum modum rerum, sed secundum modum suum. Unde res materiales, quae sunt infra intellectum nostrum, simpliciori modo sunt in intellectu nostro, quam sint in seipsis. Substantiae autem angelicae sunt supra intellectum nostrum. Unde intellectus noster non potest attingere ad apprehendendum eas secundum quod sunt in seipsis; sed per modum suum, secundum quod apprehendit res compositas. Et sic etiam apprehendit Deum, ut supra dictum est"; see also q.3, a.3 ad 1; q.13, a.12 ad 3. See chapter 1, fnn.52-54, 153-63.

[32] See *C. Gent.*, II, c.98, nn.1835-36; also chapter 1, fnn.50, 99, 183-84, 200 and this chapter, fnn.16, 25; also B.J. Longergan, "The Concept of *Verbum*," *Theological Studies*, 8 (1947), 70-71; *Verbum*, pp.85-86.

[33] *C. Gent.*, I, c.72, n.619: "In intelligente autem et sentiente est forma rei intellectae et sensatae: cum omnis cognitio sit per aliquam similitudinem"; see also *Sum. Theol.*, I, q.84, a.2c; a.4c; q.85, a.2 ad 1.

[34] *Sum. Theol.*, I, q.84, a.2c: "Priores vero Naturales, quia considerabant res cognitas esse corporeas et materiales, posuerunt oportere res cognitas etiam in anima cognoscente materialiter esse. Et ideo, ut animae attribuerent omnium cognitionem, posuerunt eam habere naturam communem cum omnibus"; see also a.1c; *In I de Anim.*, lect.4, nn.43-45; lect.12, n.179 (fn.19). Plato also thought the soul was composed of all the elements or principles, but because he realized knowledge was immaterial, he said the principles

essary for knowledge because it distinguishes material things from one another by making them individual.[35] Thus, in the concrete the natures of material things are only potentially knowable; and if the intellect could know them because of a material similarity, they might well know themselves.[36] Hence, corporeal natures become intelligible if they can be united to the intellect immaterially[37] because the intellect separates

---

were formal (see *In I de Anim.*, lect.4, nn.46ff.). Thus the only difference between Plato and his adversaries, Aquinas thought, was which principle or principles each thought basic to knowledge (see *In I de Anim.*, lect.5, nn.53ff.).

[35] *In III de Anim.*, lect.9, n.727: "...in rebus habentibus materiam, species non est intelligibilis secundum actum, sed secundum potentiam tantum. Intelligibile autem in potentia non est idem cum intellectu, sed solum intelligibile in actu: unde in illis quae habent speciem in materia, non inerit intellectus, ut scilicet intelligere possint, quia 'intellectus talium', idest intelligibilium, est quaedam potentia sine materia. Illud autem quod est in materia est intelligibile, sed in potentia tantum, quod vero est in intellectu, est species intelligibilis secundum actum"; see also *Ver.*, q.2, a.2c; *C. Gent.*, II, c.50, n.1261.

[36] *Sum. Theol.*, I, q.84, a.2c: "Empedocles autem, qui posuit quatuor elementa materialia et duo moventia, ex his etiam dixit animam esse constitutam. Et ita, cum res materialiter in anima ponerent, posuerunt omnem cognitionem animae materialem esse, non discernentes inter intellectum et sensum. Sed haec opinio improbatur. Primo quidem, quia in materiali principio, de quo loquebantur, non existunt principiata nisi in potentia. Non autem cognoscitur aliquid secundum quod est in potentia, sed solum secundum quod est actu, ut patet in IX *Metaphys.*: unde nec ipsa potentia cognoscitur nisi per actum. Sic igitur non sufficeret attribuere animae principiorum naturam ad hoc quod omnia cognosceret, nisi inessent ei naturae et formae singulorum effectum, puta ossis et carnis et aliorum huiusmodi; ut Aristoteles contra Empedoclem argumentatur in I *de Anima*. – Secundo quia, si oportet rem cognitam materialiter in cognoscente existere, nulla ratio esset quare res quae materialiter extra animam subsistunt, cognitione carerent: puta, si anima igne cognoscit ignem, et ignis etiam qui est extra animam, ignem cognosceret"; see also q.14, a.1c and *In I de Anim.*, lect.12, n.184; lect.13, n.195.

[37] *Sum. Theol.*, I, q.55, a.1 ad 2: "...quod, sicut sensus in actu est sensibile in actu, ut dicitur in III *de Anima*, non ita quod ipsa vis sensitiva sit ipsa similitudo sensibilis quae est in sensu, sed quia ex utroque fit unum sicut ex actu et potentia; ita et intellectus in actu dicitur esse intellectum in actu, non quod substantia intellectus sit ipsa similitudo per quam intelligit, sed quia illa similitudo est forma eius. Idem est autem quod dicitur, *in his quae sunt sine materia, idem est intellectus et quod intelligitur*, ac si diceretur quod *intellectus in actu est intellectum in actu*: ex hoc enim aliquid est intellectum in actu quod est immateriale"; q.84, a.2c: "Relinquitur ergo quod oportet materialia cognita in cognoscente existere non materialiter, sed magis immaterialiter. Et huius ratio est, quia

them from the material conditions of the things in which it finds them.[38] It is necessary for the intellect itself to be immaterial if it is to accept these forms in such a way that it can know them as perfections natural to others.[39] Thus the forms of material natures are known because in the assimilation necessary for knowledge they are received by immaterial natures and assume within knowers their manner of being.[40] The ancients

---

actus cognitionis se extendit ad ea quae sunt extra cognoscentem: cognoscimus enim etiam ea quae extra nos sunt. Per materiam autem determinatur forma rei ad aliquid unum".

[38] *Ver.*, q.2, a.2c: "Perfectio autem unius rei in altera esse non potest secundum determinatum esse quod habebat in re illa; et ideo ad hoc quod nata sit esse in re altera, oportet eam considerare absque his quae nata sunt eam determinare. Et quia formae et perfectiones rerum per materiam determinantur, inde est quod secundum hoc est aliqua res cognoscibilis secundum quod a materia separatur"; *Sum. Theol.*, I, q.87, a.1 ad 3: "Idem autem est dicere quod *in his quae sunt sine materia, idem est intellectus et quod intelligitur,* ac si diceretur quod *in his quae sunt intellecta in actu, idem est intellectus et quod intelligitur:* per hoc enim aliquid est intellectum in actu, quod est sine materia. Sed in hoc est differentia, quia quorundam essentiae sunt sine materia, sicut substantiae separatae quas angelos dicimus, quarum unaquaeque et est intellecta et est intelligens: sed quaedam res sunt quarum essentiae non sunt sine materia, sed solum similitudines ab eis abstractae. Unde et Commentator dicit, in III *de Anima,* quod propositio inducta non habet veritatem nisi insubstantiis separatis: verificatur enim quodammodo in eis quod non verificatur in aliis, ut dictum est"; see also *C. Gent.*, II, c.98, n.1828.

[39] Ver., q.2, a.2c: "Unde oportet quod etiam id in quo suscipitur talis rei perfectio, sit immateriale; si enim esset materiale, perfectio recepta esset in eo secundum aliquod esse determinatum; et ita non esset in eo secundum quod est cognoscibilis, scilicet prout, existens perfectio unius, est nata esse in altero". The extension of this notion is that things separate from matter are identical with their natures, their natures are forms, and they know themselves by their essences (see *In III de Anim.*, lect.8, nn.705-06; lect.9, nn.724-25; *C. Gent.*, II, 78, n.1593f.; *Sum. Theol.*, I, q.54, a.1c; q.55, a.1c; q.56, a.1c).

[40] Ver., q.10, a.4c: "...omnis cognitio est secundum aliquam formam, quae est in cognoscente principium cognitionis. Forma autem huiusmodi potest considerari *dupliciter: uno modo* secundum esse quod habet in cognoscente; *alio modo* secundum respectum quem habet ad rem cuius est similitudo. Secundum quidem *primum* respectum facit cognoscentem actu cognoscere; sed secundum *secundum* respectum determinat cognitionem ad aliquod cognoscibile determinatum. Et ideo modus cognoscendi rem aliquam, est secundum conditionem cognoscentis, in quo forma recipitur secundum modum eius. Non autem oportet quod res cognita sit secundum modum cognoscentis, vel secundum modum illius quo forma, quae est cognoscendi principium, esse habet

who supposed knowledge consisted of a material similarity were wrong, then, first, because they thought everything was material[41] and, secondly, because they supposed the likenesses of things known had to have the same manner of being in the knower as they had in the known.[42]

The third qualification Aristotle made to the axiom was that the immaterial assimilation of the knower to the known must be intentional. In other words, the knower knows the known not, as some of the ancients said, by assimilating the nature of the known or even a minute idol of that nature,[43] but by assimilating a likeness of that nature.[44] For in the act of understanding we are directly aware of understanding things outside ourselves;[45] only in the reflection necessary for judgment do we know

---

in cognoscente; unde nihil prohibet, per formas quae in mente immaterialiter existunt, res materiales cognosci"; see also *C. Gent.*, II, c.50, nn.1263-64; *In II de Anim.*, lect.24, nn.551-54. See also fn.39.

[41] See fn.34.

[42] *Sum. Theol.*, I, q.84, a.2c: "...antiqui philosophi posuerunt quod anima per suam essentiam cognoscit corpora. Hoc enim animis omnium communiter inditum fuit, quod *simile simili cognoscitur*. Existimabant autem quod forma cogniti sit in cognoscente eo modo quo est in re cognita"; see also *Ver.*, q.2, a.2c. See chapter 1, fn.191; chapter 4, fn.61.

[43] *Sum. Theol.*, I, q.84, a.6c: "Democritus enim posuit quod *nulla est alia causa cuiuslibet nostrae cognitionis, nisi cum ab his corporibus quae cogitamus, veniunt atque intrant imagines in animas nostras*; ut Augustinus decit in epistola sua *ad Dioscorum*. Et Aristoteles etiam decit, in libro *de Somn. et Vigil.*, quod Democritus posuit cognitionem fieri *per idola et defluxiones*".

[44] *Sum. Theol.*, I, q.85, a.2 ad1: "...intellectum est in intelligente per suam similitudinem. Et per hunc modum dicitur quod intellectum in actu est intellectus in actu, inquantum similitudo rei intellectae est forma intellectus; sicut similitudo rei sensibilis est forma sensus in actu. Unde non sequitur quod species intelligibilis abstracta sit id quod actu intelligitur sed quod sit similitudo eius"; (see also c.); see also q.14, a.5 ad 2; q.55, a.1 ad 2; *C. Gent.*, II, c.99, n.1852; *Subst. sep.*, c.15, n.135; *Spir. creat.*, a.8 ad 14 and fnn.43, 50.

[45] *Ver.* q.14, a.8 ad 5: "...res cognita dicitur esse cognitionis obiectum, secundum quod est extra cognoscentem in seipsa subsistens, quamvis de re tali non sit cognitio nisi per id quod de ipsa est in cognoscente; sicut color lapidis, qui est visus obiectum, non cognoscitur nisi per speciem eius in oculo"; see also *Sum. Theol.*, I, q.14, a.6 ad 1; q.84,

the forms by which we understand things.[46] Hence, knowledge does not mean we become the things we know, but, simply, that we know them, for we assimilate not their natures but species of their natures.[47] Such species are not really a presence within the knower of whatever he may know, nor just known images of things he, therefore, really doesn't know; they are, rather, likenesses within the knower of the things he really knows.[48] Thus the philosophers of old who based knowledge upon a

---

a.2c *ad fin.* (fn.39).

[46] *Sum. Theol.*. I, q.85, a.2c: "Et ideo dicendum est quod species intelligibilis se habet ad intellectum ut quo intelligit intellectus. Quod sic patet. Cum enim sit duplex actio, sicut dicitur IX *Metaphys.*, una quae manet in agente, ut videre et intelligere, altera quae transit in rem exteriorem, ut calefacere et secare; utraque fit secundum aliquam formam. Et sicut forma secundum quam provenit actio tendens in rem exteriorem, est similitudo obiecti actionis, ut calor calefacientis est similitudo calefacti; similiter forma secundum quam provenit actio manens in agente, est similitudo obiecti. Unde similitudo rei visibilis est secundum quam visus videt; et similitudo rei intellectae, quae est species intelligibilis, est forma secundum quam intellectus intelligit. Sed quia intellectus supra seipsum reflectitur, secundum eandem reflexionem intelligit et suum intelligere, et speciem qua intelligit. Et sic species intellectiva secundario est id quod intelligitur. Sed id quod intelligitur primo, est res cuius species intelligibilis est similitudo"; see parallel places in fn.45; see chapter 1, fn.194.

[47] *In III de Anim.*, lect.13, n.789: "*Ostendit quod alio modo est omnia, quam antiqui ponerent*; et dicit, quod si anima est omnia, necesse est quod sit, vel ipsae res scibiles et sensibiles, sicut Empedocles posuit quod terra terram cognoscimus, et aqua aquam, et sic de aliis; aut sit species imsorum. Non autem anima est ipsae res, sicut illi posuerunt, quia lapis non est in anima, sed species lapidis. Et per hunc modum dicitur intellectus in actu esse ipsum intellectum in actu, inquantum species intellecti est species intellectus in actu"; see also *C. Gent.*, I, c.46; c.53, n.442; II, c.98, nn.1840-45; *Subst. sep.*, c.15, n.135 (see also n.125); *Sum. Theol.*, I, q.14, a.2c ad 2; a.5 ad 2; q.57, a.1 ad 1.

[48] *In Boeth. de Trin.*, q.1, a.2c (D, pp.64-65): "...dupliciter aliqua res cognoscitur. Uno modo per formam propriam, sicut oculus videt lapidem per speciem lapidis. Alio modo per formam alterius similem sibi, sicut cognoscitur causa per similitudinem effectus et homo per formam suae imaginis. Per formam autem suam aliquid dupliciter videtur. Uno modo per formam quae est ipsa res, sicut deus se cognoscit per essentiam suam et etiam angelus se ipsum. Alio modo per formam quae est ab ipso, sive sit abstracta ab ipso, quando scilicet forma immaterialior est quam res, sicut forma lapidis abstrahitur a lapide; sive sit impressa intelligenti ab eo, utpote quando res est simplicior quam similitudo per quam cognoscitur, sicut Avicenna dicit quod intelligentias cognoscimus per impressiones earum in nobis"; see also *In III Sent.*, d.23, q.1, a.2 sol.; *Ver.*, q.8, a.5c; q.10, a.8 ad 2 *in*

natural similarity of knower and known were wrong because they failed to grasp how the likeness of the known within the knower is an intentional image which enables the knower to know the thing itself and not just some internal resemblance to it.[49]

In the theory that knowledge of another occurs through assimilation, something is supposed to be known not because it really exists in the knower, but because the knower possesses a likeness representing its nature.[50] In fact, when the knower is other than that known, the less the natural similarity between the two, the more perspicacious the knowledge can be: though sense is more similar than intellect to a stone, the intellect can know stones better than sense because its freedom from any material nature allows it to assimilate specific likenesses instead of just individual likenesses.[51] Thus in science we know the natures of things

---

contr.; a.9 ad 1 *in contr.*; *C. Gent.*, II, c.59, n.1361; *Sum. Theol.*, I, q.12, a.2c; a.9c; q.56, a.3c; q.57, a.1 ad 2.

[49] *In I de Anim.*, lect.4, n.43: "...ipsi antiqui philosophi quasi ab ipsa veritate coacti, somniabant quodammodo veritatem. Veritas autem est, quod cognitio fit per similitudinem rei cognitae in cognoscente; oportet enim quod res cognita aliquo modo sit in cognoscente. Antiqui vero philosophi arbitrati sunt, quod oportet similitudinem rei cognitae esse in cognoscente secundum esse naturale, hoc est secundum idem esse quod habet in seipsa: dicebant enim quod oportebat simile simili cognosci; unde si anima cognoscat omnia, oportet, quod habeat similitudinem omnium in se secundum esse naturale, sicut ipsi ponebant. Nescierunt enim distinguere illum modum, quo res est in intellectu, seu in oculo, vel imaginatione, et quo res est in seipsa: unde quia illa, quae sunt de essentia rei, sunt principia illius rei, et qui cognoscit principia huiusmodi cognoscit ipsam rem, posuerunt quod ex quo anima cognoscit omnia, esset ex principiis rerum. Et hoc erat omnibus commune"; see also *Ver.*, q.2, a.2c.

[50] *Ver.*, q.2, a.5 ad 17: "...hoc modo aliquid cognoscitur, secundum quod est in cognoscente repraesentatum, et non secundum quod est in cognoscente existens. Similitudo enim in vi cognoscitiva existens non est principium cognitionis rei secundum esse quod habet in potentia cognoscitiva, sed secundum relationem quam habet ad rem cognitam. Et inde est quod non per modum quo similitudo rei habet esse in cognoscente, res cognoscitur, sed per modum quo similitudo in intellectu existens est repraesentativa rei".

[51] *Ibid.*, a.3 ad 9: "...similitudo aliquorum duorum ad invicem potest *dupliciter* attenti. *Uno modo* secundum convenientiam in ipsa natura; et talis similitudo non requiritur inter cognoscens et cognitum; immo videmus quandoque quod, quanto talis similitudo

because we assimilate species of these natures.[52] Before assimilating any species the intellect is merely a capacity for science, but after understanding something the intellect retains the habit of science as an ordered aggregate of species,[53] and in the act of understanding which constitutes science the intellect is intentionally informed by the species of the things it knows.[54] Thus the act of understanding is an operation that proceeds from a specific identity in species between the intellect and its object,[55]

---

est minor, tanto cognitio est perspicacior; sicut minor est similitudo similitudinis quae est in intellectu ad lapidem,quam illius quae est in sensu, cum sit a materia magis remota; et tamen intellectus perspicacius cognoscit quam sensus. *Alio modo* quantum ad repraesentationem; et haec similitudo requiritur cognoscentis ad cognitum"; *Sum. Theol.*, I, q.14, a.12c: "...cognitio cuiuslibet cognoscentis se extendit secundum modum formae quae est principium cognitionis. Species enim sensibilis, quae est in sensu, est similitudo solum unius individui: unde per eam solum unum individuum cognosci potest. Species autem intelligibilis intellectus nostri est similitudo rei quantum ad naturam speciei".

[52] *C. Gent.*, II, c.60, n.1382: "Scientiae assimilatio est scientis ad rem scitam. Rei autem scitae, inquantum est scita, non assimilatur sciens nisi secundum species universales: scientia enim de huiusmodi est"; see also c.77, n.1581; *In I Sent.*, d.35, q.1, a.1 ad 3; *Ver.*, q.2, a.14c; *Pot.*, q.7, a.5c; *In VII Phys.*, lect.6, n.926; *In III de Anim.*, lect.10, nn.732ff..

[53] *C. Gent.*, I, c.56, n.470: "Omnis autem intellectus in habitu per aliquas species intelligit: nam habitus vel est habilitatio quaedam intellectus ad recipiendum species intelligibiles quibus actu fiat intelligens; vel est ordinata aggregatio ipsarum specierum existentium in intellectu non secundum completum actum, sed medio modo inter potentiam et actum"; see also II, c.101, n.1859; *In II de Anim.*, lect.11, nn.359ff.; *Ver.*, q.10, a.2c. Only in this sense is the soul the likeness of all corporeal things: see *Sum. Theol.*, I, q.75, a.1 ad 2. See fn.100.

[54] *Quodl.*, VII, a.2c: "Et similiter in intellectu in habitu sunt similitudines intelligibilium ut dispositiones; sed quando sunt actu intellectae, sunt in eo ut formae perficientes, et tunc intellectus fit omnino res intellecta; et hoc contingit per intentionem, quae coniungit intellectum intelligibili, et sensum sensibili, ut dicit Augustinus": see also *C. Gent.*, I, c.46, n.391; II, c.77, n.1581; *Sum. Theol.*, I, q.14, a.2c; *Q. de Anim.*, a.15 ad 16; a.18 ad 5.

[55] *C. Gent.* I, c.53, n.442: "...res exterior intellecta a nobis in intellectu nostro non existit secundum propriam naturam, sed oportet quod species eius sit in intellectu nostro, per quam fit intellectus in actu. Existens autem in actu per huiusmodi speciem sicut per propriam formam, intelligit rem ipsam. Non autem ita quod ipsum intelligere sit actio transiens in intellectum, sicut calefactio transit in calefactum, sed manet in intelligente: sed habet relationem ad rem quae intelligitur, ex eo quod species praedicta, quae est

and the truth of understanding is an adequacy commensurate to the assimilation of the intellect to the things it knows.[56]

In any act of understanding, then, the intellect knows whatever is represented in the species it intends to consider.[57] It can understand only as much as it can comprehend in that species, for the species determines knowledge just as figure shapes a body[58] or a destination terminates a

---

principium intellectualis operationis ut forma, est similitudo illius"; see also c.48, n.407; c.51, nn.434-35; II, c.59, n.1368; c.98, n.1844; *Ver.*, q.8, a.6c ad 3; q.10, a.2c; *Pot.*, q.6, a.3 ad 2; *Sum. Theol.*, I, q.14, a.2c; a.4c; q.34, a.1 ad 2; q.54, a.1 ad 3; *Q. de Anim.*, a.5 ad 1; *Spir. creat.*, a.10 ad 3 (K. pp.128-29). The source for this notion can be found at *In III de Anim.*, lect.10, n.740. Thus, the species, as Aquinas understood it, was the way to explain a necessary identity, otherwise lacking, between the human intellect and the things it understood; see fn.13.

[56] *Ver.*, q.1, a.1c *post. med.*: "Convenientiam vero entis ad intellectum exprimit hoc nomen *verum*. Omnis autem cognitio perficitur per assimilationem cognoscentis ad rem cognitam, ita quod assimilatio dicta est causa cognitionis: sicut visus per hoc quod disponitur per speciem coloris, cognoscit colorem. Prima ergo comparatio entis ad intellectum est ut ens intellectui correspondeat: quae quidem correspondentia, adaequatio rei et intellectus dicitur; et in hoc formaliter ratio veri perficitur. Hoc est ergo quod addit verum supra ens, scilicet conformitatem, sive adaequationem rei et intellectus; ad quam conformitatem, ut dictum est, sequitur cognitio rei. Sic ergo entitas rei praecedit rationem veritatis, sed cognitio est quidam veritatis effectus"; see also *Sum. Theol.*, I, q.16, a.2c. See chapter 1, fnn.26, 41, 44, 45, 120, 121, 206, 214, 215, 218.

[57] *Sum. Theol.*, I, q.14, a.5 ad 3: "...ipsum intelligere non specificatur per id quod in alio intelligitur, sed per principale intellectum, in quo alia intelliguntur. Intantum enim ipsum intelligere specificatur per obiectum suum, inquantum forma intelligibilis est principium intellectualis operationis: nam omnis operatio specificatur per formam quae est principium operationis, sicut calefactio per calorem. Unde per illam formam intelligibilem specificatur intellectualis operatio, quae facit intellectum in actu. Et haec est species principalis intellecti"; see also a.13 ad 3; *C. Gent.*, I, c.55, n.458; II, c.101, n.1859; *Comp.*, c.133, n.271-72; *Malo*, q.16, a.6 ad 4. See chapter 1, fn.222; this chapter, fn.17.

[58] *In III Sent.*, d.14, a.2, qc.4 sol.: "...ratio quam assignant Philosophi, quare intellectus noster non postest plura simul intelligere, haec est, quia oportet quod intellectus figuretur specie rei intelligibilis. Impossible est autem quod simul figuretur pluribus speciebus, sicut impossibile est quod corpus simul figuretur pluribus figuris"; see also I, d.3, q.3, a.4, sol; *Quodl.*, VII, a.2c; *Sum. Theol.*, I, q.12, a.10c; q.58, a.2 ad 2; q.85, a.4c; *Q. de Anim.*, a.18 ad 5.

journey.[59] Hence, the intellect cannot understand many things at once except to the extent it can unite them in a certain species.[60] In this way it can understand a manifold as parts within a whole:[61] accidents as properties of a given essence or a set of terms as subject and predicate in a proposition.[62] So the more comprehensive the species one can assimilate, the more he can understand in a single intention, the fewer species he needs to understand everything, and the better he can understand anything. This is evident from the fact that the brighter a person is, the

---

[59] *Sum. Theol.*, I, q.58, a.2c: "...sicut ad unitatem motus requiritur unitas termini, ita ad unitatem operationis requiritur obiecti"; see also *C. Gent.*, I, c.48, nn.403ff..

[60] *Sum. Theol.*, I, q.85, a.4c: "...intellectus quidem potest multa intelligere per modum unius, non autem multa per modum multorum; dico autem per modum unius vel multorum, per unam vel plures species intelligibiles. Nam modus cuiusque actionis consequitur formam quae est actionis principium. Quaecumque ergo intellectus potest intelligere sub una specie, simul intelligere potest: et inde est quod Deus omnia simul videt, quia omnia videt per unum, quod est essentia sua. Quaecumque vero intellectus per diversas species intelligit, non simul intelligit. Et huius ratio est, quia impossibile est idem subiectum perfici simul pluribus formis unius generis et diversarum specierum; sicut impossibile est quod idem corpus secundum idem simul coloretur diversis coloribus, vel figuretur diversis figuris. Omnes autem species intelligibiles sunt unius generis, quia sunt perfectiones unius intellectivae potentiae; licet res quarum sunt species, sint diversorum generum. Impossibile est ergo quod idem intellectus simul percifiatur diversis speciebus intelligibilibus, ad intelligendum diversa in actu"; see also *In II Sent.*, d.3, q.3, a.4 sol.; III, d.14, a.2, sol.4; *Quodl.*, VII, a.2c; *Ver.*, q.8, a.14c ad 12; *C. Gent.*, I, c.55, nn.455-57; II, c.98, nn.1835-36; c.101, n.1858; III, c.60, n.2353; *Sum. Theol.*, I, q.12, a.10c; q.58, a.2c; *Q. de Anim.*, a.18 ad 5.

[61] *Sum. Theol.*, I, q.58, a.2c: "Contingit autem aliqua accipi ut plura, et ut unum; sicut partes alicuius continui. Si enim unaquaeque per se accipiatur, plures sunt: unde et non una operatione, nec simul accipiuntur per sensum et intellectum. Alio modo accipiuntur secundum quod sunt unum in toto; et sic simul et una operatione cognoscuntur tam per sensum quam per intellectum, dum totum continuum consideratur, ut dicitur in III *de Anima*"; see also q.85, a.5; *Rat. fidei*, c.10, nn.1024-26; *In XII Job.*, lect.2; *In III de Anim.*, lect.11, nn.746ff.

[62] *In III Sent.*, d.14, a.2, qc.4 sol.: "Et ita si aliqua congnoscuntur per unam speciem, illa nihil prohibet simul cognosci; sicut homo intelligens quidditatem hominis, simul intelligit animal et rationale. Et propter hoc etiam intelligens propositionem, simul intelligit praedicatum et subiectum, quia intelligit ea ut unum"; see also *C. Gent.*, I, c.36, n.302; *Sum. Theol.*, I, q.85, a.5c ad 3.

more sweeping and more penetrating his thought; but the duller he is, the more he needs a multiplicity of individual examples to understand things, and the less he understands about anything.[63]

2.2. Knowledge of the Species

It is clear, then, that Aristotle's theory of cognitional assimilation by representative species is an explanation of what we experience in every act of understanding. For we realize that in the identity of knower and known which is necessary for knowledge, the species of the thing known becomes the species of the knowing intellect, to the extent that we cannot understand our own intellects except by studying the act of understanding as it is determined by the species of things.[64] Such study shows, in fact, that in every complete act of understanding we do indeed know the

---

[63] *Sum. Theol.*, I, q.89, a.1c: "In omnibus enim substantiis intellectualibus invenitur virtus intellectiva per influentiam divini luminis. Quod quidem in primo principio est unum et simplex; et quanto magis creaturae intellectuales distant a primo principio, tanto magis dividitur illud lumen et diversificatur, sicut accidit in lineis a centro egredientibus. Et inde est quod Deus per unam suam essentiam omnia intelligit; superiores autem intellectualium substantiarum, etsi per plures formas intelligant, tamen intelligunt per pauciores, et magis universales, et virtuosiores ad comprehensionem rerum, propter efficaciam virtutis intellectivae quae est in eis; in inferioribus autem sunt formae plures, et minus universales, et minus efficaces ad comprehensionem rerum, inquantum deficiunt a virtute intellectiva superiorum. Si ergo inferiores substantiae haberent formas in illa universalitate in qua habent superiores, quia non sunt tantae efficaciae in intelligendo, non acciperent per eas perfectam cognitionem de rebus, sed in quadam communitate et confusione. Quod aliqualiter apparet in hominibus: nam qui sunt debilioris intellectus, per universales conceptiones magis intelligentium non accipiunt perfectam cognitionem, nisi eis singula in speciali explicentur"; see also *In II Sent.*, d.3, q.3, a.2 sol.; *Ver.*, q.2, a.2 ad 11; a.3 ad 6; *C. Gent.*, I, c.47, n.396; II, c.59, n.1363; c.98, n.1838.; *Sum. Theol.*, I, q.12, a.2 ad 2; a.4c; a.8c; q.14, a.6 ad 1; q.55, aa.1-2; q.76, a.7 ad 1; q.79, a.2c; *Subst. sep.*, c.15, n.134; *Q. de Anim.*, a.18c; *Spir. creat.*, a.8 ad 9. See also chapter 1, fnn.35, 50, 200.

[64] *In III de Anim.*, lect.9, n.724: "Ipsa enim scientia speculative, 'et sic scibile', idest scibile in actu, est idem. Species igitur rei intellectae in actu, est species ipsius intellectus; et sic per eam seipsum intelligere potest"; see also *Ver.*, q.10, a.8 ad 9 *in contr.*; *Q. de Anim.*, a.17 ad 8; and fnn.14-15.

species by which we understand the natures of the things we know.[65] We do not know the species in the direct operation of understanding, for in this phase of understanding we are concerned with things themselves. But in the reflective act necessary for judgment we know the species as the basis for our understanding of the natures of things.[66] This knowledge enables us to know our understanding of things is true.[67] It is a kind of knowledge peculiar to understanding.[68] Sense may be aware of the species by which it senses,

---

[65] *C. Gent.*, II, c.75, n.1556: "Licet autem dixerimus (1550) quod species intelligibilis in intellectu possibili recepta, non sit quod intelligitur, sed quo intelligitur; non tamen removetur quin per reflexionem quandam intellectus seipsum intelligat, et suum intelligere, et speciem qua intelligit". So frequent and so matter of fact are Aquinas's statements that in every act of understanding we know the species by which we understand (see fnn.64-72 and chapter 1, fnn.37-39, 43-44) that it is impossible to accept Lonergan's interpretation (in "The Concept of *Verbum*," *Theological Studies*, 8 [1947], 429; 9 [1949], 30 and *Verbum*, 124, 171) that, according to Aquinas, the only knowledge we have of the species is reached through metaphysical analysis. See also chapter 1, fn.70.

[66] *Sum. Theol.*, I, q.85, a.2c (fn.230); *Comp.*, c.85, n.155: "...species intelligibiles, quae sunt immateriales, licet sint aliae numero in me et in te, non propter hoc perdunt quin sint intelligibiles actu; sed intellectus intelligens per eas suum obiectum reflectitur supra se ipsum intelligendo ipsum suum intelligere, et speciem qua intelligit"; *Q. de Anim.*, a.2 ad 5: "Species enim intelligibilis est *quo* intellectus intelligit, non id *quod* intelligit, nisi per reflexionem, in quantum intelligit se intelligere id quod intelligit"; *In III de Anim.*, lect.8, n.718.

[67] *In VI Meta.*, lect.4, n.1234: "Sciendum est autem, quod cum quaelibet cognitio perficiatur per hoc quod similitudo rei cognitae est in cognoscente; sicut perfectio rei cognitae consistit in hoc quod habet talem formam per quam est res talis, ita perfectio cognitionis consistit in hoc, quod habet similitudinem formae praedictae. Ex hoc autem, quod res cognita habet formam sibi debitam, dicitur esse bona; et ex hoc, quod aliquem defectum habet, dicitur esse mala. Et eodem modo ex hoc quod cognoscens habet similitudinem rei cognitae, dicitur habere veram cognitionem: ex hoc vero, quod deficit a tali similitudine, dicitur falsam cognitionem habere. Sicut ergo bonum et malum designant perfectiones, quae sunt in rebus: ita verum et falsum designant perfectiones cognitionum".

[68] *Ibid.*, n.1235: "Licet autem in cognitione sensitiva possit esse similitudo rei cognitae, non tamen rationem huius similitudinis cognoscere ad sensum pertinet, sed solum ad intellectum. Et ideo, licet sensus de sensibili possit esse verus, tamen sensus veritatem non cognoscit, sed solum intellectus: et propter hoc dicitur quod verum et falsum sunt in mente".

inasmuch as sensing is a conscious act, but, because sense depends upon a
bodily organ for the performance of its act, it cannot use the organ to reflect
upon itself and grasp therein the species of the act.[69] The intellect, though,
is constitutionally present to itself because of needing no bodily organ for
the exercise of its act and, therefore, can return upon itself to understand its
act and the species by which it understands.[70] When it perceives in itself the
species of a certain nature, it knows its own nature is to be conformed to the
natures of the things.[71] This reflection is the basis for the study of the species
in metaphysics and rational philosophy—and for the acceptance of Aristotle's theory of knowledge by intentional assimilation.[72]

---

[69] *Ver.*, q.1, a.9c: "Sensus autem, qui inter ceteros est propinquior intellectuali substantiae,
redire quidem incipit ad essentiam suam, quia non solum cognoscit sensibile, sed etiam
cognoscit se sentire; non tamen completur eius reditio, quia sensus non cognoscit
essentiam suam. Cuius hanc rationem Avicenna assignat, quia sensus nihil cognoscit
nisi per organum corporale. Non est autem possibile ut organum medium cadat inter
potentiam sensitivam et seipsum"; see also q.10, a.9c *med.*; *Sum. Theol.*, I q.16, a.2c; *Spir.
creat.*, a.9 ad 6 (K, p.113); *In III de Anima.*, lect.3; and chapter 1, fn.44.

[70] *Ibid.*: "...illa quae sunt perfectissima in entibus, ut substantiae intellectuales, redeunt ad
essentium suam reditione completa: in hoc enim quod cognoscunt aliquid extra se positum,
quodammodo extra se procedunt; secundum vero quod cognoscunt se cognoscere, iam
a se redire incipiunt, quia actus cognitionis est medius inter cognoscentem et cognitum.
Sed reditus iste completur secundum quod cognoscunt essentias proprias: unde dicitur
in lib. *de Causis* [prop. XV], quod omnis sciens essentiam suam, est rediens ad essentiam
suam reditione completa"; see also q.10, a.9 ad 10, and chapter 1, fnn.35-36, 45. There is
no apparent basis in these and similar passages (see fn.253) for Lonergan's interpretation
(in "The Concept of *Verbum*," *Theological Studies*, 8 [1947], 60-61 and *Verbum*, 74-75)
that Aquinas is describing a program of critical thought; rather Aquinas seems to be
giving a phenomenology of the process in every complete act of understanding: see C.
Boyer, "Le sens d'un texte de S. Thomas: *De Verit.* I, a.9," *Gregorianum*, 5 (1924), 424-
43. See also fn.65.

[71] *In VI Meta.*, lect.4, n.1236: "Cum enim intellectus concipit hoc quod est animal
rationale mortale, apud se similitudinem hominis habet; sed non propter hoc cognoscit
se hanc similitudinem habere, quia non iudicat hominem esse animal rationale et
mortale: et ideo in hac sola secunda operatione intellectus est veritas et falsitas, secundum
quam non solum intellectus habet similitudinem rei intellectae, sed etiam super ipsam
similitudinem reflectitur, cognoscendo et diiudicando ipsam".

[72] *C. Gent.*, II, c.75, n.1556: "Suum autem intelligere intelligit dupliciter: uno modo in

2.3. THE MEANING OF SPECIES

The scientific study of the species shows that the species by which the intellect understands are not the natures of things or representations of these natures in sensible imagery or conceptions of the meaning of this imagery in ideas. For species are not that which the intellect understand but that by which it understands, not potentially intelligible images but actually intelligible forms, not terms of understanding but principles. Hence, though natures, images, and ideas can all be called species, only the formative principles of the intellect can be called the specics by which it understands.

First, the species by which the intellect understands are not the species which are the natures of thing. These natures can, indeed, be called species, for they are the forms which make things definite and thus intelligible.[73] They are like an ascending series of numbers, each higher one comprehending all the lower and adding its own proper perfection.[74]

---

particulari, intelligit enim se nunc intelligere; alio modo in universali, secundum quod ratiocinatur de ipsius actus natura. Unde et intellectum et speciem intelligibilem intelligit eodem modo dupliciter: et percipiendo se esse et habere speciem intelligibilem, quod est cognoscere in particulari; et considerando suam et speciei intelligibilis naturam, quod est cognoscere in universali. Et secundum hoc de intellectu et intelligibili tractatur in scientiis"; see also *Ver.*, q.10, a.9c; *Sum. Theol.*, I, q.14, a.2c; and fnn.16-20.

[73] *C. Gent.*, II, c.94, n.1805: "Ex propria operatione rei percipitur species eius: operatio enim demonstrat virtutem, quae indicat essentium"; see also *In III Sent.*, d.18, a.1 sol. See also chapter 1, fn.203; and Lonergan, "The Concept of *Verbum*," *Theological Studies*, 10 (1949), 25 and *Verbum*, 164, where Lonergan also cites texts from *Ver.*, q.10, a.8 ad 10 (2ae ser.); *C. Gent.*, II, c.93, n.1796; *In III de Anim.*, lect.8, n.707.

[74] *Sum. Theol.*, I, q.76, a.3c: "Inveniuntur enim rerum species et formae differre ab invicem secundum perfectius et minus perfectum: sicut in rerum ordine animata perfectiora sunt inanimatis, et animalia plantis, et homines animalibus brutis; et in singulis horum generum sunt gradus diversi. Et ideo Aristoteles, in VIII *Metaphys.*, assimilat species rerum numeris, qui differunt specie secundum additionem vel subtractionem unitatis. Et in II *de Anima*, comparet diversas animas speciebus figurarum, quarum una continet aliam; sicut pentagonum continet tetragonum, et excedit"; see the sources at *In VIII Meta.*, lect.3, nn.1722-24; see also VII, lect 12, n.1555; *In II de Anim.*, lect.5, nn.288, 295-98; the use of the analogy is frequent: see *C. Gent.*, I, c.54, n.448; II, c.93, n.1807;

These species are the kind of quiddities connatural to the human intellect in its union with the body.[75] As quiddities, they can mean both nature, which is what the intellect understands about a thing, and form, which explains why the intellect understands a nature.[76] But, as distinguished from the species *by which* the intellect understands, they are the species *which* the intellect understands, for we understand directly, not our own thoughts, but things themselves.[77] Only skeptics, who do not know what it means to understand, doubt that understanding is really a knowledge of things.[78] The difference between knowing things and knowing species

---

III, cc.71-72; *Quodl.*, I, a.6c; *In V Phys.*, lect.3, n.5; *Spir. creat.*, a.1 ad 3, ad 24; a.3c ad 2, ad 3.

[75] *Ver.*, q.10, a.8 ad 10 *2ae ser.*: "...species lapidis non est in oculo, sed similitudo eius"; *C. Gent.*, II, c.93, n.1796: "Species autem rei est quam significat definitio, quae est *signum quidditatis rei.* Unde quidditates subsistentes sunt species subsistentes"; *In III de Anim.*, lect.8, n.707: "...non solum naturalia habent speciem in materia, sed etiam mathematica" (see also n.717). See also chapter 1, fnn.50, 189; and Lonergan, "The Concept of *Verbum*," *Theological Studies*, 7 (1946), 364-72; 10 (1949), 18f.; and *Verbum*, 16-25, 158f..

[76] See *In VII Meta.*, lect.17, nn.1667ff.. This species can be either the purely intelligible form of the thing or the universal nature, which includes common matter: see *ibid.* lect 9, n.1473. See fn. 40; chapter 1, fnn.187ff.

[77] *C. Gent.*, II, c.75, n.1550: "Habet se igitur species intelligibilis recepta in intellectu possibili in intelligendo sicut id quo intelligitur, non sicut id quod intelligitur: sicut et species coloris in oculo non est id quod videtur, sed id quo videmus. Id vero quod intelligitur, est ipsa ratio rerum existentium extra animam: sicut et res extra animam existentes visu corporali videntur. Ad hoc enim inventae sunt artes et scientiae ut res in suis naturis existentes cognoscantur"; see also *Sum. Theol.*, I, q.76, a.2 ad 4; q.85, a.2c (fn.46); *Q. de Anim.*, a.2 ad 5; *In III de Anim.*, lect.8, n.718; *Spir. creat.*, a.9 ad 6; *Unit. intell.*, c.5 (K, n.256). See fn.66.

[78] *Sum. Theol.*, I, q.85, a.2c: "...quidam posuerunt quod vires cognoscitivae quae sunt in nobis, nihil cognoscunt nisi proprias passiones; puta quod sensus non sentit nisi passionem sui organi. Et secundum hoc, intellectus nihil intelligit nisi suam passionem, idest speciem intelligibilem in se receptam. Et secundum hoc, species huiusmodi est ipsum quod intelligitur. Sed haec opinio manifeste apparet falsa ex duobus...Secundo, quia sequeretur error antiquorum dicentium quod *omne quod videtur est verum*; et sic quod contradictoriae essent simul verae. Si enim potentia non cognoscit nisi propriam passionem, de ea solum iudicat. Sic autem videtur aliquid, secundum quod potentia cognoscitiva afficitur. Semper ergo iudicium potentiae cognoscitivae erit de eo quod

is evident even in the division of science: only in rational philosophy and metaphysics do we study species; in natural philosophy, or physical science, we are concerned with knowing things themselves.[79] The difference between cognitional species and real nature explains why many men can each understand the same thing and a teacher can communicate to students exactly what he understands, for in both cases the nature that is understood is the meaning of some concrete things, but the species by which it is understood are in the intellects of those who understand it.[80]

---

iudicat, scilicet de propria passione, secundum quod est; et ita omne iudicium, erit verum"; see also *In IV Meta.*, lect.6; IX, lect.3; and chapter 1, fn.185.

[79] *C. Gent.*, II, 75, n.1550: "Species enim recepta in intellectu possibili non habet se ut quod intelligitur. Cum enim de his quae intelliguntur sint omnes artes et scientiae, sequeretur quod omnes scientiae essent de speciebus existentibus in intellectu possibili. Quod patet esse falsum: nulla enim scientia de eis aliquid considerat nisi rationalis et metaphysica. Sed tamen per eas quaecumque sunt in omnibus scientiis cognoscuntur. Habet se igitur species intelligibilis recepta in intellectu possibili in intelligendo sicut id quo intelligitur, non sicut id quod intelligitur: sicut et species coloris in oculo non est id quod videtur, sed id quo videmus. Id vero quod intelligitur, est ipsa ratio rerum existentium extra animam: sicut et res extra animam existentes visu corporali videntur. Ad hoc enim inventae sunt artes et scientiae ut res in suis naturis existentes cognoscantur"; see also *Comp.*, c.85, n.155; *Sum. Theol.*, I, q.76, a.2 ad 4; q.85, a.2c; *In III de Anim.*, lect.8, n.718; *Spir. creat.*, a.9 ad 6; *Unit. intell.*, c.5, n.256. The *Q. de Anim.* (a.2 ad 5) formulates the notion differently: "Universalia enim, de quibus sunt scientiae, sunt quae cognoscuntur per species intelligibiles, non ipsae species intelligibiles; de quibus planum est quod non sunt scientiae omnes, sed sola physica et metaphysica". One possible explanation is that after commenting on the *Physics* Aquinas realized the work was methodically metaphysical.

[80] Many understanding one thing: *Sum. Theol.*, I, q.76, a.2 ad 4: "...sive intellectus sit unus sive plures, id quod intelligitur est unum. Id enim quod intelligitur non est in intellectu secundum se, sed secundum suam similitudinem: *lapis enim non est in anima, sed species lapidis*, ut dicitur in III *de Anima*. Et tamen lapis est id quod intelligitur, non autem species lapidis, nisi per reflexionem intellectus supra seipsum: alioquin scientiae non essent de rebus, sed de speciebus intelligibilibus. Contingit autem eidem rei diversa secundum diversas formas assimilari. Et quia cognitio fit secundum assimilationem cognoscentis ad rem cognitam, sequitur quod idem a diversis cognoscentibus cognosci contingit, ut patet in sensu: nam plures vident eundem colorem, secundum diversas similitudines. Et similiter plures intellectus intelligunt unam rem intellectam"; see also *C. Gent.*, II, c.75, n.1552, *Comp.*, c.85, n.155; *Q. de Anim.*, a.3 ad 1; *In III de Anim.*, lect.8, n.719; *Spir. creat.*, a.9 ad 6, ad 13; a.10 ad 12, ad 14; *Unit. intell.*, c.5 (K, nn.106-12).

The species by which we understand things, then, are not the natures of things but likenesses of those natures.[81]

Yet the likenesses by which the intellect understands the natures of things are not the species in sensible imagery. Sensible imagery really contains species representing the natures of things,[82] so that the intellect considers sensible imagery in order to understand the quiddities of things,[83] inspects its object in sensible imagery,[84] and finds therein species shining forth.[85] Yet the species in sensible imagery are only potentially

---

Teacher-student communication: *C. Gent.*, II, c.75, n.1557: "Quod enim dicit scientiam in discipulo et magistro esse numero unam, partim quidem vere dicitur, partim autem non. Est enim numero una quantum ad id quod scitur: non tamen quantum ad species intelligibiles quibus scitur, neque quantum ad ipsum scientiae habitum"; see also *Sum. Theol.*, I, q.76, a.2 ad 5; q.117, a.1c; *Unit. intell.*, c.5, n.113.

[81] *Quodl.*, VIII, a.3c: "...anima humana similitudines rerum quibus cognoscit, accipit a rebus illo modo accipiendi quo patiens accipit ab agente: quod non est intelligendum quasi agens influat in patiens eamdem numero speciem quam habet in seipso, sed generat sui similem educendo de potentia in actum. Et per hunc modum dicitur species coloris deferri a corpore colorato ad visum". See also fnn.43-51.

[82] *Q. de Anim.*, a.2c: "Phantasmata enim, ut dicit Philosophus in III *de Anima* [cap. VII], se habent ad intellectum possibilem sicut sensibilia ad sensum, et colores ad visum. Sic igitur species intelligibilis habet duplex subiectum: unum in quo est secundum esse intelligibile, et hoc est intellectus possibilis; aliud in quo est secundum esse reale, et hoc subiectum sunt ipsa phantasmata. Est igitur quaedam continuatio intellectus possibilis cum phantasmatibus, in quantum species intelligibilis est quodammodo utrobique"; see also *Spir. creat.*, a.2c (K, pp.25-26); *Unit. intell.*, c.3 (K, nn.63-66). Aquinas rejected, though, the supposition that the species in both phantasm and intellect were therefore numerically the same (see *Unit. intell.*, c.3 [K, n.65]). See also chapter 1, fnn.134-38, 178.

[83] *Sum. Theol.*, I, q.85, a.1 ad 1 (chapter 1, fn.172); see also c. ad 2; *In VII Meta.*, lect.17, n.1668; and chapter 1, fnn.139-41, 179-81.

[84] *Ibid.*, q.84, a.7c (chapter 1, fn.103); see also *In Boeth. de Trin.*, q.6, a.2 ad 5; *In III de Anim.*, lect.12, n.777f.

[85] *C. Gent.*, II, c.73, n.1523 (chapter 1, fn.102); see also *In II Sent.*, d.24, q.2, a.2 ad 1. Thus sensible imagery functions as the object or quasi-object of the intellect (see *In IV Sent.*, a.50, q.1, a.2 sol. ad fin.; *Ver.*, q.10, a. 11c) because it presents the intellect with the species which the intellect both abstracts from it (see *Sum. Theol.*, I, q.85, a.1c ad1, ad 2) and understands in it (see *In II Sent.*, d.17, q.2, a.1 sol., ad 3; IV, d.49, q.2, a.6 ad 3).

intelligible, for the intellect cannot be intelligibly united to the things these species represent until it abstracts from sensible imagery species which become actually intelligible only when they inform it.[86] In sensible imagery the species of things are bound to the material individuation that prevents them from having the universal import necessary for actual intelligibility.[87] Just as colors are visible on the wall and seen in the eye, so the species of the natures of things are intelligible in sensible imagery and understood in the intellect.[88] Thus a multiplicity of images does not

---

[86] *Unit. intell.*, c.3 (K, n.65): "Manifestum est enim quod species intelligibilis, secundum quod est in phantasmatibus, est intellecta in potentia; in intellectu autem possibili est secundum quod est intellecta in actu, abstracta a phantasmatibus". Nevertheless, the species, though *intellecta in actu* because it is in the intellect, is not that which the intellect understands, but that by which it understands: see *ibid.*, (K, n.110 [fn.107]). Thomas always maintained that the species became actually intelligibile and understood not in sensible imagery but as the form of the (possible) intellect (see *In I Sent.*, d.35, q.1, a.1 ad 3; II, d.17, q.2, a.1 sol. post. med.; *Quodl.*, VII, aa.1-2; *C. Gent.*, II, c.59, n.1366; c.75, nn.1546, 1550; *Q. de Anim.*, a.2c; a.3c.). Because the *species intelligibilis* or *intellecta* united the intellect to its object, it could be called the *prima intellecta* and the object a *secunda intellecta* (see *In I Sent.*, d.35, q.1, a.2 sol.; *In Boeth. de Trin.*, q.5, a.2 ad 4 [D, p.178]), for cognitional assimilation is by likenes and not by substance (see fnn.43-49). Nevertheless, in understanding the intellect knows things, not its own species, except by reflection (see fnn.63-72), Hence, it was incorrect for Lonergan in "The Concept of *Verbum*," *Theological Studies*, 10 (1949), 27 and *Verbum*, 167 (fn.150), to opine that Thomas meant by *species intellecta* either the concept ("*species in qua*") or sensible imagery ("*species quae*"). See fn.105.

[87] *Spir. creat.*, a.10 ad 17 (K, p.135): "...species quae est in imaginatione, est eiusdem generis cum specie quae est in sensu, quia utraque est individualis et materialis. Sed species quae est in intellectu, est alterius generis, quia est universalis"; see also *C. Gent.*, II, c.73, nn.1496ff.; and chapter 1, fnn.93-94.

[88] *C. Gent.*, II, c.59, n.1365: "*Intellectus in actu et intelligibile in actu sunt unum*: sicut *sensus in actu et sensibile in actu*. Non autem intellectus in potentia et intelligibile in potentia: sicut nec sensus in potentia et sensibile in potentia. Species igitur rei, secundum quod est in phantasmatibus, non est intelligibilis actu: non enim sic est unum cum intellectu in actu sed secundum quod est a phantasmatibus abstracta; sicut nec species coloris est sensata in actu secundum quod est in lapide, sed solum secundum quod est in pupilla": see also n.1366; *In II Sent.*, d.17, q.2, a.1 sol.; *Q. de Anim.*, a.3c; *In III de Anim.*, lect.2, nn.592, 593, 595; *Spir. creat.*, a.2c (K, pp.2627); *Unit. intell.*, c.3 (K, n.65). See also chapter 1, fnn.136-38; and the corrective qualification to the analogy in chapter 1, fn.182.

change the species by which the intellect understands unless indeed they represent other natures; nor does the diversity of images in the imaginations of several men prevent them from all understanding the same nature.[89] Because the species in the intellect is different from the species in sensible imagery, the intellect gets to know the essences of things of which sense knows only the appearances.[90] Hence, the intellect can go beyond mere sensible representation to know universals, use mathematical symbols, believe in God, understand its own nature, and be aware of its own value.[91]

Finally, though the species by which the intellect understands anything must be in the intellect, it is not the idea which the intellect conceives at the term of understanding as an interior word to direct speech and action.[92] True, the idea-reason-concept-interior word can be appro-

---

[89] *Sum. Theol.*, I, q.76, 76, a.2c: "Sed ipsum phantasma non est forma intellectus possibilis: sed species intelligibilis quae a phantasmatibus abstrahitur. In uno autem intellectu a phantasmatibus diversis eiusdem speciei non abstrahitur nisi una species intelligibilis. Sicut in uno homine apparet, in quo possunt esse diversa phantasmata lapidis, et tamen ab omnibus eis abstrahitur una species intelligibilis lapidis, per quam intellectus unius hominis operatione una intelligit naturam lapidis, non obstante diversitate phantasmatum"; see also *C. Gent.*, II, c.73, n.1506; c.75, n.1552: "Sed oportet, ad hoc quod sit unum intellectum, quod sit unius et eiusdem similitudo. Et hoc est possibile si species intelligibiles sint numero diversae: nihil enim prohibet unius rei fieri plures imagines differentes; et ex hoc contingit quod unus homo a pluribus videtur".

[90] See chapter 1, fnn.172ff..

[91] See chapter 1, fnn.49ff., 139ff..

[92] The criterion which Lonergan gives (in "The Concept of *Verbum,*" *Theological Studies,* 8 [1947], 429 and *Verbum*, 124) for distinguishing between species and concept—that the latter is a universal known by everyone in the act of understanding, while the former is a form known only through metaphysical anaysis—seems incorrect, for the species is known in every complete act of understanding (see fnn.65ff., 86) and the concept as universal is known only through logical reflection (see chapter 1, fn.193). The proper criterion, according to Thomas, is that the species is the principle, and the concept the term, of the act of understanding. It would seem that the notion of concept or idea as species was one Thomas found in the vaguely Platonist-Augustinian philosphy of his time and one he repudiated explicitly as he grew to realize that the species assured the intelligible identity of knower and known, whereas the idea functioned as the immanent

priately called a species[93] because it is the form under which the intellect primarily and properly understands the things it knows.[94] Thus science is said to be a knowledge of universals, even primarily of universals and only

---

but distinct medium by which the intellect expressed its knowledge of this identity. See chapter 1, fnn.199.

[93] Aquinas's thought on this point underwent development. At first *conceptio* or *verbum* might well be the act of understanding or the *species intellecta* (*In I Sent.*, d.27, q.2, a.2, sol.1; *Ente et ess.*, c.4 [B, p.32]), but if called a *species* (*In I Sent.*, d.27, q.2, a.1, ob.4 and ad 4), it was not the *species qua*, which is the principle of understanding (*ibid.*, a.1 ad 4), but the *species concepta interius* (*ibid.*, II, d.11, q.2, a.3 sol.). It was not distinguished from the *species intelligibilis* in *Quodl.*, VIII, a.4c, but it was clearly distinguished from it in *Quodl.*, V, a.9c ad 1. The dictinction was made obvious in *Ver.*, q.3, a.2c (see also a.1c; q.4, a.2c ad 5, ad 7), codified in *Pot.*, q.8, a.1c; q.9, a.5c; assumed in *C. Gent.*, I, c.53, nn.443-444; IV, c.11; and made a basic principle in *Comp.*, c.52, nn.90, 91; *Sum. Theol.*. I, q.27, a.1c; q.34, a.1 ad 2. See also fnn. 92, 94 and chapter 1, fnn.199-203. See Lonergan, "The Concept of *Verbum*," *Theological Studies*, 7 (1946), 358; 10 (1949), 27 and *Verbum*, 9, 167; *Divinarum Personarum* (Rome, 1957), pp.82-84; *De Deo Trino II: Pars Systematica* (Rome, 1964), pp.104-107; and R. Richard, *op. cit.*, esp. pp.224-31, 311-30. These two men have discovered the development in Thomas's thought on this point and traced the development to his desire to explain metaphorically the generation of the Son in the Trinity, but the interpretation they have given of the course of the development needs to be refined by paying attention to the point made in fn.92 and by distinguishing between the need of an interior word in understanding and the need of a word distinct from the species, the act, and the intellect.

[94] Aquinas's thought on this point underwent a concomitant development. At first, *idea* meant a form to be used for either speculative or practical knowledge, but properly a practical principle (see *In I Sent.*, d.36, q.2, a.1 sol.), according to Platonist usage (see *In V de Div. Nom.*, lect.3, n.666, where *ideae* are called *rationes intellectae*). Then *idea* was called a *forma* or *species* used as a means for implementing an end untended by an agent (*Ver.*, q.3, a.1c) at the term of an act of understanding, such as when a builder thinks out the form of a house he wants to erect (*ibid.*, 2c); it was contrasted with the *forma* in something outside the mind, with the mind or skill of the agent, and with a speculative *similitudo* or *ratio* (*ibid.*, aa.3-6; a.8 ad 2; *Quodl.*, IV, a.1c). Then *idea* was a *forma* (*Sum. Theol.*, I, q.15, a.1c), which can function as either a *ratio*, a speculative principle, or an *exemplar*, a practical principle (*ibid.*, 3c); but, if it is called a *species*, it must be distinguished as that which is understood from the *species* by which the intellect understands (*ibid.*, 2c). *Idea* was also called simply a *ratio* (*ibid.*, q.44, a.3c); but, properly speaking, it was distinguished from the *ratio* needed in science as a model necessary for art (*In XII Meta.*, lect.11, nn.2619-20). Thus the *formae rerum* by which the intellect knows things are either *factivae rerum* or *a rebus acceptae* (*Q. de Anim.*, a.20c). See also chapter 1, fnn.203-204.

secondarily of singulars,[95] but the universals understood in science are terms reflecting the universality of the species which are their principles.[96] For the individualized species in sensible imagery become universal when they are abstracted from sensible imagery and assume the immateriality of the intellect by becoming its intentional forms.[97] As the form or formal principle or, simply, principle of understanding,[98] a species has the

---

[95] *In Boeth. de Trin.*, q.5, a.2 ad 4: "...scientia est de aliquo dupliciter. Uno modo primo et principaliter, et sic scientia est de rationibus universalibus, supra quas fundatur. Alio modo est de aliquibus secundario et quasi per reflexionem quandum, et sic de illis rebus, quarum sunt illae rationes, in quantum illas rationes applicat ad res etiam particulares, quarum sunt, adminiculo inferiorum virium. Ratione enim universali utitur sciens et ut re scita et ut medio sciendi. Per universalem enim hominis rationem possum iudicare de hoc vel de illo. Rationes autem universales rerum omnes sunt immobiles, et ideo quantum ad hoc omnis scientia de necessariis est. Sed rerum, quarum sunt illae rationes, quaedam sunt necessariae et immobiles, quaedam contingentes et mobiles, et quandum ad hoc de rebus contingentibus et mobilibus dicuntur esse scientiae"; see also *C. Gent.*, II, c.60, n.1382; c.66, n.1438; *Sum. Theol.*, I, q.85, a.3c; *In I Phys.*, lect.1, nn.7ff.; *In Meta.*, prooem.; I, lect.1, nn.24-30; *In II de Anim.*, lect.12, n.375; III, lect.4; *In I Post. Anal.*, lect.1, nn.8-12; lect.4, n.16; lect.9, nn.3-5; lect.16, nn.2-5; lect.30, nn.4-6; lect.42, nn.5-10; II, lect.20, nn.11-14.

[96] *C. Gent.*, II, c.75, n.1551: "Quod autem intelligat intellectus naturam generis vel speciei denudatam a principiis individuantibus, contingit ex conditione speciei intelligibilis in ipso receptae, quae est immaterialis effecta per intellectum agentem, utpote abstracta a materia et conditionibus materiae, quibus aliquid individuatur".

[97] *Q. de Anim.*, a.2 ad 5: "Sciendum igitur, quod quamvis species receptae in intellectu possibili sint individuatae ex illa parte qua inhaerent intellectui possibili; tamen in eis, in quantum sunt immateriales, cognoscitur universale quod concipitur per abstractionem a principiis individuantibus. Universalia enim, de quibus sunt scientiae, sunt quae cognoscuntur per species intelligibiles, non ipsae species intelligibiles; de quibus planum est quod non sunt scientiae omnes, sed sola physica et metaphysica": see also fnn.86ff.

[98] *C. Gent.*, I, c.46, n.390: "Species enim intelligibilis principium formale est intellectualis operationis: sicut forma cuiuslibet agentis principium est propriae operationis"; see also c.59, n.1364f.; *Ver.*, q.3, a.2c; *Pot.*, q.8, a.1c; q.9, a.5c; *Sum. Theol.*, I, q.14, a.5 ad 3; q.55, a.1c; q.56, a.1c; q.85, a.2c (fn.46); *Spir. creat.*, a.9 ad 6 (K, pp.112-13). See Lonergan, "The Concept of *Verbum*," *Theological Studies*, 8 (1947), 430 and *Verbum*, 125-26, where the sources are put at *In V Meta.*, lect.14, n.955; *In II Phys.*, lect.1, n.4. Thus the species provides the basis for an analogy between the human intellect and the divine essence (see *C. Gent.*, I, c.53, nn.442-445 and *loc. par.*; see also Lonergan, "The Concept of *Verbum*," *Theological Studies*, 7 [1946], 355; 8 [1947], 40-41; and *Verbum*, 53), whereas the idea-

same relation to the intellect that the species of color has to the eyes,[99] with the added advantage of being able to be preserved in the intellect as a scientific habit even in the absence of any external object.[100] Because it is a likeness of a corporeal quiddity, it enables the concept based upon it to resemble something real.[101] For the intellect can formulate a concept whenever it understands something whose intentional species informs it.[102] Whereas the concept or idea necessarily comes between the intellect and its object, since it denotes a determinate aspect under which the intellect has understood a thing,[103] the species upon which the idea is modeled unites the intellect with the thing so that the act of understanding can proceed truly from the resultant intentional identification.[104] It is

---

concept is analogous to the Son-Word (see fnn.92-94).

[99] *Quodl.*, VII, a.1c: "*Aliud* medium est *quo* videt; et hoc est species intelligibilis, quae intellectum possibilem determinat, et habet se ad intellectum possibilem, sicut species lapidis ad oculum".

[100] See *In I Sent.*, d.3, q.4, a.1 sol.; III, d.26, q.1, a.5 ad 4; IV, d.44, q.3, a.3 sol.; *Ver.*, q.10, a.2c *post. med.*; q.19, a.1c; *C. Gent.*, II, c.73, nn.1516ff.; c.74; *Sum. Theol.*, I, q.79, a.6; I-II, q.67, a.2c; *In I Cor.*, c.13, lect.3, n.791; *Quodl.*, III, *a.16;* XII, a.12; the sources being found at *In III de Anim.*, lect.7, n.686; lect.8, n.700; *In VIII Phys.*, lect.8, n.1031 (see *C. Gent.*, II, c.74, nn.1538ff.). See fn.53.

[101] See fn.55 and chapter 1, fnn.196-198.

[102] *Spir. creat.*, a.9 ad 6 (K, pp.112-13): "...res intellecta non se habet ad intellectum possibilem ut species intelligibilis, quo intellectus possibilis fit actu, sed illa species se habet ut principium formale quo intellectus intelligit. Intellectum autem, sive res intellecta, se habet ut constitutum vel formatum per operationem intellectus, sive hoc sit quidditas simplex, sive sit compositio et divisio propositionis...Utrique autem harum operationum praeintelligitur species intelligibilis, qua fit intellectus possibilis in actu; quia intellectus possibilis non operatur nisi secundum quod est in actu, sicut nec visus videt nisi per hoc quod est factus in actu per speciem visibilem". See chapter 1, fn.195f..

[103] See fnn.92-94 and chapter 1, fnn.200ff..

[104] *Sum. Theol.*, I, q.14, a.4c: "...intelligere non est actio progrediens ad aliquid extrinsecum, sed manet in operante sicut actus et perfectio eius, prout esse est perfectio existentis: sicut enim esse consequitur formam, ita intelligere sequitur speciem intelligibilem"; q.54, a.1 ad 3: "...actio quae transit in aliquid extrinsecum, est realiter media inter agens et subiectum recipiens actionem. Sed actio quae manet in agente, non est realiter

because the concept in which the intellect formulates its understanding is modeled on the species that it can be a true medium of knowledge.[105] Consequently, if the concept or idea is to be called an understood species, it must, nevertheless, be clearly distinguished from the species by which the intellect understands,[106] for the species by which the intellect understands enables it to know directly, not its own ideas, but the natures of things themselves.[107]

---

medium inter agens et obiectum, sed secundum modum significandi tantum: realiter vero consequitur unionem obiecti cum agente. Ex hoc enim quod intellectum fit unum cum intelligente, consequitur intelligere, quasi quidam effectus differens ab utroque". See fnn.55-56 and chapter 1, fn.206.

[105] See chapter 1, fn.197.

[106] *Quodl.*, V, a.9: "Manifestum est autem quod omnis operatio intellectus procedit ab eo secundum quod est factus in actu per speciem intelligibilem, quia nihil operatur nisi secundum quod est actu. Unde necesse est quod species intelligibilis, quae est principium operationis intellectualis, differat a verbo cordis, quod est per operationem intellectus formatum; quamvis ipsum verbum possit dici forma vel species intelligibilis, sicut per intellectum constituta, prout forma artis quam intellectus adinvenit, dicitur quaedam species intelligibilis"; see also *Ver.*, q.3, a.2; *Sum. Theol.*, I, q.15, a.2c. Though Thomas's thought on the distinction between species and idea undoubtedly did develop, at no time did he consider the species a concept, as Lonergan suggests (in "The Concept of *Verbum*," *Theological Studies*, 10 (1949), 27 and *Verbum*, 167); for when Thomas spoke of the species as *intellectum primum* and the thing as *intellectum secundum*, he compared the species in the intellect to the species in sight, which he aso called a *primum visum*, in the sense of "perfectio videntis, et principium visionis, et medium lumen respectu visibilis" (*In I Sent.*, d.35, q.1, a.2c) but not in the sense of a term of vision. He was speaking in the context of the Aristotelian theme of intentional identity between the intellect and the intelligible through the species (see *ibid.*, and a.1 ad 3 [fn.269]), which, he said, united the intellect and its object (see fnn.55-56, 104), so that the intellect could know directly the thing itself by being identified with its likeness (see fnn.45, 50). Thomas did wonder at first if the *ratio* or *idea* might simply be the *species*, but the exigencies of Trinitarian speculation seem to have stimulated him to develop the distinction (see fn.93). See fn.87.

[107] *Unit. intell.*, c.5 (K, n.110): "Est ergo dicendum secundum sententiam Aristotelis quod intellectum, quod est unum, est ipsa natura vel quidditas rei. De rebus enim est scientia naturalis et aliae scientiae, non de speciebus intellectis. Si enim intellectum esset non ipsa natura lapidis quae est in rebus, sed species quae est in intellectu, sequeretur quod ego non intelligerem rem quae est lapis, sed solum intentionem quae est abstracta a lapide. Sed verum est quod natura lapidis prout est in singularibus, est intellecta in potentia; sed fit intellecta in actu per hoc quod species a rebus sensibilibus, mediantibus sensibus,

It must be said, therefore, that the species by which the intellect is assimilated to the things it understands are the forms or principles it abstracts from sensible imagery, preserves within itself as habits of science, and conceives of in its concepts.

3. COMPARISON AND SUMMARY

What is to be said now about the conventional interpretation of Thomas Aquinas's theory of cognitional assimilation through intentional species? Again, it seems to be much different from the theory it was supposed to transmit.

First, Aquinas conceived of the notion of species within the Aristotelian context of knowledge as a kind of identity, whereas the Thomists whose interpretation we have cited have put it into a context of knowledge as a kind of confrontation. For Aquinas, as for Aristotle, the species was a remedy for the lack of natural unity between the human intellect and its object, and it was supposed to explain why the intellect, though initially ignorant, could gradually become informed about things and, with the information at its disposal, understand them. The Thomists cited, though, have made the species essentially a medium standing between the intellect and things so that the intellect can have a universal object to perceive as a compensation for the disparity between the universality of its knowledge and the individuation of things. Though they insist that knowledge is not a making but a becoming, nevertheless they describe the act of understanding as the conception of an intelligible object for the intellect to perceive. Hence, the species which Aquinas made a condition for human understanding, they have made a consequence.

Thus, whereas Thomas considered the intentional assimilation of the

---

usque ad phantasiam perveniunt, et per virtutem intellectus agentis species intelligibiles abstrahuntur, quae sunt in intellectu possibili. Hae autem species non se habent ad intellectum possibilem ut intellecta, sed sicut species quibus intellectus intelligit (sicut et species quae sunt in visu non sunt ipsa visa, sed ea quibus visus videt), nisi in quantum intellectus reflectitur supra seipsum, quod in sensu accidere non potest". See fnn.64ff..

intellect to its object through the species as the principle of understanding, the Thomists in question have made it the term. Whatever may have been the importance Aristotle gave to the notion of assimilation, Aquinas confined it to the reception of the species.[108] For Aquinas, assimilation by species was supposed to explain only why the intellect understood something in particular; its own immateriality was supposed to explain why it understood rather than sensed things; and the intentionality of the mind was supposed to explain why the intellect knew it truly understood things. Thus Aquinas saw assimilation as an initial phase, to be followed by the act of understanding and completed by the speaking of an interior word. These Thomists, though have made assimilation the explanation for the totality of understanding and, in so doing, have protracted the process to the term of understanding in what they have called an expressed species. In effect, what Thomas made the principle of understanding they have converted into the term.

So, thirdly, whereas Thomas never called the concept an expressed species or considered the species a concept, the Thomists we have mentioned have divided the species in two and made the impressed species just a preparation for the expressed species, which they identify with the concept. True enough, as Lonergan has brought out, Thomas began by thinking the concept or interior word might be no different from the act of understanding or the species, and at times he called the concept a species. But never did Aquinas think the species by which the intellect is assimilated to its object was a concept or interior word, and as he developed his theory of the concept/interior word/reason/idea/understood intention, he clearly and repeatedly distinguished it from the species properly so-called in Aristotelian terms. There was no real textual basis, therefore, for any interpreter of Thomas to confuse the species with the concept and then to attribute to the concept the function of assuring

---

[108] See Lonergan, "The Concept of *Verbum*," *Theological Studies*, 10 (1949), 9 and *Verbum*, 148-49.

the intentional union between intellect and object which pertains to the species. Thomists, then, are incorrect in using texts in which Thomas speaks about the species as an intentional presence of the object to argue that objective concepts are really identical with the things they represent.

Perhaps the basic reason for these differences between what Thomas wrote and what some Thomists say he wrote is that the Thomists in question failed to subject their interpretation to what Thomas said was the basis for his theory. Thomas based his theory, or his acceptance of Aristotle's theory, of the species upon reflection on the act of understanding; he said that in every act of understanding, as the intellect reflects upon its act, it understands the species by which it understands the nature of the thing it is considering. So Aquinas developed his theory from a study of the act of understanding, although he articulated what he meant in basically Aristotelian terms. Thomists, though, Lonergan included, have said that the species can be known only at the conclusion of an analysis of understanding either in logic or in metaphysics. They have used the notion of species as a postulate to account for the objectivity of knowledge—with this major qualification, that Lonergan has given full weight to Thomas's other statements on the consciousness of understanding, whereas other Thomists, in particular the ones we have cited, have ignored Thomas's phenomenology. Hence, while Lonergan's interpretation of *species* merely lacks the clarity of the rest of his exegesis, the conventional Thomistic interpretation simply contradicts what Thomas said. Whereas Thomas used the notion of species to explain a fact of which he said he was aware in every act of understanding, the Thomists whose interpretation we are examining have utilized it to try to establish a fact of which they have said they were otherwise unaware, namely that the intellect actually knows things and not just its own concepts.

Therefore, Thomas said that in every act of understanding the intellect could be sure that in its concept it knew the nature of something concrete if it reflected upon its act and grasped the species by which the thing had informed it and which it then formulated in a concept. These

Thomists, though, have interpreted him to have said that in no act of understanding could we be sure we knew anything real, but that we could be sure we really knew things if we supposed our concepts were likenesses somehow generated from the impressions which things made upon us. No wonder, then, that there is a considerable difference between what Thomas had to say about the understanding of sensible singulars and what Thomists generally have interpreted him to have meant.

CHAPTER THREE
THE UNDERSTANDING OF THE SINGULAR

1. THOMISTIC INTERPRETATION

*T*homists have generally interpreted Thomas Aquinas's teaching
    on the intellectual knowledge of singulars in the light of their be-
lief that he thought the intellect could perceive directly and immediately
only its own concepts.[1] Because they have assumed that he explained
intellectual knowledge as a perception of the objects in concepts, they
have had to interpret his statements about the intellectual knowledge
of singulars either as a special kind of conception or else as a secondary
sort of knowledge. In either case, they have interpreted Aquinas to have
said that the intellect understands concrete singulars in which universals
really exist, only by reflection from universals.[2]

According to Thomists, generally, then, Aquinas meant that the

---

[1] See chapter 1, fnn. 1-21; chapter 2, fnn.1-11.

[2] Gredt, I, 222-23, 510; see also 521-22. Siwek, *Psychologia Metaphysica*, 384-91, citing
Sum. Theol., I, q.85, a.3; q.86, a.1; *Ver.*, q.10, a.5; and *Sum. Theol.*, I, q.86, a.1; *Ver.*, q.2,
a.6; q.10, a.5; *In III de Anim.*, lect.8, n.712; lect.3, nn.601-604. Boyer, *Cursus*, II, 105.

conversion of the intellect to sensible imagery in order to understand singulars was a reflection from its knowledge of the universal. Some say he meant that this reflection or conversion resulted solely in an argu- itive (sic) knowledge that certain material natures must apply to given concrete singulars.[3] Others have said he meant that the intellect could restrict the universal to only one possible singular by a multiplication of the notes it attributed to one thing.[4] Others still have said he meant that in this reflection-conversion the intellect could actually conceive a proper and distinct concept of any singular that it found represented to it in sensible imagery.[5] Others have argued that he said in conversion to the singular the intellect could know any individual impressions it received from sensible imagery.[6] Others have said, though, that Aquinas meant the intellect in its conversion could perceive the universals in the individ- uals which were represented to it in sensible imagery.[7] Some have gone as far as to say that he meant the intellect could even attain any concrete singular in continuity with the images to which it reflected or converted.[8]

---

[3] Following Cajetan (in I, q.86, a.1, VII); Gredt, I, 515-21, citing *In II de Anim.*, n.375; *Ver.*, q.10, a.5; q.2, aa.5.6; *Anim.*, q.20; *Quodl.*, VII, a.3; XII, a.11; *C. Gent.*, I, c.65; Item. Agens; *In II Sent.*, d.3, q.3, a.3 (I, 481). Mercier, II, 39.

[4] Verneux, pp.84-85, adding *In III de Anim.*, lect.8, nn.712-13 to some of the above-mentioned texts.

[5] Following John of St. Thomas (*Cursus Philosophicus Thomisticus, De Anima,* q.10, a.4): Maritain, *Degrés*, 56, fn.2. H.-D. Gardeil, III, 114-15, 121-23.

[6] Siwek, *Psychologia Metaphysica*, 391-92.

[7] Zigliara, II, 327, citing *Sum. Theol,* I, q.86, a.1; *Ver.*, q.2, a.4; *C. Gent.*, I, c.65. Boyer, *Cursus*, II, 105-106. G. McCool, "The Primacy of Intuition," *Thought*, 37 (1962), 57-73.

[8] L. Noël, *Notes d'épistémologie thomiste* (Louvain-Paris, 1925), pp.137, 154-55; *Le réalisme immédiat* (Louvain, 1938), pp.34, 185-86, 228-30, 245-48, citing *Anim.*, a.20 ad 1 (sec. ser.); *Sum. Theol.*, I, q.79, a.4; q.85, a.2 ad 2; q.86, a.2. A. Forest, "Pour une science de l'individuel: notes sur l'individualité et la contingence," *Revue Thomiste*, 7 (1924), 79-92. Gilson, *Le réalisme méthodique* (Paris, 1935), 48, 82; *Réalisme thomiste*, 95 (fn.1), 99, 100, 102, 122, 151-52, 194-96; *The Christian Philosophy*, 31, 41, 233; *Being*, 187-88, 204; *Elements*, 220. J. Wébert, "*Reflexio.* Étude sur les opérations réflexives dans la psychologie

However these Thomists have interpreted Aquinas's teaching on the intellectual knowledge of singulars, they have looked for only one kind of knowledge; they have identified conversion of the intellect to sensible imagery with reflection from the universal to the singular; and they have said the resultant knowledge is never primary, for it can occur only after the intellect knows the universal, or immediate, for it can happen only through the intellect's knowledge of the universal.

2. Thomas Aquinas's Teaching

With a spectrum of interpretations to choose from, which are we to prefer? None really. Each has some facet of Thomas's teaching to offer, but none presents the whole of it, and all fall foul of their presuppositions.

For Thomas taught that the first things we have to understand are the singulars represented to us in sensible imagery, and only from an understanding of them can we formulate universal concepts. He distinguished, eventually, a certain sort of reflection entailed in the conversion of the intellect to sensible imagery in every act of understanding from the full and deliberate reflection of the intellect upon sensible imagery which is necessary only for an intended consideration of singulars. Only the deliberate reflection upon singulars, he said, enables the intellect to compare the universal with the particular and to apply its ideas to the concrete. Hence, Aquinas taught that the primary things we have to understand are singulars, we can know them indirectly by conversion and immediately by reflection, and we can know them in a number of ways.

Again, let us consider the evidence for this other interpretation.

---

de Saint Thomas d'Aquin," *Mélanges Mandonnet* (Bibliothèque Thomiste, XIII & XIV: Paris, 1930), I, 285-325. J. de Vries, "*Die Mehrseitigkeit der Einzelerkenntnis*," *Scholastik*, 26 (1951), 161-76. Boyer, *Cursus*, II, 105-108. Klubertanz, 194; see also "St. Thomas and the Knowledge of the Singular," *New Scholasticism* 26 (1952), 135-66.

2.1. THE INTELLIGIBILITY OF SINGULARS

Aquinas taught that the intellect knows things and not just its own thoughts.[9] True, the manner in which it knows things is universal, for the species by which it knows them are abstracted from the individuating conditions of sensible imagery.[10] Yet the things the intellect knows are in themselves not universal but singular, and we are well aware of the difference between the way we understand things and the way they really are.[11]

---

[9] *Ver.*, q.10, a.4c: "...ipsa cognita per intellectualem visionem sunt res ipsae, et non rerum imagines. Quod in visione corporali, scilicet sensitiva, et spirituali, scilicet imaginativa, non accidit. Obiecta enim imaginationis et sensus sunt quaedam accidentia, ex quibus quaedem rei figura vel imago, constituitur; sed obiectum intellectus est ipsa rei essentia; quamvis essentiam rei cognoscat per eius similitudinem, sicut per medium cognoscendi, non sicut per obiectum in quo primo fertur eius visio"; see also chapter 1, fn.68f. and chapter 2, fnn.65ff.; also fnn.26, 82f.

[10] *Q. de Anim*, a.3 ad 8: "...secundum Platonicos causa huius quod intelligitur unum in multis, non est ex parte intellectus, sed ex parte rei. Cum enim intellectus noster intelligat aliquid unum in multis; nisi aliqua res esset una participata a multis, videretur quod intellectus esset vanus, non habens aliquid respondens sibi in re. Unde coacti sunt ponere ideas, per quarum participationem et res naturales speciem sortiuntur, et intellectus nostri fiunt universalia intelligentes. Sed secundum sententiam Aristotelis hoc est ab intellectu, scilicet quod intelligat unum in mutis per abstractionem a principiis individuantibus. Nec tamen intellectus est vanus aut falsus, licet non sit aliquid abstractum in rerum natura. Quia eorum quae sunt simul, unum potest vere intelligi aut nominari, absque hoc quod intelligatur vel nominetur alterum; licet non possit vere intelligi vel dici, quod eorum quae sunt simul, unum sit sine altero. Sic igitur vere potest considerari et dici id quod est in aliquo individuo, de natura speciei, in quo simile est cum aliis, absque eo quod considerentur in eo principia individuantia, secundum quae distinguitur ab omnibus aliis. Sic ergo sua abstractione intellectus facit istam unitatem universalem, non eo quod sit unus in omnibus, sed in quantum est immaterialis"; see also chapter 1, fn.82,f., 186f.; chapter 2, fn.86f., 94f.

[11] *C. Gent.*, II, c.75, n.1551: "Nec tamen oportet quod, quia scientiae sunt de universalibus, quod universalia sint extra animam per se subsistentia: sicut PLATO posuit. Quamvis enim ad veritatem cognitionis necesse sit ut cognitio rei respondeat, non tamen oportet ut idem sit modus cognitionis et rei. Quae enim coniuncta sunt in re, interdum divisim cognoscuntur: simul enim una res est et alba et dulcis; visus tamen cognoscit solam albedinem, et gustus solam dulcedinem. Sic etiam et intellectus intelligit lineam in materia sensibili existentem, absque materia sensibili: licet et cum materia sensibili intelligere possit. Haec autem diversitas accidit secundum diversitatem specierum intelligibilium in intellectu receptarum: quae quandoque est similitudo

124WILLIAM E. MURNION, PH.D., S.T.L.

So we have no trouble admitting that the first things we actually know
are singulars and that all our universal notions derive from the study of
them.[12]

It is also true, though, that the intellect does not directly and properly understand singulars.[13] The difficulty in understanding singulars,
however, stems not from their singularity but from their materiality.[14]
For, on the one hand, it is not that things are intelligible because they
are universal, but that universals are intelligible because they are abstracted from any individuating material principles;[15] on the other, singular
species are intelligible,[16] just as are the particular acts of understanding

---

quantitatis tantum, quandoque vero substantiae sensibilis quantae. Similiter autem, licet
natura generis et speciei nunquam sit nisi in his individuis, intelligit tamen intellectus
naturam speciei et generis non intelligendo principia individuantia: et hoc est intelligere
universalia. Et sic haec duo non repugnant, quod universalia non subsistant extra animam:
et quod intellectus, intelligens universalia, intelligat res quae sunt extra animam"; see also
Sum. Theol., I, q.84, a.4 ad 1; and chapter 1, fnn. 190ff.; chapter 2, fnn.27-29, 42, 54-58.

[12] *Sum. Theol.*, I, q.79, a.6c: "...Aristotelis. Dicit enim, in III *de Anima,* quod, cum
intellectus possibilis *sic fiat singula ut sciens, dicitur qui secundum actum*; et quod *hoc
accidit cum possit operari per seipsum. Est quidem igitur et tunc potentia quodammodo; non
tamen similiter ut ante addiscere aut invenire.* Dicitur autem intellectus possibilis fieri
singula, secundum quod recipit species singulorum"; see also chapter 1, fnn.68-76, 125-
34.

[13] *Sum. Theol.*, I, q.84, a.1c: "...singulare in rebus materialibus intellectus noster directe
et primo cognoscere non potest"; see also *In II Sent.*, d.3, q.3, a.3 ad 1; IV, d.50, q.1, a.3
sol.; *Ver.*, q.2, a.6c; q.10, a.5c; *Quodl.*, VII, a.3c; X, a.11c; *In I Phys.*, lect.10, n.7; *In II de
Anim.*, lect.12, nn.375-80; III, lect.8, nn.713-716.

[14] *Sum. Theol.*, q.86, a.1 ad 3: "...singulare non repugnat intelligibilitati inquantum est
singulare, sed inquantum est materiale, quia nihil intelligitur nisi immaterialiter. Et ideo si
sit aliquod singulare immateriale, sicut est intellectus, hoc non repugnat intelligibilitati";
see also q.14, a.11c; q.76, a.2 ad 3; q.86, a.3c; *Quodl.*, VII, a.3c; *Ver.*, q.2 a.5c; *C. Gent.*,
II, c.75, n.1553; *Comp.*, c.85, n.155; *Unit. intell.*, c.5 (K, n.112).

[15] *Q. de Anim.*, a.2 ad 5: "...ex hoc enim aliquid est intellectum in actu quod est
immateriale, non autem ex hoc quod est universale; sed magis universale habet quod sit
intelligibile per hoc quod est abstractum a principiis materialibus individuantibus".

[16] *C. Gent.*, II, c.75, n.1553: "Species autem intelligibiles individuantur per suum
subiectum, qui est intellectus possibilis, sicut et omnes aliae formae. Unde, cum

and individual intellects in which they are present.[17] No, what makes any singular unintelligible to us is its materiality, for singulars become intelligible as soon as their natures are abstracted from matter.[18] But by subjecting things to the contingencies of time and place, confining forms to particular individuals, and making individuals naturally incommunicable, matter prevents singulars from having as such the actually formal intentionality necessary for them to be united to the intellect in the act of understanding.[19] By contrast, separate substances, because they are singularized as subsistent forms, are intelligible in themselves, though not communicable to others;[20] and God, because He is singular solely by the infinity of His act of being, can communicate Himself to others in His essence, presence, and power.[21]

---

intellectus possibilis non sit materialis, non tollitur a speciebus individuatis per ipsum quin sint intelligibilles actu" (see also nn.1554, 1556); *Q. de Anim.*, a.3 ad 17; see also chapter 1, fn.37; chapter 2, fn.249f..

[17] See chapter 1, fnn.35-36, 38-39, 43f.; chapter 2, fn. 63f.; also *C. Gent., ibid.*, nn.1554, 1556; *Q. de Anim.*, a.2 ad 5; *Spir. creat.*, a.9 ad 6 (K, p.112); *Unit. intell.*, c.5 (K, n.110).

[18] *C. Gent.*, II, 75, n.1553: "Sed id quod repugnat intelligibilitati est materialitas: cuius signum est quod, ad hoc quod fiant formae rerum materialium intelligibiles actu, oportet quod a materia abstrahantur. Et ido in illis in quibus individuatio fit per hanc materiam signatam, individuata non sunt intelligibilia actu. Si autem individuatio fiat non per materiam, nihil prohibet ea quae sunt individua esse actu intelligibilia".

[19] See chapter 2, fnn.33ff..

[20] *Sum. Theol.*, I, q.56, a.1 ad 2: "...singularium quae sunt in rebus corporalibus, non est intellectus, apud nos, non ratione singularitatis, sed ratione materiae, quae est in eis individuationis principium. Unde si aliqua singularia sunt sine materia subsistentia, sicut sunt angeli, illa nihil prohibet intelligibilia esse actu"; see also *Comp.*, c.85, n.155; *Q. de Anim.*, a.2 ad 5; a.17 ad 5; *In III de Anim.*, lect.8, n.706; *Spir. creat.*, a.8c ad 4, ad 13.

[21] See *Sum. Theol.*, I, q.8, aa.1, 3 and loc. par.. Thus God is the measure of being in everything else (see *In I Sent.*, d.2, q.1, a.3: Quantum ad tertium, quantum vero ad quartum; d.22, q.1, a.3 sol.; d.26, q.2, a.1 sol.; d.30, q.1, a.1; d.37, q.2, a.3 sol.; d.40, q.1, a.1 ad 1; II, d.1, q.1, a.2 ad 4, ad 5; *Quodl.*, III, a.4c; *Ver.*, q.1, a.5 ad 16, ad 17; q.4, a.5c; *Pot.*, q.1, a.1 ad 10; q.3, a.3; q.7, a.1 ad 9; aa.8-11; *C. Gent.*, II, cc.11-14; c.18; *Sum. Theol.*, I, q.6, a.2 ad 1; q.13, a.7c; q.14, a.15 ad 1; q.28, a.1 ad 3; q.32, a.2c; q.34, a.3 ad 1, ad 2; q.45, a.3; III, q.35, a.5c; *In Lib. de Caus.*, prop.12 [S, p.76]), and everything else

Yet is should not be thought that the matter of sensible things is absolutely unintelligible. Because we understand things by inspecting them as they appear in sensible imagery, from the imagery we can incorporate in a definition the matter common to the specific perfection of a certain quiddity.[22] But since we abstract from the matter proper to an individual because it is accidental to the quiddity, we do not understand the individuals made concrete by determinate matter.[23] Thus we can understand the matter of material things, but only insofar as the forms of those things have specified the matter of which they are composed.[24] Since

---

participates in God's being (see *Ente et ess.*, cc.4-5; *In I Sent.*, d.8, q.1, a.1 sol.; q.4, a.3 sol.; q.5, a.1 sol.; II, d.3, q.1, a.1 sol.; *In Boeth. de Hebdom.*, lect.2, n.35; *Ver.*, q.20, a.4 ad 1; *Pot.*, q.7, a.2; a.4c; q.9, a.1c; *C. Gent.*, I, cc.21-23, 52; *Sum. Theol.*, I, q.3, aa.3-4; q.4, a.2; q.7, a.1c; a.2 ad 1; q.12, a.2 ad 3; a.4; q.14, a.9 ad 2; q.44, a.1c; q.50, a.2 ad 3; q.54, aa.1, 3; q.61, a.1c; q.75. a.5 ad 4; q.104, a.1c; III, q.17, a.2 ad 3; *Comp.*, cc.10-11, 23; *In Lib. de Caus.*, prop.4; prop.16). So in knowing anything else we are implicitly knowing God (see chapter 1, fnn.52f., 153ff.), but for us to know God in Himself He must reveal Himself to us (see *In I Sent.*, prol. a.1; *In I de Div. Nom.*, lect.2; *In Boeth. de Trin.*, q.1, a.1c; *Ver.*, q.14, a.10c; *C. Gent.*, I, cc.4,5; *Sum. Theol.*, I, q.1, a.1c; q.12, aa.4, 12, 13; q.32, a.1c; III, q.1, a.3).

[22] *In VII Meta.*, lect.9, n.1473: "Sciendum tamen est, quod nulla materia, nec communis, nec individuata, secundum se, se habet ad speciem prout sumitur pro forma. Sed secundum quod specis sumitur pro universali, sicut hominen dicimus esse spciem, sic materia communis per se pertinet ad speciem, non autem materia individualis in qua natura speciei accipitur"; see also nn.1461-63, 1474ff.; *In II Phys.*, lect.2, n.3; lect.3, n.3f.; *In III de Anim.*, lect.8, n.717; and Lonergan, "The Concept of *Verbum*," *Theological Studies*, 10 (1949), 4f. and *Verbum*, pp.143f..

[23] *Sum. Theol.*, I, q.86, a.1c: "Cuius ratio est, quia principium singularitatis in rebus materialibus est materia individualis: intellectus autem noster, sicut supra dictum est, intelligit abstrahendo speciem intelligibilem ab huiusmodi materia. Quod autem a materia individuali abstrahitur, est universale. Unde intellectus noster directe non est cognoscitivus nisi universalium"; see also q.14, a.11 ad 1 (fn.173); a.12c; q.57, a.2 ad 1; *In II Sent.*, d.3, q.3, a.3 ad 1; IV, d.50, q.1, a.3; *Ver.*, q.10, a.4 ad 6; *C. Gent.*, I, c.65, nn.531, 537; *In III de Anim.*, lect.8, n.710f.; *In VII Meta.*, lect.10, nn.1484-87, 1490; and fn.10. See Lonergan, "The Concept of *Verbum*," *ibid.*, 13-15; II and *Verbum*, 152-54.

[24] *Ver.*, q.10, a.4c: "Ex cognitione autem formarum quae nullam sibi materiam determinant, non relinquitur aliqua cognitio de materia; sed ex cognitione formarum quae determinant sibi materiam, cognoscitur etiam ipsa materia aliquo modo, scilicet secundum habitudinem quam habet ad formam; et propter hoc dicit Philosophus in *I*

these forms are as such common or universal, we can understand material things only universally.[25]

Still, the reason we cannot understand material singulars is not that they are so disproportionate to the immateriality of understanding that the intellect can understand only spiritual things.[26] For the intellect need not assimilate the likeness of its object in the same way the form represented by the likeness exists in the concrete.[27] If the forms of things known had to be naturally present to the knower, then not even spirits would be intelligible, for their specific perfection is intrinsic and incommunicable.[28] Besides, the spirituality of the intellect, rather than con-

---

Physic. [comm. 69], quod materia prima est scibilis secundum analogiam ad formam. Et sic per similitudinem formae ipsa res materialis cognoscitur, sicut aliquis ex hoc ipso quod cognoscit simitatem, cognoscit nasum simum"; see also q.10, a.5c; *Sum. Theol.*, I, q.84, a.1; and chapter 2, fn.35ff..

[25] *Ver.*, q.2, a.5c: "Omnis autem forma de se universalis est"; see also a.6c; q.8, a.11c; q.10, a.5c; *Quodl.*, VII, a.3c; *Q. de Anim.*, a.20c; and fn.23; chapter 1, fn.172f..

[26] *Sum. Theol.*, I, q.84, a.1 ad 2: "...sicut Augustine dicit XXII *de Civit. Dei,* non est dicendum quod, sicut sensus cognoscit sola corporalia, ita intellectus cognoscit sola spiritualia; quia sequeretur quod Deus et angeli corporalia non cognoscerent. Huius autem diversitatis ratio est, quia inferior virtus non se extendit ad ea quae sunt superioris virtutis; sed virtus superior ea quae sunt inferioris virtutis, excellentiori modo operatur"; see c and *In VII Meta.*, lect.5, nn.1356-1380; *In III de Anim.*, lect.8, n.705-718; and fn.11..

[27] *Ver.*, q.2, a.5c: "Et quia ad hoc quod aliquid cognoscatur, requiritur quod similitudo eius sit in cognoscente, non autem quod sit per modum quo est in re: inde est quod intellectus noster non cognoscit singularia, quorum cognitio ex materia dependet quia non est in eo similitudo materiae; non autem ex hoc quod similitudo sit in eo immaterialiter: sed intellectus divinus, qui habet similitudinem materiae, quamvis immaterialiter, potest singularia cognoscere"; see also ad 5, ad 6, ad 7, ad 16, ad 17 (chapter 2, fn.50); q.10, a.4 ad 4; and chapter 1, fn.191; chapter 2, fnn.42, 49f..

[28] *Spir. creat.*, a.8 ad 4, (K, p.96): "...sicut forma, quae est in subiecto vel materia, individuatur per hoc quod est in hoc, ita forma separata individuatur per hoc quod non est nata in aliquo esse. Sicut enim esse in hoc excludit communitatem universalis, quod praedicatur de multis, ita non posset esse in aliquo"; see also c (K, p.92), ad 13 (p. 99); *Ente et ess.*, c.5; *Nat. mat.*, c.5; *In II Sent.*, d.3, q.1, aa.4, 5; IV, d.12, q.1, a.1 sol.3, ad 3; *C. Gent.*, II, cc.93, 95; *Subst. sep.*, c.8; *Sum. Theol.*, I, q.50, a.4; *In Lib. de Caus.*, lect.4; *Unit. intell.*, c.5 (K, n.105); *Quodl.*, II, a.4.

stricting it, makes it capable of appropriating intentionally the entire perfection of the whole universe and everything within it.[29] Hence, the unintelligibility of concrete individuals derives basically from the fact that their natural perfection consists essentially in their specific forms and not in their concrete individuality. Thus the intellect achieves its essential purpose simply by understanding the specific natures according to which concrete individuals became formally perfect.[30]

------

[29] *Ver.*, q.2, a.2c: "...perfectio quae est propria unius rei, in altera re invenitur; et haec est perfectio cognoscentis in quantum est cognoscens, quia secundum hoc a cognoscente aliquid cognoscitur quod ipsum cognitum aliquo modo est apud cognoscentem; et ideo in III *de Anima* [comm.15 et 17] dicitur, animam esse quodammodo omnia, quia nata est omnia cognoscere. Et secundum hunc modum possibile est ut in una re totius universi perfectio existat. Unde haec est ultima perfectio ad quam anima potest pervenire, secundum philosophos, ut in ea describatur totus ordo universi, et causarum eius; in quo etiam finem ultimum hominis posuerunt, qui secundum nos, erit in visione Dei, quia secundum Gregorium, *quid est quod non videant qui videntem omnia vident?* Perfectio autem unius rei in altera esse non potest secundum determinatum esse quod habebet in re illa; et ideo ad hoc quod nata sit esse in re altera, oportet eam considerare absque his quae nata sunt eam determinare. Et quia formae et perfectiones rerum per materiam determinantur, inde est quod secundum hoc est aliqua res cognoscibilis secundum quod a materia separatur. Unde oportet quod etiam id in quo suscipitur talis rei perfectio, sit immateriale; si enim esset materiale, perfectio recepta esset in eo secundum aliquod esse determinatum; et ita non esset in eo secundum quod est cognoscibilis; scilicet prout, existens perfectio unius, est nata esse in altero...Et ideo videmus, quod secundum ordinem immaterialitatis in rebus, secundum hoc in eis natura cognitionis invenitur"; see also *C. Gent.*, I, c.44, n.376; *Sum. Theol.* I, q.14, aa.2, 4; see also chapter 2, fnn.26, 39-40. See Lonergan, "The Concept of *Verbum*," *Theological Studies*, 10 (1949), 365 and *Verbum*, 189-90.

[30] *Q. de Anim.*, a.18c: "Unde considerandum est quod, eo modo quo aliquid est de perfectione naturae, eo modo ad perfectionem intelligibilem pertinet. Singularia namque non sunt de perfectione naturae propter se, sed propter aliud: scilicet ut in eis salventur species quas natura intendit. Natura enim intendit generare hominem non hunc hominem; nam in quantum homo non potest esse, nisi sit hic homo. Et idem est quod Philosophus dicit in libro *de Animalibus* [II, cap. IV] quod in assignandis causis accidentium speciei oportet nos reducere in causam finalem, accidentia vero individui in causam efficientem vel materialem. Quasi solum id quod est in specie, sit de intentione naturae. Unde et cognoscere species rerum pertinet ad perfectionem intelligibilem; non autem cognitio individuorum, nisi forte per accidens"; see also *C. Gent.*, c.75, n.1554; *Sum. Theol.*, I, q.85, a.3 ad 4 (chapter 2, fn.233). Nevertheless, the reason the human intellect does not know directly and properly all the individuals whose natural perfection

2.2. The Unintelligibility of Singulars to the Human Intellect

Now, if the singular is intelligible and matter knowable, and if the intellect in its own way can understand anything, then the reason the human intellect cannot understand concrete singulars as such lies not in either pole of this relationship but in the relationship itself. It is, in fact, because the human intellect in its ignorance can understand concrete singulars only by learning about them from likenesses of their forms.[31] Thus the knowledge the human intellect has of concrete singulars is universal because, from one side of the relationship, singulars act upon the intellect through their forms and the forms are as such universal,[32] and, from

---

could be represented in a certain species is that it is too weak to comprehend the meaning of such a species; see *ibid.* and also *Quodl.*, VII, a.3c; *Ver.*, q.2, a.5 ad 11; q.8, a.11; q.10, a.4c; a.5 ad 6; *C. Gent.*, II, c.100, nn.1853-54; *Subst. sep.*, c.15, n.135; *Sum. Theol.*, I, q.14, a.11c; and chapter 1, fnn.58, 73; chapter 2, fnn.16-17.

[31] *Ver.*, q.2, a.5c: "...cum omne quod est in aliquo, sit in eo per modum eius in quo est; et ita similitudo rei non sit in Deo nisi immaterialiter; unde est quod intellectus noster, ex hoc ipso quod immaterialiter recipit formas rerum, singularia non cognoscit: Deus autem cognoscit. Cuius ratio manifeste apparet, si consideretur diversa habitudo quam habet ad rem similitudo rei quae est in intellectu nostro, et similitudo rei quae est in intellectu divino. Illa enim quae est in intellectu nostro, est accepta a re secundum quod res agit in intellectum nostrum, agendo per prius in sensu; materia autem, propter debilitatem sui esse, quia est ens in potentia tantum, non potest esse principium agendi; et ideo res quae agit in animam nostram, agit solum per formam. Unde similitudo rei quae imprimitur in sensum, et per quosdam gradus depurata, usque ad intellectum pertingit, est tantum similitudo formae"; see also ad 3, ad 16; q.8, a.11c ad 1; q.10, a.4c; a.5 ad 1; *Quodl.*, VII, a.3c; *C. Gent.*, II, c.100, n.1856; *Q. de Anim.*, a.20; and chapter 1, fn.58f.; chapter 2, fnn.16-17, 33f..

[32] *Ver.*, q.10, a.5c: "Cognitio enim mentis humanae fertur ad res naturales primo secundum formam, et secundario ad materiam prout habet habitudinem ad formam. Sicut autem omnis forma, quantum est de se, est universalis, ita habitudo ad formam non facit cognoscere materiam nisi cognitione universali. Sic autem considerata materia non est individuationis principium, sed secundum quod consideratur materia in singulari, quae est materia signata sub determinatis dimensionibus existens: ex hac enim forma individuatur. Unde dicit Philosophus in VII *Metaph.* [comment.37 et seqq.], quod *hominis parte sunt materia et forma universaliter, Socratis vero forma haec et haec materia.* Unde patet quod mens nostra singulare directe cognoscere non potest"; see also q.19,

the other side, the human intellect is immaterial and, therefore, capable of assimilating forms as such.[33] Hence, in the intentional identity of the act of understanding, the human intellect knows specific natures.[34] In the intellect the form by which it knows something does not represent the individual matter that makes the thing singular.[35] Even an art-

---

a.2c and fn.15.

[33] *Ver.*, q.8, a.11c: "Formae autem quae sunt in intellectu speculativo, fiunt in nobis quodammodo ex actiona ipsarum rerum. Omnis autem actio est a forma; et ideo, quantum est ex virtute agentis, non fit aliqua forma a rebus in nobis nisi quae sit similitudo formae. Sed per accidens contingit ut sit similitudo etiam materialium dispositionum, inquantum recipit in organo materiali, quia materialiter recipit, et sic retinentur aliquae conditiones materiae. Ex quo contingit quod sensus et imaginatio singularia cognoscunt. Sed quia intellectus omnino immaterialiter recipit, ideo formae quae sunt in intellectu speculativo, sunt similitudines rerum secundum formas tantum"; see also q.2, a.5 ad 2; q.10, a.5c; q.19, a.2c; *In IV Sent.*, d.50, q.1, a.3 sol.; *Sum. Theol.*, I, q.84, a.1c; *Q. de Anim.*, a.3 ad 8 (fn.16); and chapter 2, fn.39.

[34] *Sum. Theol.* I, q.14, a.12c: "...cognitio cuiuslibet cognoscentis se extendit secundum modum formae quae est principium cognitionis. Species enim sensibilis, quae est in sensu, est similitudo solum unius individui: unde per eam solum unum individuum cognosci potest. Species autem intelligibilis intellectus nostri est similitudo rei quantum ad naturam speciei, quae est participabilis a particularibus infinitis: unde intellectus noster per speciem intelligibilem hominis, cognoscit quodammodo homines infinitos. Sed tamen non inquantum distinguuntur ab invicem, sed secundum quod communicant in natura speciei; propter hoc quod species intelligibilis intellectus nostri non est similtudo hominum quantum ad principia individualia, sed solum quantum ad principia speciei"; see also q.55, a.1 ad 2 (chapter 2, fn.37); *Ver.*, q.2, a.5 ad 16, ad 17; *Subst. sep.*, c.15, n.134.

[35] *Ver.*, q.2, a.6c: "...qualibet actio sequitur conditionem formae agentis, quae est principium actionis, sicut calefactio mensuratur secundum modum caloris. Similitudo autem cogniti, qua informatur potentia cognoscitiva est principium cognitionis secundum actum sicut calor calefactionis; et ideo oportet ut quaelibet cognitio sit per modum formae quae est in cognoscente. Unde, cum similitudo rei quae est intellectu nostro, accipiatur ut separata a materia, et ab omnibus materialibus conditionibus, quae sunt individuationis principia; relinquitur quod intellectus noster, per se loquendo, singularia non cognoscat, sed universalia tantum. Omnis enim forma, in quantum huiusmodi, universalis est; nisi forte sit forma subsistens, quae, ex hoc ipso quod subsistit, incommunicabilis est"; see also a.5c; q.8, a.11 ad 13; q.10, a.5c; *Quodl.*, VIII, a.3c; a.11c; *C. Gent.*, I, c.65, n.537; *Sum. Theol.*, I, q.14, a.11 ad 1; a.12c; q.57, a.2 ad 1; q.76, a.2 ad 3; q.84, a.1c; *Q. de Anim.*, a.20c. See fn.27.

ist cannot understand as singulars the individual artifacts he produces, for he supposes the existence of the matter which makes them singular and can understand them only according to the forms he gives them.[36] Only the Creator has a direct and proper understanding of singular as in the concrete, for the form according to which He produces things included virtually the matter that individualizes them.[37] Consequently, He can provide for the adequate disposition of singulars and contingencies, impress angels with the species necessary for them to assist Him in the governance of individuals, and endow men with the ability to understand singulars indirectly by abstracting species from sensible imagery.[38]

So, although human understanding does not extend to a proper knowledge of concrete singulars, it should not be thought that such knowledge is unimportant. Although concrete singulars are significant and thus intelligible only because they embody some specific perfection,

---

[36] *Quodl.*, VII, a.3c: "Per formam autem, quae est *causa* rei, hoc modo cognoscitur res secundum quod forma illa est causa eius. Et quia artifex homo per formam artis non producit materiam, sed materia praesupposita inducit formam artis; forma artis, quae est in mente artificis, non est similitudo artificiati nisi quoad formam tantum; unde per eam non cognoscit artificiatum in particulari, nisi formam artificiati per sensum accipiat"; see also *Ver.*, q.2, a.5c; q.8, a.11c; *Sum. Theol.*, I, q.14, a.11c; *Q. de Anim.*, a.20c.

[37] *Ibid.*: "Artife autem increatus, scilicet Deus, non solum producit formam, sed etiam materia. Unde rationes ideales in mente ipsius existentes non solum sunt efficaces ad cognitionem universalium, sed etiam ad singularia cognoscenda a Deo"; see also *In I Sent.*, d.3, q.2, a.3 sol.; d.36, q.1, a.1 sol.; *Quodl.*, X, a.11c; *Ver.*, q.2, aa.3-5, 7, 9; q.8, a.11c; q.10, a.4c; q.19, a.2c; *C. Gent.*, I, c.65, n.529f. (see also cc.50, 58-59, 63); *Subst. sep.*, c.15, n.135; *Comp.*, cc.132-33; *Sum. Theol.*, I, q.14, a.11c; a.12c; q.57, a.2c; *In Rom 1*, lect.6, n.110; *In I Cor. 1*, lect.3, n.178; *Q. de Anim.*, a.20c; *In I Periherm.*, lect.14.

[38] *Ibid.*: "Sicut autem illae rationes ideales effluunt in res producendas in esse suo naturali, in quo particulariter unumquodque subsistit in forma et materia; ita procedunt in mentes angelicas, ut sint in eis principium cognoscendi res secundum suum totum esse in quo subsistunt. Et sic per species influxas sibi ab arte divina angeli, non solum universalia, sed etiam particularia cognoscunt, sicut et Deus"; besides the citations in fn.37 see also *Ver.*, q.10, a.5c; q.19, a.1c; *C. Gent.*, I, c.65, n.536; II, c.99, n.1849; c.100, n.1857; *Sum. Theol.*, I, q.57, a.2c; q.89, a.4c. The early locus quoted in the last three citations shows that Aquinas had worked out these points, as well as the points covered in fnn.13ff., early in his career and merely repeated them, more or less succinctly, in his later writings.

still science remains imperfect until it becomes a knowledge of specific singulars,[39] and physical science reaches that perfection only through a knowledge of matter and movement.[40] Nor should it be thought that the object of understanding is anything but the natures of concrete singulars.[41] For understanding differs from sense, not because it is a knowledge of different things, but because it is a superior way of knowing the same things.[42] Instead of stopping at individual phenomena and outward appearances, the intellect gets to universal natures and inward essences.[43] But, as a superior power, it can exceed the capacity of sense without there-

---

[39] See *In I Phys.*, lect.1, nn.6-8; *In I Post. Anal.*, lect.4, nn.15-16; and the summary statements in *Sum. Theol.*, I, q.85, a.3 and *In I Meta.*, lect.2, nn.45-46. See chapter 1, fnn. 124ff..

[40] *Sum. Theol.*, I, q.84, a.1c: "Plato, ut posset salvare certam cognitionem veritatis a nobis per intellectum haberi, posuit praeter ista corpora aliud genus entium a materia et motus separatum, quod nominat *species* sive *ideas*...Sed hoc dupliciter apparet falsum. Primo quidem quia, cum illae species sint immateriales et immobiles, excluderetur a scientiis cognitio motus et materiae (quod est proprium scientiae naturalis), et demonstratio per causas moventes et materiales"; see also a.8 (chapter 1, fn.132).

[41] *Sum. Theol.*, I, q.85, a.2 ad 2: "...cum dicitur *intellectum in actu*, duo importantur: scilicet res quae intelligitur, et hoc quod est ipsum intelligi. Et similiter cum dicitur *universale abstractum*, duo intelliguntur: scilicet ipsa natura rei, et abstractio seu universalitas. Ipsa igitur natura cui accidit vel intelligi vel abstrahi, vel intentio universalitatis, non est nisi in singularibus; sed hoc ipsum quod est intelligi vel abstrahi, vel intentio universalitatis, est in intellectu"; see also a.3 ad 1 (chapter 1, fn.187); *C. Gent.*, II, c.73, n.1523 (chapter 1, fn.101). See fnn.9-14 and chapter 1, fnn.186ff..

[42] *Ver.*, q.2, a.6 ad 4: "...illud quod potest virtus inferior, potest etiam superior; non tamen eodem modo, sed nobiliori; unde eamdem rem quam cognoscit sensus, cognoscit et intellectus, nobiliori modo tamen, quia immaterialiter; et sic non sequitur, sicut sensus singulare cognoscit, quod intellectus cognoscat"; see C. Fabro, "La percezione intelligibile dei singolari materiali," *Angelicum*, (1939), 429-62. See fn.26.

[43] *Ver.*, q.8, a.7 ad s.c.8: "Sensus autem et imaganitionis obiectum sunt exteriora accidentia, quae sunt similitudines rei, et non res ipsa. Sed obiectum intellectus est quod quid est, id est ipsa essentia rei, ut dicitur in III *de Anima*. Et sic similitudo rei quae est in intellectu, est similitudo directe essentiae eius; similtudo autem quae est in sensu vel imaginatione, est similitudo accidentium eius"; see also q.10, a.4 ad 1 (fn.9); a.5 ad 5; a.6 ad 2 (chapter 1, fn.174). For a lengthy explanation see *In I Post. Anal.*, lect.42. See fn.9 and chapter 1, fnn.172ff..

by being deprived of knowing what sense knows.[44] Otherwise, it would
be ridiculous to call intellect superior to sense, if all it could achieve were
the vague sort of knowledge that stops at the grasp of universals.[45]

2.3. The Human Understanding of Singulars

The human intellect does acquire some understanding of the singular in
the process of acquiring a direct and primary understanding of the universal. It understands the singular, first, indirectly and through a certain
sort of reflection in every act of understanding because, even after it has
abstracted the intelligible species, it cannot actually understand anything
according to the species except by turning to the sensible imagery in
which it always understands it; so, in directly understanding the universal
through the intelligible species, it also indirectly understands the singulars which are represented in sensible imagery; only thus can it formulate
a proposition such as, "Socrates is a man."[46] The intellect is apt for such

---

[44] *Sum. Theol.*, I, q.57, a.1c: "...talis est ordo in rebus, quod superiora in entibus sunt
perfectiora inferioribus: et quod in inferioribus continetur deficienter et partialiter et
multipliciter, in superioribus continetur eminenter et per quandam totalitatem et
simplicitatem"; see also a.2c; *C. Gent.*, I, c.65, n.534; II, c.99, n.1848; c.100, n.1855;
and esp. *Subst. sep.*, c. 15, n.133. See also fn.26.

[45] *Subst. sep.*, c. 15, n.134: "Per hunc igitur modum quanto virtus cognoscitiva est altior,
tanto est universalior: non quidem sic quod cognoscat solum universalem naturam: sic
enim quanto esset superior, tanto esset imperfectior. Cognoscere enim aliquid solum
in universali est cognoscere imperfecte, et medio modo inter potentiam et actum. Sed
ob hoc superior cognitio universalior dicitur quia ad plura se extendit et singula magis
cognoscit". It is, nonetheless, true that the human intellect, because of its weakness,
does not properly and directly understand singulars as such; see *ibid.*: "Inter cognitiones
autem intellectuales cognitio intellectus humani est infima: unde species intelligibiles
in intellectu humano recipiuntur secundum debilissimum modum intellectualis
cognitionis, ita quod earum virtute intellectus humanus cognoscere non potest res nisi
secundum universalem naturam generis vel speciei: ad quam repraesentandam in sola
sui universalitate sunt determinatae et quodammodo contractae ex hoc ipso quod a
singularium phantasmatibus abstrahuntur; et sic homo singularia quidem cognoscit per
sensum, universalia vero per intellectum". See *Q. de Anim.*, a.20c.

[46] *Sum. Theol.*, I, q.86, a.1c: "Indirecte autem, et quasi per quandam reflexionem, potest

knowledge of singulars because it has directed the process of sense, memory, and experiment leading to the manifestation of the universal in the particular.[47] It is this that the intellect considers and inspects in order to abstract the universal as such.[48] The intellect is not confined to knowing

---

cognoscere singulare: quia, sicut supra dictum est, etiam postquam species intelligibiles abstraxit, non potest secundum eas actu intelligere nisi convertendo se ad phantasmata, in quibus species intelligibiles intelligit, ut dicitur in III *de Anima*. Sic igitur ipsum universale per speciem intelligibilem directe intelligit; indirecte autem singularia, quorum sunt phantasmata. – Et hoc modo format hanc propositionem, *Socrates est homo*. Unde patet solutio AD PRIMUM" (see also q.89, a.4c). The same notion appears obscurely in *Ver.*, q.2, a.6c: "Sed per accidens contingit quod intellectus noster singulare cognoscit; ut enim Philosophus dicit in III *de Anima* [com.39], phantasmata se habent ad intellectum nostrum sicut sensibilia ad sensum, ut colores, qui sunt extra animam, ad visum; unde, sicut species quae est in sensu, abstrahitur a rebus ipsis, et per eam cognitio sensus continuatur ad ipsas res sensibiles; ita intellectus noster abstrahit speciem a phantasmatibus, et per eam cognitio eius quodammodo ad phantasmata continuatur" (see also q.10, a.2 ad 7), and uncertainly in *Ver.*, q.19, a.2c: "In intellectu vero, qui est omnino a materia immunis, non potest esse nisi principium universalis cognitionis, nisi forte per quamdam reflexionem ad phantasmata, a quibus intelligibiles species abstrahuntur". Thomas seems to have arrived at the notion clearly and certainly only when he also grasped that the primary and proportionate object of the human intellect is the corporeal quiddities represented in sensible imagery: see *Sum. Theol.*, I, q.84, a.7c (chapter 1, fnn.103, 104, 110, 157, 159). This also helped him to explain how the intellect could obtain a necessary knowledge of the contingent: see *Sum. Theol.*, I, q.86, a.3c (chapter 1, fnn.123-24); q.84, a.1 ad 3; see also Lonergan, "The Concept of *Verbum*," *Theological Studies*, 10 (1949), 20-24 and *Verbum*, 159-64. The "certain sort of reflection" ("*quasi quaedam reflexio*") mentioned in *Sum. Theol.*, I, q.86, a.1c, would indeed seem to have the altogether unique character which J. Wébert ascribed to it in "*Réflexio*, Étude sur les opérations réflexives dans la psychologie de S. Thomas," and which Lonergan rejected as a kind of "*regard dévié*" (in "The Concept of *Verbum*," *Theological Studies*, 10 (1949), 30 and *Verbum*, 170-71) but also accepted in Aquinas's own terms as a conversion (see *loc. cit.*, and pp.172f.). Unless the intellect perceived the singular indirectly in the act of directly understanding a quiddity, there would be no rational basis for its directly perceiving the singular by way of reflection (see fn.54), for the basis for the reflective understanding of the singular, as Thomas explained it, was the direct understanding of the natures in individual material things and not just of universal ideas (see fn.53).

[47] See chapter 1, fnn.87-93.

[48] *Sum. Theol.*, I, q.12, a.4 ad 3: "Sed intellectus noster potest in abstractione considerare quod in concretione cognosit. Etsi enim cognoscat res habentes formam in materia, tamen resolvit compositum in utrumque, et considerat ipsam formam per se"; see also

just *these men*, Socrates and Callias, for instance; it can apprehend what it means to be a *man*. It is not reduced to knowing directly the singularity of *this flesh*, for instance; it knows directly what *flesh* means.[49] But it knows the natures of things only by turning to the sensible imagery in which they are represented and from which their species are abstracted.[50] So just as sense knows universals indirectly by directly knowing particular things of a certain nature, the intellect knows singulars indirectly by directly knowing natures or quiddities that exist only in particular things.[51] Otherwise, the human intellect, which is ignorant except for experience would never know anything real.[52]

But the intellect is not confined to an indirect and accidental knowledge of the singular. It also can know singulars directly by deliberately reflecting upon the sensible imagery in which it understands corporeal natures. By turning from the natures it primarily and directly understands, it can reflect upon the act of understanding to consider the species by which it understands. Then, instead of analyzing the meaning of the species for the purpose of judgment, it can advert to the sensible imagery in which it considers the species it abstracts. Then, instead of understanding the species as universal, it can regard the imagery in which the species is represented, much as one can look *at* a mirror *in* which he sees an

---

chapter 1, fnn.103, 172.

[49] See chapter 1, fnn.94, 142-47 and *In Boeth. de Trin.*, q.5, a.2c (D, pp.176-77), *Ver.*, q.2, a.6 ad 1; *In III de Anim.*, lect.8, nn.710-712; *In I de Caelo*, lect.19, nn.4-8.

[50] *Sum. Theol.*, I, q.85, a.1 ad 3: "Sed virtute intellectus agentis resultat quaedam similitudo in intellectu possibili ex conversione intellectus agentis supra phantasmata, quae quidem est repraesentativa eorum quorum sunt phantasmata, solum quantum ad naturam speciei. Et per hunc modum dicitur abstrahi species intelligibilis a phantasmatibus: non quod aliqua eadem numero forma, quae prius fuit in phantasmatibus, postmodum fiat in intellectu possibili, ad modum quo corpus accipitur ab uno loco et transfertur ad alterum". See also chapter 1, fnn.49ff..

[51] See chapter 1, fnn.145-46.

[52] See chapter 1, fn.86.

image. Since sensible imagery represents things as singular, the intellect thereby can extend itself to understand the singulars which the imagery represents.[53] This is the kind of understanding needed in any kind of physical science. An astronomer, for instance, could never understand a certain eclipse unless he could recognize the event as the eclipse he intended. No matter how much he might understand about the nature of an eclipse, without the ability to understand the singular, he could never recognize a certain eclipse when it occurred, for the nature of eclipse can be exemplified in any number of instances and a given eclipse can occur in any number of ways. No concurrence of universal notes can ever pinpoint a single event as such.[54] Hence, it would be impossible for us

---

[53] *Ver.*, q.2, a.6c: "Sed tamen per quamdam reflexionem redit etiam in cognitionem ipsius phantasmatis, dum considerat naturam actus sui, et speciei per quam intuentur, et eius a quo speciem abstrahit, scilicet phantasmatis: sicut per similitudinem quae est in visu a speculo accepta, directe fertur visus in cognitionem rei speculatae; sed per quamdam reversionem fertur per eamdem in ipsam similitudinem quae est in speculo. Inquantum ergo intellectus noster per similitudinem quam accepit a phantasmate, reflectitur in ipsum phantasma a quo speciem abstrahit, quod est similitudo particularis, habet quamdam cognitionem de singulari secundum continuationem quamdam intellectus ad imaginationem"; see also q.10, a.5c; *In IV Sent.*, d.50, q.1, a.3 sol.; *Q. de Anim.*, a.20 ad 1 (2ae ser.). There does not seem to be any textual basis for agreeing with Lonergan (in "The Concept of *Verbum*," *Theological Studies*, 10 [1949], 30-31 and *Verbum*, 171) that the reflection described in these texts is a metaphysical analysis of the possibility for an intellectual knowledge of the singular since Thomas seems merely to be describing how he thinks the intellect in fact knows the singular—unless, that is, one is to suppose with Lonergan that Thomas thought the only way the intellect knows the species by which it understands is by metaphysical analysis, but that supposition also seems to be unfounded (see chapter 2, fnn.65, 69, 91).

[54] *Q. de Anim.*, a.20: "Manifestum est enim quod quantumcumque adunentur aliqua universalia, nunquam ex eis perficitur singulare. Sicut si dicam hominem album, musicum et quaecumque huiusmodi addidero, nunquam erit singulare. Possibile est enim omnia haec adunata pluribus convenire. Unde qui cognoscit omnes causas in universali, nunquam propter hoc proprie cognoscet aliquem singularem effectum. Nec ille qui cognoscit totum ordinem caeli, cognoscit hanc eclypsim ut est hic. Etsi enim cognoscat eclypsim futuram esse in tali situ solis et lunae, et in tali hora, et quaecumque huiusmodi in eclypsibus observantur; tamen talem eclypsim possibile est pluries evenire"; see also *Quodl.*, VII, a.3c; *Ver.*, q.2, a.5c; q.8, a.11c; *Sum. Theol.*, I, q.14, a.11c; q.57, a.2c; q.86, a.2 ad 2; a.3c. The universal without singular designation remains an *individuum vagum*: see *Sum. Theol.*, I, q.30, a.4c and chapter 1, fn.152.

to understand anything as a whole unless the intellect could know both the universal and the particular, the universal directly and the particular reflexively.[55]

Finally, the human intellect can be directly concerned with singulars whenever we utilize our proper understanding of singulars to apply our understanding of quiddities to individual cases.[56] For in any practical application of science we employ a kind of syllogism in which the major is a universal idea, the minor a particular sense-image, and the conclusion individual words or works.[57] To compose such a syllogism we need to use

---

[55] *In III de Anim.*, lect.8, nn.712-13: "...una et eadem potentia, alio et alio modo, cognoscit carnem, et quod quid est eius: et illud oportet esse, cum anima comparat universale ad singulare. Sicut enim supra dictum est, quia non possemus sentire differentiam dulcis et albi, nisi esset una potentia sensitiva communis quae cognosceret utrumque, ita etiam non possemus cognoscere comparationem universalis ad particulare, nisi esset una potentia quae cognosceret utrumque. Intellectus igitur utrumque cognoscit, sed alio et alio modo. Cognoscit enim naturam speciei, sive quod quid est, directe extendendo seipsum, ipsum autem singulare per quamdam reflexionem, inquantum redit super phantasmata, a quibus species intelligibiles abstrahuntur. Et hoc est quod dicit, quia sensitivo cognoscit carnem 'alio', idest alia potentia 'discernit esse carni', idest quod quis est carnis, 'aut separata' puta cum caro cognoscitur sensu, et esse carnis intellectu, aut eodem aliter se habente, scilicet 'sicut circumflea se habet ad seipsam', anima intellectiva cognoscit carnem; quae 'cum extensa sit, dicernit esse carni', id est directa apprehendit quidditatem carnis; per reflexionem autem, ipsam carnem". See fn.46.

[56] *In Boeth. de Trin.*., q.5. a.2 ad 4 (D, p.178): "...scientia est de aliquo dupliciter. Uno modo primo et principaliter, et sic scientia est de rationibus universalibus, supra quas fundatur. Alio modo est de aliquibus secundario et quasi per reflexionem quandam, et sic de illis rebus, quarum sunt illae rationes, in quantum illas rationes applicat ad res etiam particulares, quarum sunt, adminiculo inferiorum virium. Ratione enim universali utitur sciens et ut re scita et ut medio sciendi. Per universalem enim hominis rationem possum iudicare de hoc vel de illo. Rationes autem universales rerum omnes sunt immobiles, et ideo quantum ad hoc omnis scientia de necessariis est. Sed rerum, quarum sunt illae rationes, quaedam sunt necessariae et immobiles, quaedam contingentes et mobiles, et quantum ad hoc de rebus contingentibus et mobilibus dicuntur esse scientiae"; see also c *ad fin.* (D, p.177). See F.E. Crowe, "Universal Norms and the Concrete *Operabile* in St. Thomas Aquinas," *Sciences ecclesiastiques*, 7 (1955), 115-49, 257-91. See chapter 1, fn.106f..

[57] See *In I Sent.*, d.27, q.2, a.1 sol.; *Ver.*, q.2, a.6 ad 2; q.10, a.5c (chapter 1, fn.107); *In III de Anim.*, lect.16, nn.845-46; *In VII Ethic.*, lect.3, nn.1345-46. This would be a particular demonstration; see *In I Post. Anal.*, lect.38, n.8: "Universalis demonstratio

the particular reason, imagination, and sense;[58] and to decide what words or works to pick, we need willpower.[59] Even with the use of these powers, however, we would still be unable to apply intelligently our understanding of quiddities to particulars unless we had an intellectual grasp of the images, of the words or the works in which we were interested,[60] and of the relation of all the elements in the sequence to one another.[61] It is only by the rational application of understanding through imagery to the singular that we can develop the right reason necessary for ethical behavior and artful labor.[62] Only familiarity with the particular assures topnotch

---

intelligibilis est, idest in ipso intellectu terminatur, quia finitur ad universale, quod solo intellectu cognoscitur. Sed demonstratio particularis in intellectu incipiens terminatur ad sensum, quia concludit particulare, quod directe per sensum cognoscitur; et per quamdam applicationem, seu reflexionem, ratio demonstrans usque ad particulare producitur". For the relation of thought to speech, see also *Ver.*, q.4, a.1c; *Sum. Theol.*, I, q.34, a.1c; speech reflects what the intellect formulates for judging about external things (see *Sum. Theol.*, I, q.85, a.2 ad 3).

[58] *Ver.*, q.2, a.6 ad 2: "...secundum Philosophum in III *de Anima* [com.39], non solum intellectus est movens in nobis, sed etiam phantasma, per quod universalis cognitio intellectus ad particulare operabile applicatur; unde intellectus est quasi movens remotum; sed ratio particularis et phantasmata sunt movens proximum"; ad 3: "...homo cogniscit singularia per imaginationem et sensum, et ideo potest applicare universalem cognitionem quae est in intellectu, ad particulare: non enim proprie loquendo, sensus aut intellectus cognoscunt, sed homo per utrumque, ut patet in I *de Anima* [com.61]"; *Q. de Anim.*, a.20 ad 1 (1a ser.).

[59] *Sum. Theol.*, I, q.85, a.1 ad 2 (fn.85); see also I-II, q.13, a.1 ad 2; a.3c; q.76, a.1c; q.77, a.2 ad 4; q.90, a.1 ad 2; *Pot.*, q.2, a.2 ad 4, ad 7.

[60] *Q. de Anim.*, a.18 ad 8: "...applicatio universalis cognitionis ad singularia non est causa cognitionis singularium, sed consequens ad ipsam"; see also *Ver.*, q.19, a.1c; *Sum. Theol.* I, q.14, a.11c. See Lonergan, "The Concept of *Verbum*," *Theological Studies*, 10 (1949), 15-17 and *Verbum*, 155-56. For the contrary view, that Thomas thought application gives rather than supposes knowledge of the singular, see N. Lobkowicz, "Deduction", 222, fn.90.

[61] See *C. Gent.*, II, c.96, n.1820 (fn.96); *In III de Anim.*, lect.8, nn.712-13 (fn.54).

[62] See *In VI Ethic.*, lect.3, n.1150f. and chapter 1, fnn.57, 114.

performance in any practical endeavor.[63]

Thus the intellect does understand the singular. At first it understands it only indirectly in the process of directly understanding the universal, but it can explicitate its understanding by reflecting directly upon the singular in itself, and on the basis of such understanding it can apply its ideas to the concrete. We have only to reflect upon these modes of understanding to appreciate the difference between considering the universal as such or as singular and considering the singular itself as singular.[64]

3. COMPARISON AND SUMMARY

Once again a comparison of what Thomas Aquinas actually wrote with what Thomists have generally said he wrote evinces a considerable gap between the two. In this case the original teaching and the common interpretations of it seem to be working almost at cross purposes.

Whereas Thomas explained understanding as a way to know the meaning of singulars, the Thomists we have cited have considered it a perception of universals. Thomas went to great pains to show that singulars were not unintelligible as such, that the intellect was not incapable as such of understanding singulars, and that the human intellect was capable of understanding the quiddities or natures of singulars. Thomists, though, have generally said any real understanding of singulars is impossible because the intellect can know them only in the reflected light of its universal concepts. Almost without exception they have ignored the

---

[63] *Sum. Theol.*, I, q.103, a.6c: "Optimum autem in omni genere vel ratione vel cognitione practica, qualis est ratio gubernationis, in hoc consistit, quod particularia cognoscantur, in quibus est actus: sicut optimus medicus est, non qui considerat sola universalia, sed qui potest etiam considerare minima particularium; et idem patet in ceteris".

[64] *In I Periherm*, lect.20, n.9: "Est autem considerandum quod de *universali* aliquid enuntiatur *quatuor* modis. Nam universale potest *uno modo* considerari quasi separatum a singularibus. Et sic potest ei aliquid attribui *dupliciter*...*Alio* autem *modo* attribuitur universali, prout est in singularibus, et hoc dupliciter...Singulari autem attribuitur aliquid tripliciter..."; see also nn.3-10.

import of Thomas's teaching that the intellect gains all its information from sensible imagery and, therefore, can understand things and not just its own ideas.[65] Hence, they have assumed that singulars were unintelligible and have ignored Thomas's teaching on the indirect understanding of the singular in every act of directly understanding corporeal quiddities.

Because these Thomists knew of no indirect understanding of the singular in every act of understanding, they had no rational basis for accepting Thomas's teaching on the reflective understanding of singulars as such. Thomas had distinguished between a certain sort of reflection upon sensible imagery needed in every act of understanding because the intellect has to turn or convert to sensible imagery to understand corporeal quiddities, its proportionate objects, and the deliberate reflection from concept to act to species to imagery whenever the intellect wants to consider the singular as such. The Thomists who failed to appreciate Thomas's teaching on the intellect's insight into sensible imagery in the direct act of understanding confused his teaching on conversion with his teaching on reflection. Having missed the point of departure for intellectual reflection upon the singular, many of them have reduced the intellect's knowledge of the singular to an appreciation of the possibility of singularity, instead of admitting Thomas's teaching that the intellect can grasp the significance of the singular as such. Even at that, their interpretation seems more to beg the questions than to explain the fact, for if they do not admit an indirect knowledge of the singular in every act of understanding, their notion of reflection upon the singular is merely a hypothesis and not a description. The great contribution Lonergan made was to recognize the distinction Thomas had made between the intellectual conversion to the singular in every act of understanding and

---

[65] Perhaps the authors cited in fnn.6-8, especially J. Wébert and G. McCool, were aiming at the interpretation we have given, but the theories of knowledge according to which they articulated their interpretations prevented them from being completely faithful to the meaning of the texts, and they failed to differentiate the various ways in which Thomas explained the intellect could know the singular.

the deliberate reflection necessary for the intellect to consider the singular as such. Because Lonergan had grasped the significance of Thomas's teaching about human understanding in general, he was able to notice the point Thomas came to make about the human understanding of singulars in particular.[66]

None of the Thomists we have considered, however, noticed the importance of the notion of application for Aquinas. This is the rubric he used to cover the common use we make of science in particular and understanding in general to cope with the affairs of life. Just as abstraction enables the intellect to profit from experience, application enables us to direct rationally our behavior and our work. But, if the absence of any explicit treatment of the notion of application in Thomistic interpretations of Thomas's thought on the singular is any criterion,[67] then, as far as Thomists are concerned, Thomas did not think the intellect ever stooped to conquer. The Thomistic interpretation of Thomas's teaching on the intellectual knowledge of the singular is confined, in the authors cited, to the speculative study of the singular in science and does not extend to the practical use of the singular in living, teaching, and working. Hence, these Thomists have neglected the psychological basis in Thomas's writings for his theories of ethics, pedagogy, and art. Thomas's ideas on these subjects seem to have been pointed and profound because he derived them from an awareness of how the intellect proceeds from a speculative grasp of ideas to a practical immersion in the nitty-gritty of everyday life.

Finally, Thomists, except for Lonergan, have missed the development in Thomas's thought on the singular. In the *De Veritate*, Thomas carefully explained the function of reflection and application in the intellectual knowledge of the singular. Very likely he also referred at the same time (in

---

[66] See Lonergan, "The Concept of *Verbum*," *Theological Studies*, 10 (1949), 20 and *Verbum*, 159.

[67] The one explanation given (see fn.60) was incorrect; Lonergan mentioned application, but not in the context of explaining the intellectual knowledge of the singular (see *ibid.*).

Ver., q.2, a.6c) to the indirect knowledge of the singular by the intellect in every act of understanding the universal, but not until the *Prima Pars* did he make the certain sort of reflection implied in the conversion of the intellect to the phantasm for every act of understanding the basis for the intellect's grasp of the meaning of singulars. The explanation he offered in *Sum. Theol.* I, q.86, a.lc does not seem merely an abbreviation of the teaching in Ver., q.2, a.6c and q.10, a.5c, and in *In III de Anim.*, lect.8, nn.712-13 but rather an explicit corollary to the new development of Thomas's thought in *Sum. Theol.* I, q.84, a.7c, to which he explicitly refers. Thus it is preferable to interpret the very likely obscure references to conversion in *Ver.*, q.2, a.6c and q.19, a.2s in light of Thomas's later, expanded thought on the point, rather than to reduce his later thought on conversion to the earlier notion of reflection. Although Thomas arrived at the "certain sort of reflection" implied in conversion late in his career, he needed it to supply a rational basis for his earlier explanation of a distinct knowledge of the singular achieved through deliberate reflection upon it from the universal.

So the common Thomistic interpretations of Thomas's teaching about the intellectual knowledge of singulars is wide of the mark. It is consistent, though, with the interpretations given to Thomas's teaching on the proper objects of our intellect and the meaning of species. Whereas Thomas's concern throughout his various essays at explaining human understanding was to show how the human intellect could study sensible imagery in such a way that it could grasp the meaning of it, Thomists have generally interpreted him to have meant that human understanding was properly the perception of objects in concepts and only incidentally, secondarily, and vaguely a knowledge of the concrete and the particular. The contrast between Thomas's teaching and the interpretations placed upon it becomes even more obvious if we turn to the meaning of abstraction.

Chapter Four
THE STRUCTURE OF ABSTRACTION

1. Thomistic Interpretation

*T*he *Thomists who say that Thomas Aquinas explained human* understanding as a perception of the universals revealed in or through concepts also say that he considered the human intellect a faculty of abstraction. For, as they interpret him, he said that the intellect formulated its concepts in expressed species which represented the natures of things apart from any individual subjects in which they might exist.[1] According to this interpretation, Aquinas considered the operation of abstraction unconscious, for, since he said that the intellect could understand only what it perceived in or through expressed species, he could only have thought that the operation of producing these species, because

---

[1] Mercier, II, 22: "[L]e signe distinctif de l'intelligible est pour moi son character *abstrait*, et nous appelons *intelligence* le pouvoir de se représenter abstraitement le sensibile;" see also pp.22-26, 31. Maritain, *Degrés*, 49-50: "La science porte directement et de soi sur l'abstrait, sur les constances idéals et les determinations supra-momentanées, disons sur les objets intelligibles que notre espirit va chercher dans le réel er dégager de lui". Verneaux, 100, citing *Sum. Theol.*, I, q.85, a.1. See chapter 2, section 1.

it precedes them, could be understood only in terms of the results.[2]

In these terms, some Thomists say, there are two kinds of abstraction, total and formal. Total abstraction, as they describe it, is common to all scientific knowledge. As opposed to the way sense knows the singular, the intellect can abstract the universal from the particular. It can abstract a species, say man, from individuals such as Peter and Paul or a genus, say animal, from species such as man and brute. Total abstraction, as these Thomists interpret it, is essentially negative since it consists in an omission of any concrete individuals or specific things in which the natures of things really exist.

---

[2] H.-D. Gardeil, III, 101: "Nous percevons les images, et, au terme, nous saisissons l'intelligibile, mais le comment du passage de la première à la seconde de ces connaissances n'est qu'une explication a posteriori, parfaitement legitime d'ailleurs", citing *Sum. Theol.*, I, q.85, a.1 (pp.192-201), though he also cites (p.97) *Sum. Theol.*, I, q.79, a.4: "...et hoc experimento cognoscimus, dum percipimus nos abstrahere formas universales a conditionibus particularibus..." and *Q. de Anim.*, aa.4, 5 (pp.201-210). Mercier admits we are conscious of efforts to find sensible images but does not think we are conscious of any effort to abstract intelligible species (II, 59-60). Gilson, in *The Christian Philosophy of St. Thomas*, says (476) the terminal concept is a conscious representation but (219f.) the process of abstraction itself is known only as a metaphysical necessity. L. Noël, in *Le réalisme*, 221-22, says the effect of sensible imagery upon the intellect and the intellectual illumination of the imagery occur in an unconscious ontological moment prior to understanding. Other Thomists make much the same point by saying that the only knowledge we have of abstraction is a metaphysics in terms of act and potency (see the explanation given below in chapter 5, secion 2.2.3). Lonergan summarized the point in "The Concept of *Verbum*," *Theological Studies,* 10 (1949), 13 and *Verbum*, 151-52: "In this section we consider the abstraction that supposes the formation of an inner word and yields knowledge of 'rem ut separatam a conditionibus materialibus sine quibus in rerum natura non existit.' In the next section we shall consider a prior apprehensive abstraction, already described as insight into phantasm; its object differs modally from the object of formative abstraction, for by it man knows not the abstract object of thought, the universal that is common to many, but the universal existing in the particular, the 'quidditas sive natura in materia corporali existens.' On the conceptualist interpretation of Aquinas, formative abstraction is unconscious and non-rational; it precedes apprehensive abstraction. On the intellectualist interpretation, which we find more in accord with the text of Aquinas, the apprehensive abstraction precedes and the consequent formative abstraction is an act of rational consciousness". See also the critique of the conceptualist account of abstraction and the exposition of Lonergan's intellectualist account by Stewart, *op. cit.*.

By contrast, formal abstraction, in this Thomistic interpretation, is positive. Through this kind, or this aspect, of abstraction the intellect apprehends an intelligible type by separating from material and contingent data a formal reason or essence. Through formal abstraction, says Maritain for instance, each speculative science constitutes its object for itself according to a determinate degree of intelligibility. The dematerialization of the object in this case, he adds, consists in a positive precision from unnecessary material conditions, as opposed to the mere omission of individuals in total abstraction.[3]

It was through the two kinds of abstractions, most Neo-Thomists claim, that Thomas Aquinas differentiated the sciences from one another. Physics, mathematics, and metaphysics, in their interpretation, are on three degrees of (total?) abstraction: physics concerned with mobile being apart from the individual conditions of determinate matter, but not the general conditions of materiality; mathematics concerned with quantitative being in the ideal order apart from the qualities it has in reality; and metaphysics concerned with being as such, capable of either possible or actual existence, apart from all matter.[4] In the first degree of abstraction, Thomists say, the philosophy of nature differs from empirical science because of the different formal abstraction employed in each case: in the philosophy of nature one knows the universal essences of mobile being because he uses objective concepts, whereas in empirical science the most one can know are sensible phenomena because he fabricates mere logical constructs.[5] Thus, the way these Thomists explain it, Thom-

---

[3] Maritain, *Degrés*, 74-76; see also 77-87, 133. Verneaux, 100, citing *Sum. Theol.*, I, q.40, a.3; q.85, a.1 ad 2; *In Boeth. de Trin..*, q.5, aa.1-3. Other Thomists (e.g., Boyer, *Cursus*, I, 229-30) say that the direct universal is known solely by total abstraction and that by formal abstraction one knows the reflex or logical universal; they do not differ, however, in their account of the nature and degrees of scientific abstraction.

[4] Maritain, *Degrés*, 71-74. Verneaux, 101. Boyer, *Cursus*, I, 274-83, esp. 277-78; 284-89.

[5] Maritain, *Degrés*, 68-69, 76-78, 80ff., 83-93. See J.J. Sikora, "Maritain on the Knowledge of Nature," *Revue de l'Université d'Ottawa*, 34 (1964), 500-514 and Y. Simon's appendix

as distinguished the sciences from one another by the various ways in which the intellect can formulate concepts.

Hence, abstraction, according to the interpretation we are considering, is supposed to enable the intellect to perceive the universal natures of things according to the degrees of intelligibility revealed in expressed species.[6] In the direct act of understanding, as Thomistic manuals describe it, the intellect perceives universals, and it has only to compare these universals to the individuals they are supposed to represent to realize that what it knows are universals.[7]

---

to Maritain's *The Philosphy of Nature* (Trans. I.C. Byrne: New York, 1951), pp.157-59. Gredt, I, xix-xxi, 3-4, 217-19, citing *In I Phys.*, lect. 1, nn.1-4; *In de Gen. et Cor.*, prooem.. Thus, according to Maritain the philosophy of nature is formally independent of empirical science (see *ibid.*, pp.93-95, 100-101, 113-18; see also H.-D. Gardeil, II. 37-40), and empirical science depends upon the philosophy of nature for a defense of realism and a knowledge of the essences behind the phenomena it studies (see *ibid.*, 50-51, 53, 96-100, 131), so that there is a continuity between the philosophy of nature and biology and psychology, which are ontologically oriented (see *ibid.*, 128-30), but not between the philosophy of nature and physics, which is subordinated to mathematics (see *ibid.*, 120, 126ff.). Hence, in the philosophy of nature one has deductive certitude about physical reality (see *ibid.*, 64-66 and Gredt, I, 3), but the inductive constructs of empirical science can do no more than save the appearances (see *ibid.*, 50, 62-63, 66, 122-23, citing *Sum. Theol.*, I, q.32, a.1 ad 2). The empirical sciences regard phenomena because they are mediate sciences (*ibid.*, 82, citing *In Boeth. de Trin.*, q.5, a.3 ad 6; *In II Phys.*, lect.3; *Sum. Theol.*, II-II, q.9 a.2 ad 3; see p.90) under the formal influence of mathematics (*ibid.*, 80-82, citing *In I de Caelo et Mundo*, lect.2, 3; III, lect.3; *In I Post. Anal.*, lect.5, n.7: see 84ff.) which regards the ideal, not the real (*ibid.*, 76-77, 80), as known in imaginary beings-of- reason (*ibid.*, 80, 86-87). Other Thomists think that empirical science fulfills Thomas's requirements for physics and is a knowledge of essences, so that the philosophy of nature, or cosmology, serves as either a special metaphysics or an epistemology: see P. Hoenen, *Cosmologia* (Rome, ⁵1956), pp.1-3, 279f.; *Reality and Judgment according to St. Thomas* (Chicago, 1952).

[6] Maritain, *Degrés*, 55: "La science porte sur les choses, mais en considérant à part, grâce à l'abstraction, — qu'elle les perçoive clairement ou qu'elle les saisisse d'une manière aveugle, — les naturs universelles qui se réalisent dans les choses et les nécessités propres à ces natures. Et c'est cela même, — et non pas le flux du singulier, — qui constitue son object". He cites *In I Periherm.*, lect. 13, n.6; see also *ibid.*, p.68.

[7] Verneaux, 102, citing *In II de Anim.*, lect.12, n.378; *In VII Meta.*, lect.13, n.1570. B.J. Lonergan notes in "The Concept of *Verbum*," *Theological Studies*, 10 (1949), 22 and *Verbum*, 161: "The influence of the doubtful *De Natura Verbi Intellectus* forced

The interpretation which the Thomists we have cited give to Thomas Aquinas's theory of abstraction is consonant with their interpretations of his doctrines on the proper objects of the human intellect, the meaning of species, and the understanding of the singular. Having interpreted Thomas's explanation of understanding as a perception of universals in expressed species, they have also interpreted him to have explained abstraction as an unconscious conception of expressed species for the intellect to perceive.

2. THOMAS AQUINAS'S TEACHING

The way Thomas Aquinas explained abstraction, however, was considerably different from the above-mentioned Neo-Thomistic interpretation. Just as he supposed understanding was a way to know the meaning of sensible singulars, he also described abstraction as the way for the intellect to discern that meaning from sensible singularity. Following Aristotle, he considered abstraction the way for the human intellect to distinguish the natures of things from the material composites in reality. Because Aquinas thought of understanding as a double operation, he located abstraction properly so-called in the first operation, the one by which the intellect directly understands the natures of things apart from the individuating circumstances of time and place, and separation (also called abstraction, but in a broad sense) in the second operation, the one by which the intellect composes the components of what it understands to affirm they are really the same and divides components of what it understands to assert they are really different. He considered this twofold operation the way the human intellect perfects its science of things and, therefore, based his theory of the sciences upon it. He said that

---

older interpreters to take it as genuinely Thomist that the *verbum* was formed prior to any understanding; in consequence they held that the intellect first knew the quiddity in the *verbum* and then converted to phantasm to know it again existing in corporeal mattter. But once the opusculum is recognized as doubtful, the whole position falls to the ground". See chapter 2, section 1.

both physics and mathematics were characterized by abstraction in the strict sense, physics in that it entailed simply an abstraction of the universal from the particular and mathematics in that it also supposed an abstraction of form from matter; theology or metaphysics, he said, also needed separation, for it was a consideration of being and of beings really different from mere matter. Thus Aquinas thought of abstraction as a conscious understanding of the natures of things, which are represented to the intellect in sensible imagery, apart from the sensible conditions of the imagery in which they are represented.

Let us begin to consider the evidence for this interpretation by placing it within the conceptual framework in which Thomas thought about the human intellect.

2.1. THE NEED FOR ABSTRACTION

According to Aquinas, the primary and proportionate objects of the human intellect are the quiddities or natures existing in corporeal matter.[8] For the primary knowable object of a cognitive power is proportionate to the cognitive power.[9] Thus, the senses as acts of corporeal organs know forms as they exist in corporeal matter,[10] and angelic intellects as

---

[8] See chapter 1, fnn.49-54, 186f.; chapter 2, fn.12f..

[9] *Sum. Theol.*, I, q.85, a.1c: "...obiectum cognoscibile proportionatur virtuti cognoscitivae. Est autem triplex gradus cognoscitivae virtutis"; see also q.84, a.7. Aquinas brought this metaphysical perspective to his theology (see *In II Sent.*, d.3, q.3, a.3c), but to explain what it meant he appropriated Aristotle's theory of abstraction. See chapter 2, fn.28f..

[10] *Ibid.*: "Quaedam enim cognoscitiva virtus est actus organi corporalis, scilicet sensus. Et ideo obiectum cuiuslibet sensitivae potentiae est forma prout in materia corporali existit. Et quia huiusmodi materia est individuationis principium, ideo omnis potentia sensitivae partis est cognoscitiva particularium tantum". Thus there is no abstraction in sensation; *ibid.*, q.12, a.4 ad 3: "...visus nullo modo potest in abstractione cognoscere id quod in concretione cognoscit: nullo enim modo potest percipere naturam, nisi ut *hanc*"; see also q.85, a.1 ob.3 et ad 3; *In III de Anim.*, lect.8, n.711.

capacities of pure forms know forms subsisting without matter;[11] but the human intellect as a power of the soul, which is immaterial itself but the form of the body, properly knows forms which exist in corporeal matter but not as they so exist. Hence, the human intellect must abstract the forms of the things it knows from the sensible imagery in which they are represented.[12]

2.2. ARISTOTLE'S INVENTION OF ABSTRACTION

It was Aristotle who invented the theory of abstraction. He conceived of it in order to solve the central problem of philosophy—how there could be a science of singulars if science is a knowledge of the universal.[13] Because of the difficulty of this question Plato had been forced to postulate the existence of universals; he believed the sensible to be in

---

[11] *Ibid.*: "Quaedam autem virtus cognoscitiva est quae neque est actus organi corporalis, neque est aliquo modo corporali materiae coniuncta, sicut intellectus angelicus. Et ideo huius virtutis cognoscitivae obiectum est forma sine materia subsistens: etsi enim materialia cognoscant, non tamen nisi in immaterialibus ea intuentur, scilicet vel in seipsis vel in Deo"; see also q.55, a.2; a.3 ad 1; q.57, a.2 ad 1. Thus angels can understand singulars indirectly (see fn.329), and the divine essence by which God understands everything is immaterial not by abstraction but of itself (see *Sum. Theol.*, I, q.14, a.11 ad 1; *In III de Anim.*, lect.8, n.715).

[12] *Ibid.*: "Intellectus autem humanus medio modo se habet: non enim est actus alicuius organi, sed tamen est quaedam virtus animae, quae est forma corporis, ut ex supra dictis patet. Et ideo proprium eius est cognoscere formam in materia quidem corporali individualiter existentem, non tamen prout est in tali materia. Cognoscere vero id quod est in materia individuali, non prout est in tali materia, est abstrahere formam a materia individuali, quam repraesentant phantasmata. Et ido necesse est dicere quod intellectus noster intelligit materialia abstrahendo a phantasmatibus; et per materialia sic considerata in immaterialium aliqualem cognitionem devenimus, sicut e contra angeli per immaterialia materialia cognoscunt"; see also q.12, a.4c. See chapter 3, fnn.23ff..

[13] *Sum. Theol.*, I, q.57, a.2 ad 1: "...Philosophus loquitur de intellectu nostro, qui non intelligit res nisi abstrahendo; et per ipsam abstractionem a materialibus conditionibus, id quod abstrahitur, fit universale"; see also *In VII Meta.*, lect.1, nn.1245, 1268 and Lonergan, "The Concept of *Verbum*," *Theological Studies,* 7 (1946), 371, 392 and *Verbum*, 24, 46. See also M.-D. Philippe, "Abstraction, addition, séparation dans la philosophie d'Aristote," *Revue Thomiste*, 48 (1948), 461-66.

complete flux, and yet he thought a science of the stable and universal to be a real possibility.[14] Aristotle, though, took a different approach. He thought the difficulty should be resolved where it originated—in the subject.[15] Hence, he tried to explain why man understands things universally, instead of supposing things must really be universal for man to be able to understand them. For if the universals man understands are separate from singulars and are really the substance of things, he said, then there would be no science of singulars and, what's more, singulars would not really exist.[16]

For Aristotle agreed with the ancient naturalists that things themselves are singular; as he said, everyone admits that primarily substances are singulars.[17] He also agreed with them that we get all our information

---

[14] *In Boeth. de Trin.*, q.5, a.2c: "Dicendum quod propter difficultatem huius quaestionis coactus est Plato ad ponendum ideas. Cum enim, ut dicit Philosophus in I Metaphysicae, crederet omnia sensibilia semper esse in fluxu, secundum opinionem Cratyli et Heracliti, et ita existimaret de eis non posse esse scientiam, posuit quasdam substantias a sensibilibus separatas, de quibus essent scientiae et darentur diffinitiones"; see also *In I Meta.*, lect.10, nn.151-55 and *Sum. Theol.*, I, q.84, a.1c (chapter 1, fn.190).

[15] *Q. de Anim.*, a.3 ad 8 (chapter 3, fn.10); see chapter 1, fn.191).

[16] *In VII Meta.*, lect.5, n.1363: "Ostendit quod hoc, quod est quod quid erat esse non est separatum at eo cuius est, dicens `Et si quidem sint absolute invicem,' idest si quod quid erat esse et id cuius est, non solum sunt diversa, sed etiam sunt ab invicem separata, sequuntur duo inconvenientia: quorum primum est, quod harum rerum non sit scientia quarum quod quid est ab eis separatur. Secundum inconveniens est, quod haec eadem erunt non entia"; see nn.1364-66 for the remainder of the explanation. That is not quite the point Lonergan makes in "The Concept of *Verbum*," *Theological Studies*, 10 (1949), 6 and *Verbum*, 144. Aristotle clarified what he meant by saying that what something is supposed to be is identical with it (*In VII Meta.*, lect.5, n.1357; see also lect.11, n.1553f.) rationally (*ibid.*, n.1375) in nature (nn.1362f., 1377). Thus, even in metaphysics (*ibid.*, q.5, a.4 ad 6 [D, p.199]), Aquinas said, the things understood are sensible singulars (see chapter 1, fnn.153ff.). For the rôle of sense in judgment see chapter 1, fnn.119ff..

[17] *In VII Meta.*, lect.2, n.1274: "Unde concludit quod determinandum est 'de hoc', idest de subiecto vel de substantia prima, quia tale subiectum maxime videtur substantia esse. Unde in *Praedicamentis* dicitur quod talis substantia est quae proprie et principaliter et maxime dicitur"; see also nn.1274, 1298; lect.3, n.1308. See chapter 1, fnn.188, 194.

from sensible things;[18] and experience confirms him, for the first things
we know are sensible singulars, and we can understand nothing except
by turning to sensible imagery.[19] At the same time Aristotle agreed with
Plato that the achievement of scientific understanding, which is universal, certain, and demonstrable, indicates that intellect is different from
sense;[20] hence, he said, the intellect must have within itself the power to
make sensible imagery intelligible through what might be called abstraction.[21] The underlying supposition Aristotle attacked in both positions
was that the way we understand things and the way they are must be the
same. Hence, the reason he could take a middle course between the naturalists and Plato was that he assumed a difference between the abstract
way we understand and the concrete way things are.[22]

---

[18] *Sum. Theol.*, I, q.84, a.6c: "Quia igitur non est inconveniens quod sensibilia quae
sunt extra animam, causent aliquid in coniunctum, in hoc Aristoteles cum Democrito
concordavit, quod operationes sensitivae partis causentur per impressionem sensibilium
in sensum: non per modum defluxionis, ut Democritus posuit, sed per quandam
operationem". See chapter 1, fn.55f..

[19] See chapter 1, fnn.49f., 68f..

[20] *Sum. Theol.*, *loc. cit.*: "Aristoteles autem media via processit. Posuit enim cum Platone
intellectum differre a sensu". See also chapter 1, fnn.185ff..

[21] *Ibid*, : "Intellectum vero posuit Aristoteles habere operationem absque communicatione
corporis. Nihil autem corporeum imprimere potest in rem incorpoream. Et ideo ad
causandam intellectualem operationem, secumdum Aristotelem, non sufficit sola
impressio sensibilium corporum, sed requiritur aliquid nobilius, quia *agens est honorabilius
patiente*, ut ipse dicit. Non tamen ita quod intellectualis operatio causetur in nobis ex sola
impressione aliquarum rerum superiorum, ut Plato posuit: sed illud superius et nobilius
agens quod vocat intellectum agentem, de quo iam supra diximus, facit phantasmata a
sensibus accepta intelligibilia in actu, per modum abstractionis cuiusdam".

[22] *In I Meta.*, lect.10, n.158: "Nam intellectus etsi intelligat res per hoc, quod similis est
eis quantum ad speciem intelligibilem, per quam fit in actu; non tamen oportet quod
modo illo sit species illa in intellectu quo in re intellecta: nam omne quod est in aliquo,
est per modum eius in quo est. Et ideo ex natura intellectus, quae est alia a natura rei
intellectae, necessarium est quod alius sit modus intelligendi quo intellectus intelligit, et
alius sit modus essendi quo res existit. Licet enim id in re esse oporteat quod intellectus
intelligit, non tamen eodem modo"; see also fn.61; chapter 1, fn.191; chapter 2, fn.42;
chapter 3, fn.11; chapter 5, fn.571. Aquinas added the positive note that the mode of any

Having assumed that difference, though, Aristotle had to show how
it could be exploited to yield an explanation of a science of the sensible.
He argued that in our efforts to understand the substance of sensible
singulars we seek a principle or cause within them that makes them be
whatever they are.[23] Once we become aware of the existence of certain
things (e.g., Socrates and Coriscus) and have a vague notion of what
they are (e.g., a kind of animal called man), we want to know why they
are what they are supposed to be.[24] It does no good to ask simply what
makes a man a man; obviously it is his humanity.[25] The only way we
can discover what makes a man a man is to ask why *these* men are called
men.[26] Hence, through these questions, what we are really doing is trying

---

action, including understanding, is determined by the mode of the form of the agent: see
Sum. Theol., I, q.84, a.1c; q.76, a.2 ad 3; *Unit. intell.*, c.5 (K, n.111).

[23] *In VII Meta.*, lect.17, n.1649: "Est autem vis suae rationis talis. Illud, de quo non
quaeritur per quaestionem propter quid, sed in ipsum alia quaesita reducuntur, oportet
esse principium et causam: quaestio enim propter quid, quaerit de causa. Sed substantia
quae est quod quid erat esse, est huiusmodi. Non enim quaeritur propter quid homo est
homo, sed propter quid homo est aliquid aliud. Et similiter est in aliis. Ergo substantia
rei, quae est quod quid erat esse, est principium et causa".

[24] *Ibid.*, n.1663: "Et ideo quaestio quid est, potest transformari in questionem propter
quid. Quaestio enim quid est, quaerit de quidditate propter quam id, de quo quid est
quaeritur, praedicatur de quolibet suorum subiectorum, et convenit suis partibus. Propter
hoc enim Socrates est homo, quia convenit ei illud, quod respondetur ad quaestionem
quid est homo. Propter hoc etiam carnes et ossa sunt homo, quia quod quid est homo est
in carnibus et in ossibus. Idem ergo est quaerere quid est homo, et quaerere propter quid
hoc, scilicet Socrates est homo? vel propter quid hoc, scilicet carnes et ossa sunt homo?";
see also 1663-67 and *In Boeth. de Trin..*, q.6, a.3c (D, pp.221-22).

[25] *Ibid.*, nn.1651-52: "Et eadem ratione cum quaeritur quid est homo? oportet esse
manifestum, hominem esse. Hoc autem non potest contingere si quaeratur propter
quid ipsum sit ipsum: ut propter quid homo est homo? vel propter quid musicus est
musicus? Scito enim quod homo est homo, scitur propter quid. Est enim una ratio et
una causa in omnibus, quam impossibile est ignorari; sicut nec alia communia, quae
dicuntur communes animi conceptiones, ignorari possibile est. Huius autem ratio est,
quia unumquodque est unum sibiipsi. Unde unumquodque de se praedicatur"; see also
1650-61.

[26] *Ibid.*, n.1667: "Et similiter cum quaerimus quid est homo, idem est ac si quaereretur,

to discover the cause of the matter, the species or form that makes a substance what it is supposed to be.[27] And that is what abstraction entails.

What we are actually doing, Aristotle made clear, is distinguishing the essential from the accidental, the necessary from the contingent. Because Plato, like many another savant, failed to make this distinction, he went awry.[28] But in any sensible singular we must distinguish between the concrete whole and its reason or form and realize that the concrete thing can be generated and corrupted without the form itself being essentially affected. And since such change is accidental to the form, it can be considered as such.[29] Hence, science is an understanding of the forms of concrete things apart from the concrete matter that makes them subject to changing circumstances of time and place.[30] We are not forced, then,

---

propter quid hoc, scilicet Socrates, est homo? quia scilicet inest ei quidditas hominis. Aut etiam idem est, ac si quaereretur propter quid corpus sic se habens, ut puta organicum, est homo? Haec enim est materia hominis, sicut lapides et lateres domus".

[27] *Ibid.*, n.1668: "Quare manifestum est quod in talibus quaestionibus quaeritur 'causa materiae', idest propter quid materia pertingat ad naturam eius quod definitur. Hoc autem quaesitum quod est causa materiae 'est species', scilicet forma qua aliquid est. Hoc autem 'est substantia', idest ipsa substantia quae est quod quid erat esse. Et sic relinquitur quod propositum erat ostendere, scilicet quod substantia sit principium et causa".

[28] See *In Boeth. de Trin.*, q.5, a.2c (D, pp.175-76); *In I Meta.*, lect.10, nn.152-53; and *Sum. Theol.*, I, q.84, a.1c.

[29] *Loc. cit.*: "Ut autem probatur in VII Metaphysicae, cum in substantia sensibili inveniatur et ipsum integrum, id est compositum, et ratio, id est forma eius, per se quidem generatur et corrumpitur compositum, non autem ratio sive forma, sed solum per accidens. 'Non enim fit domum esse`, ut ibidem dicitur, 'sed hanc domum.' Unumquodque autem potest considerari sine omnibus his quae ei non per se comparantur. Et ideo formae et rationes rerum quamvis in moto existentium, prout in se considerantur, absque motu sunt. Et sic de eis sunt scientiae et diffinitiones, ut ibidem Philosophus dicit"; see *In VII Meta.*, lect.1, n.1247; lect.2, nn.1270-75, 1297-1305.

[30] *Ibid.*: "Huiusmodi autem rationes, quas considerant scientiae quae sunt de rebus, considerantur absque motu. Sic oportet quod considerentur absque illis, secundum quae competit motus rebus mobilibus. Cum autem omnis motus tempore mensuretur et primus motus sit motus localis, quo remoto nullus alius motus inest, oportet quod secundum hoc aliquid sit mobile, quod est hic et nunc. Hoc autem consequitur rem ipsam mobilem, secundum quod est individuata per materiam existentem sub dimensionibus

to assume either that science is impossible or that universals are real.[31] For we can understand what makes a man a man, by discerning how the soul enables men such as Socrates and Coriscus to act rationally despite changing circumstances.[32]

Aristotle tried to explain the process of abstraction mainly in logical terms. In the *Posterior Analytics* he showed that to formulate a definition suitable for mediating a syllogistic demonstration, one had to inquire into the causes for the sensible occurrence of the thing to be defined. The principal cause to be sought, he said, was the formal cause because it was the intrinsic basis for something being whatever it was to be.[33] Then in the *Metaphysics* he tried to show from the nature of predication that the quiddity or whatness—whatever a thing was to be—must and could be determined from the form of the thing itself.[34] He said that in defining

---

signatis. Unde oportet quod huiusmodi rationes, secundum quas de rebus mobilibus possunt esse scientiae, considerantur absque materia signata et absque omnibus his quae consequuntur materiam signatam, non autem absque materia non signata, quia ex eius notione dependet notio formae quae determinat sibi materiam. Et ideo ratio hominis, quam significat diffinitio et secundum quam procedit scientia, consideratur sine his carnibus et sine his ossibus, non autem sine carnibus et ossibus absolute".

[31] *Ibid.* and *In I Meta.*, lect.10, n.169; VII, lect.2, nn.1278f., 1281-93; lect.5, n.1362f.; lect.6, n.1381; lect.7, nn.1427-29, 1432-35; lect.9, nn.1469-72; lect.13-15. Hence, every material species exists only in the singular: see *In VII Meta.*, lect.7, n.1435; lect.11, n.1525.

[32] See Lonergan, "The Concept of *Verbum*," *Theological Studies*, 7 (1946), 364-72 and *Verbum*, 16-24.

[33] Thus a definition is supposed to explain what something means (see *In II Post. Anal.*, lect.2, esp. nn.2, 4, 7, 10, 12; lect.12-16; see also *In VII Meta.*, lect.12; VIII, lect.2; see also *Ver.*, q.2, a.1 ad 9) because it is based upon a grasp of why something is whatever it is (see *In I Post. Anal.*, lect.4, nn.5-10; lect.16, n.5; lect.42, nn.8-10; II, lect.1, nn.7-10; lect.8, n.3; lect.9-12, 17-19; see also *In II Phys.*, lect.5; *In I Meta.*, lect.11, esp. n.175; lect.17, esp. n.272; V, lect.2; VII, lect.17, nn.1649ff., 1666-68; IX, lect.10, nn.1888ff.; *In III de Anim.*, lect.12, nn.772, 777; lect.13, n.791), for scientific inquiry originates from wonder about data and proceeds as a search for causes (see *In I Meta.*, lect.1, nn.2-4; lect.3, nn.54f., 66f.; see also *Ver.*, q.20, a.5c fin.; *Sum. Theol.*, I, q.84, a.7c).

[34] See *In VII Meta.*, lect.3, n.1308.

what a thing is supposed to be, we can prescind from the individual matter that makes things concrete because definition aims at the universal,[35]
but we must include in the definition some indication of the sensible
or imaginary matter necessary for the meaning of such a form,[36] for in
understanding we know not just a partial form, the species by which we
understand something (e.g., humanity), but the whole form, the nature
of the thing we understand (e.g., man).[37] In the *De Anima* Aristotle pro-
vided a metaphysical basis for our capacity to grasp as much matter as
we needed to understand something by saying that, in the identity of the
act of understanding, the intellect is informed by the species of the thing
in such a way that it knows as much matter as it needs to understand its
nature.[38] In the same work he explained how the intellect could perform
consciously the abstraction implied in understanding by saying the act
of understanding is divided into two operations, the first of which enables it to understand directly and simply the quiddities of things and
the second to reflect upon the species by which it understands, so that
it realizes it truly knows the quiddities but only the quiddities of what it
understands.[39] All in all, Aristotle worked out all the elements needed for
a complete understanding of the meaning of abstraction.

---

[35] See *ibid.*, lect.10, n.1493ff.; see also lect.11, nn.1530-31.

[36] See *ibid.*, lect.9, n.1472f.; lect.10, n.1490-91; lect.11, n.1532f..

[37] See *ibid.*, lect.5, nn.1378-79; lect.9, nn.1469-70; lect.10, nn.1482-83; lect.11, n.1505f..

[38] *In III de Anim.*, lect.12, n.784: "Et omino intellectus in actu est res intellecta, quia sicut res in sui ratione habent materiam vel non habent, sic ab intellectu percipiuntur"; see also lect.10, n.740; lect.11, n.764; lect.13, n.788. See also chapter 2, fn.63.

[39] See *In III de Anim.*, lect.8, n.717; lect.11, nn.746-48, 761-63; lect.12, n.784; and *In I Periherm.*, lect.3, nn.2-4; *In I Post. Anal.*, lect.1, n.4. See also chapter 2, fnn.64-72.

2.3. The Conscious Basis for the Theory of Abstraction

Keeping these elements in mind, we realize we can understand what abstraction means by understanding why the intellect can understand quiddities or natures existing in corporeal matter and knowing whether the intellect does understand things by knowing their species apart from the concrete conditions under which they exist. And the only way to understand understanding is to reflect upon the act, which demonstrates perfectly its own nature and, thereby, the nature of the intellect.[40] Hence, the key to the understanding of the meaning of abstraction is reflection upon the two operations of the intellect in the act of understanding.[41]

In the first operation of understanding, in which the intellect understands directly the nature of something, whether a whole or a part,[42] it must turn to sensible imagery to inspect the things whose nature it wants to understand.[43] At that point sensible imagery manifests the universal in the particular—Socrates and Callias, for instance, as man—because the intellect has directed the process of sense, memory, and experiment that

---

[40] See chapter 1, fnn.46-49.

[41] *In Boeth. de Trin.*, q.5, a.3c (D, pp.181-82): "...oportet videre, qualiter intellectus secundum suam operationem abstrahere possit. Sciendum est igitur quod secundum Philosophum in III de Anima duplex est operatio intellectus. Una, quae dicitur 'intelligentia indivisibilium', qua cognoscit de unoquoque, quid est. Alia vero, qua componit et dividit, scilicet enuntiationem affirmativam vel negativam formando"; see also *In III Sent.*, d.23, q.2, a.2, sol.1; *Sum. Theol.*, I, q.85, a.1 ad 1; a.2c (chapter 2, fn.46); *In II Phys.*, lect.3, n.5; *In III de Anim.*, lect.8, n.717; lect.12, nn.783-85; *In III Meta.*, lect.7, n.422; see also fnn.19-22, 248-56. Besides, see L.B. Geiger, "Abstraction et séparation d'après Saint Thomas *In de Trinitate*, q.5, a.3," *Revue des sciences philosophiques et théologiques*, 31 (1947), 3-40. Aquinas said Plato posited the existence of abstract realities because he failed to distinguish the two kinds of abstraction: see *Sum. Theol.*, I, q.85, a.1 ad 2; *In II Phys.*, lect.3, n.6; *In III de Anim.*, lect.12, n.784. See fn.61.

[42] *Ibid.*: "Prima quidem operatio respicit ipsam naturam rei, secundum quam res intellecta aliquem gradum in entibus obtinet, sive sit res completa, ut totum [A 97rb] aliquod, sive res incompleta, ut pars vel accidens"; see also *Sum. Theol.*, I, q.85, a.2c (chapter 2, fn.46).

[43] See chapter 1, fn.49f., 77f..

we use to become familiar with things.[44] In order to grasp the universal as such, however, the intellect must abstract it from the particulars in which it is represented.[45] Hence, though the intellect considers the species of things in sensible imagery, it knows the species intelligibly only because it abstracts them from the imagery.[46] This means, then, that from sensible imagery the intellect can abstract intelligible information, not because it takes the species almost locally from the imagery in which it inspects it, but because it gathers information about things by concentrating its intelligence upon the imagery in which things are represented.[47] Hence, though the abstract species by which the intellect understands is simply the intelligible form of the thing (e.g., humanity), the species which the intellect understands in sensible imagery is the nature of the thing (e.g., man).[48] This can only be because the thing represented in sensible imagery to be understood has a certain form giving it a determinate nature

---

[44] See chapter 1, fn.82f..

[45] See chapter 1, fnn.94, 141f..

[46] *Sum. Theol.*, I, q.85, a.1 ad 5: "...intellectus noster et abstrahit species intelligibiles a phantasmatibus, inquantum considerat naturas rerum in universali; et tamen intelligit eas in phantasmatibus, quia non potest intelligere etiam ea quorum species abstrahit, nisi convertendo se ad phantasmata"; see also ad 1 (chapter 1, fn.172); and *In III de Anim.*, lect.12, n.777: see Lonergan, "The Concept of *Verbum*," *Theological Studies*, 10 (1949), 28 and *Verbum*, 168.

[47] *Ibid.*, ad 3 (chapter 3, fn.50).

[48] *Ibid.*, ad 2: "...quod quidam putaverunt quod species rei naturalis sit forma solum, et quod materia non sit pars speciei. Sed secundum hoc, in definitionibus rerum naturalium non poneretur materia. Et ideo aliter dicendum est, quod materia est duplex, scilicet communis, et signata vel individualis: communis quidem, ut caro et os; individualis autem, ut hae carnes et haec ossa. Intellectus igitur abstrahit speciem rei naturalis a materia sensibili individuali, non autem a materia sensibili communi. Sicut speciem hominis abstrahit ab his carnibus et his ossibus, quae non sunt de ratione speciei, sed sunt partes individui, ut dicitur in VII *Metaphys.*; et ideo sine eis considerari potest. Sed species hominis non potest abstrahi per intellectum a carnibus et ossibus"; see also *In VII Meta.*, lect.5, nn.1378-79; lect.7, nn.1467-70; lect.9, nn.1472-73, 1477-79, 1490; lect.10, esp. nn.1490-91; lect.11, n.1532; lect.15, n.1606; also fn.37 and chapter 1, fnn.186-94.

actually intelligible to the intellect in the act of understanding.[49] This
form must be related to the matter of the things which are understood
as the intelligible species is related to the sensible imagery in which the
intellect understands it.[50]

Only if abstraction were proper to the second operation of the intellect would it entail a falsity in understanding, for, since the second operation regards the being of things, we cannot abstract one aspect of a thing
from another according to this operation without meaning that the two
are really separate.[51] Whereas the first operation occurs simply because
the intellect receives from something a likeness of its quiddity, in the
second operation, by composing the quiddity with or dividing it from

---

[49] *In Boeth. de Trin.*, q.5, a.3c (D, pp.182-83): "Cum enim unaquaeque res sit intelligibilis,
secundum quod est in actu, ut dicitur in IX Metaphysicae, oportet quod ipsa natura sive
quidditas rei intelligatur: vel secundum quod est actus quidam, sicut accidit de ipsis
formis et substantiis simplicibus, vel secundum id quod est actus eius, sicut substantiae
compositae per suas formas, vel secundum id quod est ei loco actus, sicut materia prima
per habitudinem ad formam et vacuum per privationem locati. Et hoc est illud, ex quo
unaquaeque natura suam rationem sortitur"; see also *In VII Meta.*, lect.3, n.1310; lect.7,
1425; lect.10, nn.1482-89; lect.11, n.1505f.; IX, lect.10, nn.1888f., esp. n.1894; and
Ver., q.1, a.1c ad 5; *Sum. Theol.*. I, q.5, a.2c; q.16, a.3. See also chapter 2, fnn.33ff..

[50] *Ver.* q.10, a.8 ad 1 (Iae ser.): "...nec materiae essentia acquiritur ab agente naturali, sed
solum eius forma, quae ita comparatur ad materiam naturalem sicut forma intelligibilis
ad materiam sensibilem, ut Commentator dicit [III *de Anima*, comm.19]". See Lonergan,
"The Concept of *Verbum*," *Theological Studies*, 10 (1949), 4-13, esp. 6, and *Verbum*, 143-
47, esp. 144.

[51] *In Boeth. de Trin.*., *loc. cit.* (D, p.182): "Secunda vero operatio respicit ipsum esse
rei, quod quidem resultat ex congregatione principiorum rei in compositis vel ipsam
simplicem naturam rei concomitatur, ut in substantiis simplicibus. Et quia veritas
intellectus est ex hoc quod conformatur rei, patet quod secundum hanc secundam
operationem intellectus non potest vere abstrahere quod secundum rem coniunctum
est, quia in abstrahendo significaretur esse separatio secundum ipsum esse rei, sicut si
abstraho hominum ab albedine dicendo: homo non est albus, significo esse separationem
in re. Unde si secundum rem homo et albedo non sint separata, erit intellectus falsus.
Hac ergo operatione intellectus vere abstrahere non potest nisi ea quae sunt secundum
rem separata, ut cum dicitur: homo non est asinus"; see also ad 1; *Sum. Theol.*, I, q.85,
a.1 ad 1; *In II Phys.*, lect.3, n.5; *In III Meta.*, lect.7, n.422; *In II de Anim.*, lect.12, n.379.
See also chapter 1, fnn.119-20, 205-06.

the thing, the intellect undertakes to judge whether or not the thing is what it thinks it is.[52] Thus the question of the truth of knowledge arises not in the first operation, since in it the intellect understands only individual aspects of things without comparing them with one another, but in the second, when the intellect attempts to compose these separate aspects into one idea, and then there is truth if the intellect composes what are really identical but falsity if it composes what are really separate.[53] If we were to understand or say that a certain thing lacked the color it really had, that would indeed be false; but, if we simply consider a color and its properties without considering an apple whose color it is, and even understand the color as such and express our idea of it, that is not false, for an apple is not part of the meaning of color.[54] Yet, though

---

[52] See *Ver.*, q.1, a.3: "Intellectus autem formans quidditates, non habet nisi similitudinem rei existentis extra animam, sicut et sensus in quantum accipit speciem rei sensibilis; sed quando incipit iudicare de re apprehensa, tunc ipsum iudicium intellectus est quoddam proprium ei, quod non invenitur extra in re. Sed quando adaequatur ei quod est extra in re, dicitur iudicium verum esse. Tunc autem iudicat intellectus de re apprehensa quando dicit quod aliquid est vel non est, quod est intellectus componentis et dividentis; unde et Philosophus dicit VI *Metaph.* [text.8], quod compositio et divisio est in intellectu, et non in rebus. Et inde est quod veritas per prius invenitur in compositione et divisione intellectus. Secundario autem dicitur verum et per posterius in intellectu formante definitiones; unde definitio dicitur vera vel falsa, ratione compositionis verae vel falsae"; see also *In I Periherm.*, lect.1, n.3; lect.5.

[53] *In III de Anim.*, lect.11, nn.746-748: "...una operationum intellectus est, *secundum quod intelligit indivisibilia*, puta cum intelligit hominem aut bovem, aut aliquid huiusmodi incomplexorum. Et haec intelligentia est in his circa quae non est falsum: tum quia incomplexa non sunt vera neque falsa...Intellectus multa incomplexa prius separata componit, et facit ex eis unum intellectum: in qua compositione, quandoque est veritas, quandoque falsitas. Veritas quidem, quando componit ea quae in re sunt unum, et composita; sicut cum componit asymmetrum, hoc est incommensurabile, et diametrum: nam diameter quadrati est incommensurabilis lateri. Falsa autem compositio est, quando componit ea quae non sunt composita in rebus, sicut cum componit symmetrum diametro, dicens, quod diameter quadrati est symmeter, id est commensurabilis lateri"; see also nn.760-61.

[54] *Sum. Theol.*, I, q.85, a.1 ad 1: "Si enim intelligamus vel dicamus colorem non inesse corpori colorato, vel esse separatum ab eo, erit falsitas in opinione vel in oratione. Si vero consideremus consideremus colorem et proprietates eius, nihil considerantes de pomo

a definition of a simple quiddity is not of itself either true or false, since it lacks the complexity necessary to express the comparison of one thing with another, the intellect in apprehending a quiddity can be true both because of the implicit comparison involved in understanding the quiddity *of something*[55] and because of the impossibility of the intellect being deceived about the quiddities of things, which are its primary object.[56] Thus the universals which the intellect understands by abstraction in its first operation are truly the natures of things and not just ideas that it fabricates about them.[57]

---

colorato; vel quod sic intelligimus, etiam voce exprimamus; erit absque falsitate opinionis et orationis. Pomum enim non est de ratione coloris; et ideo nihil prohibet colorem intelligi, nihil intelligendo de pomo"; see also *In II Phys.*, lect.2, n.6; *In III de Anim.*, lect.8, n.717.

[55] *C. Gent.*, I, c.59, n.496: "Cum aliquod incomplexum vel dicitur vel intelligitur, ipsum quidem incomplexum, quantum est de se, non est rei aequatum nec rei inaequale: cum aequalitas et inaequalitas secundum comparationem dicantur; incomplexum autem, quantum est de se, non continet aliquam comparationem vel applicationem ad rem. Unde de se nec verum nec falsum dici potest: sed tantum complexum, in quo designatur comparatio incomplexi ad rem per notam compositionis aut divisionis. Intellectus tamen incomplexus, intelligendo *quod quid est*, apprehendit quidditatem rei in quadam comparatione ad rem: quia apprehendit eam ut huius rei quidditatem. Unde, licet ipsum incomplexum, vel etiam definitio, non sit secundum se verum vel falsum, tamen intellectus apprehendens *quod quid est* dicitur quidem per se semper esse verus, ut patet in III *de Anima*; etsi per accidens possit esse falsus, inquantum vel definitio includit aliquam complexionem, vel partium definitionis ad invicem, vel totius definitionis ad definitum".

[56] *In III de Anim.*, lect.11, nn.761-62: "...intellectus, qui est ipsius quid est secundum hoc quod aliquid erat esse, scilicet secundum quod intelligit quid est res, verus est semper, et non secundum quod intelligit aliquid de aliquo. Et huius *rationem assignat*, quia quod quid est primum obiectum intellectus: unde sicut visus nunquam decipitur in proprio obiecto, ita neque intellectus in cognoscendo quod quid est. Nam intellectus nunquam decipitur in cognoscendo quod quid est homo"; see also nn.746-64; *In I Sent.*, d.19, q.5, a.1 ad 7; *Ver.*, q.1, aa.11-12; *C. Gent.*, I, c.58, n.489; c.59, nn.495-96; III, c.108, nn.2833, 2835; *Sum. Theol.*, I, q.16, a.2c; q.17, a.4c; q.58, a.5c; q.85, a.6c; *In VI Meta.*, lect.4, nn.1230-40; IX, lect.11, nn.1895-1919; *In I Periherm.*, lect.3; nn.1-10.

[57] *Sum. Theol.*, I, q.85, a.2 ad 2: "...cum dicitur *intellectum in actu*, duo importantur: scilicet res quae intelligitur, et hoc quod est ipsum intelligi. Et similiter cum dicitur *universale abstractum*, duo intelliguntur: scilicet ipsa natura rei, et abstractio seu universalitas. Ipsa igitur natura cui accidit vel intelligi vel abstrahi, vel intentio universalitatis, non est nisi

Intellectual knowledge would be false, though, if in the second operation of understanding the intellect were to attribute to things the abstract way it understands them.[58] But in this operation, before we compare our ideas with things through composition or division, we first reflect upon the act of understanding achieved in the first operation of the intellect, and in so doing we come to know the species by which we have understood the quiddity of a given thing. Thus, through knowing the thing itself primarily, we know secondarily the species as the means by which we have come to know it.[59] Because we realize that the species enables us to know the nature of the thing but that it enables us to know that nature according to the conditions of its presence in the intellect, we predicate of the thing the nature which we have understood but not the abstract way we have come to understand it.[60] So, if it is claimed that the intellect is false because through abstraction it understands a thing other than it is, the charge would be true if we thought, as Plato, that the intellect supposes the species it understands are separate from things themselves, but not if we agree with Aristotle that the intellect simply considers things in its own immaterial way without denying they are really material. For there is no reason for the way the intellect understands to have to be the way things are.[61]

---

in singularibus; sed hoc ipsum quod est intelligi vel abstrahi, vel intentio universalitatis, est in intellectu...Similiter humanitas quae intelligitur, non est nisi in hoc vel in illo homine: sed quod humanitas apprehendatur sine individualibus conditionibus, quod est ipsam abstrahi, ad quod sequitur intentio universalitatis, accidit humanitati secundum quod percipitur ab intellectu, in quo est similitudo naturae speciei, et non individualium principiorum"; see also a.3 ad 1. See Lonergan, "The Concept of *Verbum*," *Theological Studies*, 10 (1949), 17 and *Verbum*, 155-56; see chapter 1, fnn.195ff..

[58] See chapter 1, fnn.193-94.

[59] *Sum. Theol.*, I, q.85, a.2c (chapter 2, fn.46); see also chapter 2, fnn.50f., 63f., 86f..

[60] Hence, the difference between thinking about something and knowing it: see *Ver.*, q.1, a.1 ad 1; a.5 ad 5; q.10, a.12 ad 7; q.21, a.1c ad 1; and *In I Ioan.*, lect.1, n.26.

[61] *Sum. Theol.*, I, q.85, a.1 ad 1: "Cum ergo dicitur quod intellectus est falsus qui

2.4. THE CONCEPTION OF ABSTRACTION

From this understanding of the two operations of the intellect it is clear
what abstraction means. It means the two ways the intellect distinguishes things from one another.[62] In one sense, it means the way the intellect in the first operation of understanding distinguishes the quiddity of
something from anything else by understanding it alone.[63] Strictly speaking, this occurs only if the intellect understands the quiddity apart from
something to which it is really united. For it cannot be said to abstract
animal from stone by simply understanding animal apart from stone.[64]
Hence, it can abstract or distinguish things from one another according
to the ways they can really be united. But things can really be united to
one another in two ways, as whole and part and as form and matter:[65]

---

intelligit rem aliter quam sit, verum est si ly *aliter* referatur ad rem intellectam. Tunc
enim intellectus est falsus, quando intelligit rem esse aliter quam sit. Unde falsus esset
intellectus, si sic abstraheret speciem lapidis a materia, ut intelligeret eam non esse in
materia, ut Plato posuit. – Non est autem verum quod proponitur, si ly *aliter* accipiatur ex
parte intelligentis. Est enim absque falsitate ut alius sit modus intelligentis in intelligendo,
quam modus rei in existendo: quia intellectum est in intelligente immaterialiter, per
modum intellectus; non autem materialiter, per modum rei materialis"; see also *In III
Meta.*, lect.7, n.422; *Spir. creat.*, a.9 ad 6 (K, p.114). See fnn.41, 80; chapter 1, fn.190;
chapter 2, fn.42; chapter 5, fn.571.

[62] *In Boeth. de Trin.*, q.5, a.3c (D, p.183): "Sic ergo intellectus distinguit unum ab altero
aliter et aliter secundum diversas operationes".

[63] *Ibid.*: "In operatione vero qua intelligit, quid est unumquodque, distinguit unum ab
alio, dum intelligit, quid est hoc, nihil intelligendo de alio, neque quod sit cum eo, neque
quod sit ab eo separatum"; see also *In II Phys.*, lect.5, n.5; *In III de Anim.*, lect 12, nn.781-
82.

[64] *Ibid.*, (D, pp.183-84): "Haec autem distinctio recte dicitur abstractio, sed tunc tantum
quando ea, quorum unum sine altero intelligitur, sunt simul secundum rem. Non enim
dicitur animal a lapide abstrahi, si animal absque intellectu lapidis intelligatur".

[65] *Ibid.* (D, p.184): "Unde cum abstractio non possit esse, proprie loquendo, nisi
coniunctorum in esse, secundum duos modos coniunctionis praedictos, scilicet qua pars
et totum uniuntur vel forma et materia, duplex est abstractio, una, qua forma abstrahitur
a materia, alia, qua totum abstrahitur a partibus".

as whole and part, when a nature is united to the parts it must have in given individuals but not in itself;[66] as form and matter, when a figure is united to the qualities it must have as sensed but not as imagined.[67] Thus, in the first operation of understanding the intellect can make two kinds of abstraction corresponding to the two modes of real unity, the abstraction of the universal from the particular corresponding to the union of whole and part and the abstraction of form from matter corresponding to the union of form and matter.[68] In the abstraction of universal from particular the intellect simply considers a nature with all the parts specific to it but without the material parts it has in particular individuals;[69] in the abstraction of form from matter, it considers a figure according to

[66] *Ibid.* (D. pp.184-85): "Totum etiam non a quibuslibet partibus abstrahi potest. Sunt enim quaedam partes, ex quibus ratio totius dependet, quando scilicet hoc est esse tali toti quod ex talibus partibus componi, sicut se habet syllaba ad litteras et mixtum ad elementa; et tales partes dicuntur partes speciei et formae, sine quibus totum intelligi non potest, cum ponantur in eius diffinitione. Quaedem vero partes sunt quae accidunt toti, in quantum huiusmodi, sicut semicirculus se habet ad circulum".

[67] *Ibid.* (D, p.184): "Ab illa autem materia non potest forma abstrahi per intellectum, a qua secundum suae essentiae rationem dependet. Unde cum omnia accidentia comparentur ad substantiam subiectum sicut forma ad materiam et cuiuslibet accidentis ratio dependeat ad substantiam, impossibile est aliquam talem formam a substantia separari. Sed accidentia superveniunt substantiae quodam ordine. Nam primo advenit ei quantitas, deinde qualitas, deinde passiones et motus. Unde quantitas potest intelligi in materia subiecta, antequam intelligantur in ea qualitates sensibiles, a quibus dicitur materia sensibilis".

[68] *Ibid.* (D, p.185): "Et ita sunt duae abstractiones intellectus. Una quae respondet unioni formae et materiae vel accidentis et subiecti, et haec est abstractio formae a materia sensibili. Alia quae respondet unioni totius et partis, et huic respondet abstractio universalis a particulari, quae est abstractio totius, in qua consideratur absolute natura aliqua secundum suam rationem essentialem, ab omnibus partibus, quae non sunt partes speciei, sed sunt partes accidentales".

[69] *Ibid.*: "Et hae partes dicuntur partes materiae, quae non ponuntur in diffinitione totius, sed magis a converso. Et hoc modo se habent ad hominem omnes partes signatae, sicut haec anima et hoc corpus et hic unguis et hoc os et huiusmodi. Hae enim partes sunt quidem partes essentiae Sortis et Platonis, non autem hominis, in quantum homo; et ideo potest homo abstrahi per intellectum ab istis partibus, et talis abstractio est universalis a particulari" (see also 11.26-31).

the quantitative factors it must have to be imagined but apart from any qualitative characteristics and changes perceptible only to sense.[70]

In another sense, abstraction means the separation which the intellect can accomplish through its second operation, by understanding that one thing is not in another.[71] This it can do if the act constituting the nature of one thing and enabling it to be understood has no order to or dependence upon the other thing in question.[72] This can happen, obviously, when the two are totally different things, but then only if they are absolutes, unrelated as such to one another. More significantly, separation can also happen when the factors to be distinguished are both in the same thing. Thus, when the factors are united as whole and part, we can judge a substance as a whole to be separable from parts integral, but not essential, to it and, conversely, essential parts to be separable from the substance composed of them.[73] When the factors are united as form and

---

[70] *Ibid.*, (D, p.184): "Forma autem illa potest a materia aliqua abstrahi, cuius ratio essentiae non dependet a tali materia...Et sic secundum rationem suae substantiae non dependet quantitas a materia sensibili, sed solum a materia intelligibili. Substantia enim remotis accidentibus non manet nisi intellectu comprehensibilis, eo quod sensitivae potentiae non pertingunt usque ad substantiae comprehensionem. Et de huiusmodi abstractis est mathematica, quae considerat quantitates et ea quae quantitates consequuntur, ut figuras et huiusmodi" (see also p.186).

[71] *Ibid.* (D, p.183): "...quia secundum operationem, qua componit et dividit, distinguit unum ab alio per hoc quod intelligit unum alii non inesse"; (D, pp.185-86): "In his autem quae secundum esse possunt esse divisa, magis habet locum separatio quam abstractio".

[72] *Ibid.* (D, p.183): "Quando ergo secundum hoc, per quod constituitur ratio naturae et per quod ipsa natura intelligitur, natura ipsa habet ordinem et dependentiam ad aliquid aliud, tunc constat quod natura illa sine illo alio intelligi non potest, sive sint coniuncta coniunctione illa, qua pars coniungitur toti, sicut pes non potest intelligi sine intellectu animalis, quia id, a quo pes habet rationem pedis, dependet ab eo, a quo animal est animal, sive sint coniuncta per modum quo forma coniungitur materiae, sicut pars comparti vel accidens subiecto, sicut simum non potest intelligi sine naso, sive etiam sint secundum rem separata, sicut pater non potest intelligi sine intellectu filii, quamvis istae relationes inveniantur in diversis rebus".

[73] *Ibid.*: "Si vero unum ab altero non dependeat secundum id quod constituit rationem naturae, tunc unum potest ab altero abstrahi per intellectum ut sine eo intelligatur, non solum si sint separata secundum rem, sicut homo et lapis, sed etiam si secundum rem

matter or as substance and accident, we can judge the accidental forms of quality and quantity to be separable from any concrete individuals or particular examples and substance itself to be separable from any accidents, including quantity.[74]

Thus abstraction is a consequence of the way the intellect understands things. It means, first, that in the direct operation of understanding the intellect can both discern the natures of things apart from the individual characteristics of the things themselves and also consider these natures apart from the qualities they have as they are presented to it by the sense. It means, besides, that in the second operation of understanding the intellect can know that the things and the parts and aspects of things which it understands to be different are really separate. Hence, abstraction implies that the intellect can distinguish both the intelligible from the unintelligible and the irrelevant and also the intelligibly distinct from one another.

2.5. The Meaning of Science in Terms of Abstraction

Since speculative science means an immaterial understanding of the necessary—in other words, an abstract understanding of why things must be whatever they are supposed to be—we can explain it in terms of the way the intellect abstracts what it understands from the contingencies of matter and movement. Likewise, we can distinguish the kinds of science

---

coniuncta sint, sive ea coniunctione, qua pars et totum coniunguntur, sicut littera potest intelligi sine syllaba, sed non e converso, et animal sine pede, sed non e converso, sive etiam sint coniuncta per modum quo forma coniungitur materiae et accidens subiecto, sicut albedo potest intelligi sine homine, et e converso" (see also p.185).

[74] *Ibid.* (D, p.186): "Substantia autem, quae est materia intelligibilis quantatis, potest esse sine quantitate; unde considerare substantiam sine quantitate magis pertinet ad genus separationis quam abstractionis"; thus, intelligible matter means substance as quantified because quantity is known by the imagination, and the imagination has been called the passive intelect: see also *In VII Meta.*, lect.2, nn.1283-84; lect.10, nn.1494, 1496; *Sum. Theol.*, I, q.85, a.1 ad 3. See fn.86.

from one another according to the order in which the intellect abstracts
the objects that it understands.[75] For just as abstraction is a consequence
of understanding, the order of abstraction is based upon a triple distinction in the operations of the intellect understanding.[76]

The first distinction derives from the separation which occurs in the
operation of the intellect composing and dividing, and this is proper to
theology or metaphysics.[77] Another derives from the abstraction of form
from matter in the operation by which the intellect forms the quiddities
of things, and this pertains to mathematics.[78] The third, deriving from
the abstraction of the universal from the particular in the same operation, is proper to physics, but it is common to all the sciences since in
science we prescind from the accidental and accept the necessary.[79] It

---

[75] *Ibid.*, a.1c (D, p.165): "Ex parte siquidem intellectus competit ei quod sit immateriale, quia et ipse intellectus immaterialis est; ex parte vero scientiae competit ei quod sit necessarium, quia scientia de necessariis est, ut probatur in I Posteriorum. Omne autem necessarium, in quantum huiusmodi, est immobile; quia omne quod movetur, in quantum huiusmodi, est possibile esse et non esse vel simpliciter vel secundum quid, ut dicitur in IX Metaphysicae. Sic ergo speculabili, quod est obiectum scientiae speculativae, per se competit separatio a materia et motu vel applicatio ad ea. Et ideo secundum ordinem remotionis a materia et motu scientiae speculativae distinguuntur"; the distinction of the habits of science according to the objects they intend is opposite to distinguishing habits according to the ways they perfect the intellect as science, or intellect, or wisdom: see *ibid.*, ad 1 (D, p.166).

[76] *Ibid.*, a.3 (fn.41) and (D, p.186): "Sic ergo in operatione intellectus triplex distinctio invenitur".

[77] *Ibid.* (D, p.186): "Una secundum operationem intellectus componentis at dividentis, quae separatio dicitur proprie; et haec competit scientiae divinae sive metaphysicae". See P. Merlan, "Abstraction and Metaphysics in St. Thomas' *Summa*," *Journal of the History of Ideas*, 14 (1953), 284-91.

[78] *Ibid.*: "Alia secundum operationem, qua formantur quidditates reum, quae est abstractio formae a materia sensibili; et haec competit mathematicae".

[79] *Ibid.*: "Tertia secundum eandem operationem quae est abstractio universalis a particulari; et haec competit etiam physicae et est communis omnibus scientiis, quia in scientia praetermittitur quod per accidens est et accipitur quod per se est". See also chapter 1, fnn.172f..

was because the Platonists and the Pythagoreans failed to understand the difference between the last two distinctions and the first that they posited the existence of mathematical and universal entities separate from sensible things.[80]

Hence, speculative science, though it is primarily a knowledge of things themselves,[81] is concerned directly with the natures which the intellect understands by abstracting the universal from the particular in the first operation of the intellect.[82] This kind of abstraction is typical of physical science, in which the natures of things are understood apart from individual matter but not from the common matter necessary for their natural forms.[83] The abstraction of form from matter is also found in all kinds of science since the universals proper to physical science are forms of substances as rationally distinguished from the individual matter in which they exist,[84] and the spirits proper to theology are pure forms

---

[80] *Ibid.*: "Et quia quidam non intellexerunt differentiam duarum ultimarum a prima, inciderunt in errorem, ut ponerent mathematica et universalia a sensibilibus separata, ut Pythagorici et Platonici"; in *Sum. Theol.* I, q.85, a.1 ad 2 Aquinas ties Plato's mistaken postulate of abstract realities directly to his failure to distinguish the abstraction proper to either operation of the intellect (see also *In II Phys.*, lect.3, n.6; *In III de Anim.*, lect.12, n.784). See fn.61.

[81] See chapter 2, fnn.47-57, 65, 74-78 and chapter 3, fnn.9ff..

[82] *Op. cit.*, a.2c (D, p.177): "Possunt ergo huiusmodi rationes sit abstractae considerari dupliciter. Uno modo secundum se, et sic considerantur sine motu et materia signata, et hoc non invenitur in eis nisi secundum esse quod habent in intellectu. Alio modo secundum quod comparantur ad res, quarum sunt rationes; quae quidem res sunt in materia et motu. Et sic sunt principia cognoscendi illa, quia omnis res cognoscitur per suam formam"; see also *Ver.*, q.2, a.6 ad 1; *Sum. Theol.*, I, q.57, a.2c; q.86, a.4c. See fnn.29-30 and chapter 3, fn.56.

[83] *Ibid.*: "Et quia singularia includunt in sui ratione materiam signatam, universalia vero materiam communem, et dicitur in VII Metaphysicae, ideo praedicta abstractio non dicitur formae a materia absolute, sed universalis a particulari...Et ita per huiusmodi rationes immobiles et sine materia particulari consideratas habetur cognition [A 96rb] in scientia naturali de rebus mobilibus et materialibus extra animam existentibus".

[84] See *In Boeth. de Trin.*, q.5, a.2 ad 1 (D, p.177); *Ver.*, q.2, a.6 ad 1; *In VII Meta.*, lect.11, nn.1530-31; *Q. de Anim.*, a.20c; and also fnn.49, 83.

separable from even the intelligible matter necessary for a substance to be quantitatively imagined.[85] It is peculiar, though, to mathematics since the form of the whole (the substantial quiddity) which we understand in mathematics is abstracted not only from any individual matter but also from the common matter necessary for a substance to be considered as subject to qualitative change.[86]

Physics and mathematics, then, can be adequately distinguished by the kinds of abstraction proper to the first operation of the intellect. Both the abstraction of the universal from the particular and of form from matter occur because the intellect can consider the meaning of what it wants to understand separately from whatever is unnecessary for understanding it. Since species are an addition to genera and individuals to species, and since quality affects substance after quantity and movements after quality, the intellect can understand the latter without considering the former. And this is what it means to abstract one meaning from another.[87]

---

[85] *Sum. Theol.*, I, q.85, a.1 ad 2: "Quaedam vero sunt quae possunt abstrahi etiam a materia intelligibili communi, sicut ens, unum, potentia et actus, et alia huiusmodi, quae etiam esse possunt absque omni materia, ut patet in substantiis immaterialibus"; see also *In Boeth. de Trin.*, q.5, a.3c (D, pp.184, 186); *In II Phys.*, lect.3, n.5f.; and esp. *In VII Meta.*, lect.2, n.1283-84; lect.10, nn.1494, 1496; lect.11, n.1508.

[86] *Ibid.*: "Species autem mathematicae possunt abstrahi per intellectum a materia sensibili non solum individuali, sed etiam communi; non tamen a materia intelligibili communi, sed solum individuali. Materia enim sensibilis dicitur materia corporalis secundum quod subiacet qualitatibus sensibilibus, scilicet calido et frigido, duro et molli, et huiusmodi. Materia vero intelligibilis dicitur substantia secundum quod subiacet quantitati. Manifestum est autem quod quantitas prius inest substantiae quam qualitates sensibiles. Unde quantitates, ut numeri et dimensiones et figurae, quae sunt terminationes quantitatum, possunt considerari absque qualitatibus sensibilibus, quod est eas abstrahi a materia sensibili: non tamen possunt considerari sine intellectu substantiae quantitati subiectae, quod esset eas abstrahi a materia intelligibili communi. Possunt tamen considerari sine hac vel illa substantia; quod est eas abstrahi a materia intelligibili individuali"; see also *In Boeth. de Trin.*, q.5, a.3c ad 2, ad 4 (D, pp.186-88). See fn.74.

[87] *In II Phys.*, lect.3, n.5: "Quia enim mathematicus considerat lineas et puncta et superficies et huiusmodi et accidentia eorum non inquantum sunt termini corporis naturalis, ideo dicitur abstrahere a materia sensibili et naturali. Et causa quare potest

Theology, though, cannot be described adequately without including the separation proper to the second operation of the intellect in the act of understanding. True, in physics and mathematics we need the composition and division accomplished through this operation to apply to things the sensible and the imaginable meanings we understand about them in these sciences.[88] But in theology we need division (or negation) just to understand as separable from matter and movement the purely intelligible meaning of the principles of things.[89] For the only way we can

---

abstrahere, est ista: quia secundum intellectum sunt abstracta a motu. Ad cuius causae evidentiam considerandum est quod multa sunt coniuncta secundum rem, quorum unum non est de intellectu alterius: sicut album et musicum coniunguntur in aliquo subiecto, et tamen unum non est de intellectu alterius, et ideo potest unum separatim intelligi sine alio. Et hoc est unum intellectum esse abstractum ab alio. Manifestum est autem quod posteriora non sunt de intellectu priorum, sed e converso: unde priora possunt intelligi sine posterioribus, et non e converso. Sicut patet quod animal est prius homine, et homo est prius hoc homine (nam homo se habet ex additione ad animal, et hic homo ex additione ad hominem); et propter hoc homo non est de intellectu animalis, nec Socrates de intellectu hominis: unde animal potest intelligi absque homine, et homo absque Socrate et aliis individuis. Et hoc est *abstrahere universale a particulari*. Similiter autem inter accidentia omnia quae adveniunt substantiae, primo advenit ei quantitas, et deinde qualitates sensibiles et actiones et passiones et motus consequentes sensibiles qualitates. Sic igitur quantitas non claudit in sui intellectu qualitates sensibiles vel passiones vel motus: claudit tamen in sui intellectu substantiam. Potest igitur intelligi quantitas sine materia subiecta motui et qualitatibus sensibilibus, non tamen absque substantia. Et ideo huiusmodi *quantitates et quae eis accidunt, sunt secundum intellectum abstracta a moto et a materia sensibili, non autem a materia intelligibili*, ut dicitur in VII *Metaphys.*"; see also *In III de Anim.*, lect.12, n.781; *In Boeth. de Trin.*, q.5, aa.2, 3; *Subst. sep.*, c.1,n.46. For the difference between the two modes of abstraction see also *In Phys.*, *loc. cit.*, nn.4, 7-8; lect.4, n.2; VII, lect.10; *In III de Anim.*, lect.8, nn.714-16. Note the connection of this aspect of the theory of abstraction with the notion that the intellect understands as much as it is intelligibly united to: see fn.38.

[88] See chapter 1, fnn.142ff., 39-40, 53f.. We also need separatoin to justify the propriety of abstraction: see fnn.73, 74, 87.

[89] *In Boeth. de Trin.*, q.5. a.4c (D, p.195): "Sic ergo theologia sive scientia divina est duplex. Una, in qua considerantur res divinae non tamquam subiectum scientiae, sed tamquam principia subiecti, et talis est theologia, quam philosophi prosequuntur, quae alio nomine metaphysica dicitur. Alia vero, quae ipsas res divinas considerat propter se ipsas ut subiectum scientiae, et haec est theologia, quae in sacra scriptura traditur. Utraque autem est de his quae sunt separata a materia et motu secundum esse, sed diversimode,

understand that substance (and thus being and pure spirits) is separable from any qualification we may see or any quantification we can imagine is to reflect upon the act of understanding, through which we know the substance of things.[90] Because of this reflection, accomplished in the second operation of the intellect, not only can we deny that matter is necessary to substance, but we can understand that the meaning of being is separable from matter. From the realization of that possibility we can extrapolate to the consideration of beings separate from matter, most particularly of god Himself.[91]

The meaning and structure of speculative science, then, can be understood from the way the intellect abstracts the objects it understands. Thus some objects really depend upon matter because they cannot exist except in matter.[92] Of these, some cannot even be understood without

---

secundum quod dupliciter potest esse aliquid a materia et motu separatum secundum esse. Uno modo sic, quod de ratione ipsius rei, quae separata dicitur, sit quod nullo modo in materia et motu esse possit, sicut deus et angeli dicuntur a materia et motu separati. Alio modo sic, quod non sit de ratione eius quod sit in materia et motu, sed possit esse sine materia et motu, quamvis quandoque inveniatur in materia et motu. Et sic ens et substantia et potentia et actus sunt separata a materia et motu, quia secundum esse a materia et motu non dependent"; see also q.1, a.2 (D, p.66); q.6, a.1 ad 4 (D, p.210); a.2c (D, p.216); a.3c (D, pp.220-23); also *In III de Anim.*, lect.12, n.785 and chapter 1, fnn.153-71.

[90] There is no single text in which Aquinas explicitly makes this statement or its equivalent, but, since he does say (1) that in its second operation the intellect realizes it knows the natures or quiddities of things (see fnn.58ff.), (2) that these are the substance of things (see fnn.23ff.), and (3) that metaphysics, the science of being as known through an understanding of substance, depends upon the separation achieved in this operation (see fn.77), he seems to have implied it. See *In VII Meta.*, lect.1, n.1246; lect.3, nn.1309-1310 for Thomas's notion of the method of metaphysics and *In Boeth. de Trin.*, q.5, a.1 ad 6 (D, p.171) for his notion of the relation of metaphysics to the other forms of science.

[91] See *In Boeth. de Trin.*, q.5, a.4c (D, pp.192-95); ad 4 (D, pp.197-99), ad 5, ad 6 (D, p.199); q.6, a.1c (D, p.212). See also *In I Meta.*, prooem.; lect.1; lect.3, nn.58f.; *VI*, lect.1, nn.1147-51.

[92] *Ibid.*, a.1c (D, p.165): "Quaedam ergo speculabilium sunt, quae dependent a materia secundum esse, quia non nisi in materia esse possunt"; see also *In I Phys.*, lect.1, n.2; *In III de Anim.*, lect.8, n.716.

matter, for sensible matter is included in any definition of them, the way flesh and bones must be included in any definition of man. And physics or natural science is concerned with these.[93] But some objects that must really be in matter can be understood without it, for, like line and number, they can be defined without the inclusion of sensible matter. And mathematics is concerned with them.[94] Some things, though, do not really depend upon matter because they can be without it, always or at least sometimes. These are spirits such as God and the angels and such principles of things as substance, being, act, and potency. These are the objects of metaphysics, which is the beginning of philosophy and should terminate in a theology.[95]

---

[93] *Ibid.*: "Et haec distinguuntur, quia quaedam dependent a materia secundum esse et intellectum, sicut illa, in quorum diffinitione ponitur materia sensibilis; unde sine materia sensibili intelligi non possunt, ut in diffinitione hominis oportet accipere carnem et ossa"; see also a.2c ad 4 and *In III de Anim.*, lect.8, n.709f.. Natural science is less certain than mathematics, since it considers things according to all the vagaries that are sensibly evident (see *ibid.*, q.6, a.1 ad 2 and *In II Meta.*, lect.5, n.336), but more realistic since it considers things according to the factors that are naturally possible to them (see *Pot.*, q.6, a.1 ad 11).

[94] *Ibid.*: "Quaedam vero sunt, quae quamvis dependeant a materia secundum esse, non tamen secundum intellectum, quia in eorum diffinitionibus non ponitur materia sensibilis, sicut linea et numerus. Et de his est mathematica"; see also a.4 ad 7. Hence, in mathematics we can consider things according to any quantity we can imagine, even though such a quantity may be naturally impossible: see *C. Gent.*, II, c.92, n.1792; but not if it would be intrinsically contradictory: see *Pot.*, q.6, a.1 ad 11; for the former we can imagine, but not the latter.

[95] *Ibid.* (D, pp.165-66): "Quaedam vero speculabilia sunt, quae non dependent a materia secundum esse, quia sine materia esse possunt, sive numquam sint in materia, sicut deus et angelus, sive in quibusdam sint in materia et in quibusdam non, ut substantia, qualitas, ens, potentia, actus, unum et multa et huiusmodi. De quibus omnibus est theologia, id est scientia divina, quia praecipuum in ea cognitorum est deus, quae alio nomine dicitur metaphysica, id est trans physicam, quia post physicam discenda occurrit nobis, quibus ex sensibilibus oportet in insensibilia devenire. Dicitur etiam philosophia prima, in quantum aliae omnes scientiae ab ea sua principia accipientes eam consequuntur"; see also a.4c (D, pp.194-95). Thus, whereas no particular science determines what things are supposed to be or if the subject of the science exists but rather supposes both, metaphysics determines the meaning of being by an understanding of why things are supposed to be whatever they are: see *In VI Meta.*, lect.1, esp. n.1151, but read the entire lecture.

2.6. Abstraction and the Universality of Human Understanding

Reflection upon the abstraction in human understanding also helps to explain the universality of scientific knowledge. For it enables us to realize that the ideas in which we understand the natures of things are abstract because the information upon which they are based derives from an understanding of the meaning of things apart from concrete circumstances.[96] On reflection we also realize that in every complete act of understanding the intellect knows it understands the natures and only the natures of things because in its second operation it reflects upon its act and understands the species by which it is informed.[97] Thus reflection results in a rational explanation of why the intellect can intelligently formulate from its own knowledge the interior words in which it expresses its ideas.[98] It also makes clear that in these ideas we express directly not the form of the part (e.g., humanity), which is equivalent to the species we abstract, but the form of the whole (e.g., man), which is equivalent to the species we understand.[99] Thus, rational philosophy is a study of the form of the part, and is thereby distinguished from natural philosophy, which is a study of the form of the whole.[100] Consequently, logic differs

---

[96] See fnn.35-36, 42-50; chapter 1, fnn.195ff.; and chapter 2, fnn.92ff..

[97] See fnn.50-61 and chapter 2, fnn.50-72.

[98] *Sum. Theol.*, I, q.27, a.1c: "Quicumque enim intelligit, ex hoc ipso quod intelligit, procedit aliquid intra ipsum, quod est conceptio rei intellectae, ex vi intellectiva proveniens, et ex eius notitia procedens. Quam quidem conceptionem vox significat: et dicitur *verbum cordis*, significatum verbo vocis"; see chapter 1, fnn.199ff..

[99] See *In VII Meta.*, lect.5, nn.1378-79; lect.9, nn.1467-70.

[100] *In I de Anim.*, lect.2, n.27: "Sed si quaeratur quae istarum definitionum sit naturalis, et quae non: dicendum, quod illa, quae considerat formam tantum, non est naturalis, sed logica. Illa autem, quae est circa materiam, ignorat autem formam, nullius est nisi naturalis. Nullus enim habet considerare materiam nisi naturalis. Nihilominus tamen illa quae ex utrisque est, scilicet ex materia et forma, est magis naturalis. Et duae harum definitionum pertinent ad naturalem: sed una est imperfecta, scilicet illa quae ponit

from mathematics, though both utilize a formal abstraction, because the object of logic is the species in the intellect whereas the object of mathematics is the species in the imagination.[101] In logic we can learn how modes of predication reveal how we use ideas either as such, according to the rational content they have as terms of understanding, or according to the modes of existence taken by the natures of things, as universal in the mind and as singular in things.[102]

It is obvious, therefore, that the basis for the universality of understanding derives from the way we understand and not from the way things are.[103] Because of this ability we can be elevated by grace to know substance and being subsisting without matter.[104] With a supernatural light our intellects would be capable of knowing God directly and immediately by His own essence.[105]

---

materiam tantum: alia vero perfecta, scilicet illa quae est ex utrisque. Non enim est aliquis qui consideret passiones materiae non separabiles, nisi physicus"; see also In I Ethic., lect.1, n.2.

[101] In Pot., q.6, a.1 ad 11 Aquinas said that both logic and mathematics considered things formally; however he always treated mathematics as a kind of natural philophy (see section 2.5) and distinguished natural philosophy from logic or rational philosophy on the basis of the kind of form each considers (see In I Eth., lect.1, n.2).

[102] See In I Periherm., lect.10, n.126 [9].

[103] Spir. creat., a.9 ad 6 (K, p.114): "Sed ratio universalitatis, quae consistit in communitate et abstractione, sequitur solum modum intelligendi, in quantum intelligimus abstracte et communiter; secundum Platonem vero, sequitur etiam modum existendi formarum abstractarum: et ideo Plato posuit universalia subsistere, Aristoteles autem non"; see also fnn.22, 61; chapter 1, fn.191; chapter 2, fn.42; chapter 3, fn.11; chapter 5, fn.571.

[104] Sum. Theol., I, q.12, a.4 ad 3: "Et ideo, cum intellectus creatus per suam naturam natus sit apprehendere formam concretam et esse concretum in abstractione, per modum resolutionis cuiusdam, potest per gratiam elevari ut cognoscat substantiam separatam subsistentem, et esse separatum subsistens". See also fnn.48ff..

[105] Ibid., a.5c: "Cum autem aliquis intellectus creatus videt Deum per essentiam, ipsa essentia Dei fit forma intelligibilis intellectus"; see also a.2.

3. Comparison and Summary

In light of this extensive review of Thomas's own thought on abstraction, the Neo-Thomistic interpretation we described previously seems almost an independent conception. Undoubtedly the men who conceived of it adopted elements and adapted terms from Aquinas's theory, but they built them into a different armature of thought.

In the first place, Thomas used abstraction to explain the way in which the human intellect can know the meanings of concrete singulars by discerning their natures. The Thomists mentioned above, however, have used abstraction to name a mechanism by which the human intellect is supposed to formulate concepts and apprehend in them the meaning of things. So, whereas Thomas meant by abstraction the way the human intellect knows singulars universally, these Thomists say he meant by it the way the human intellect is supposed to know singular universals. Thus this Thomistic interpretation exploited the notion Thomas used to explain why the human intellect can conceive universals rationally and converted it into a rationalization for the human intellect's supposed confinement to knowing things through the conception of universals. Thomas always spoke of abstraction as a consequence of the human intellect's immaterial assimilation of the species which it considers in sensible imagery: in the act of understanding, he said, the human intellect both considers the universal in the particular inasmuch as it must always turn to sensible imagery to understand anything, and also abstracts the universal from sensible imagery since in understanding things it knows their quiddities or natures. By contrast, these Thomists have claimed that abstraction consist in the formulation of expressed species in which the intellect perceives the abstract natures of things. To explain how this occurs in the absence of any conscious grasp of the meaning of things, they have postulated, we shall see, the existence in the intellect of a vital act by which it conceives the objects which it perceives.

The second difference between Thomas's theory and the Thomistic interpretation in question is that Thomas presumed abstraction to be conscious, whereas these Thomists state it is unconscious. Apparently Thomas only gradually became aware of the significance of consciousness for the theory of abstraction. From Aristotle he accepted not only a description of understanding as the way to be able to answer the question why something is whatever it is supposed to be, but also an explanation of understanding, first in logical terms as the basis for arriving at the abstract meaning for concrete individuals and, then in psychological terms, as a double operation of apprehending indivisible quiddities and then of knowing the basis for them in reality. On his own, though, Aquinas took the notion of a double operation in understanding and made it the hinge of his own theory of abstraction, according to which the intellect knew by reflecting on its first operation the species it had abstracted and made this reflective grasp of the species the basis for the judgment it rendered in the second operation. Hence, Aquinas's theory of abstraction was based upon a reflection upon the act of understanding, and that act he described as a conscious process of abstracting a species by which the intellect understood the nature of something. Despite Thomas's careful attention to the rational consciousness entailed in abstraction, the Thomists cited above have omitted any mention of this aspect of his thought and have claimed abstraction is unconscious. Against this interpretation Lonergan demonstrated conclusively that Thomas considered understanding and also the abstraction in understanding to be a conscious operation.[106] The only difficulty was that Lonergan stretched the meaning of abstraction to include both the intellectual illumination of sensible imagery before understanding and the speaking of an interior word after understanding, whereas Aquinas used the notion to signify simply the act of understanding inasmuch as it entailed a distinction of the natures of things from the material conditions of the imagery in which they appeared. Besides that,

---

[106] See Lonergan's interpretation of abstraction in "The Concept of *Verbum*," *Theological Studies*, 10 (1949), 3-40 and *Verbum*, 141-82 and Stewart's popularization of that interpretation in *op. cit.*.

in his interpretation of "apprehensive abstraction"—what Aquinas called abstraction *tout court*—Lonergan restricted abstraction to the direct operation of understanding quiddities and, while he said that operation was conscious, he failed to perceive how Thomas had said that the intellect understood the species by reflection upon that operation and from its grasp of the species judged things rationally. Hence, Lonergan's interpretation has to be corrected and extended on those points. The main point he made, however, was entirely correct, that Thomas explained abstraction as a conscious condition of human understanding.

A third difference between Thomas's theory of abstraction and the Thomistic interpretation which we described at the beginning of this chapter regards the structure and function of the process. Thomas himself used abstraction in a broad sense to denote the way the human intellect understands things by distinguishing their natures from the material conditions in which they exist; then he used abstraction in a stricter sense to designate the way the intellect apprehends the quiddities of things in its first operation and distinguished this sense of abstraction from separation, the way the intellect divides quiddities from one another in its second operation; finally, he said that by abstraction in the strict sense of the term, the intellect abstracts both the universal from the particular, such as it does in physics, and form from matter, such as it does in mathematics. The Thomists whom we have mentioned, though, have restricted abstraction to the first operation of the intellect, distinguished it into total and formal, and made total abstraction equivalent to what Thomas had called the abstraction of the universal from the particular and formal somewhat akin to his abstraction of form from matter. Thus, whereas Thomas had thought abstraction covered the entire act of understanding, these Thomists have restricted it to the first operation; whereas Thomas spoke of the abstraction of the universal from the particular as proper to physics and the abstraction of form from matter as proper to mathematics, these Thomists have converted these two modes of abstraction into total and formal abstraction and made both applicable to every kind of science.

This difference is a consequence of a difference over the function of abstraction. For Thomas had made the structure of abstraction adequate to an understanding of the natures of things in sensible imagery but apart from the material conditions of that imagery; but, since these Thomists have thought that understanding consisted in the perception of concepts, they have made abstraction adequate to the formulation of concepts, as they supposed the intellect perceived concepts. Hence, as these Thomists have explained abstraction, the intellect formulates universal concepts to compensate for its ignorance of concrete reality, whereas Thomas thought of abstraction as a process by which the intellect got to know what made concrete things real. So, instead of interpreting Thomas's theory of abstraction as a way to explain what he considered the greater comprehension and realism of understanding over mere sensation, they have used it to support their supposition that understanding is deprived of the realism they attribute to sense knowledge of the concrete.[107]

Then, since Thomas based his scheme of scientific knowledge upon his theory of abstraction, the Thomistic interpretation of that scheme deviates from it in line with the difference we have noted in the interpretation of his theory of abstraction. In Thomas's scheme, separation and both kinds of abstraction were necessary for the perfection of scientific knowledge, and each of the three kinds of abstraction (in the broad sense) was distinctive of a certain kind of science: separation of metaphysics, abstraction of form from matter of mathematics, and abstraction of the universal from the particular of physics. The Thomists whose interpretation we outlined above, however, have said that total abstraction (as they call it) distinguishes science from sense and the three degrees of science from one another, as progressively more abstract stages of knowledge, and that formal abstraction (in their terms) constitutes each degree of science

---

[107] Thus some Thomists contrast the abstract way the intellect knows things in its own concepts with the contact that sense makes with reality in the concrete: see, e.g., Gredt, I, 390-93, 399, 406f..

in itself and the philosophy of nature as distinct from empirical science.[108] Some correlation might be made between these two schemes, but, much more obviously, they are quite different. Whereas Thomas had said the entire process of abstraction was necessary for the perfection of science, but each step in the process was distinctive of a different kind of science, these Thomists have made one mode of abstraction common to all kinds of science and the other mode particular to each. Thus these Thomists distinguish the kinds of science of which the human intellect is capable by the degree of abstraction entailed in formulating the kind of concept needed for each, but Thomas himself had distinguished them according to the functions of each step needed to understand the natures of things apart from the material conditions of the imagery in which they appear.

In general, it seems as if this Thomistic interpretation of Thomas's theory of abstraction was an attempt to transform it into a support for the position it was designed to overthrow. Thomas, as Aristotle before him, intended abstraction to explain how the intellect could know concrete singulars universally; he, as well as Aristotle, found it necessary to devise such an explanation because he agreed with Plato that an understanding of essences is really different from a mere sense perception of appearances but disagreed with Plato that the intellect could know only its own ideas; thus he was forced to adopt and perfect Aristotle's position that the intellect could distinguish the necessary aspects of things from the contingent circumstances in which it found them. The Thomists whose interpretation we have questioned seem to have agreed with Plato that the intellect knows only its own ideas, but, instead of adopting his theory of anamnesis, they have transformed the Aristotelian-Thomist theory of abstraction into a metaphysical mechanism by which they suppose the intellect can somehow produce ideas. These Thomists had to have some rational basis

---

[108] Apparently Cajetan (in *In de Ente et Essentia*, q.1, n.5) is to be given the credit/blame for inventing the three degrees of abstraction, as they are commonly understood in Scholastic circles, but since his time many another Thomist has used the scheme for his own purposes and adapted it accordingly.

for asserting the origin of ideas, but the theory of abstraction, as Thomas Aquinas developed it, was not amenable to the use they have made of it. Now Thomas explained his theory metaphysically, but the interpretation these Thomists have given to his explanation was, as we shall see, at odds with what he actually wrote.

CHAPTER FIVE
THE MEANING OF ACT IN UNDERSTANDING

1. THOMISTIC INTERPRETATION

*A*ccording to many modern Thomists Thomas Aquinas's con-ception of understanding was essentially a conclusion he drew from the metaphysics of movement. Some have recognized that he considered conscious experience a necessary preliminary and a distinctive source of proof,[1] but generally modern Thomists have denied that Thomas's rational psychology was basically an articulation of introspection into conscious experience or an explanation of the subjective conditions of knowledge, appetite, and motion.[2] Thomists of this persuasion have in-

---

[1] Mercier, I, 7. Zigliara, II, 225. Boyer, *Cursus*, I, 305. Brennan, *General Psychology*, 7-9, 10, 13. Siwek, *Psychologia Metaphysica*, 8-10, 170. Klubertanz, pp.34, 61. Verneaux, 8-10. Renard , 15. A. Willwoll, *op. cit.*, pp.3, 5-6.

[2] Klubertanz, 34. Verneaux, 6,8. More remarkable, though, than any thematic statement are the absence in scholastic manuals of any phenomenology and the treatment of the argument *"ex experientia"* as a secondary confirmation of a conclusion already reached by systematic deduction. Of the authors cited, Mercier tries to substantiate his theorems by extensive use of findings from experimental psychology, and Brennan says that

terpreted Thomas's rational psychology as fundamentally an application
of the notions of act and potency to living things.[3]

1.1. LIFE AS A KIND OF SELF-MOTION

Though some authors have made rational psychology a study of man's
activities, even a study of these activities as conscious, the trend among
Thomists seems to have been to make rational psychology a study of life
in general as a kind of self-motion[4] or of living things as principles of
vital acts constituted of self-motion.[5] Since these Thomists believe that

---

introspection is not the only source of St. Thomas's psychology (*General Psychology*, 7,
13) but the only true and safe source for psychology (pp. 7, 8). Yet not even these last
two authors have developed their psyshologies from introspection. They have presented
only a systematic metaphysical psychology buttressed by occasional arguments from
experience. One notable exception to this line of interpretation has been A. Marc with his
Psychologie réflexive (Paris, 1949) and the other works he has based on it. G. Szaszkiewicz,
in his *Psychologia Rationalis:* Thesium schemata ad usum exclusivum auditorium (Rome,
1964/65) has utilized the findings in Lonergan's *Verbum* articles.

[3] Brennan, *General Psychology*, 10. See chapter 4, fn.2. Hence, the usual way Thomists
argue for the necessity of a common sense has been to say that some sense is needed
to perceive the sensations of the proper, external senses, instead of saying that Thomas
assumed the proper senses were each aware of their own sensations and based the existence
of a common sense upon our ability to coordinate sensations so as to sense the same
things in various ways (see Gredt, I, 415-16, citing *In III de Anim.*, lect.3, n.601; *Sum.
Theol.*, I, q.78, a.4; *Anim.*, a.13 [I, 418]; and Siwek, *Psychologia Metaphysica*, 240-43,
citing *Sum. Theol.*, I, q.78, a.4 ad 2; q.87, a.3 ad 3; q.14, a.2; *In III Sent.*, d.23, q.1, a.2
ad 3; II, a.17, q.1, a.5 ad 3; I, d.17, q.1, a.5 sol.; *C. Gent.*, I, c.65).

[4] Gredt I, 2, 217-220, citing *In I Phys.*, lect.1, nn.1-4; *In de Gen.et Corr.*, Prooem. (I,
219-220). H.-D. Gardeil, I, 46; III, 7, 15. Mercier, *Psychologie*, I, 5-7. Boyer, *Cursus*, I,
519-20. C. Frank, *Philosophia naturalis in usum scholarum* (Institutiones Philosophiae
Scholasticae, IV: Freiburg im Br.-Barcelona, ²1949), pp.94-117. For other Thomistic
conceptions of life see Introduction, fnn.13-15.

[5] Gredt, I, 4, 217-20. Renard, 5-12. Siwek, *Psychologia Metaphysica*, 7-9. H.-D. Gardeil,
III, 2: "le vivant en tant qu'il est principe d'activités vitales"; 13: "les êtres donnés
d'activités immanentes ou qui se meuvent eux-mêmes, considérés comme tels"; but see
p.15.

Thomas defined the living according to the motion distinctive of them,[6] they declare that Thomas treated psychology as a branch of the philosophy of nature, the general science of mobile being.[7] Thomas thought of the movement in mobile being, according to these Thomists, as a transient reality[8] produced by another reality called an action in the active

---

[6] Sanseverino, I, 98: "Viventia sunt, quae seipsa movent, id est operationes suas ex se exerunt, quia a causa extrinseca inpellantur", citing *In I de Anim.*, lect.1; see also pp.105, 108, 110: "Hoc videtur esse viventium proprium, quod operentur ex seipsis moti", citing *In I de Anim.*, lect.5; *C. Gent.*, IV, c.11; see also II, 131: "Actiones brutorum sunt spontaneae, nempe a principio activo intrinsico oriuntur. Atqui actiones huius modi sunt vitales". Zigliara, II, 131-32: "Notio essentialis vitae non ab immanentia actionis sed a se movendo ab intrinseco primo et per se accipienda. Actio vitalis in seipsa...essentialiter requirit quod sit a principio intrinseco viventis...", citing *In II de Anim.*, lect.1, circa med.; *C. Gent.*, I, c.97, n.2. Remer, 2-4. Brennan, *General Psychology*, 50, adding *Sum. Theol.*, I, q.72, a.1;q.78, aa.1, 2 and *In II de Anim.*, lect.3 to the above citations. Siwek, *Psychologia Metaphysica*, 45-46, 62-64, 73-75. Renard, 15. Willwoll, *op.cit.*, pp.5-6. Klubertanz, 47-49, 89-90. Verneaux, 14.

[7] See fnn.4-6 and chapter 4, fn.5.

[8] According to Gredt, movement occurs in the categories of quantity, quality, and place as an imperfect form tending toward or away from its proper perfection; but, as a reality corresponding to our objective concept of it, movement is a transient modality irreducible to any category (see I, 185-87, citing *In III Phys.*, lect.1, n.7; lect.15, n.13; and admittedly spurious sections of Aristotle's *Categories*). As a reality, Gredt says physical movement is a continuous series of numerically distinct parts (see I, 255-58, citing *In III Phys.*, lect.2, nn.2, 3, and pp.261-62, citing *In V Phys.*, lect.5, n.4; *In I Sent.*, d.37, q.4, a.3), both finite, potentially divisible, extended parts present in a corporeal subject of change (see I, 262, 285-86, citing *In V Meta.*, lect.15, n.977; *In VI Phys.*, lect.11, n.4; VIII, lect.17, n.7 [I, 288]), and also infinite, indivisible, unextended parts related to one another in the course of movement (see I, 269-72, citing *In IV Phys.*, lect.18, n.7f.; lect.23, n.5; VI, lect.7, n.4f.; lect.8, n.7; *In IX Meta.*, lect.7 fin.; and I, 290, citing *In V Phys.*, lect.5, nn.2, 8; VI, lect.1, n.5; *In III de Anim.*, lect.3, n.609; *In XI Meta.*, lect.13, n.2412). Thus movement consists of a force or impetus impressed by a mover upon something moved and inhering in it after the action of the mover as it undergoes change (see I, 297-98, citing *In VII Phys.*, lect., n.4; VIII, lect.14, n.2f.; *Sum. Theol.*, I, q.45, a.5; *C. Gent.*, III, c.82, n.2577; c.102). Boyer calls this the common opinion of scholastics (*Cursus*, I, 415, 417-18). This naturalistic conception of Thomas's theory of movement is, of course, at the base of the Thomistic theory of physical premotion or predetermination, but the propriety of this interpretation is beyond our immediate purview; for a criticism of this interpretation see B.J. Lonergan, "St. Thomas's Theory of Operation," *Theological Studies*, 3 (1942), 375-402. H. Bouillard, in *Conversion et grâce chez s. Thomas d'Aquin*: Étude historique (Collection "Théologie," 1: Paris, 1944), claimed that Thomas denied

potency of an efficient cause.[9] Thus, they have concluded that Thomas
defined life formally as a vital act of self-motion,[10] in the precise sense

---

any need for an elevating premotion or concourse prior to conversion because he did
not hold the contemporary theory of vital act; J. Stufler, in *Gott, der erster Beweger aller
Dinge:* ein neuer Beitrag zum Verständnis der Konkurslehre des hl. Thomas von Aquin
(Innsbruck, 1936) stated that Bannez asserted the necessity of physical premotion only
for vital acts and not for created efficiency generally [for these last two facts I remain
indebted to a written communication from Bernard Lonergan since I could not obtain
the books to check the information in them myself].

[9] Gredt, I, 180-81, citing *In III Phys.*, lect. 5, n.13f.; *In XII Meta.*, lect.2, n.2431; p.258,
citing *In III Phys.*, lect.4, nn.9, 10; lect.5, nn.2, 10; *In V Meta.*, lect.9, n.891f.; XI, lect.9,
n.2312f.: *In III de Anim.*, lect.2, n.592f.; *In I Sent.*, d.32, q.1, a.1c; d.40, q.1, a.1 ad 1;
II, d.40, q.1, a.4 ad 1; *Ver.*, q.8, a.6c; *Pot.*, q.7, a.9 ad 7; a.10 ad 1; q.8, a.2c; q.10, a.1c;
C. Gent., II, cc.1, 9; *Sum. Theol.*, I, q.37, a.2c; q.54, a.1c (I, 260-61). Gredt thought that
only if an action were something real could an agent be objectively an efficient cause (see
I, 105, 171, citing *Sum. Theol.*, I-II, q.49, a.2; *In V Meta.*, lect.16, n.987f. [I, 173]), but
the explanation that he gave of this reality as something truly transforming the active
potency of the agent (Ed. 12 [1958], 161, 234-39, citing *In I Sent.*, d.33, a.1, arg.1,
ad 1; *Pot.*, q.7, a.10 ad 11; *Sum. Theol.*, I, q.13, a.7; q.28, a.1; a.4; *In V Meta.*, lect.17,
n.1001f. [I, 179-80]) was excised from the corresponding location in the latest edition
of his book, edited by E. Zenzen (see Ed. 13 [1961], I, 178, 259). Perhaps this was an
acceptance of Sertillange's interpretation that action apart from becoming is simply a
relation of dependence (*St. Thomas d'Aquin*, I, 110, citing *Sum. Theol.*, I, q.41, a.1 ad 2;
q.45, a.2 ad 2; a.3; *In III Phys.*, lect.4, n.5; *Pot.*, q.7, a.8; q.3, a.6 ad 7) and that such terms
as "*influxus*," "*emanatio*," "*dimanatio*," and "*susceptio*" are simply anthropomorphisms
for a law of activity (I, 108, citing *In VIII Phys.*, lect.7; *Pot.*, q.2, a.1). If so, it indicates
hardly any real change of opinion since Sertillange also says that action and passion are
two realities of nature (I, 105, citing *C. Gent.*, II, c.57; *In III Phys.*, lect.5 fin.), that action
implies a change from an inactive to an active state (I, 107, citing *C. Gent.*, II, c.35), and
that first act, which is permanent power, is distinct from second act, which is the exercise
of that power, and from the action of an agent (I, 108, citing *In VIII Phys.*, lect.7; *Pot.*, q.2,
a.1). But perhaps the excision indicates rather an admission of the counter-interpretation,
which we shall propose, that the action of an agent is merely an extrinsic denomination
meaning the dependence of an effect upon the agent and necessitating no real change in
the agent when he shifts from repose to action. H.-D. Gardeil says, nevertheless: "...il y a
une action positive, un influx réel, allant de l'agent au patient" (II, 45) and cites *In I Phys.*,
lect.1, n.1, "causae autem dicuntur ex quibus res dependet secundum esse suum vel fieri";
he approves John of St. Thomas's comment, "causa est principium alicujus per modum
influxus seu derivatoinis, ex qua natum est aliquid", (42).

[10] Gredt, I, 345: "Vitae nomine omnes intelligunt sui-motionem. Quae enim movent
seipsa, vivere dicuntur, et dicuntur vivere formaliter propter sui-motionem. Nam
quamprimum movent seipsa, dicantur vivere, et tamdiu dicuntur vivere, quamdiu movent

that he supposed living things to move themselves because they are the efficient causes of their own operations.[11]

The Thomists who give this interpretation of Thomas's notion of life admit that he applied to the living as well as to the inert the axiom that whatever is moved is moved by another. They record his statements that living things can move at all only because they are generated by forebears, sustained by their environment, and stimulated by others.[12] They show that he said living things could move themselves only because they had an inner multiplicity—if not of organs within the one individual, then of potencies in the same organ, or at least of potentialities in the same potency.[13] Yet, these Thomists argue, Thomas thought the axiom assertive

---

seipsa. Ergo ratio formalis vitae in sui-motione consistit. Vita potest considerari in actu primo—substantia, cui competit se movere, et in actu secundo—actualis sui-motio seu operatio vitalis;" he cites *In II de Anim.*, lect.1, n.219; lect.5; *Sum. Theol.*, I, q.18, aa.1-3; *C. Gent.*, I, c.97; IV, c.11; *Ver.*, q.4, a.8; *In Ioan.*, c.17, lect.1, n.3 (I, 348). Boyer, *Cursus*, I, 521-23: "Alii autem, cum S. Thoma, ponunt vitam in *motu immanenti*, id est in motu quem subiectum ex se habet; et ad quodcumque vivens hanc definitionem extendunt... Motus immanens est motus ipsius moventis, ita ut sit idem movens et motum...Vita est proprietas qua substantia aliqua potest movere seipsam vel agere se quocumque modo ad operationem...". See fnn.4-6 and Introduction, fn.12.

[11] H.-D. Gardeil, III 22-23: "Le vivant est donc un être qui se meut soi-même. Que veut-ou au juste signifier par là? Au premier abord on songe à la spontanéité, ou à ce jaillissement venant de l'intérieur même que paraît en effect characteriser l'activité vital: le vivant a comme en soi le principe efficient de son activité"; see also 171. Some Thomists define life not by the spontaneity of its origin, but the immanence of its term; e.g., A.G. Sertillanges, *St. Thomas d'Aquin*, II, 75; and Verneaux, 14-15, if life is to be considered ontologically and not simply phenomenologically. Other authors, such as Boyer, *loc. cit.*, explain immanence in terms of spontaneity, and others still, such as H.-D. Gardeil, *loc. cit.*, argue that both characteristics are essential to life. Breton, 257, says that the subject of life can only be treated within a general philosophy of being and action, in which the distinction of transient and immanent action can be given a proper context. See Introduction, fnn.12-15.

[12] Gredt, I, 346-47, citing *Sum. Theol.*, I, q.76, a.2c ad 2; III, q.32, a.4; *In VIII Phys.*, lect.7, n.8; lect.10, n.1ff.; *In VII Meta.*, lect.8, n.1442; *Ver.*, q.22, a.3; *In I Sent.*, d.8, q.2, a.1 ad 3; *Anim.*, a.9 ad 6 (I, 348). Siwek, *Psychologia Metaphysica*, 71. Renard, 61. Klubertanz, 47.

[13] Gredt, I, 347-48 (see fn.12 for citations). Sertillanges, *St. Thomas d'Aquin*, I, 112; II,

rather than exclusive,[14] for he also said that living things can move themselves as a whole[15] and that any response they make to the environment or to others exceeds the stimulations they get from them.[16]

1.2. A Psychology of Vital Act

The Thomists who say that Thomas thought of life as a vital act also assert that he placed the self-motion of vital acts within the potencies of the living. He described these potencies, they say, as the immediate efficient principles of their own operations.[17] In this interpretation the soul might be the primary and ultimate principle of vital operations,[18] since Thomas

---

72. Remer, 5-6, citing *C. Gent.*, I, c. 13. Siwek, *Psychologia Metaphysica*, 57. Verneaux, 15.

[14] Siwek, *Psychologia Metaphysica*, 56-59, citing *Malo*, a.2 ad 4. Gredt says that action and passion are interchangeable in physical movements (I, 291-92, citing *In IV Sent.*, d.11, q.1, a.3 sol.3 ad 2 [I, 269]).

[15] Frank says that action can affect the agent itself (48), that an organism is totally agent and terminus of its own activity (96-97), that immanent action is the action of an agent exercised upon itself, so that the same whole both acts and suffers (104), that the whole living organism reacts to external stimuli both chemically and finally (107), and that life is the faculty of immanently acting or of continually perfecting oneself in such a way that the organism as a whole simultaneously acts and suffers (citing *Sum. Theol.*, I, q.18, aa.1 & 2; *C. Gent.*, IV, c.11, p.116).

[16] Siwek, *loc. cit.*: "Inter *motum ab extra a vivente receptum* et motum, quem *vivens ipsum producit*, deest *proportio aequivalentiae mechanicae*. Ex quo evidenter patet motum ab extra receptum fuisse meram 'excitationem'". Renard, 29.

[17] Gredt, I, 361, citing *Sum. Theol.*, I, q.77, a.1 ad 4; *In II de Anim.*, lect.9 fin. (I, 361-62). Renard, 15. Klubertanz, 89, citing *Ver.*, q.2, a.6; q.24, a.4 ad 15; q.26, a.3 ad 4; q.8, a.6; q.26, a.8, arg.4 in contr. et resp; *In de Sensu et Sensato*, lect.4; *In II Sent.*, d.36, q.2, a.2; *Sum. Theol.*, I, q.14, a.14; q.56, a.1; q.79, a.3 ad 1; q.85, a.2 ad 1; I-II, q.74, aa.1, 3; *Unio. Verbi Incar.*, a.5.

[18] Sanseverino, I, 98, citing *Ver.*, q.24, a.1c; *Sum. Theol.*, I, q.8, a.1c; II, 127: "[Anima] efficere debet ut corpora se ex seipsis moveant," citing *Anim.*, a.9c. Zigliara, II, 127, n.2: the soul is "primum principium operationum vitalium in viventibus corporeis... principium causans et sustenans actus vitales" (but in line with this, Zigliara considered life to be primarily the first act or the living substance rather than second acts; see II, 131). Gredt, I, 350, citing *In I de Anim.*, lect.1-4; *Malo*, q.3, a.2 ad 4; *Sum. Theol.*, I,

did define it as the formal and final cause of a body capable of life;[19] but it could not be the efficient cause of these operations,[20] except remotely, for Thomas said that it acted only through the potencies[21] resulting from it[22] as quasi-instruments.[23] The actual self-motion, these Thomists say, had to

---

q.76, a.5 ad 1 (I, 350). Sertillanges, *St. Thomas d'Aquin*, II, 77-79, 85, citing *In II de Anim.*, lect.8 fin.; *Ver.*, q.14, a.5; *Pot.*, q.3, a.12c ad 5. Siwek, *Psychologia Metaphysica*, 30-43, citing Aristotle's περίψυχυς and the *In Lib. de Caus.*, lect 1 (p.35). H.-D. Gardeil, III, 26ff.. Thus, Thomists add, Thomas distinguished the degrees of life according to the extent to which the soul enables the body to move itself; see Gredt, I, 360-53, citing *Sum. Theol.*, I, q.18, a.3; q.78, a.1; *In II de Anim.*, lect.5, n.287; n.279; *In de Sensu et Sens.*, lect.1, n.3; *Ver.*, q.10, a.1 ad 3 (I, 354); I, 369, citing *In II de Anim.*, lect.9, nn.333, 343 (I, 373-74); Remer, 10-11; Siwek, *Psychologia Metaphysica*, 72-75; see also p.107; Boyer, *Cursus*, I, 525-26.

[19] Zigliara, II, 211, 224. Sanseverino, II, 210, citing *Q. de Anim.*, a.1 ad 13 and *Ver.*, q.26, a.10c. Gredt, I, 352-53. Sertillanges, *St. Thomas d'Aquin*, II, 76-77, citing *In III de Anim.*, lect.8 fin. and *Ver.*, q.14, a.5; pp.78-79, citing *Pot.*, q.3, a.12c ad 5; pp.81-82, citing *In II de Anim.*, lect.1 fin.; pp.83-85, citing *Sum. Theol.*, I, q.3, a.8; *C. Gent.*, II, c.62, nn.1, 2; *Pot.*, q.3, a.11, arg.18, 19, 20 and ad 18, ad 19, ad 20; *Ver.*, q.26, a.3c ad 11; *In II de Anim.*, lect.7, fin.; *In II Phys.*, lect.7 fin.: "Quand l'action se produit, cette action doit être attribuée au composé non à la forme". Remer, 13-14. Boyer, *Cursus*, I, 533; see also pp.527-34. Klubertanz, 54-55. H.-D. Gardeil, III, 35.

[20] Sertillanges argues that the soul has no motive function except through the body, to which it communicates its act (*St. Thomas d'Aquin*, II, 75, 78-79, 81), but that, nevertheless, it is the source of efficient motion as the principle of the action flowing from being (II, 85). Verneaux, 18: "Il ne faut donc pas dire que l'âme meut le corps; c'est le vivant qui se meut lui-même; mais c'est l'âme qui fait que le vivant est vivant et capable de se mouvoir".

[21] Sertillanges, *St. Thomas d'Aquin*, II, 80, citing *Pot.*, q.3, a.2c post med.; *Ver.*, q.2, a.14c post med..

[22] Gredt, I, 359-60, citing *Sum. Theol.*, I, q.77, a.1 ad 4; q.115, a.1 ad 5; *In II de Anim.*, lect.9 fin.; *In IV Sent.*, d.12, q.1, a.2 sol.2 (I, 361).

[23] Sanseverino, II, 128, citing *Spir. creat.*, a.1 ad 9. Gredt, I, 335, 373, citing *Sum. Theol.*, I, q.77, a.5; *C. Gent.*, II, c.57: *Item. Impossibile*; c.82: *Haec autem*; *Comp.*, cc.89, 92 (I, 375). Siwek, *Psychologia Metaphysica*, 95. Gredt, I, 361: "Adverte tamen potentias operandi non esse instrumenta proprie dicta; non enim ad effectum progignendum recipiunt a substantia aliquem virtutem superadditam per modum entis vitalis—secus substantia iam esset immediate operativa—, sed ipsae seipsis sunt virtutes formae substantialis"; citing *In IV Sent.*, d.12, q.1, a.2 sol.2; *Sum. Theol.*, I, q.115, a.2 ad 5.

occur in the potencies themselves[24] as they caused their own operations.[25] Hence, some Thomists even say, Thomas thought the life of these vital operations consisted not in the operations which the potencies produced but in the spontaneity with which the potencies produced them.[26]

The Thomists who say that the self-motion of vital potencies shows that they are all active[27] nonetheless accept Thomas's division of these

---

[24] Gredt, I, 345, citing *In II de Anim.*, lect.1, n.219; lect.5; *Sum. Theol.*, I, q.18, aa.1-3; *C. Gent.*, I, c.97; IV, c.11; *Ver.*, q.4, a.8; *In Ioan.*, c.17, lect.1, n.3 (I, 349). Siwek, *Psychologia Metaphysica*, 61: "Vita in actu I intelligitur *potentia* operationes vitales exercendi; vita in actu II autem ipsum *actuale exercitium* operationum vitalium. Quia autem *potentia* potest vel *proxima* vel *remota*, ideo etiam vita in actu I distingui dabet vita *in actu I proximo* et vita *in actu I remoto*. Vita *in actu I remoto* est substantia vivens; vita *in actu I proximo* autem sunt facultates viventis"; see also p.62; pp.94-99, 102, citing *Sum. Theol.*, I, q.41, a.5 ad 1; q.54, a.3; q.77, a.1; q.79, a.1c; I-II, q.55, a.2c; q.110, a.4c; *Spirit. creat.*, 1, a.11. Boyer, *Cursus*, I, 539-45, citing *Sum. Theol.*, I, q.77, a.2 (I, 544).

[25] See fn.17.

[26] Gredt, I, 255, citing *Sum. Theol.*, I, q.18, a.3 ad 1 (I, 257, 345-46): "Quotuplex sit vita—Sui-motio intelligi potest: a) stricte de actione praedicamentali, qua aliquid seipsum reducit de potentia ad actum, seu de actione transeunte, manente tamen secundum terminum suum in supposito agent; b) de actione immante, de actione cognoscitiva et appetitiva, quae cum sit secundum essentiam suam simplex qualitas, dicitur tamen *actio* et *sui-motio* eminenter, quia est ultima agentis perfectio. Cum enim actio transiens ultimo sit perfectio passi—est enim causalitas seu via ad effectum, ad transmutationem passi—, actio immanens ultimo est propter perfectionem agentis...Ex communi usu loquendi patet vitam non dici tantum de sui-motione, quae est actio praedicamentalis, sed etiam de actione immanente..."; see also I, 180-82. See Zigliara, II, 131-32; Siwek, *Psychologia Metaphysica*, 62 (fn.3), 170-71. See fn.4.

[27] Zigliara, II, 262-64 ("...quaeliter potentia animae est potentia vitalis et ideo agens..."). Mercier, I, 54-55: A passive potency is as much operative as an active potency, "tandis que celle-ci est complète, de maniere que son entree en exercise est subordonée seulement à la presence de conditions extrinsèques, celle-la, au contraire, a besoin de recevoir un complement intrinsèque pour être mise immédiatement à même d'exercer son action". Siwek, *Psychologia Metaphysica*, 95: "Si spectatur non *obiectum* potentiarum operativarum, sed earum *actus*, omnis potentia operativa dicenda est *activa*; nam omnis aliquem *actum* (*actionem*) *ponit*"; he cites *Ver.*,q.16, a.1 ad 13 and adds: "Omnis potentia operativa creata dici potest 'passiva,' quatenus non potest transire in actum, nisi moveatur". Gredt, I, 161, citing *In XII Meta.*, lect.2, n.2431 (*loc. cit.*). Verneaux, 44: "Puisque le vivant réagit de telle ou telle manière aux excitations il faut bien admettre en lui le pouvoir ou la puissance d'accomplir ces actes".

potencies into active and passive. They say that he based the distinction
upon the kind of operation or action which a potency produced and thus
upon the relation which a potency had to its object. Consequently, an
active potency, in their interpretation, is one that produces a transient
action, which passes from it to change another, so that its object is a
term or a product.[28] By contrast a passive potency is one that produces
an imminent action, which remains within it as its own perfection, so
that its object is the form or end of the action.[29] On this basis the nutritive potency in plant life is active, because it causes the body to grow,
develop, and, ultimately, reproduce,[30] but sense, appetite, and motility
are all passive[31] because their actions (or, in a certain sense, passions) are

---

[28] Gredt, I, 171, citing *Sum. Theol.*, I-II, q.49, a.2c ad 3; *In V Meta.*, lect.16, n.987f. (I, 173); see also I, 256-58.

[29] Gredt, I, 170-71, citing *Sum. Theol.*, I-II, q.49, a.2c ad 3; *In V Meta.*, lect.16, n.987f. (I. 173). Sanseverino, I; 104. Zigliara, II, 294; Remer, 24: all citing *Ver.*, q.16, a.1 ad 13 and Sanseverino citing, in addition, *Sum. Theol.*, I, q.83, a.1c. H.-D. Gardeil, III, 36, citing *In II de Anim.*, lect.6; *Sum. Theol.*, I, q.77, a.3; *Anim.*, a.13. Klubertanz, 89-90, 91: "Passive immanent operation (as far as the immediate efficient or eliciting cause is concerned) is from the *patient* itself; the specification from the object does not of itself imply efficient causality...", citing *In I Sent.*, d.40, q.1, a.1 ad 1; *Sum. Theol.*, I, q.17, a.2 ad 1; q.77, a.3. Boyer, *Cursus*, I, 544.

[30] Gredt I, 366-67: "Activitas plantae statim manifestatur tamquam sui-motio...Ita totum movet seipsum iugitur partibus suis. Haec sui-motio non tantum ea est, qua conservatur totum, sed etiam qua evolvitur, acquirendo sibi novas partes substantiales, et qua ultimo novum individuum eiusdem speciei generatur. Atqui haec sui-motio est ipsa vita vegtativa. Ergo planta est substantia, quae vivit vita vegetativa, ac proinde informata est anima vegetativa", citing *In II de Anim.*, lect.3, nn.254, 256; lect.5, n.285 (I, 369); see also *In II de Anim.*, lect.9, n.347; *Sum. Theol.*, I, q.78, a.2 (I, 378); see also I, 376. Siwek, *Psychologia Metaphysica*, 56, citing *C. Gent.*, IV, c.11. Boyer, *Cursus*, I, 544. Klubertanz, 100.

[31] Klubertanz, 91-92, 100, citing *Sum. Theol.*, I, q.18, a.3 ad 1; q.54, a.2; q.56, a.1; q.77, aa.1, 3; q.78, a.1; q.79, a.2; q.85, a.2; I-II, q.22, a.1 (p. 102). Siwek, *Psychologia Metaphysica*, 215 (about sense).

specified,[32] and perhaps even activated,[33] by their objects and affect only themselves.[34]

The Thomistic interpretation of Thomas's teaching on appetite and motility has a certain interest in itself,[35] but, since Thomists have tended to explain understanding by analogy to sensing, it is more to the point to note how they have interpreted Thomas's description of sense as a passive potency. A number say that according to Thomas the object of sense specifies it by informing it with a vicarious likeness, called an impressed species,[36] which determines the sense-faculty psychically by affecting the sense-organ physically.[37] The process of determination, they say, is that

---

[32] Gredt, I, 363-63, citing *In II de Anim.*, lect.6, n.304ff.; lect.5, n.281ff.; lect.13, n.387; *Ver.*, q.15, a.2 ad 12; *Anim.*, a.13; *Sum. Theol.*, I, q.77, a.3c; a.14, a.5 ad 3; q.79, aa.7-11; I-II; q.18, a.2; q.54, a.2; q.54, a.2; q.72, a.3 (I, 364). Klubertanz, 114-15. Siwek, *Psychologia Metaphysica*, 204, 210.

[33] Renard, 61: "They must be *put in act in order that they may act*". Zigliara, II, 281, citing *Sum. Theol.*, I, q.28, a.3. Verneaux, 44, citing *Sum. Theol.*, I, q.78, a.3. This interpretation may be the same as the one we shall propose.

[34] Gredt, I, 384-86. See also Miller, 110, 112-13.

[35] Sanseverino, I, 186-91, citing *Sum. Theol.*, I, q.18, a.3c; *Pot.*, q.6, a.4. Gredt, I, 430-41, citing *In III de Anim.*, lect.15, n.818f.; *Sum. Theol.*, I, q.78, a.1 ad 4; q.117, a.3 arg.3; III, q.13, a.3 ad 3; *Ver.*, q.22, a.4 ad 3 (I, 431). H.-D. Gardeil, III, 68-69: "[I]l est nécessaire en outre pour que je me mette à marcher qu'intervienne une puissance incarnée dans les organes moteurs du corps...une puissance organique special qui de façon immediate, provoquera le mouvement des membres d'ou resultera le changement de lieu", citing *In III de Anim.*, cc.9-11. Siwek, *Psychologia Metaphysica*, 282-85, citing *Anim.*, a.9 ad 6; *Pot.*, q.3, a.11 ad 20; *Sum. Theol.*, I, q.75, a.3 ad 3; *C. Gent.*, III, c.82 fin. (p.284).

[36] Sanseverino, I, 118-19. Mercier, I, 142, citing *In III de Anim.*, lect.8. Gredt, I, 391-92, citing *In III de Anim.*, lect.7, n.675; lect.8, n.718; lect.9, n.722ff.; *In I Periherm.*, lect.2, nn.6, 9; *Sum. Theol.*, I, q.14, a.2; q.79, a.2; q.85, a.2; *Ver.*, q.3, a.1 ad 2; q.16, a.1 ad 13; *In III Sent.*, d.14, a.1 sol.2. Remer, 75-76, citing *Ver.*, q.2, aa.6, 7; q.8, a.5; *In I Sent.*, d.34, q.3, a.1 ad 4; *In II de Anim.*, lect.10; *Sum. Theol.*, I, q.56, a.1. H.-D. Gardeil, III, 94-95. Boyer, *Cursus*, II, 29. Miller, 73, 88. Siwek, *Psychologia Metaphysica*, 203-204.

[37] Sanseverino, I, 118-19. Maritain, *Degrés*, 225-26. Gredt, I, 392, 401-02, citing *In I de Anim.*, lect.2, n.17; II, lect.24, nn.555; III, lect.7, nn.684, 688; *In de Sensu et sens.*, lect.1, n.17 (I, 403). Remer, 76, citing *Sum. Theol.*, I, q.78, a.3. Renard, 86-90, citing *In II de Anim.*, lect.14, n.418; lect.24, nn.555, 557; *Sum. Theol.*, I, q.78, a.2. Siwek, *Psychologia*

first the species determines the faculty entitatively and materially and
then it super-determines it cognitively and intentionally, so that the sense
becomes the object as object, or as other, in first act.[38] Thus the reception
of the species is indeed a passion according to Thomas,[39] and sense as impressed by the species[40] and specified by the object[41] is a passive potency.

Yet, these Thomists insist, Thomas Aquinas still maintained that the
act of sensing proceeded from the efficient causality of sense,[42] for he is
supposed to have held that the passion caused by the reception of the
species, including even the cognitive impression made by it, was but a
condition prior to the act of sensation itself.[43] Thomas thought sense

---

Metaphysica, 204, 206-210, citing *In II de Anim.*, lect.13; *Sum. Theol.*, I, q.17, a.2c. H.-
D. Gardeil, III, 45-47. Miller, 73, 88, 117.

[38] Gredt, I, 392-94. Remer, 72. Boyer, *Cursus*, II, 29. Klubertanz, 121. Miller, 73, 88,
101, 112-13, 117. Siwek, *Psychologia Metaphysica*, 188.

[39] Renard, 81, citing *In I Sent.*, d.40, q.1, a.1. Klubertanz, 91. H.-D. Gardeil, III, 47:
"Il reste qu'initiallement et fondamentalement cette opération demeure une passivité",
citing Aristotle's *De Anima*, cc.5-12 and *De Sensu et sensato* and St. Thomas's *Sum. Theol.*,
I, q.78, a. e; *Anim.*, a.13 (pp. 47-48, 180-84).

[40] Gredt, I, 393-94, 402, citing *In II de Anim.*, lect.24, n.555; I, lect.2, n.17; III, lect.7,
nn.684, 688; *In de Sensu et sens.*, lect.1, n.17 (I, 403). Remer, 79. Klubertanz, 91, 114-
15. Verneaux, 47. Siwek, *Psychologia Metaphysica*, 203-204, 216. Boyer, *Cursus*, II, 10,
15, 33, adding *In III de Anim.*, lect.13, to above citations.

[41] Gredt, I, 392, 403, citing *In III de Anim.*, lect.3, n.612; *Pot.*, q.5, a.8c post med.; *Sum.
Theol.*, I, q.84, a.6 ad 2; q.85, a.1 ad 3 (I, 403). Klubertanz, 92. Miller, 73, 88, 117.

[42] Zigliara, II, 287. Gredt, I, 359-60, citing *In II de Anim.*, lect.24, nn.551ff., 557; lect.5,
n.282ff.; III, lect.13; *Ver.*, q.2, a.2; *Sum. Theol.*, I, q.14, a.1; q.80, a.1; q.85; a.1; *C.
Gent.*, I, c.44: *Item. Ex hoc*; III, c.51: *Ad huius*; *Anim.*, a.13 (I, 389). Klubertanz, 91
(see fn.29). Verneaux, 44: "Le sens est une *puissance passive*. Cela ne signifie pas qu'il
soit purement passif, car il est au contraire un pouvoir d'agir". Miller, 88, 216. Siwek,
Psychologia Metaphysica, 170-73, a.16: "[S]ensationem esse *actionem viventis* et non
rerum externarum (quae saepe sunt res simpliciter *non viventes*, v.q. lapis); proinde eam
non a re externa sed ab ipso subiecto cognoscente *efficienter procedere* (atque, postquam
est producta, in eodem subiecto manere)". See fn.27.

[43] Gredt, I, 384-85, 387. Mercier, I, 219; see also pp.224-25. Maritain, *Degrés*, 223.
Remer, 78-80, citing *Ver.*, q.26, a.3 ad 4; *In I Sent.*, d.15, q.1, a.1; III, d.14, a.1; *In III de*

needed to receive a species, they say, not because knowledge is a passion in the knower but because sense lacks any union with is object.[44] Besides, Thomas said the passion caused by the reception of the species does not change the knower but rather adds an intentional increment by which his form becomes the form of the object as object, or of the object as other.[45] And sense itself, they add, causes the intentionality in the cognitive effect of the species by reacting to the impression which the object makes upon it.[46] Thus, sense, in this interpretation, both initiates and sustains the operation of sensation which follows the reception of the species.[47] This operation, these Thomists say, is, strictly speaking, not a

Anim., lect.7. Renard, 82-83. Klubertanz, 71. Miller, 36, 67-68, 88. Siwek, *Psychologia Metaphysica*, 214-16: "*Sensatio formaliter considerata non consistit in mera receptione speciei sensibilis, sed in operatione, quae hanc receptionem consequitur.* Arg. (*ex ratione operationis vitalis*). Si sensatio formaliter considerata in mera receptione speciei sensibilis consisteret, esset actio transiens".

[44] Gredt, I, 384-85. Renard, 78-79. Miller, 36, 48.

[45] Gredt, I, 386-387. Klubertanz, 74. Miller, 36, 88.

[46] Sanseverino, I, 118-19: "Ut cognitio sensitiva alicuius rei efficiatur, praeter actionem qua obiectum exterius speciem suam in sensum immittit, requiratur, 1° ut sensus suscipiendo in se speciem, in obiectum reagat, 2° ut vim suam convertat, in rem a specie repraesentatum". Mercier, I, 140-41. Brennan, *General Psychology*, 284-85: "A stimulus impinges on a receptor, and some sort of reaction is immediately set up. The resultant is a modification of the sense organ which is neither wholly material, nor wholly immaterial...However, we characterize the modification, it is certainly vital". Klubertanz, 103. Verneaux, 48. H.-D. Gardeil, III, 47. Siwek, *Psychologia Metaphysica*, 203: "Influxus facultatis sensitivae requiritur, ut similitudo haec sit vitalis, intentionalis"; p.244: "Etenim sensatio secundum hanc Psychologiam [aristotelico-scholasticam] est reactio, quam natura (substantia) psychophysica (i.e. materia informata ab anima sensitiva) producit, cum ab obiecto externo excitatur...Re anim vera, cum in organo *psychophysico* (visu, auditu, etc.) ponitur mutatio materialis, oritur in eo statim etiam mutatio *psychophysica*, i.e. species sensibilis (impressa). Porro hac specie orta, statim sequitur re-actio vitalis entis *psychophysici* seu *sensatio formalia* (sive haec reactio a nobis percipiatur sive non)". The point to be noted is that these authors speak of sensation as a reaction distinct from the effect of a sensible object upon a sense and postulate such a reaction because of the demands of vital operation.

[47] Gredt, I, 384. Remer, 71. Brennan, *General Psychology*, 285, citing *C. Gent.*, I, c.65; *Sum. Theol.*, I, q.78, a.3; a.4 ad 4; *Ver.*, q.26, a.3 ad 4; *In I Sent.*, d.40, q.1, a.1 ad

physical action but a metaphysical or immanent action, which is actually a quality produced by the sense within itself as its proper perfection.[48] Only in this operation, they claim, does Thomas formally locate sensation because only then does sense become and be its object intentionally and super-eminently in second act.[49] Therefore, according to their interpretation, Thomas said that the total act of sensation resulted from the mutual causality of subject and object[50] and that the total dynamism of this act, all its vitality, was caused by the efficiency of the cognitive potency itself.[51]

1.3. The Application of Vital Act to Intellect

The Thomists who explain knowledge in general by the notion of vital

---

2. Renard, 94. Boyer, *Cursus*, II, 33. H.-D. Gardeil: "...l'acte même de connaitre, dans lequel la puissance informée se determine elle-même". See also fnn.27, 44.

[48] Gredt, I, 180-81, 248, 396, citing *Ver.*, q.4, a.2 ad 5; q.8, a.6; *In I Sent.*, d.8, q.4, a.3 ad 3; *C. Gent.*, I, c.100; *Quodl.*, V, q.8, ad 2 (I, 399). Remer, 70. Maritain, *Degrés*, 221. Renard, 94-95. Siwek, *Psychologia Metaphysica*, 205. Klubertanz, 48. Miller, 67-68. See fnn.28-29.

[49] Gredt, I, 387-88, 393. See also fnn.36-38.

[50] Sanseverino, I, 119-20, citing *Quodl.*, VII, q.1, a.2 a.1. Mercier, I, 219, also 224-25. Renard, 87-88, 94-95. Verneaux, 49, citing *In III de Anim.*, lect.2, nn.592-93. Miller, 36, 76. Siwek, *Psychologia Metaphysica*, 203-204.

[51] Sanseverino, I, 118-19: "[S]usceptio speciei est quidam actus vitalis sensus, quae seipsas movent ad agendum et nihil potest seipsum movere, nisi quidquam agat"; p.120, citing *Sum. Theol.*, I, q.92, a.6 ad 4; *Ente et esse.*, lib.1, c.7. Zigliara, II, 285-86: "[A]ctio producta a vitalitate sensus per affectionem passivam habitam ex actione sensibilium, dicitur sensatio active accepta", citing *Ver.*, q.26, a.3 ad 4; *In I Sent.*, a.40, q.1, a.1 ad 1 *fin.*. Mercier, I, 219: "La sensation est un phenomene vital...". Brennan, *General Psychology*, 117: "This is the psychological phase of sensation which we may now define as a *vital operation, issuing in knowledge, resulting upon sense organ by an adequate object*"; also p.118. Verneaux, 46-46: "Sans entrer dans le détail des discussions, nous remarquerons simplement que la sensation est un acte *spontané* quant à son origine et *immanent* quant à son terme. Elle est donc un acte vital, ou psychique au sens large". Siwek, *Psychologia Metaphysica*, 203, fn.120; yet see 212, on which Siwek mentions no activity by sense in explaining the intentional quality of the species.

act explains understanding in particular by the same notion. For in their minds, human understanding is basically a movement of reasoning similar to other animate movements,[52] and, more pertinently, it is supposed to be a series of unconscious self-motions in which the intellect abstracts the species it perceives.[53] Thus, some Thomists have called understanding a vital act in which the intellect reacts spontaneously to the specification of is object and becomes it.[54] Others have said that understanding must be a self-motion or even a self-production simply because it is a form of knowledge and knowledge is a self-motion.[55] Hence, though these Thomists have admitted that Thomas considered the intellect independent upon species from sensible imagery for its act, they have also denied that he thought sensible imagery a principal cause of the species or the

---

[52] See Verneaux, 120 and chapter 1, fnn.3-6.

[53] See chapter 1 fnn.1-2; chapter 2, fnn.1-3, 9; chapter 4, fnn.1-2.

[54] Sanseverino, I, 483: "Intellectus possibilis est ipse sibi principium suae intellectionis. Nam intellectio est actio vitalis atque immanens animae". Maritain, *Degrés*, 244, fn.1: "[L]'intelligence qui connaît, et qui est primitivement vide de toute forme, a par elle-même la vitalité caractéristique de la connaissance, est par elle-même capable de devenir vitalement l'object...". Verneaux, 30: "La connaissance est une *activité vitale*. Elle est une activité. Même si l'être est d'abord passif, il ne connaît que s'il *réagit*, et la connaissance est cette réaction...Cette activité est spontanée. Elle n'est pas absolument spontanée, mais elle l'est en ce sens que la cause extérieure, toute nécessaire qu'elle soit, ne suffirait pas à le provoquer si l'être n'etait pas vivant et ne réagissait pas d'une manière strictement originale". Zigliara, II, 311: "Intellectio est actus vitalis quae procedit a vitali principio quod immediate est facultas intellectiva seu intellectus". H.-D. Gardeil, III, 19: "L'intellection elle-même, n'est-elle pas un acte issu de la vitalité de la faculté et qui par la production du verbe manifeste sa fecondité?". See chapter 2, fn.2.

[55] Gredt, I, 398: "Cognitio recte definitur: actio metaphysica, qua immaterialiter habetur forma...est autem actio vitalis seu sui-motio, et quidem dupliciter: a) eminenter, quantenus immediate emanat e potentia cognoscitiva, dependens ab ea efficienter, tamquam aliquid quo ultimo perficitur agens...b) Cognitio est sui-motio eminentissime, quia cognoscens cognoscendo sibi aliquid habet seu possidet immaterialiter, obiective. Nam etiam in cognitione alterius attactum est subiectum cognoscens in obliquo (in actu exercito). Habere enim aliud ut aliud, est habere tamquam sibi oppositum seu obiectum", citing *Ver.*, q.4, a.2 ad 5; q.8, a.6; *In I Sent.*, d.8, q.4, a.3 ad 3; *C. Gent.*, I, c.100; *Quodl.*, V, a.9 ad 2 (I, 399). H.-D. Gardeil, III, 102: "Alors sentement l'acte de connaissance proprement dit peut se produire". Miller, 61, 216.

species of the act. They have emphasized that Thomas made the intellect the principal cause of both species and act.[56]

In the interpretation of these Thomists, Thomas said the intellect has to be the principal cause of the species because sensible imagery was incapable of action upon the intellect as a spiritual faculty.[57] The most sensible imagery could be was a material condition or instrument from which the intellect itself could abstract intelligible species by way of an illumination.[58] Whether Thomas thought of this illumination as an intrinsic change in the images or merely as a condition of their presence to an intellectual being, he said explicitly that the agent intellect was the principal cause of the abstraction of the species from the imagery and the impression of these species upon the possible intellect.[59]

---

[56] Gredt, I, 384: "3. Ergo cognitio non consistit in receptione speciei impressae...sed cognitio omnis creata, quae fit cum transitu de potentia in actum, necessario oritur causalitate efficiente subiecti cognoscentis, quod in se efficienter producit cognitionem". Mercier, II, 74. Sertillanges, *St. Thomas d'Aquin*, II, 154. Zigliara, II, 340. Miller, 36, 67-68, 76. See chapter 2, fnn.1-11.

[57] Sanseverino, I, 133-38, citing *Sum. Theol.*, I, q.84, a.7; I-II, q.15, a.1c; *In de Mem et rem.*, lect.1. Mercier, II, 72-74, citing *Sum. Theol.*, I, q.79, a.3. Zigliara, II, 334, citing *Sum. Theol.*, I, q.84, aa.6, 7; and II, p. 339, citing *Sum. Theol.*, I, q.85, a.1 ad 3. Gredt, I, 489-93, citing *In III de Anim.*, lect.10, n.728ff.; *Spir. creat.*, aa.9, 10; *Anim.*, ,aa.4, 5; *C. Gent.*, II, cc.76-78; *Quodl.*, VIII, a.3; *Comp.*, c.83; *Sum. Theol.*, I, q.54, a.4; q.79, aa.3-5 (I, 496-97). Maritain, *Degrés*, 226. Sertillanges, *St. Thomas d'Aquin*, II, 147, citing *In II Post Anal.*, lect.20 (p.153). Brennan, *General Psychology*, 329. Renard, 123, citing *Ver.*, q.10, a.6 ad 7. Siwek, *Psychologia Metaphysica*, 359-60ff.. Boyer, *Cursus*, II, 66, 87-88. H.-D. Gardeil, III, 99-100, adding *Ver.*, q.10, a.6 ad 1, and 8; *Sum. Theol.*, I, q.85, a.1 ad 4. Klubertanz, 169. Miller (who calls the image an exemplary cause), 117-18.

[58] Sanseverino, I, 134, citing *In III Sent.*, d.23, q.1, a.2 ad 5; pp.139-42, citing *Ver.*, q.12, a.1; *Anim.*, a.3c. Mercier, II, 75-76. Gredt, *loc. cit.*. Sertillanges, *St. Thomas d'Aquin*, II, 150-51, citing *Sum. Theol.*, I, q.85, a.1; *C. Gent.*, II, c.77; III, c.84; *In II Meta.*, lect.1. Siwek, *Psychologia Metaphysica*, 359ff., 366, 368-70, citing, besides, *Ver.*, q.27, a.4 ad 5 (which does not seem relevant). Renard, 122-23. Boyer, *Cursus*, II, 91-92, adding *Quodl.*, VIII, a.3. Klubertanz, 173.

[59] Sanseverino, I, 217-18, citing *Ver.*, q.10, a.9c. Mercier, II, 76-78, citing *Sum. Theol.*, I, q.84, a.6; q.85, a.1 ad 4; *Ver.*, q.10, a.6. Zigliara, II, 340. Gredt, I, 500-01, citing *Ver.*, q.10, a.6 ad 8; q.27, a.4 ad 5; *Sum. Theol.*, I, q.85, a.1 ad 3, ad 4; q.84, a.6; *Anim.*, a.5 ad 6 (I, 502-03). Sertillanges, *St. Thomas d'Aquin*, II, 336-39, adding *Sum. Theol.*, I, q.67,

Likewise, Thomas also considered the intellect the principal cause of its own act, for he said, according to these Thomists, that the possible intellect is the efficient cause of its act of understanding. Though it must first be impressed with an intelligible species by the agent intellect, a distinct faculty of the soul,[60] this impression is but a prerequisite for it to cause its own act of understanding.[61] The reception of the species, these Thomists say, enables only an initial, entitative assimilation of the intellect to its object, but, once the possible intellect is thus stimulated, it can then react to the object and actively assimilate itself to it.[62] In this way the intellect becomes identical with the object as object completely and intentionally.[63] It takes this self-motion, these Thomists argue, for the intellect to become super-eminently or supra-physically what the object is physically[64] and to become in a true sense the very object it

---

a.1. Siwek, *Psychologia Metaphysica*, 370-72. Boyer, *Cursus*, II, 91. Klubertanz, 169, 173.

[60] Sanseverino, I, 143, citing *Sum. Theol.*, I, q.54, a.1 ad 1; q.79, a.10c. Zigliara. II, 300, citing *Sum. Theol.*, III, q.12, a.1. Sertillanges, *St. Thomas d'Aquin*, II, 152: "[A]utre est l'intellect en tant qu'il est en puissance d'intelligibilité; autre en tant qu'il est acte", citing *C. Gent.*, II, c.76. Siwek, *Psychologia Metaphysica*, 359, 367ff., citing *Sum. Theol.*, I, q.79, a.7; pp.371-72.

[61] Renard, 69: Knowledge "supposes the subject in act in order to act the act of knowledge"; p.83: knowledge is "an *imanent operation enacted by an operative potency which has been actuated by a representative species*". Mercier, II, 45-46. H.-D. Gardeil, III, 101, citing *Sum. Theol.*, I, q.79, a.2. Klubertanz, 76. Boyer, *Cursus*, II, 116.

[62] Brennan, *General Psychology*, 86: "Consciousness receives what the world has to give and then reacts. It is not altogether a passive witnessing, but rather represents a tendency toward the realization of certain definite ends". Mercier, II, 48. Maritain, *Degrés*, 242, fn.2: "Actuée en acte premier par le *species impressa*, l'intelligence est principe suffisant de sa propre opération", citing *In III de Anim.*, lect.12; *Sum. Theol.*, I, q.18, a.3 ad 1; and the spurious *Nat. verbi*. (sic.), Verneaux, 105: "Remarquons enfin que la *species impressa* informe l'intellect possible. Celui-ci devient l'objet, et quand il réagit c'est en vertu de cette forme nouvelle, de sorte que le concept, *species expressa*, exprime l'objet d'abord assimilé (cf. *C. Gent.*, I, c.53)". Klubertanz, 71. Miller, 73, 88, 216.

[63] Gredt, I, 384, 391, 393-94. Maritain, *Degrés*, 241-42. Klubertanz, 74.

[64] Gredt, I, 387-388, 391. Maritain, *Degrés*, 218-19. Miller, 38, 54.

understands.[65]

According to these authors, Thomas Aquinas demanded that the intellect become identical with its object so that it could cause an act of understanding by which it produced an expressed species as a true likeness of the object.[66] Thus the possible intellect, in this interpretation, is a co-principle with the impressed species of the act of understanding,[67]

---

[65] Renard, 81-82. Gredt concludes from this that in the state of separation from the body, the soul has itself as its proper formal object: see I, 486-87, where he cites *Sum. Theol.*, I, q.89; *Anim.*, aa.15-20, esp. a.17; *C. Gent.*, II, c.97, none of which bear Gredt's interpretation.

[66] Maritain, *Degrés*, 150, fn.1; 155, fn.1; 226-27: "L'intelligence, elle, connaît les choses en les formant dans un fruit q'elle conçoit au sein de son immatérialité...Et c'est ainsi actuée par cette species impressa, et produisant alors en soi, comme un fruit de vie, un verbe mental ou concept, un species expressa d'ordre intelligible, une 'forme présentative élaborée' ou 'proférée,' dans laquelle elle porte l'objet au souverain degré d'actualité et de formation intelligible, qu'elle devient elle-même en acte ultime cet objet". Mercier, II, 79: "L'intelligence, déterminée par l'espece intelligible, perçoit ce que la chose est... aussitôt qu'elle est en possession d'un déterminant conceptuel, rien ne lui manque plus pour entrer en exercice: elle intellige, c'est-a-dire exprime mentalement ce qu'est l'object". Sanseverino, I, 144, citing *Sum. Theol.*, I, q.27, a.1c; q.34, a.1 ad 2; *Ver.*, q.10, a.3c; q.4, a.1c; and the spurious Nat. verbi intel.. Remer, 69-70. Even Gilson writes (The Christian Philosophy, 271, 276): "Intellect conceives essences as infallibly as hearing perceives sound or sight perceives color".

[67] Mercier, II, 47, fn.1: "L'acte de connaître n'est ni l'acte de l'objet ni l'acte du sujet, c'est l'acte du sujet en tant que celui-ci est impressioné, actualise, differencié par l'objet; la connaissance reclame la concours d'un double principe d'efficience et c'est de leur action combinée qu'elle est le resultat...Les scolastiques comparent souvent aussi l'acte de connaître a l'acte d'engendrer: l'espece intentionelle est comme la semence qui feconde la puissance cognitive et qui ainsi donne naissance à la reproduction mentale ou psychique de l'objet exterieur". Maritain, *Degrés*, 227: "[E]lle [l'intelligence] est devenue, entant même que principe d'action, intentionellement l'objet, qui par sa *species* est cache au fond d'elle comme germe fecondant, et co-principe du connaître (selon que l'intelligence, principe suffisant de sa propre action, est déjà lui-même)", citing *Ver.*, q.8, a.6 ad 3 as "Intellectum et intelligens [...] ambo se habent ut unum agens," although Aquinas is simply stating that in the act of understanding the intellect does not affect the thing understood since the act remains within the intellect. H.-D. Gardeil, III, 104, cites for the same point *C. Gent.*, I, c.53; *Pot.*, q.8, a.1; q.9, aa.5, 9; *Ver.*, q.4, a.2; *Sum. Theol.*, I, q.14, a.4; q.27, a.1; q.34, aa.1, 2. Remer, 151: "[R]espectu illius actus intellectionis intellectus possibilis est non modo potentia passiva quatenus recipit illum, sed etiam activa quatenus illum producit". Siwek, *Psychologia Metaphysica*, 360, fn.60; 368. J. Fröbes asserted it was

and the intellect as a whole produces the expressed species or concept in a vital act by which it perfectly assimilates its object.[68] Thomists who give this explanation of understanding say that Thomas called the intellect a passive potency only in the sense that it could not act without some determination from an impressed species and in its action it perfected itself, not the object.[69] Hence, Thomas did not mean that understanding was really a passion in the intellect, but that it was a simple perfection, a union of form with form, of act with act.[70]

According to this line of interpretation, therefore, Aquinas thought that the intellect showed is power to achieve an intentional union with is object by conceiving an interior word or intention in which it repro-

---

the common opinion of all schools, Thomistic, Scotistic, and Suarezian, that the intellect and the object collaborated in producing the idea (*Psychologia Speculativa*, II: Psychologia Rationalis [Freiburg-im-Br., 1927], pp.103-104).

[68] Gredt, I, 384: "Ergo potentia cognoscitiva est potentia operativa, quae ex se efficienter cognitionem producit". Maritain, *Degrés*, 242-45: "En tant que chose ou entité, le concept est un accident, une qualité ou une modification de l'âme, mais surgissant dans l'âme comme un fruit et une expression de l'intelligence déjà formée par la *species impressa*, déjà 'parfaite', et sous l'action de cette participation créée de la vertu intellectuele divine, de ce foyer d'immatérialité toujours en acte, le plus haut point de tension spirituelle naturellement présent en nous, que l'on doit appeler l'intellect activant (*intellectus agens*) et d'ou dérive a l'intellect qui connaît tout ce qu'il a d'énergie formatrice, cette qualité, cette modification de l'âme qu'est le concept a (comme toutes les formes objectivantes) le privilège de transcender la fonction d'information entitative exercée par elle, et d'être présente en la faculté à la maniere d'un esprit, et c'est de l'intelligence elle-même, de l'intelligence en acte vital qu'elle tient ce privilège, comme si l'intelligence ramassait sa propre spiritualité dans cette pointe active, pour l'y porter à un maximum; c'est ainsi que le concept est dans l'intelligence non seulement d'une manière entitative et comme forme informante, mais aussi comme forme spirituelle non absorbée à actuer un sujet pour constituer avec lui un *tertium quid*, actuant donc au contraire ou plutôt terminant l'intellect par mode intentionnel, et dans la ligne du connaître, entant même qu'il exprime et diaphanise l'objet". Miller, 73, 88, 126.

[69] Sanseverino, I, 162. Gredt, I, 384-86. Maritain, *Degrés*, 223. H.-D. Gardeil, III, 94. Miller, 36, 67-68, 88, 101, 112-13.

[70] Gredt, I, 384. Renard, 78-79. Miller, 36, 48, 76.

duced the object just as it perceived it.[71] As far as Thomas was concerned, many Thomists say, the act of understanding was the same as an act of speaking an inner word[72] and only rationally distinct from the word itself.[73] In fact, understanding and the inner word, these Thomists say, are reciprocal causes: understanding is a kind of efficiency or exercise and the word an end or object formalizing or specifying the act. At any rate, they are really the same thing.[74]

1.4. The Conception of Understanding as a Knowledge of the Other as Other

Perhaps the best way to summarize is to say that Thomists have interpreted Thomas's theory of understanding as the way to explain how the

---

[71] See chapter 1, fnn.1-2, and chapter 2, fnn.1-4. The way in which the Thomists we have been citing conceive of the necessity of conception varies, however, from Verneaux's claim that the only mystery about the procession of the Word in the Trinity is that He is a person (96) to H.-D. Gardeil's opinion that the concept is but the superabundance of expression (III, 107). Miller discards altogether the need for a concept by rejecting the necessity for an expressed species (81-83, 91).

[72] Siwek, *Psychologia Metaphysica*, 349 (^{5}1956), says that all Scholastics but Sylvester of Ferrara agree in the interpretation that understanding and speaking are the same act; to substantiate his point, he cites *Ver.*, q.4, a.2 ad 5; *C. Gent.*, IV, c.11; *Sum. Theol.*, I, q.27, a.1. Renard, 136, concurs.

[73] Mercier, II, 79, says this explicitly; Gredt, I, 898, says the word is distinct only as an intrinsic term and cites *Ver.*, q.4, a.2 ad 5; *Sum. Theol.*, I, q.27, a.1; q.34, a.1 ad 2, ad 3. Klubertanz, 119, Boyer, *Cursus*, II, 118 (citing *Pot.*, q.8, a.1; *Ver.*, q.4, a.2 ad 5), and Remer, 71, say understanding and the inner word differ as causality and effect. The differences between the two groups should not be exaggerated, though, for neither gives any consideration to the act of understanding apart from conception and both speak of understanding as a production of concepts which the intellect perceives in the same act.

[74] Maritain, *Degrés*, 243. Boyer, *Cursus*, II, 119. Siwek, *Psychologia Metaphysica*, 348 (^{5}1956). Again, it should be remembered that these Thomists consider knowledge as formally a perception and only conditionally and, some say, incidentally as efficient causation: see Zigliara, II, 349-50; Gredt, I, 397; and also fnn.38, 44, 48-49, 63-64.

intellect can know others.[75] They have said that he made the object of the intellect whatever matter or term it attained by is action.[76] They have interpreted the intentional union of the intellect with the intelligible in the act of understanding as the way for the intellect to become the object as object, the object as other, the other as other.[77] They have presented

---

[75] See chapter 1, fnn.7, 10, 13-16, 18-19; this chapter, fnn.38, 44-45, 49, 54, 62-65.

[76] See Zigliara, I, 2, 3, 5, 9 *passim* and chapter 1, fnn.15, 21. Thus Thomists say that in sensation sense attains the thing itself, either in itself or in its impression on the organ: see Sanseverino, I, 115; Mercier, I, 220; Maritain, *Degrés,* 229-31; Siwek, *Psychologia Metaphysica,* 190 ([5]1956); Boyer, *Cursus,* II, 29-31; Miller, 77; Gredt, I, 393, 398f., 403f., citing *In II de Anim.,* lect.13, nn.383, 386, 395; III, lect.1, n.577f.; *Sum. Theol.,* I, q.17, a.2; H.-D. Gardeil, III, 51-52.

[77] The point was disputed by N. Balthasar, in "Cognoscens fit aliud in quantum aliud," *Revue néo-scholastique de philosophie,* (1923), 294-310; "Quelques précisions sur la connaissance de l'autre," *ibid.,* pp.430-41; but R. Garrigou-Lagrange upheld the contrary in "Cognoscens quodammodo fit vel est aliud a se," *ibid.,* pp.420-29. It was again challenged by J.D. Robert, in "Eléments d'une définition analogique de la connaissance chez S. Thomas," *Revue philosophique de Louvain,* 55 (1957), 443-69, who claimed for his side J.E.R. De Petter, "Intentionaliteit en Identiteit," *Tijdschrift voor Philosophie,* 2 (1940), 523ff.. However, J. De Finance restored it to honor in "La victoire sur l'autre: Chaine de réflexions sur une réflexion de saint Thomas," *Gregorianum,* 46 (1965), 5-35, citing *Sum. Theol.,* I, q.14, a.1 and *In II de Anim.,* lect.5, which are the usual *loci* cited by other authors. The authors who have upheld this position incude Mercier, I, 143 and II, 7; Noël, *Notes,* 73-75, 160-61; *Le réalisme,* 19-20, 160; Sertillanges, *St. Thomas d'Aquin,* II, 86 and "L'Idée général de la connaissance d'après saint Thomas d'Aquin," *Revue des sciences philosophiques et théologiques,* 2 (1908), 449-65; R. Garrigou-Lagrange, "Dieu," *Dictionaire apologetique de le foi catholique,* I, c.1002 (in which he wrote: "Cognoscens secundum quod cognoscens differt a non cognoscentibus prout FIT ALIUD in quantum aliud; et hoc IMMATERIALITATEM supponit' dit en substance S. Thomas [I ᵃ, q.14, a.1]"); Maritain, *Degrés,* 155, 217-18, 228-29; Gilson, *Being,*205, 207; *The Christian Philosophy,* 224; *Elements,* 238; J. De Finance, *Cogito cartesienne et réflexion thomiste* (Archives de Philosophie: Paris, 1946), pp.9-10, 14-15 (citing in *In II Sent.,* d.27, ,q.1, a.4; *In de Sens. et sens.,* lect.2; *C. Gent.,* II, c.68; *Ver.,* q.2, a.2, besides the *loci* mentioned above); Renard, 69-71; Siwek, *Psychologia Metaphysica,* 188-89; Klubertanz, 65; H.-D. Gardeil, 31; Verneaux, 30, 32 (citing *In II de Anim.,* lect.12, n.377; *Sum. Theol.,* I, q.88, a.1 ad 2); Lonergan, "The Concept of *Verbum,*" *Theological Studies,* 10 (1949), 12 and *Verbum,* 151; Lebacqz, 92; Etcheverry, 20-21. Gilson says in *The Christian Philosophy,* 474, n.3, that this formula, though consistent with Thomas's teaching, is not a statement of Thomas's but of John of St. Thomas's, and he cites John's *De Anima,* IV, i, as follows: "Cognoscentia sutem in hoc elevantur super non cognoscentia, qui id quod est alterius, ut alterius, seu prout manet distinctum in altero possunt in se recipere, ita quod in se

their notion of an expressed species as the way Thomas showed how the intellect could conceive an idea of the object in its otherness.[78] Generally Thomists have said that Thomas considered the action of abstraction, in which the intellect does not yet know the object in its otherness, as unconscious.[79] Those who admit that Thomas made a distinction between the expressed species (concept/inner word/intention) and the thing itself[80] have tended to say that he gave no explanation of abstraction but simply made it a metaphysical or ontological postulate for the objectivity and certitude of understanding.[81] But those who insist that Thomas somehow identified objective concepts with things,[82] so that the intellect could perceive things in its own concepts,[83] are the ones who have claimed that Thomas

---

sunt, sed etiam, possunt fieri alia a se". John of St. Thomas in his *Cursus Theologicus*, In 1am, q.14, a.1 (ed. Monks of Solesmes, II, 333, c.2, n.18) wrote: "Modus vero recipiendi intentionaliter est modus recipiendi formam alterius etiam ut alterius". In opposition, Siwek, *loc. cit.*, prefers the formula that the soul is in a certain way everything, and Boyer, *Cursus*, I, 545, prefers the theorem of cognition by identity and cites *Q. de Anim.*, a.12 ad 5; *Sum. Theol.*, I, q.77, a.1 ad 1; *Spir. creat.*, a.11 ad 1, ad 16.

[78] See chapter 1, fnn.10, 13, 14, 18, 21; chapter 2, fnn.1-3, 6-8, 11; chapter 4, fn.1; this chapter, fnn.63-66.

[79] See fnn.1-3; chapter 4, fn.2.

[80] Gilson, *The Christian Philosophy*, 229-30. Renard, 137. Nevertheless, Gilson, *loc. cit.*, postulates an identity between the intellect and the object through the concept, so that (p. 476) "no intermediary representation, therefore, separates the object from the concept which expresses it".

[81] Gilson, *The Christian Philosophy*, 219: "There is no psycho-physicological mechanism to be included in the description of this act of knowing...The solution of the problem here consists particularly in defining the conditions required for carrying out an operation which we know takes place". But Gilson also says that we know the operation occurs because there should be a being capable of understanding the intelligible mixed with the sensible, and he proves the intellect can know things themselves by the theorem of agent and possible intellects and the postulate of the natural infallibility of all cognitive faculties (p. 220ff.). See fn.66.

[82] See chapter 2, fn.10.

[83] See chapter 1, fnn.18, 21; chapter 2, fnn.1-4.

explained abstraction as a vital act[84] through which the intellect spontaneously produced the very objects it perceived.[85] These are the Thomists who have applied the notion of self-motion to understanding.

2. THOMAS AQUINAS'S TEACHING

We have already shown that Thomas Aquinas said understanding is to be understood by reflection upon the act of understanding[86] and that he accepted Aristotle's explanation of understanding because it conformed to his own experience of the act.[87] How in the light of his experience he interpreted Aristotle's explanation of the meaning of species,[88] the knowledge of the singular,[89] and the process of abstraction[90] has occupied us for the last three chapters. Now it is necessary to see how Thomas used his own experience to explain understanding as a movement, a kind of life, and an act.

Once again, we shall see that the controlling factor in Thomas's explanation was his own experience of understanding. This experience enabled him to adopt Aristotle's articulation of understanding as a sort of movement a kind of life, and an act *par excellence*, without his having to postulate a self-motion in movement, a vital act for life, or dependence upon an object for an act. In particular, we shall see what Thomas described reasoning as a movement in contrast to the repose of understanding, but his analysis of movement led him to agree with Aristotle's division of the

---

[84] See fnn.10-11, 17, 24-27, 31-34, 42, 46-51, 52-56.

[85] See fnn.59-68.

[86] See chapter 1, fnn.34f., 43f..

[87] See *ibid.*, fn.49f..

[88] See chapter 2, fn.63f..

[89] See chapter 3, fnn.46f., 54f., 60f..

[90] See chapter 4, fn.40f..

intellect into an agent and a possible intellect to preclude any self-movement in the intellect as a whole and to confine the self-movement in
reasoning to the deduction of conclusions form principles. Secondly, we
shall find that Thomas did consider understanding the life of man, but
his analysis of life led him to depict the operation of understanding as
more repose than movement and to base man's unique self-activation
upon the reflectiveness of his judgment. Finally, we shall see that Thomas
opposed the act in understanding to either movement or operation and,
since he got his notion of act from the intellect understanding, the point
of his theory of understanding was that one can understand because he
is intelligent. Hence, Thomas Aquinas's own theory of understanding
contradicts the Thomistic interpretation which we outlined in its presupposition, its premises, and its conclusion.

2.1. THE MEANING OF REASONING

According to Thomas Aquinas, reasoning is comparable to movement
because it is the process by which we pass from having an ability to understand to getting an understanding of something in particular. But the
notion of movement which Thomas adopted from Aristotle hinged on
the principle that whatever is moved is moved by another. Therefore,
when Thomas described reasoning as a movement, he precluded any
self-movement by saying that in inductive reasoning sensible imagery
moved the intellect by giving it specific information and an agent intellect moved both sensible imagery and the possible intellect by making
the specific information intelligible and that in deductive reasoning the
intellect moved itself only by drawing from principles it already understood the conclusions virtually intelligible in them.

2.1.1. REASONING AS A MOVEMENT

To begin, then, Thomas Aquinas did call understanding a movement
insofar as it included reasoning. The attribution of movement to under-

standing is, however, only a metaphor,[91] for any real movement to the intellect disturbs it from understanding, and movement only affects the intellect because of its dependence upon the senses without being able to change or harm the intellect in itself.[92] Nevertheless, understanding in the broad sense includes the process of reasoning as well as simple apprehension,[93] and it is because the process of reasoning is an imperfect version of simple apprehension and a tendency toward it that it is compared to it as movement to rest or repose.[94] In fact, human understand-

---

[91] *In I de Anim.*, lect.10, n.160: "Minimum autem de proprietate motus, *et nihil nisi metaphorice*, invenitur in intellectu. Nam in operatione intellectus non est mutatio secundum esse naturale, sicut est in vegetabili, nec subiectum spirituale quod immutetur, sicut est in sensibili. Sed est ibi ipsa operatio, quae quodammodo dicitur motus, inquantum de intelligente in potentia fit intelligens in actu. Differt tamen a motu eius operatio, quia eius operatio est actus perfecti, motus vero est actus imperfecti"; hence, the intellect is subject to movement only insofar as it is dependent upon sense organs (see *ibid.*, nn.163f., and chapter 1, fnn.55ff.); but, unlike sense, the intellect cannot be harmed even by extremes of intelligibility, because it is not the form of any organ (see *In II Sent.*, d.19, q.1, a.1 sol.; *In IV de Div. Nom.*, lect.1, n.277; VI, lect.1, nn.683-85; *Ver.*, q.5, a.2 ad 6; *Pot.*, aa.3, 4; *C. Gent.*, II, c.66, n.1441; *Comp.*, c.74, nn.128-29; c.79, n.139; *Sum. Theol.*, I, q.9, a.2c; q.50, a.5c; q.65, a.1 ad 1; q.79, a.2c; q.104, aa.3, 4; *Q. de Anim.*, a.1c; and the source in *In III de Anim.*, lect.7, n.687).

[92] *In VII Phys.*, lect.6, n.7 (chapter 2, fn.255); see also *Ver.*, q.10, a.6 ad 9; *C. Gent.*, I, c.4, n.24; II, c.50, n.1266; c.55, n.1305; III, c.84, n.2584; *Q. de Anim.*, a.6c.

[93] *Sum. Theol.*, I, q.79, a.8c: "...ratio et intellectus in homine non possunt esse diversae potentiae. Quod manifeste cognoscitur, si utriusque actus consideretur. Intelligere enim est simpliciter veritatem intelligibilem apprehendere. Ratiocinari autem est procedere de uno intellecto ad aliud, ad veritatem intelligibilem cognoscendam"; see also a.9c; q.14, aa.7, 14; q.58, a.3c ad 1; a.4c; q.59, a.1 ad 1; II-II, q.8, a.1c; q.180, a.6 ad 2; *In III Sent.*, d.35, q.2, a.2 ad 1; *In Boeth. de Trin.*, q.6, a.1c ad prim. quaes. (D, p.206); *In VII De Div. Nom.*, lect.15; *Ver.*, q.1, a.12c; q.2, a.1 ad 4; a.3 ad 3; q.15, a.1c; *C. Gent.*, I, q.57, esp. n.481; *Q. de Anim.*, a.3c; *In III de Anim.*, lect.14, n.812; *In I Ioan.*, lect.1, n.26; *In I Post. Anal.*, lect.41, nn.7-8. For the difference between reasoning and understanding see *In I Periherm.*, prooem., n.1 and *In Post. Anal.*, prooem., n.4; see also chapter 2, fnn.24-26. For rest or repose as lack of movement, see *In IV Phys.*, lect.20, n.9 (608); V, lect.9, n.1 (727); *In III de Anim.*, lect.1, n.578; as completion of movement, see *Sum. Theol.*, I, q.73, a.1 ad 2; *In VIII Phys.*, lect.15, n.6 (1102); as excluding the labor connected with movement, see *In II Sent.*, d.15, q.3, a.2 sol.. See chapter 1, fnn.24-26.

[94] *Ibid.*: "Homines autem ad intelligibilem veritatem cognoscendam perveniunt,

ing is mostly a movement of reasoning,[95] and this movement is proper
to the human intellect, which must engage in the process of learning one
thing from another to grasp all the implications in the naturally known
first principles.[96] Hence, man is properly called rational because he must
move to and from understanding by reasoning.[97]

In man reasoning begins from intellect and terminates in intellect.[98]

---

procedendo de uno ad aliud, ut ibidem dicitur: et ideo rationales dicuntur. Patet ergo
quod ratiocinari comparatur ad intelligere sicut moveri ad quiescere, vel acquirere ad
habere: quorum unum est perfecti, aliud autem imperfecti"; see also *In III Sent.*, d.35,
q.2, a.2 sol.1; *Ver.*, q.8, a.15c; q.15, a.1c; *C. Gent.*, I, c.57, n.481; *Sum. Theol.*, I, q.14,
a.7c; q.58, aa.3, 4; q.59, a.1 ad 1; q.85, a.5c; q.108, a.5c; *In III de Anim.*, lect.14, n.812.
See chapter 2, fnn.5, 112.

[95] *Spir. creat.*, a.10c (K, p.124): "Ipsum autem intelligere animae humanae est per
modum motus: intelligit enim anima discurrendo de effectibus in causas, et de causis
in effectus, et de similibus in similia, et de oppositis in opposita"; see also *Sum. Theol.*,
I, q.79, a.4c.

[96] *Sum. Theol.*, I, q.58, a.3c: "Sic igitur et inferiores intellectus, scilicet hominum, per
quendam motum et discursum intellectualis operationis perfectionem in cognitione
veritatis adipiscuntur; dum scilicet ex uno cognito in aliud cognitum procedunt. Si autem
statim in ipsa cognitione principii noti, inspicerent quasi notas omnes conclusiones
consequentes, in eis discursus locum non haberet. Et hoc est in angelis: quia statim in
illis quae primo naturaliter cognoscunt, inspiciunt omnia quaecumque in eis cognosci
possunt"; see also a.4c; q.85, a.5. Thus there is no movement in divine understanding (see
Sum. Theol., I, q.14, a.7c; q.85, a.5c; *C. Gent.*, II, c.98, n.1835) or angelic understanding
(*Sum. Theol.*, *loc. cit.*; q.56, a.1 ad 3; q.58, aa.3-4; q.79, a.8c; *Ver.*, q.8, a.14-15; q.15,
a.1). See chapter 1, fn.63.

[97] *Ibid.*, q.108, a.5c: "Si ergo aliquid nominari debeat nomine designante proprietatem
ipsius, non debet nominari ab eo quod imperfecte participat, neque ab eo quod excedenter
habet; sed ab eo quod est sibi quasi coaequatum. Sicut si quis velit proprie nominare
hominem, dicet eum *substantiam rationalem*; non autem *substantiam intellectualem*, quod
est proprium nomen angeli, quia simplex intelligentia convenit angelo per proprietatem,
homini vero per participationem"; see also q.58, a.3c; *In III de Anim.*, lect.14, n.812; and
In III Sent., d.35, q.2, a.2 sol.1; *Ver.*, q.8, a.15c; q.15, a.1c.

[98] *Sum. Theol.*, I, q.79, a.8c: "Et quia motus semper ab immobili procedit, et ad aliquid
quietum terminatur; inde est quod ratiocinatio humana, secundum viam inquisitionis
vel inventionis, procedit a quibusdam simpliciter intellectis, quae sunt prima principia; et
rursus, in via iudicii, resolvendo redit ad prima principia, ad quae inventa examinat"; see
also q.14, a.7c; q.58, a.4c; q.79, a.9c; q.85, a.5c; II-II, q.8, a.1 ad 2; *In II Sent.*, d.24, q.2,

This means, first, that man gets to understand things only gradually as he works out the implications of the first principles, instead of being able to comprehend at once all he could understand.[99] It means, secondly, that all doctrine and discipline proceed from prior knowledge;[100] both in the general sense that only someone who has command of a science really can teach it,[101] and also in the technical sense that the mediacy of demonstration supposes a prior and immediate grasp of the principles, the subject, and the passions of a syllogism.[102] Ultimately, it means that all scientific

---

a.2; III, d.35, q.1, a.3, sol.1, sol.2; *In Boeth. de Trin.*, q.6, a.1 ad tert. quaest. (D, p.211); *Ver.*, q.10, a.8 ad 10; q.14, a.1c; q.15, a.1c; *C. Gent.*, I, c.57, nn.474, 480; *In Post. Anal.*, prooem, n.4. See J. Peghaire, *Intellectus et Ratio selon saint Thomas d'Aquin* (Ottawa-Paris, 1936), pp.69-72, 261f., and the use Lonergan made of this work in the *Verbum* articles: see the Index in *Verbum*, 253.

[99] *Sum. Theol.*, I, q.58, a.3c: "...apud nos, ea quae statim naturaliter apprehenduntur, *intelligi* dicuntur; unde *intellectus* dicitur habitus primorum principiorum. Animae vero humanae, quae veritatis notitiam per quendam discursum acquirunt, *rationales* vocantur. – Quod quidem contingit ex debilitate intellectualis luminis in eis. Si enim haberent plenitudinem intellectualis luminis, sicut angeli, statim in primo aspectu principiorum totam virtutem eorum comprehenderent, intuendo quidquid ex eis syllogizari posset". See fn.96.

[100] *In I Post. Anal.*, lect.1, n.9: "Primo, inducit universalem propositionem propositum continentem, scilicet quod acceptio cognitionis in nobis fit ex aliqua praeexistenti cognitione. Et ideo dicit [1] *Omnis doctrina et omnis disciplina*, non autem *omnis cognitio*, quia non omnis cognitio ex priori cognitione dependet: esset enim in infinitum abire. Omnis autem disciplinae acceptio ex praeexistenti cognitione fit"; see also nn.8-12; *In III de Anim.*, lect.10, n.740. This does not mean, however, that every demonstration is *a priori*; since human knowledge begins in sensible data, a demonstration may well be *a posteriori*, and ultimately all demonstration depends on information received from sense (see *ibid.*, lect.4, n.16; lect.9, nn.2-3; *In I Phys.*, lect.1, nn.6-7; *In II de Anim.*, lect.3, n.245; and *Sum. Theol.*, I, q.2, a.2c, ad 2). See also fnn.113f., 120-21.

[101] *Sum. Theol.*, I, q.94, a.3c: "Non potest autem aliquis instruere nisi habet scientiam".

[102] *In I Post. Anal.*, lect.2, n.2: "...sciendum est quod id cuius scientia per demonstrationem quaeritur est conclusio aliqua in qua propria passio de subiecto aliquo praedicatur: quae quidem conclusio ex aliquibus principiis infertur. Et quia cognitio simplicium praecedit cognitionem compositorum, necesse est quod, antequam habeatur cognitio conclusionis, cognoscatur aliquo modo subiectum et passio. Et similiter oportet quod praecognoscatur principium, ex quo conclusio infertur, cum ex cognitione principii conclusio innotescat"; see also lect.4, n.9; *In I Phys.*, lect.1, n.5.

investigation originates from the first principles and is to be resolved to
them.[103] Therefore, it is clear that we can discover things for ourselves and
learn from teachers only because of a native ability to understand which
we manifest in every act of understanding and articulate in the first principles of demonstration.[104] Unless we had a natural and immediate grasp
of these principles we could never even begin the process of reasoning to
understand something in particular.[105]

In one sense, the first principles are the concept of being and the
principles which immediately proceed from it.[106] It is self-evident that,

---

[103] See the explanation of the sources in Aristotle at *In II Meta.*, lect.1, n.277-78; *In VI Eth.*, lect.5, nn.1175-79; and the use of the sources in *In III Sent.*, d.25, q.2, a.2 sol.1; *Ver.*, q.1, a.12c; q.10, a.8 ad 10; *Sum. Theol.*, II-II, q.8, a.1c. See also fn.98 and Lonergan, "The Concept of *Verbum*," *Theological Studies*, 8 (1947), 41-44 and *Verbum*, 54-56.

[104] *In II de Anim.*, lect.11, n.372: "Homo enim acquirit scientiam, et a principio intrinseco, dum invenit, et a principio extrinseco, dum addiscit. Utrobique autem reducitur de potentia in actum, ab eo quod est actu. Homo enim per lumen intellectus agentis, statim cognoscit actu prima principia naturaliter cognita; et dum ex eis conclusiones elicit, per hoc quod actu scit, venit in actualem congnitionem eorum quae potentia sciebat. Et eodem modo exterius docens ei auxiliatur ad sciendum; scilicet ex principiis addiscenti notis deducens eum per demonstrationem in conclusiones prius ignotas. Quod quidem auxilium exterius homini necessarium non esset, si adeo esset perspicacis intellectus quod per seipsum posset ex principiis notis conclusiones elicere: quae quidem perspicacitas hominibus adest secundum plus et minus"; see also n.371 and the series of texts about the nature of instruction in *In II Sent.*, d.9, q.1, a.2 ad 4; d.28, q.1, a.5 ad 3; *Ver.*, q.10, aa.8-9; q.11, a.1c ad 3; *C. Gent.*, II, c.75, nn.1557-58; *Sum. Theol.*, I, q.84, a.3 ad 3; q.117, a.1; *Quodl.*, II, a.4c; *Spir. creat.*, a.9, ad 7; *Unit. intell.*, c.5 (K, n.258).

[105] *Ver.*, q.15, a.1c: "[Ratio] comparatur ad intellectum ut ad principium et ut ad terminum. Ut ad principium quidem, quia non posset mens humana ex uno in aliud discurrere, nisi eius discursus ab aliqua simplici acceptione veritatis inciperet, quae quidem acceptio est intellectus principiorum". See also fn.103.

[106] *C. Gent.*, II, c.83, n.1678: "Cum natura semper ordinetur ad unum, unius virtutis oportet esse naturaliter unum obiectum: sicut visus colorem, et auditus sonum. Intellectus igitur cum sit una vis, est eius unum naturale obiectum, cuius per se et naturaliter cognitionem habet. Hoc autem oportet esse id sub quo comprehenduntur omnia ab intellectu cognita: sicut sub colore comprehenduntur omnes colores, qui sunt per se visibiles. Quod non est aliud quam *ens*. Naturaliter igitur intellectus noster cognoscit ens, et ea quae sunt per se entis inquantum huiusmodi; in qua cognitione fundatur primorum principiorum notitia, ut *non esse simul affirmare et negare*, et alia huiusmodi. Haec igitur

unless we supposed we could understand anything insofar as it actually is something, we would never try to understand anything at all; and, unless we supposed that everything must be whatever we understand it to be, we would never try to compose or divide our ideas of the subjects we have understood with the things themselves.[107] Likewise, we can achieve some certitude in our reasoning only because we can resolve the conclusions we reach to these principles and judge them in light of them.[108] Therefore, only because there are principles which we can understand necessarily and immediately is reasoning prevented from being either a vicious circle or an infinite regress.[109]

---

sola principia intellectus noster naturaliter cognoscit, conclusiones autem per ipsa: sicut per colorem cognoscit visus tam communia quam sensibilia per accidens"; see also *Ver.*, q.1, a.1; *Sum. Theol.*, I-II, q.94, a.2c; *In I Post. Anal.*, lect.17, n.4 (1946). See chapter 1, fnn.214, 216, 219.

[107] *In IV Meta.*, lect.6, n.605: "...cum duplex sit operatio intellectus: una, qua cognoscit quod quid est, quae vocatur indivisibilium intelligentia: alia, qua componit et dividit: in utroque est aliquod primum: in prima quidem operatione est aliquod primum, quod cadit in conceptione intellectus, scilicet hoc quod dico ens; nec aliquid hac operatione potest mente concipi, nisi intelligatur ens. Et quia hoc principium, impossibile est esse et non esse simul, dependet ex intellectu entis, sicut hoc principium, omne totum est maius sua parte, ex intellectu totius et partis: ideo hoc etiam principium est naturaliter primum in secunda operatione intellectus, scilicet componentis et dividentis. Nec aliquis potest secundum hanc operationem intellectus aliquid intelligere, nisi hoc principio intellecto. Sicut enim totum et partes non intelliguntur nisi intellecto ente, ita nec hoc principium omne totum est maius sua parte, nisi intellecto praedicto principio firmissimo"; see also lect.6, n.600f.; in fact all of book IV, lect.7-17; *In I Post. Anal.*, lect.2, n.4; lect.4, n.5; *Sum. Theol.*, II-II, q.1, a.7c. This interpretation is a bit different from Lonergan's (in "The Concept of *Verbum*," *Theological Studies*, 8 [1947], 44-45 and *Verbum*, 57-58); he explains the principle of noncontradiction as the basis for the first operation of the intellect and the principle that the part is greater than the whole as the ground for the second operation.

[108] *Ver.*, q.15, a.1c: "Similiter nec rationis discursus ad aliquid certum perveniret, nisi fieret examinatio eius quod per discursum invenitur, ad principia prima, in quae ratio resolvit. Ut sic intellectus inveniatur rationis principium quantum ad viam inveniendi, terminus vero quantum ad viam iudicandi"; see also a.3c; q.1, a.12c; q.12, a.1c; q.22, a.6 ad 4; q.24, a.1 ad 18; *In II Sent.*, d.7, q.1, a.1c; d.9, q.1, a.8 ad 1. See fn.98.

[109] See fn.105; chapter 1, fn.51.

In a more basic sense, though, the first principles are intellect and sense: the intellect because by it we understand everything, including the first principles of demonstration;[110] sense because through sense we learn about everything, including the meaning of the first principles.[111] Because sense is a constant source of information, the intellect must remain in the process of reasoning to a clear, specific grasp of the vague, generic information with which the senses supply it.[112] Since sense is the only source of information, all deduction presumes induction,[113] all understanding presupposes a process of sense, memory, and experiment,[114] and even the first principles become intelligible in the experience of understanding the meaning of sensible data.[115] The human intellect is completely dependent upon sense because the first things we get to know are sensible singulars and the only things we ever know are what we can learn

---

[110] *In IV Met.*, lect.6, n.599: "Tertia conditio [firmissimi principii] est, ut non acquiratur per demonstrationem, vel alio simili modo; sed adveniat quasi per naturam habenti ipsum, quasi ut naturaliter cognoscatur, et non per acquisitionem. Ex ipso enim lumine naturali intellectus agentis prima principia fiunt cognita, nec acquiruntur per rationcinationes, sed solum per hoc quod eorum termini innotescunt"; see also *In II Post. Anal.*, lect.20, nn.7, 12; *Ver.*, q.10, a.13c; q.11, a.1c; a.3c. See chapter 1, fn.166f..

[111] *Ver.*, q.28, a.3 ad 6: "Sed perfectum *iudicium* intellectus non potest esse in dormiendo, eo quod tunc ligatus est sensus, qui est primum principium nostrae cognitionis. Iudicium enim fit per resolutionem in principia; unde de omnibus oportet nos iudicare secundum id quod sensu accipimus, ut dicitur in III *Caeli et mundi*"; see also q.10, a.6c; q.12, a.3 ad 2, ad 3. See chapter 1, fnn.118f..

[112] See *In I Phys.*, lect.1, n.5f.; II, lect.3, n.5; *In I de Meteor.*, lect.1, n.1; *In I de Anim.*, lect.1, n.1; II, lect.1, n.211; *In I Post. Anal.*, lect.2-3; lect.4, nn.15-16; and the summary statements in *In Boeth. de Trin.*, q.1, a.3c (D, pp.70-72); q.6, a.3c (D, p.221); *In I Sent.*, d.19, q.4, aa.1-2; d.49, q.1, a.1 sol.1 ad 2; *Sum. Theol.*, I, q.77, a.1 ad 1; q.85, a.3c ad 2, ad 3; *Q. de Anim.*, a.18c; *In I Meta.*, lect.2, nn.45-46.

[113] See *In I Post. Anal.*, lect.1, n.11; lect.30, n.4. See chapter 1, fn.125f.

[114] See chapter 2, fn.83.

[115] See the *ex professo* treatment in *In II Post. Anal.*, lect.20 and the statement of the doctrine in such places as *In IV Sent.*, d.49, q.2, a.7 ad 12 and *Q. de Anim.*, a.15 ad 20. See also chapter 1, fnn.51, 52, 165.

from sensible imagery.[116] It is evident, then, that the bodies manifest in sensible data supply us with all our information.[117]

Thus the human intellect functions properly as reason because it depends upon sensible imagery for all it knows.[118] If we want to understand anything, the meaning of "stone" for instance, we must study the stones we know from experience, and only when we have understood what they mean can we cease to thing about them and form an inner word to mean what we have understood.[119] In this case, as in any other in which we

---

[116] *In III de Anim.*, lect.13, n.791: "...quia nulla res intellecta a nobis, est praeter magnitudines sensibiles, quasi ab eis separata secundum esse, sicut sensibilia videntur ab invicem separata: necesse est quod intelligibilia intellectus nostri sint in speciebus sensibilibus secundum esse, tam illa quae dicuntur per abstractionem, scilicet mathematica, quam naturalia, quae sunt habitus et passiones sensibilium". See also chapter 1, fnn.50, 64f., 188-89ff..

[117] *Ibid.*, fn.77f.

[118] *Q. de Anim.*, a.7 ad 1: "...angelus intelligit sine discursu, anima autem cum discursu; quae necesse habet ex sensibilibus effectibus in virtutes causarum pervenire, et ab accidentibus sensibilibus in essentias rerum, quae non subiacent sensui"; see also *In Boeth. de Trin.*, q.6, a.1 ad prim. quaest. (D, p.206); *In II Sent.*, d.3, q.1, a.2 sol.; d.39, q.3, a.1 sol.; III, d.14, q.1, a.3, sol.3; *Ver.*, q.15, a.1 ad 7, ad 8; *C. Gent.*, II, c.94, n.1805; III, c.41; c.56, n.2328; *Sum. Theol.*, II-II, q.180, a.6 ad 2. See J. Peghaire, *op. cit.*, p.103f.. Thus human reason and angelic intellect are specifically different (see *In II Sent.*, d.3, q.1, a.6; *C. Gent.*, II, c.94; *Sum. Theol.*, I, q.75, a.7; I-II, q.180, a.6 ad 2; *Q. de Anim.*, a.7), and we cannot reason to an understanding of the quiddities of separate substances (see *In Boeth. de Trin.*, q.6, a.4; *In IV Sent.*, d.49, q.2, a.7 ad 12; *Ver.*, q.18, a.5 ad 7, ad 8; q.15, a.1 ad 7; *C. Gent.*, II, c.60; III, cc.41-46, 56; *Sum. Theol.*, I, q.88, aa.1-2; *Q. de Anim.*, a.16; *In II Meta.*, lect.1; *In I Post. Anal.*, lect.7) because our knowledge originates in sensible data (see chapter 1, fnn.52-53). See fn.96; chapter 1, fn.63.

[119] *In I Ioan.*, lect.1, n.26: "...cum volo concipere rationem lapidis, oportet quod ad ipsam ratiocinando perveniam; et sic est in omnibus aliis, quae a nobis intelliguntur, nisi forte in primis principiis, quae cum sint simpliciter nota, absque discursu rationis statim sciuntur. Quamdiu ergo sic ratiocinando, intellectus iactatur hac atque illac, nec dum formatio perfecta est, nisi quando ipsam rationem rei perfecte conceperit: et tunc primo habet rationem rei perfectae, et tunc primo habet rationem verbi. Et inde est quod in anima nostra est cogitatio, per quam significatur ipse discursus inquisitionis, et verbum, quod est iam formatum secundum perfectam contemplationem veritatis". For the difference between thinking and understanding, see *In III Sent.*, d.25, q.2, a.2, sol 1; *Ver.*, q.1, a.12c; q.15, a.1c; *Sum. Theol.*, II-II, q.8, a.1c; *In III de Anim.*, lect.14, n.812; *In VI Eth.*, lect.5,

must reason from sense to intellect,[120] the name connotes the sensible accidents which bring stones to our attention rather than the intelligible essence which we want to define.[121]

2.1.2. The Meaning of Movement

To understand the sense in which reasoning is called a movement, it is necessary to consider in itself the meaning of movement. Movement is, as Aristotle said, manifest to sense in everything we experience, and as such we must simply accept it and then use it to explain particulars.[122] It becomes apparent to us only because things at rest begin to move.[123] The local movements of bodies over periods of time are its basic form.[124] It is real only in the instant, at the present moment, but reason apprehends it

---

nn.1175-69; and also chapter 1, fnn.24-26. For the necessity of a word to end thinking and define understanding, see the development in Thomas's thought from *Ver.*, q.4, a.2c; *Pot.*, q.8, a.1c; q.9, a.5c; a.9c; *C. Gent.*, IV, c.11, n.3469; *Sum. Theol.*, I, q.27, a.1c; *Comp.* cc. 37, 38. See Lonergan, "The Concept of *Verbum*," *Theological Studies*, 7 (1946), 358; 8 (1947), 41-43 and *Verbum*, 9, 54-56; and also R. Richard, *op. cit.*, esp. pp.224-31, 311-30. See also chapter 2, fnn.92-94, 98, and section 2.3.3 *infra*.

[120] In Thomas's commentaries on Aristotle, see particularly *In VIII Meta.*, lect.2; and also VII, lect.12, n.1552; *In II de Caelo*, lect.4, n.3; *In I de Gen.*, lect.8, n.5; *In I de Anim.*, lect.1, n.15; *In II Post. Anal.*, lect.8, n.6. In his independent writings see *In Boeth. de Trin.*, q.6, a.4 ad 2 (D, p.228); *Ver.*, q.4, a.8 a.1; q.10, a.1c; *In VII de Div. Nom.*, lect.2, nn.711, 713; *C. Gent.*, I, c.3, n.18; III, c.56, n.2838; *Sum. Theol.*, I, q.85, a.3 ad 4; a.8 ad 1; *Spir. creat.*, a.11 ad 6 (K, pp.144-45). See also fn.100.

[121] *Sum. Theol.*, I, q.59, a.1 ad 2: "Sicut et nomen *lapidis* sumptum est a *laesione pedis*, cum tamen lapidi non hoc solum conveniat". Thus the proper differences of both sensible and spiritual things remain hidden from us: see *Ente et ess.*, c.6 (B, p.51); *Spir. creat.*, a.11 ad 3.

[122] See *In I Phys.*, lect.2, n.7; II, lect.1, n.8; VIII, lect.1, n.3; lect.6, n.5.

[123] *In IV Phys.*, lect.16, n.6, nn.16-22; VIII, lect.4, n.2; lect.5, n.3f.; lect.6, n.1f.

[124] See *Sum. Theol.*, I-II, q.7, a.1c; *In IV Phys.*, lect.1, n.3; VI, lect.5, n.16; VIII, lect.14, n.15.

as having begun in the past and ending only in the future.[125] Thus movement can be described as the act that makes a mobile mobile as long as it is mobile.[126]

Movement is the fundamental datum of natural philosophy,[127] which is nothing but the science of everything insofar as sense shows it to be mobile.[128] In natural philosophy, then, the first order of business is to understand movement and then through an understanding of movement to understand everything mobile.[129]

To understand movement it is necessary to suppose places for things to move to and from,[130] times within they can be known to move from

---

[125] See *In III Phys.*, lect.5, n.17; IV, lect.18, n.7f.; lect.20, n.2; lect.21, n.3; lect.22, n.4f.; lect.23, n.5; V, lect.3, n.2; VI, lect.5, n.2f.; VIII, lect.2, n.20; *In IX Meta.*, lect.7. For the *ratio motus* see *In III Phys.*, lect.2, nn.3-7; lect.4, nn.1, 6, 7; V, lect.1, n.4; lect.2, n.2.

[126] *In III Phys.*, lect.2, n.3; lect.4, nn.1, 6, 7; lect.5, n.18; VII, lect.1, n.2; VIII, lect.2, n.2. Movement, therefore, is not to be considered an impetus, for in local movement it is something extrinsic: see *In V Phys.*, lect.4, n.4; VIII, lect.14, n.9f.; *Pot.*, q.6, a.3c; *Sum. Theol.*, I, q.110, a.3; and in general it is the condition of something in process: see fnn.130ff.. Boyer, *Cursus*, I, 415, admits that the modern scholastic notion of movement as an impetus derived from Descartes. P. Hoenen, in his *Cosmologia*, 72f., 225-28, 233, 260, 468-70, 527-30, interpreted Aristotle and Thomas in the above sense; as did A. Maier, in her *Die Impetus-Theorie der Scholastik* (Vienna, 1940), with L.-B. Guérard de Lauriers concurring in "A. Maier, *Die Impetus-Theorie der Scholastik,*" *Bulletin Thomiste*, 6 (1940-42), 205-14. See fn.141.

[127] See *In I Phys.*, lect.2, n.7; VIII, lect.1, n.3; lect.5, n.3; lect.6, n.5.

[128] See chapter 4, fnn.79, 82-84, 87-88, 92f.. See also *Sum. Theol.*, I, q.84, a.1c; *In I Phys.*, lect.1, nn.3-4; II, lect.11, n.3; VIII, lect.1, n.3; lect.2, n.2; *In I Meta.*, lect.10, nn.151-56; IV, lect.10-11; *In I Ethic.*, lect.1, nn.1-2.

[129] *In I Phys.*, lect.1, n.4; VI, lect.5, nn.796-805; VIII, lect.14; *In I de Caelo*, prooem., n.2f.; lect.1, n.6f.; lect.3, n.3f.; II, lect.nn.3-5; *In de Gen.*, prooem. n.1f.; *In I Meteor.*, lect.1, nn.2, 3, 9.

[130] *In IV Phys.*, esp. lect.1, n.1f.; lect.4, n.2; lect.5, n.2; lect.6, n.12f.. Thus movement of all kinds is from this to that, properly between contraries and, by extension, between contradictories (see *In VI Phys.*, lect.13); the divisibility of things in movement is necessary because they must be simultaneously but partially at the beginning and at the end of the movement (see *In VI Phys.*, lect.5, nn.10-14; lect.6).

place to place,[131] a continuity in the times they take to move,[132] and an infinity in the way these *continua* can be divided as they recede into the past and could be extended as they reach into the future.[133] For movement can be understood as the act of what is in potency as such—meaning that it constitutes something as becoming what it could have been but not yet is.[134] Therefore, it occurs to things after they have begun to move from one place and before they stop moving in another.[135]

It is evident that whatever is moved is moved by another.[136] For we

---

[131] See *In IV Phys.*, lect.16, n.6; lect.17, n.2f.; lect.20, n.2f.. Thus movement and time affect our souls because of the succession of thoughts we need to observe the course of movement in things: see *In IV Phys.*, lect.17, n.2.

[132] See *In VI Phys.*, esp. lect.1-2; lect.5, n.16; lect.15.

[133] See *In III Phys.*, lect.1, n.3; VI, lect.5, n.2f.; lect.6; lect.7, n.4f.; lect.8, n.1f.. No given local movement is infinite, or it would be interminable (see *ibid.* III, lect.6-12; VI, lect.13, n.4); but, because movement occurs only when mover and moved meet (see *ibid.*, VIII, lect.2, n.6f.), there must always be movement prior to movement so that mover and moved can meet (see *ibid.*, VIII, lect.2, nn.2ff.), though such prior movement is not necessary for motive and mobile to be (see *ibid.*, nn.16-17; lect.3, n.6). There must also be a movement after every movement, either to stop the movement or to continue the impact of it (see *ibid.*, lect.1, n.15; lect.2, n.15). Hence, movement can be infinite in successive movements or in one circular movement (see *ibid.*, lect.13, n.5).

[134] *In III Phys.*, lect.2, nn.3, 5-7; lect.3, nn.2-7; lect.5, n.7; V, lect.3, n.17; VI, lect.2, n.4; and also *In I Sent.*, d.8, q.3, a.1 sol.; a.2 sol.. The other definition of movement (see fn.126) pertains to it as an act, but this one as a lack of perfect act (see *Q. de Anim.*, a.2 ad 15); therefore, the latter definition is compared to the former as form to matter, since it signifies what is distinctive of movement as such (see *In III Phys.*, lect.4, n.1).

[135] See *In III Phys.*, lect.2, n.3f.; lect.3, n.6; V, lect.1, n.3; lect.2, n.2f.; lect.3, n.8; VI, lect.7, n.2f.; lect.8, n.1f.; lect.12.

[136] The basic treatment is in *In VII Phys.*, lect.1; the application to violent, animate, and natural movements is in *ibid.*, VIII, lect.7-8; the denial that this process can be infinite is in *ibid.*, lect.9-13; see also VII, lect.2. See also *ibid.* III, lect.4, nn.3-9; lect.5, nn.4, 13; V, lect.1, nn.3-4; *In IX Meta.*, lect.1; XI, lect.9, nn.2308-12. In the independent writings see *C. Gent.*, I, cc.15-16; II, c.82, n.1646; *Sum. Theol.*, I, q.2, a.3, "Prima et secunda viae". See the challenge by N. Lobkowicz in "*Quidquid Movetur ab Alio Movetur*," *New Scholasticism*, 42 (1968), 401-421, the reply by J. Weisheipl, "*Quidquid Movetur ab Alio Movetur*: A Reply," pp.422-31, and the latter author's "The Principle *Omne quod movetur ab alio movetur* in Medieval Physics," *Isis*, 56 (1965), 26-45.

observe that a body moves either because of the impact of another body displacing it[137] or because of contact with the body it displaces.[138] And we cannot understand movement unless we suppose that nothing can give itself the act for which it is in potency.[139] Since movement always entails something moved and another moving it, it can be termed an action insofar as it is from something to another and a passion insofar as it is in something from another,[140] and something can be called an agent insofar as it moves another and a patient insofar as it is moved by another.[141]

In this context, we discover potency as the habit for movement and impotency as the lack of such a habit.[142] Because our knowledge originates in sensible data, we have a positive knowledge of habit but only a negative knowledge of lack by comparison to its positive contrary.[143] Likewise,

---

[137] See *In Boeth. de Trin.*, q.4, a.3 (D, p.148); *In VII Phys.*, lect.3, n.1f..

[138] See *In III Phys.*, lect.3, nn.3-6; *In II de Anim.*, lect.6, n.229; *Sum. Theol.*, I, q.105, a.2 ad 1.

[139] See *In III Phys.*, lect.1, nn.6, 8; lect.3, n.11f.; lect.4, nn.2, 4, 9; lect.5 , nn.17-18; VIII, lect.22. See also fn.136. Thus it is immediately evident that nothing moves to where it has been moved: see *In VI Phys.*, lect.2, n.4

[140] *In III Phys.*, lect.4, nn.8, 10, 11; lect.5, nn.2, 7, 10-13.

[141] *In III Phy.*, lect.1, n.6; lect.4, n.9; lect.5, nn.2, 13-17; VIII, lect.10, n.4; *In V Meta.*, lect.17. Again, the fact that movement is described by the categories shows that it is not a force but a condition of sensible objects, for the categories are simply modes of predication (see *In III Phys.*, lect.5, n.14), action and passion are denominations of subjects by relation to each other (see *ibid.*, nn.15-16), and relations imply nothing absolute (*ibid.*, n.15); see fn.126.

[142] See *In VIII Phys.*, lect.2, nn.2, 6-8, 20; *In V Meta.*, lect.14, nn.955, 963-64, 967-68; lect.20, nn.1062-65, 1070ff.; IX, lect.1, nn.1784-85. Thus, the basis for distinction is contradiction (see *Quat. oppos.* [opusc. incerta], c.1, nn.582, 585, 590; c.5, nn.620-22), but the extremes of opposition in the same subject are the contraries (*ibid.*, c.5) of habit and lack (see *In X Meta.*, lect.5, nn.2836-58).

[143] *In III de Anim.*, lect.11, nn.758-59: "...intellectus noster accipit a sensu; et ideo ea cadunt prius in apprehensionem intellectus nostri, quae sunt sensibilia; et huiusmodi sunt magnitudinem habentia, unde punctus et unitas non definiuntur nisi negative. Et inde est etiam quod omnia quae transcendunt haec sensibilia nota nobis non

we know of quiet as lack of movement and think of the infinite as a lack of the capacity for movement.[144] By supposing that a subject can have only the movements for which it has a potency,[145] we can acquire some necessary knowledge of contingent events, for we can understand that what happens could have happened and now cannot happen.[146] Hence, since whatever is moved is moved by another, we consider a passive potency the habit for being moved by another and an active potency the habit for moving another as such.[147]

---

cognoscuntur a nobis nisi per negationem: sicuti de substantiis separatis cognoscimus, quod sunt immateriales et incorporeae, et alia huiusmodi. Et similis ratio est in aliis, quae cognoscuntur per oppositum; ut quando cognoscit intellectus malum, aut nigrum, quae se habent ad sua opposita ut privationes: semper enim alterum contrariorum est ut imperfectum et ut privatio respectu alterius"; see nn.752-59.

[144] For quiet, see *In IV Phys.*, lect.20, n.9; V, lect.9, n.1; VI, lect.5, n.9; VIII, lect.2, nn.6, 15; lect.5, n.4; *In III de Anim.*, lect.1, n.578; for the infinite, see *ibid.*, I, lect.9, n.7; lect.11, n.3; II, lect.9, n.217; III, lect.7, n.9; lect.10, nn.2, 9; lect.12, nn.2, 10; *In III de Anim.*, *loc. cit.*. See also fnn.133, 172.

[145] See *In VI Phys.*, lect.13, n.4; VIII, lect.2, nn.2, 8. This is the initial but not the precise notion of matter: see *ibid.*, I, lect.13, nn.3-4; II, lect.1, nn.3-4.

[146] *Sum. Theol.*, I, q.86, a.3c: "...contingentia dupliciter possunt considerari. Uno modo, secundum quod contingentia sunt. Alio modo, secundum quod in eis aliquid necessitatis invenitur: nihil enim est adeo contingens, quin in se aliquid necessarium habeat. Sicut hoc ipsum quod est Socratem currere, in se quidem contingens est; sed habitudo cursus ad motum est necessaria: necessarium enim est Socratem noveri, si currit. Est autem unumquodque contingens ex parte materiae: quia contingens est quod potest esse et non esse; potentia autem pertinet ad materiam. Necessitas autem consequitur rationem formae; quia ea quae consequuntur ad formam, ex necessitate insunt. Materia autem est individuationis principium: ratio autem universalis accipitur secundum abstractionem formae a materia particulari"; see also q.14, aa.11-13; *Ver.*, q.15, a.2 ad 3; *In VI Eth.*, lect.1; *In I Periherm.*, lect.13-14.

[147] See *In I Phys.*, lect.13, nn.3-4; II, lect.1, nn.3-4; V, lect.2, n.8; VIII, lect.1, nn.6-8; *In I de Gen.*, lect.8, n.5; *In I Meta.*, lect.4, n.329; V. lect.14, nn.955-57; lect.17, n.1023f.; IX, lect.1, n.1776-83; X, lect.6. See also *In I Sent.*, d.42, q.1, a.1 ad 1, ad 3; *Pot.*, q.1, a.1 ad 3, ad 15; *C. Gent.* II, c.7, nn.887-88; c.10, n.903; *Sum. Theol.*, I, q.25, a.1c. See Lonergan, "The Concept of *Verbum*," *Theological Studies*, 8 (1947), 418-25 and *Verbum*, 112-19.

2.1.3. MOVEMENT IN THE INTELLECT

It is proper to apply the notion of movement to the intellect, for since the human soul is the form of a body, the human intellect can be studied in natural philosophy.[148] Likewise, we use terms taken from the analysis of local movement to describe the way the intellect acts because bodies as they appear to us sensibly are the first things we understand and the bases for understanding anything else.[149] This usage is especially appropriate because in reasoning the intellect is moved insofar as it is informed by the senses and moves insofar as it directs the senses and sense appetites.[150]

---

[148] *In II Phys.*, lect.4, n.10: "Et ideo terminus considerationis scientiae naturalis est circa formas quae quidem sunt aliquo modo separatae, sed tamen esse habent in materia. Et huiusmodi formae sunt animae rationales: quae quidem sunt separatae inquantum intellectiva virtus non est actus alicuius organi corporalis, sicut virtus visiva est actus oculi; sed in materia sunt inquantum dant esse naturale tali corpori"; see also *In I de Anim.*, lect.1, n.7; lect.2, n.23; *In de Sensu*, lect.1, n.4; and *Sum. Theol.*, I, q.76, a.1 ad 1; q.79, a.5 ad 1; *Unit. intell.*, c.1, (K, nn.27-30, 41, 47). Aristotle's proof for the corporeality of the soul was that it was the form of something partially generated from matter (see *In II Phys., loc. cit.*); Thomas's was that the human intellect needed sensible imagery to understand (see *Q. de Anim.*, aa.1-2, a.14f.).

[149] *Sum. Theol.*, I-II, q.7, a.1c: "...quia *nomina*, secundum Philosophum, *sunt signa intellectuum*, necesse est quod secundum processum intellectivae cognitionis, sit etiam nominationis processus. Procedit autem nostra cognitio intellectualis a notioribus ad minus nota. Et ideo apud nos a notioribus nomina transferuntur ad significandum res minus notas. Et inde est quod, sicut dicitur in X *Metaphys.*, *ab his quae sunt secundum locum, processit nomen distantiae ad omnia contraria*: et similiter nominibus pertinentibus ad motum localem, utimur ad significandum alios motus, eo quod corpora, quae loco circumscribuntur, sunt maxime nobis nota"; see also q.41, a.1 ad 2; *In I Sent.*, d.8, q.4, a.3 ad 3; *Pot.*, q.10, a.1c; *In IX Meta.*, lect.2, n.1770f.; lect.3, n.1805; lect.5, n.1824; lect.8, n.1861; X, lect.5, n.2030; *In I Periherm.*, lect.2, nn.5-6. See chapter 1, fnn.207-09.

[150] *In I de Anim.*, lect.10, n.155: "...in hoc *est duplex motus*. Quia aliquando anima est ut terminus motus, quando scilicet motus est ad illam, scilicet ad animam, sicut in apprehensione sensibilium. Nam quando anima apprehendit exteriora sensibilia, tunc virtus sensitiva, quae est in organo, nititur et movetur ad remittendum et reducendum species et intentiones rerum sensibilium 'usque ad illam', scilicet ad animam. Aliquando vero est principium ut motus, quando scilicet motus operationis initiatus est 'ab illa', scilicet ab anima, ut est in reminiscentia, a qua intentiones et phantasmata rerum occultata et recondita educuntur ad intelligendum res sensibiles. Sive autem motus aut quietes dicat aliquis, phantasmata huiusmodi sint derelicta interius, non refert quantum

Thus we can speak of a certain circulation in our relationship to things, for understanding occurs in a movement from things to the soul and willing in a movement from the soul to things, so that the principle of understanding is the end we will.[151] But we understand things insofar as they become present to the soul in intentional likenesses called species and will them as they exist in themselves in the concrete.[152] Consequently, we say that truth is formally in the mind as we judge the adequacy of our intellects to things, and goodness is formally in things themselves as we seek them for their perfection in being.[153]

---

ad praesentem materiam. Patet igitur quod huiusmodi motus non attribuuntur animae, sed sunt coniuncti, ab ipsa anima tamen, et non sicut motu existente in ipsa anima"; see also nn.149ff.; III lect.16, n.840f.; *Sum. Theol.*, I-II, q.50, a.3 ad 3. See also chapter 1, fnn.55f., 82-92.

[151] *Pot.*, q.9, a.9c: "Nos enim cognitionem intellectivam a rebus exterioribus accipimus; per voluntatem vero nostram in aliquid exterius tendimus tamquam in finem. Et ideo intelligere nostrum est secundum motum a rebus in animam; velle vero secundum motum ab anima ad res...Est ergo tam in nobis quam in Deo circulatio quaedam in operibus intellectus et voluntatis; nam voluntas redit in id a quo fuit principium intelligendi: sed in nobis concluditur circulus ad id qoud est extra, dum bonum exterius movet intellectum nostrum, et intellectus movet voluntatem, et voluntas tendit per appetitum et amorem in exterius bonum" see also *Malo.*, q.6, a. un. arg.14; *Sum. Theol.*, I-II, q.13, a.5 ad 1; q.15, a.1 ad 3; q.4, a.2c. See A. Hayen, "Le 'cercle' de la connaissance humaine selon saint Thomas d'Aquin," *Revue philosophique de Louvain*, 54(1956), 561-604 and *La communication*, Vol. II: L'Ordre philosophique de Saint Thomas (Paris-Louvain, 1959), 181-201.

[152] *Sum. Theol.*. I-II, q.22, a.2c: "...in nomine passionis importatur quod patiens trahatur ad id quod est agentis. Magis autem trahitur anima ad rem per vim appetitivam quam per vim apprehensivam. Nam per vim appetitivam anima habet ordinem ad ipsas res, prout in seipsis sunt: unde Philosophus dicit, in VI *Metaphys.*, quod *bonum et malum*, quae sunt obiecta appetitivae potentiae, *sunt in ipsis rebus*. Vis autem apprehensiva non trahitur ad rem, secundum quod in seipsa est; sed cognoscit eam secundum intentionem rei, quam in se habet vel recipit secundum proprium modum. Unde et ibidem dicitur quod *verum et falsum*, quae ad cognitionem pertinent, *non sunt in rebus, sed in mente*. Unde patet quod ratio passionis magis invenitur in parte appetitiva quam in parte apprenhensiva"; see also q.15, a.1 ad 3; q.40, a.2c; q.66, a.6 ad 1; II-II, q.26, a.1 ad 2; q.27, a.4c; *Rat. fid.*, c.4, n.965.

[153] *Sum. Theol.*, I, q.16, a.1c: "...sicut bonum nominat id in quod tendit appetitus, ita verum nominat id in quod tendit intellectus. Hoc autem distat inter appetitum et

In the movement from things to the soul, sensible imagery moves the intellect because it is the object which informs the intellect about everything it understands.[154] This movement consists of two acts, though, for the intellect both receives from sensible imagery the species by which it understands and also abstracts the species from the imagery by making the imagery intelligible.[155] Yet both acts are part of the one movement toward understanding, since reception signifies the movement as a passion in the possible intellect and abstraction the same movement as an action from the agent intellect.[156] This means, then, that in the intellect there must be two distinct potencies, one active and the other passive, related

---

intellectum, sive quamcumque cognitionem, quia cognitio est secundum quod cognitum est in cognoscente: appetitus autem est secundum quod appetens inclinatur in ipsam rem appetitam. Et sic terminus appetitus, quod est bonum, est in re appetibili: sed terminus cognitionis, quod est verum, est in ipso intellectu"; see also q.27, a.4c; q.59, a.2c; q.82, a.3c; I-II, q.22,, a.2c (fn.152); and the source in *In VI Meta.*, lect.4, nn.1230-40, See Crowe, "Complacency and Concern", 384-87.

[154] The entire Aristotelian-Thomist doctrine on the nature of human understanding is based on the supposition that, because the quiddities we understand are the natures of concrete things, sensible imagery does not merely excite or dispose or support the intellect in understanding (*Ver.*, q.10, a.6c; q.19, a.1c; *C. Gent.*, II, c.77, n.1584; *Sum. Theol.*, I, q.84, a.6c; *Comp.*, c.81; c.83, n.144; see also chapter 1, fnn.49f., 77f., section 2.6, and chapter 3) but moves it to understand (*ibid.; Quodl.*, VIII, a.3; *C. Gent.*, II, c.59, n.1366; c.60, n.1377; c.76, nn.1569-70; *In III de Anim.*, lect.10, n.730; see also chapter 1, fnn.68ff., 82ff., section 2.4), as an agent moves a patient, by generating a likeness of itself in the intellect (*Quodl.*, VIII, a.3c).

[155] *Q. de Anim.*, a.4 ad 8: "...duorum intellectuum, scilicet possibilis et agentis, sunt duae actiones. Nam actus intellectus possibilis est recipere intelligibilia; actio autem intellectus agentis est abstrahere intelligiblia. Nec tamen sequitur quod sit duplex intelligere in homine; quia ad unum intelligere oportet quod utraque istarum actionum concurrat"; *C. Gent.*, II, c.77, n.1582; *Comp.*, c.83.

[156] *Ibid.*; ad 1, ad 9; *Ver.*, q.8, a.6c: "...intelligens non se habet ut agens vel ut patiens, nisi per accidens; inquantum scilicet ad hoc quod intelligibile uniatur intellectui, requiritur actio vel passio: actio quidem, secundum quod intellectus agens facit species esse intelligibiles actu; passio autem, secundum quod intellectus possibilis recipit species intelligibiles, et sensus species sensibiles. Sed hoc quod est intelligere, consequitur ad hanc passionem vel actionem, sicut effectus ad causam"; *Comp.*, c.86, n.157.

to each other as habit and lack.[157]

Thus we experience the presence of both possible and agent intellects in the movement by which we understand the natures of things in sensible imagery.[158] We become aware of the possible intellect because sometimes we do understand and sometimes we do not, and we know

---

[157] The source is *In III de Anim.*, lect.10, n.728: "In omni natura quae est quandoque in potentia et quandoque in actu, oportet ponere aliquid, quod est sicut materia in unoquoque genere, quod scilicet est in potentia ad omnia quae sunt illius generis. Et aliud, quod est sicut causa agens, et factivum; quod ita se habet in faciendo omnia, sicut ars ad materiam. Sed anima secundum partem intellectivam quandoque est in potentia, et quandoque in actu. Necesse est igitur in anima intellectiva esse has differentias: ut scilicet unus sit intellectus, in quo possint omnia intelligibilia fieri, et hic est intellectus possibilis, de quo supra dictum est: et alius intellectus sit ad hoc quod possit omnia intelligibilia facere in actu; qui vocatur *intellectus agens*, et est sicut habitus quidam" (see also n.729); the argument is restated and refined in *In Boeth. de Trin.*, q.1, a.1c (D, pp.59-60); *In II Sent.*, d.17, q.2, a.1 sol.; *Ver.*, q.8, a.9c; q.10, a.6c; q.16, a.1 ad 13; *C. Gent.*, II, c.60, nn.1375, 1377; c.76, n.1561; c.77, n.1580-81; c.78, n.1586f.; c.88, nn.1590-91; *Comp.*, c.87, nn.159-60; c.88, nn.161-64; *Sum. Theol.*, I, q.54, a.4c; q.79, a.4 ad 4; a.7c; *Comp.*, c.83, nn.144-45; c.86, n.158; c.88, nn.163-64; *Q. de Anim.*, a.3 ad 18; a.4c; a.5c; *Spir. creat.*, a.9c; it is supposed rather than stated in *Unit. intell.*.

[158] *C. Gent.*, II, c.76, n.1577: "Sed utraque actio, scilicet intellectus possibilis et intellectus agentis, convenit homini: homo enim abstrahit a phantasmatibus, et recipit mente intelligibilia in actu; non enim aliter in notitiam harum actionum venissemus nisi eas in nobis experiremur"; *Q. de Anim.*, a.5c: "Sicut enim operatio intellectus possibilis est recipere intelligibilia, ita propria operatio intellectus agentis est abstrahere ea: sic enim ea facit intelligibilia actu. Utramque autem harum operationum experimur in nobis ipsis. Nam et nos intelligibilia recipimus et abstrahimus ea". The same notion is found implicitly in *Sum. Theol.*, I, q.54, a.4c, where it is the basis for denying any agent or possible intellect in angels, although Thomas had previously said that angels had both, with different functions (*In II Sent.*, d.3, q.3, a.4 ad 4), or in an equivocal sense (*C. Gent.*, II, c.96, n.1818). This experience gives some knowledge of the act of understanding but not a full understanding of the nature of the intellect: see *Sum. Theol.*, I, q.111, a.1 ad 3 and chapter 1, section 2.1. This knowledge is nonetheless sufficient to distinguish my act of understanding from yours—*Unit. intell.*, c.5 (K, n.112): "Est ergo unum quod intelligitur et a me et a te, sed alio intelligitur a me et alio a te, i.e. alia specie intelligibili; et aliud est intelligere meum, et aliud tuum; et alius est intellectus meus, et alius tuus. Unde et Aristoteles in Praedicamentis dicit aliquam scientiam esse singularem quantum ad subiectum, 'ut quaedam grammatica in subiecto quidem est anima, de subiecto vero nulla dicitur'. Unde et intellectus meus, quando intelligit se intelligere, intelligit quemdam singularem actum; quando autem intelligit intelligere simpliciter, intelligit aliquid universale".

we do understand whenever we receive the intelligible species of things from sensible imagery.[159] We become aware of the agent intellect, Aristotle said, because we have the power to fulfill our capacity to understand, and we realize we have this power whenever we turn to sensible imagery to abstract intelligible species from it.[160] Hence, the intellect both moves and is moved by sensible imagery, but not in the same respect, for it is moved by the imagery insofar as the imagery presents it with determinate likenesses of things which in its ignorance it lacks, but it moves the imagery by giving the species in it an intelligibility which they lack in the senses.[161]

---

[159] *Sum. Theol.*, I, q.54, a.5c: "...necessitas ponendi intellectum possibilem in nobis, fuit propter hoc, quod nos invenimur quandoque intelligentes in potentia et non in actu: under oportet esse quandam virtutem, quae sit in potentia ad intelligibilia ante ipsum intelligere, sed reducitur in actum eorum cum fit sciens, et ulterius cum fit considerans. Et haec virtus vocatur intellectus possibilis"; see q.79, aa.2c, 7c; *C. Gent.*, II, c.97, nn.1823, 1826; *Comp.*, c.80, n.140; *Spir. creat.*, a.9. There is also the string of texts in which Thomas points to the experience of the act of understanding as the basis for asserting that the possible intellect is multiple and intrinsic: see fnn.390ff..

[160] *Sum. Theol.*, I, q.54, a.4c: "Necessitas autem ponendi intellectum agentem fuit, quia naturae rerum materialium, quas nos intelligimus, non subsistunt extra animam immateriales et intelligibiles in actu, sed sunt solum intelligibiles in potentia, extra animam existentes: et ideo oportuit esse aliquam virtutem, quae faceret illas naturas intelligibiles actu. Et haec virtus dicitur intellectus agens in nobis"; see also q.79, a.3c; q.88, a.1c; *Quodl.*, VIII, a.3c; *Ver.*, q.10, a.6c; *C. Gent.*. II, c.77, n.1582f.; *Comp.*, c.79, n.138; c.83, n.144; *Q. de Anim.*, a.4c; *In III de Anim.*, lect.10, n.428f.; *Spir. creat.*, aa.9c, 10c. There is also the string of texts in which Thomas points to the experience of intending to abstract as the basis for asserting that the agent intellect, in one sense at least, is to be identified with the light by which each of us apprehends quiddities and judges the truth: see fnn.591ff..

[161] *Ver.*, q.10, a.6c: "Cum enim mens nostra comparatur ad res sensibiles quae sunt extra animam, invenitur se habere ad eas in *duplici* habitudine. *Uno modo* ut actus ad potentiam: inquantum, scilicet, res quae sunt extra animam sunt intelligibiles in potentia. Ipsa vero mens est intelligibilis in actu; et secundum hoc ponitur in ea intellectus agens, qui faciat intelligibilia actu. *Alio modo* ut potentia ad actum: prout scilicet in mente nostra formae rerum determinatae, sunt in potentia tantum, quae in rebus extra animam sunt in actu; et secundum hoc ponitur in anima nostra intellectus possibilis, cuius est recipere formas a sensibilibus abstractas, factas intelligibiles actu per lumen intellectus agentis"; see also q.8, a.9c; *In II Sent.*, d.17, q.2, a.1 sol. ad fin.; *Quodl.*, VIII, a.3c; *C. Gent.*, II, c.77, n.1580-81; *Comp.*, c.88, n.162; *Sum. Theol.*, I, q.79, a.4 ad 4; q.85, a.1 ad 3; *Q. de Anim.*, a.5c; *In III de Anim.*, lect.10, nn.737-39; *Spir. creat.*, a.10 ad 4; *Unit. intell.*,

In the movement toward understanding, then, the intellect displays an ability to become and to make everything.[162] Since it can become any corporeal nature, in the sense that it can accept any species which appears in sensible imagery, it must be denuded of any specific corporeal nature itself.[163] And since it can make the species which appear in sensible imagery intelligible, it must have the power to abstract the meaning of any corporeal nature from the concrete individuals in which it exists.[164] Therefore, this movement of the human intellect is potentially infinite, for no one corporeal quiddity terminates its ability to understand, and it can never understand all it might learn from the species in sensible imagery.[165]

In the reverse movement, from the soul to sensible imagery, the intellect does move itself inasmuch as it can draw the conclusions of whatever

---

c.3 (K, n.75). There is also the string of texts in which Thomas argues for the need of the agent intellect even for the second act of science, called consideration, because the species remain unintelligible in sensible imagery and the possible intellect needs to inspect them even when it possesses the appropriate habit of science: see fnn.348ff..

[162] See *In III de Anim.*, lect.10, n.728 (fn.157); *C. Gent.*, II, c.78, n.1586. Thus the soul is somehow everything, for everything is either sensible or intelligible, and the soul has the abilities both to sense and to understand (*In III de Anim.*, lect.13, n.787); in sensing or understanding it becomes identical with the things it knows (*ibid.*, n.788), not by becoming them but by receiving species of them (*ibid.*, n.789), so that it is, in a way, the whole of being, because in sense and intellect it has the ability to receive all forms of being (*ibid.*, n.790). See also *Sum. Theol.*, I, q.84, a.2 ad 2.

[163] See *In III de Anim.*, lect.9, n.722 (chapter 2, fn.25); *Unit. intell.*, c.4 (K, nn.92-93) and chapter 1, fnn.55ff., and chapter 2, fnn.19-32.

[164] *C. Gent.*, II, c.60, n.1388: "In omni genere tantum se extendit potentia passiva quantum potentia activa illius generis: unde non est aliqua potentia passiva in natura cui non respondeat aliqua potentia activa naturalis. Sed intellectus agens non facit intelligibilia nisi phantasmata. Ergo nec intellectus possibilis movetur ab aliis intelligibilibus nisi a speciebus a phantasmatibus abstractis. Et sic substantias separatas intelligere non potest"; see also *Spir. creat.*, a.10 ad 7 (K, pp.130-31). See also chapter 1, fnn.50ff.

[165] See *Sum. Theol.*, I, q.86, a.2c; see also q.14, a.12c ad 1; III, q.10, a.3 ad 1; *Ver.*, q.2, a.9c; q.20 a.4 ad 1; *Comp.*, c.133; *In I Phys.*, lect.9, n.7; III, lect.7, n.6; lect.11, n.2. See also fnn.133, 144 and section 2.3, introduction.

it knows in principle.[166] Understanding the first principles, the intellect moves itself to investigate, analyze, and demonstrate whatever they imply.[167] Thus the reasons we give for things are like inner words which we conceive to express conclusions from the first principles and the meaning of whatever else we may actually or habitually understand in light of them.[168] The ordinary principle for a syllogistic demonstration, though, is a definition,[169] a reason which the intellect understands immediately in

---

[166] *Sum. Theol.*, I-II, q.9, a.3c: "Manifestum est autem quod intellectus per hoc quod cognoscit principium, reducit seipsum de potentia in actum, quantum ad cognitionem conclusionum: et hoc movet seipsum". Thus a demonstration in the strict sense means syllogistic proof based on immediate and true first principles (see *In I Post. Anal.*, lect.1, n.8; lect.4, nn.9-10; lect.23-lect. 25), which enable us to show that a certain predicate necessarily pertains to a given subject (see *ibid.*, lect.2, n.2; lect.10, n.8) because we give the reason for the pertinence (see *In I Phys.*, lect.1, n.5; II, lect.5, n.1; VIII, lect.3, nn.1, 4) and thereby show why both must be found together in the same thing (see *In I Post. Anal.*, lect.4, n.5; lect.42, n.7; *Sum. Theol.*, I, q.13, a.12c).

[167] See section 2.1.1.

[168] *Sum. Theol.*, I, q.34, a.1c: "...sciendum est quod *verbum* tripliciter quidem in nobis proprie dicitur: quarto autem modo, dicitur improprie sive figurative. Manifestius autem et communius in nobis dicitur verbum quod voce profertur. Quod quidem ab interiori procedit quantum ad duo quae in verbo exteriori inveniuntur, scilicet vox ipsa, et significatio vocis. Vox enim significat intellectus conceptum, secundum Philosophum, in libro I *Periherm.*: et iterum vox ex imaginatione procedit, ut in libro *de Anima* dicitur. Vox autem quae non est significativa, verbum dici non potest. Ex hoc ergo dicitur verbum vox exterior, quia significat interiorem mentis conceptum. Sic igitur primo et principaliter interior mentis conceptus verbum dicitur: secundario vero, ipsa vox interioris conceptus significativa: tertio vero, ipsa imaginatio vocis verbum dicitur...Dicitur autem figurative quarto modo verbum, id quod verbo significatur vel efficitur: sicut consuevimus dicere, *hoc est verbum quod dixi tibi*, vel *quod mandavit rex*, demonstrato aliquo facto quod verbo significatum est vel simpliciter enuntiantis, vel etiam imperantis"; see also chapter 1, section 2.6, esp. fnn.200-04.

[169] *In I Post. Anal.*, lect.5, n.9: "Principium autem syllogismi dici potest non solum propositio, sed etiam definitio. Vel potest dici quod licet definitio in se non sit propositio in actu, est tamen in virtute propositio quia cognita definitione, apparet definitionem de subiecto vere praedicari"; see nn.6-9, esp. n.7; and also lect.16, n.4; lect.26, n.3. Therefore, since definitions are the principles intrinsic to demonstration (see *ibid.*, lect.43, nn.11-12; and also lect.8, nn.7, 9; lect.41, nn.10-12), there are as many first principles of science as there are subjects to be defined (see *ibid.*, lect.43, n.13; and also n.7; lect.4, n.11; lect.18, nn.6-8; lect.36, n.11; *In Meta.*, lect.2).

sensible data[170] and conceives of at the term of a scientific investigation[171] to signify the nature of a subject through its causes[172] and to use as a medium for demonstrating conclusively the pertinence to the subject of certain properties.[173]

---

[170] See *In II Post. Anal.*, lect.2-lect.6, esp. lect.2, nn.8-12, in which it is shown (1) that there need not be a demonstration for everything since one who knows a definition needs no demonstration; (2) that there cannot be a demonstratoin for everything, or else demonstration would become an infinite regress; and (3) that there cannot be a demonstration for anything definable since demonstrations suppose definitions of quiddities. See also *ibid.*, lect.3, in which it is shown that any attempt to demonstrate a definition begs the question, and lect.3, in which it is shown that to demonstrate the meaning of a definition one would have to know the nature of the thing to be defined and to define the definition would be no more than to explain the meaning of a term. Yet one must demonstrate a definition in the broad sense that in defining one must use sensible data as premises, the cause of something as a medium, and the subject itself as a conclusion (see *ibid.* lect.8, n.5f.; I, lect.16, n.5; *In I Phys.*, lect.1, n.5); for example, in the definition of an eclipse one realizes that the darkness of the moon is caused by the interposition of the earth between it and the sun (see *In II Post. Anal.*, lect.1, n.11; and also lect.7, n.8; I, lect.42, n.7; lect.44, n.12).

[171] A definition is the principle of science insofar as science means demonstrable knowledge (see *In I Phys.*, lect.1, n.5; II, lect.5, nn.1, 4; *In I Post. Anal.*, lect.4, nn.2, 5; II, lect.1, n.8; lect.8-lect.9) but the term of science insofar as science means certain knowledge by causes (see *Ver.*, q.2, a.1 ad 9; a.7 ad 5; q.20, a.5c ad fin.; *Pot.*, q.9, a.5c; *In I Ioan.*, lect.1, n.26; *In I Post. Anal.*, lect.4, n.9; II, lect.1, n.8). Therefore, the principles of science are extrinsic to it insofar as it supposes a definition of its subjects (see *In I Post.*, lect.17, n.4; and also lect.5, n.4; lect.18, nn.3-4ff.; *Sum. Theol.*, I, q.1, a.7c) but intrinsic to it insofar as it means an understanding of the natures of things in definitions (see *In II Post. Anal.*, lect.8, nn.5-11; lect.11, nn.7-8; lect.12; lect.15, n.6). These definitions may be formal, material, or composite, depending upon whether they signify causes, subjects, or natures (see *In I de Caelo.*, lect.2, n.2; *In I de Anim.*, lect.2, nn.24-27; II, lect.1, n.212).

[172] The definition signifies the nature or whatness of a thing (see *In II Post. Anal.*, lect.2; lect.13-lect. 16; *In VII Meta.*, lect.12; VIII, lect.2; *Ver.*, q.2, a.1 ad 9; *Sum. Theol.*, I, q.84, a.7c) as known from a grasp of its causes (see *Ver.*, q.20, a.5c ad fin.; *In II Phys.*, lect.5; *In I Meta.*, lect.11, esp. n.175; lect.17, esp. n.272; V, lect.2; VII, lect.17, nn.1649ff., 1666-68; IX, lect.10, n.1888f.; *In III de Anim.*, lect.12, nn.772, 777; lect.13,n.791; and esp. *In I Post. Anal.*, lect.4, nn.5-10; lect.16, n.5; lect.42, nn.8-10; II, lect.1, nn.7-10; lect.8, n.3; lect.9-lect.12; lect.17-lect.19). See also chapter 4, section 2.2, and Lonergan, "The Concept of *Verbum*," *Theological Studies*, 7 (1946), 361-64 and *Verbum*, 13-16.

[173] Because of the definition of the subject implies the definition of the predicate (see *In II Post. Anal.*, lect.1, n.9; and also I, lect.2, n.3; lect.10, n.8; *Ver.*, q.2, a.7 ad 5; *Sum. Theol.*,

Both science and art share in the fruits of understanding, for the ideas which we conceive when we understand can serve either as reasons or models,[174] depending upon whether our intention in understanding is speculative or practical.[175] Thus the speculative intellect differs from the practical by the end we have in mind, truth or operation.[176] But an operation can be understood either theoretically or practically depending upon whether we consider it in general or as something particular for us to perform.[177] The performance itself can have either a speculative or practical bent, for it can regard things as they are to be known or as they are to be made.[178] The difference between science and art, then, is that science is the right way to understand things and art the right way to make them.[179]

I, q.17, a.3 ad 1), it correlates the predicate with the subject (see *ibid.*, I, lect.13, n.3) as a passion or property of the subject (see *ibid.*; and also lect.16, nn.4-5; lect.19, n.8).

[174] *Sum. Theol.*, I, q.15, a.3c: "...cum ideae a Platone ponerentur principia cognitionis rerum et generationis ipsarum, ad utrumque se habet idea, prout in mente divina ponitur. Et secundum quod est principium factionis rerum, *exemplar* dici potest, et ad practicam cognitionem pertinet. Secundum autem quod principium cognoscitivum est, proprie dicitur *ratio*; et potest etiam ad scientiam speculativam pertinere"; for the development of this doctrine in Aquinas's thought see chapter 1, fnn.203-204, and chapter 2, fnn.92-94, 98.

[175] See *In Boeth. de Trin.*, q.5, a.1 ad 4 (D, p.169); *Ver.*, q.3, a.3c; *Sum. Theol.*, I, q.14, a.16 for the complete teaching on speculation vs. Practice. See also Lebacqz, 99-101; Crowe, "Complacency and Concern", 211f..

[176] See *ibid.* and also *In Boeth. de Trin.*, q.5, a.1c (D, p.164); *Sum. Theol.*, I, q.79, a.11; II-II, q.179, a.2; *In III de Anim.*, lect.15, n.820; *Virt. in comm.*, a.7.

[177] See fn.175 and also *In II Sent.*, d.24, q.2, a.1; III, d.23, q.2, a.3, sol.2; d.27, q.1, a.4 ad 4; d.33, q.2, a.4, sol.4; *Ver.*, q.2, aa.8, 14; *C. Gent.*, I, c.76, n.622; *Sum. Theol.*, I, q.14, aa.8, 9; I-II, q.94, a.2; *In III de Anim.*, lect.12, nn.779-80; lect.14, n.814f.; *In VI Eth.*, lect.3, n.1152. See also J.E. Naus, *The Nature of the Practical Intellect according to Saint Thomas Aquinas* (Rome, 1959).

[178] See fn.175 and also *In Boeth. de Trin.*, q.5, a.1c (D, p.164); *Sum. Theol.*, I, q.117, a.1 ad 2; I-II, q.56, a.3c; *In III de Anim.*, lect.14, n.813; *In I Eth.*, lect.1, nn.1-2; *In I Post. Anal.*, lect.41, n.7; *In II de Caelo*, lect.20, n.4.

[179] See *In VI Eth.*, lect.3, nn.1144-49, 1153-60; lect.4, n.1166. See also chapter 2, fn.50f..

Hence, the movement of reasoning is speculative when we use it to know things and practical when we use it to construct them.[180] In either case, we apply our knowledge to the concrete in a kind of syllogism, in which our ideas function as principles, sensible imagery as media, and words or works as conclusions.[181]

In reasoning, therefore, the intellect does not move itself as such. On the way from things to the soul, it both moves sensible imagery and is moved by it, but, in the first place, it does not give sensible imagery the determinate information which it gets from it and, secondly, the agent intellect which moves sensible imagery by abstracting intelligible species from it is distinct from the possible intellect which is moved by receiving the intelligible species.. On the way from the soul to things, the intellect moves itself by drawing the conclusions of what it understands in principle, but the conclusions add nothing to the intelligibility of the principles and the principles lack the information in the conclusions. Therefore, the intellect is never in act and potency in the same respect while in the process of reasoning.

2.2. The Meaning of Understanding

To understand what Thomas Aquinas meant by "understanding," it is not enough to consider his interpretation of it in terms of movement. He also called understanding a form of life, the life of man, because like any other

---

[180] *In I Post. Anal.*, ect. 41, n.7: "...scientia dicitur una, ex hoc quod est unius generis subiecti. Cuius ratio est, quia processus scientiae cuiuslibet est quasi quidam motus rationis. Cuiuslibet autem motus unitas ex termino principaliter consideratur, ut patet in V *Physicorum*, et ideo oportet quod unitas scientiae consideretur ex fine sive ex termino scientiae. Est autem cuiuslibet scientiae finis sive terminus, genus circa quod est scientia: quia in speculativis scientiis nihil aliud quaeritur quam cognitio generis subiecti; in practicis autem scientiis intenditur quasi finis constructio ipsius subiecti. Sicut in geometria intenditur quasi finis cognitio magnitudinis, quae est subiectum geometriae; in scientia autem aedificativa intenditur quasi finis constructio domus, quae est huiusmodi artis subiectum"; see also n.8; and Crowe, "Complacency and Concern", 10, 356.

[181] See chapter 3, fnn.56ff..

form of life, understanding is an operation that shows perfection and brings fulfillment. Therefore, it is necessary to supplement the study of Thomas's treatment of reasoning as a kind of movement with his analysis of understanding as a form of life.

2.2.1. The Life of Understanding

First, then, Aquinas did consider understanding a form of life. He said that, though human understanding is mostly a process of reasoning, the life of intellect occurs, not in the movement of reasoning, but in the operation of understanding itself.[182] For the life of anything is found in the operation to which it most inclines and in which it achieves its perfection;[183] but one reasons only to understand,[184] and in the act of understanding one achieves his proper perfection.[185] This perfection is called science.[186]

---

[182] See chapter 1, fnn.30-33, and this chapter, fnn.91-97.

[183] *Sum. Theol.* II-II, q.179, a.1c: "...illa proprie dicuntur vivantia quae ex seipsis moventur seu operantur. Illius autem maxime convenit alicui secundum seipsum quod est proprium ei, et ad quod maxime inclinatur. Et ideo unumquodque vivens ostenditur vivere ex operatione sibi maxime propria, ad quam maxime inclinatur: sicut plantarum vita dicitur in hoc consistere quod nutriuntur et generant; animalium vero in hoc quod sentiunt et moventur; hominum vero in hoc quod intelligunt et secundum rationem agunt. Unde etiam et in hominibus vita uniuscuiusque hominis videtur esse id in quo maxime delectatur, et cui maxime intendit: et in hoc praecipue vult quilibet *convivere amico*, ut dicitur in IX *Ethic.*"; see also I, q.18, a.2 ad 2; q.54, a.2 a.1; I-II, q.3, a.2 ad 1; *In III Sent.*, d.35, q.1, a.2, sol.1; *In II de Anim.*, lect.7, nn.319-20; *In I Eth.*, lect.10, nn.123-26; IX, lect.7, n.1846; lect.14, n.1948.

[184] See chapter 2, fnn.22-26, and this chapter, section 2.1.1.

[185] See chapter 1, fnn.27-29.

[186] *In I de Anim.*, lect.1, n.3: "Quod autem omnis scientia sit bona, patet; quia honum rei est illud, secundum quod res habet esse perfectum: hoc enim unaquaeque res quaerit et desiderat. Cum igitur scientia sit perfectio hominis, inquantum homo, scientia est bonum hominis"; see also *In I Meta.*, lect.1, nn.1-4; but see also the difference between the ideal and its realization in *Ver.*, q.2, a.1 ad 4. See the treatment of science as the normative operation of the human intellect in *In II de Anim.*, lect.1, n.216; lect.10, n.355; lect.11, nn.359-72; lect.12, nn.373-82; III, lect.8, nn.700-703; lect.10, nn.740-

As opposed to mere reasoning about the particular, the probable, and the contingent,[187] science is an understanding of the universal, the certain, and the necessary.[188] It surpasses any expertise to be gained from sense experience because it comes to a grasp of the causes for things;[189] it contrasts with the nominal knowledge of popular opinion because it means an understanding of the natures of things themselves;[190] and, in human understanding at least, it must be distinguished from the natural and immediate grasp of the first principles as an ability to demonstrate

---

45. Thomas recognized, though, the value of probable opinions (see *In Boeth. de Trin.*., q.6, a.1 ad prim. quaest. [D, p.205f.]; *In Post Anal.*, prooem.), and he justified their value for the sciences of both theology (see *Sum. Theol.*, I, q.32, a.1 ad 2; *In I Meta.*, lect.1) and astrology (see *In II de Caelo*, lect.1, n.2; lect.17, nn.1, 2, 8) because of the complexity and remoteness of the subjects of each (see *ibid.* and *In I Post Anal.*, lect.41). See Lonergan, "The Concept of *Verbum*," *Theological Studies*, 7 (1949), 366f. and *Verbum*, p.191f..

[187] *In Boeth. de Trin.*, q.6, a.1c ad prim. quaest. (D, pp.205-206): "Ultimus enim terminus, ad quem rationis inquisitio perducere debet, est intellectus principiorum, in quae resolvendo iudicamus; quod quidem quando fit non dicitur processus vel probatio rationabilis, sed demonstrativa. Quandocue autem inquisitio rationis non potest usque ad praedictum terminum perduci, sed sistitur in ipsa inquisitione, quando scilicet inquirenti adhuc manet via ad utrumlibet; et hoc contingit, quando per probabiles rationes proceditur, quae natae sunt facere opinionem vel fidem, non scientiam. Et sic rationabilis processus dividitur contra demonstrativum"; see also *Ver.*, q.15, a.2 ad 3; *Sum. Theol.*, I, q.79, a.9 ad 3; *In VI Eth.*, lect.1, n.1118. But see also chapter 1, fnn.119-34, 142-47, and section 2.6; chapter 3, section 2.3; chapter 4, sections 2.1 and 2.2; and this chapter, fn.146, for Thomas distinguished reasoning and science as two ways of knowing the same things, not as ways of knowing two kinds of things.

[188] See chapter 1, sections 2.4-2.6.

[189] See *In Boeth. de Trin.*, q.5, a.2 ad 4; *C. Gent.*, II, c.60, n.1382; c.66, n.1438; *In II de Anim.*, lect.12, n.375; III, lect.4, *In Meta.*, prooem.; I, lect.1, nn.16-30; *In I Phys.*, lect.1, n.8; *In I Post. Anal.*, lect.9, nn.3-5; lect.16, nn.2-5; lect.30, nn.4-6; lect.42, nn.5-10; II, lect.20, nn.11-14.

[190] See *In IV Meta.*, lect.4, n.574; *Fallac.*, c.2, n.636; *In Boeth. de Trin.*, q.6, a.1 ad prim. quaest. (D, p.205); and also chapter 1, fn.26, and this chapter, fnn.169-73. Thomas knew that Aristotle used the opinions of others when he had not shown the contrary (see *In I de Caelo*, lect.2, nn.3-7; lect.12, nn.4-5; *In I de Gen.*, lect.8, n.2). G.E.L. Owen, in "τιθέναι τά φαινόμενα," *Aristote et les problèmes de méthode* (Louvain-Paris, 1961) claims that in practice Aristotle never clearly distinguished between dialectical and physical proofs.

the meaning of something in particular.[191] In science, therefore, human understanding becomes perfect in an infallible understanding of what things really are.[192]

The perfection which science gives to the intellect is truth,[193] but the human intellect has no immediate knowledge of the truth.[194] In fact, most of the time we are in error,[195] and the prevalence of error has led many to doubt the truth of the first principles, think only appearances true, and suppose contradictories equally verifiable.[196] In understanding we fall into

---

[191] See *In III Sent.*, d.31, q.2, a.4 sol.; *In VI Eth.*, lect.5; and also chapter 1, fn.26, and this chapter, section 2.1.1.

[192] *Sum. Theol.*, I, q.85, a.6c: "Obiectum autem proprium intellectus est quidditas rei. Unde circa quidditatem rei, per se loquendo, intellectus non fallitur. Sed circa ea quae circumstant rei essentiam vel quidditatem, intellectus potest falli, dum unum ordinat ad aliud, vel componendo vel dividendo vel etiam ratiocinando. Et propter hoc etiam circa illas propositiones errare non potest, quae statim cognoscuntur cognita terminorum quidditate, sicut accidit circa prima principia: ex quibus etiam accidit infallibilitas veritatis, secundum certitudinem scientiae, circa conclusiones"; see also q.17, a.4c; and chapter 4, fnn.51-58, esp. fn.56.

[193] See fn.153 and *In II Meta.*, lect.2-lect. 4; *Sum. Theol.*, I, q.16, a.1 ad 2.

[194] Hence there must be a *universalis dubitatio de veritate*: see *In III Meta.*, lect.1, nn.338-43. This means, as A. Mansion has shown in "*Universalis dubitatio de veritate*: S. Thomas in *Metaph.*, Lib. III, lect.1," *Revue philosophique de Louvain*, 57 (1959), 513-42, neither a methodical doubt (à la Noël) nor a methodical realism (à la Gilson), but a question about the meaning of truth.

[195] *In III de Anim.*, lect.4, n.624: "...deceptio videtur esse magis propria animalibus quam cognitio secundum conditionem suae naturae. Videmus enim quod homines ex seipsis decipi possunt et errare. Ad hoc autem quod veritatem cognoscant, oportet quod ab aliis doceantur. Et iterum pluri tempore anima est in deceptione quam in cognitione veritatis; quia ad cognitionem veritatis vix pervenitur post studium longi temporis"; see *In II Meta.*, lect.1, lect.5. Appearances can be deceiving (see *Sum. Theol.*, I, q.17, a.1c); both senses (*ibid.*, q.89, a.6c) and intellect (see *Ver.*, q.2, a.2 ad 1) are more or less accute; a true opinion differs from deceptive appearances (see *In III de Anim.*, lect.5, nn.653-54); and so we need teachers to avoid error (see *In III de Anim.*, lect.4, n.624; *Sum. Theol.*, II-II, q.49, a.3c).

[196] See *In IV Meta.*, lect.5-lect. 17; *Sum. Theol.*, I, q.85, a.2c. Thomas remarked, though, in *Unit. intell.*, prooem. (K, n.1): "Sicut omnes homines naturaliter scire desiderant veritatem, ita naturale desiderium inest nominibus fugiendi errores, et eos cum facultas

error not in the act of understanding itself, as if we could fail to understand what we know we have understood, but in the operation of composing and dividing, for we are prone to compose an adequate definition of something we have understood with something entirely different or to compose contrary elements into an inadequate definition of something we have not really understood.[197] Hence, we need two operations to understand things adequately, one in which we simply apprehend various aspects of what things are and another in which we compose and divide our ideas to know the being of things.[198]

The composition and division needed for the second operation of understanding is threefold. To formulate a definition at all, we must compose parts essential to a thing and divide them from parts accidental to it, for we cannot comprehend the meaning of anything all at once but must reason to an understanding of it by grasping first the essence and

---

adfuerit confutandi. Inter alios autem errores indecentior videtur esse error quo circa intellectum erratur, per quem nati sumus devitatis erroribus cognoscere veritatem".

[197] *Sum. Theol.*, I, q.85, a.6c: "Per accidens tamen contingit intellectum decipi circa quod quid est in rebus compositis; non ex parte organi, quia intellectus non est virtus utens organo; sed ex parte compositionis intervenientis circa definitionem, dum vel definitio unius rei est falsa de alia, sicut definitio circuli de triangulo, vel dum aliqua definitio in seipsa est falsa, implicans compositionem impossibilium, ut si accipiatur hoc ut definitio alicuius rei, *animal rationale alatum*. Unde in rebus simplicibus, in quarum definitionibus compositio intervenire non potest, non possumus decipi; sed deficimus in totaliter non attingendo, sicut dicitur in IX *Metaphys.*"; see also q.17, a.3c; a.4c; q.58, a.5c; the earlier statements in *In I Sent.*, d.19, q.5, a.1 ad 7; *Ver.*, q.1, aa.3, 11-12; *C. Gent.*, I, c.59, nn.495-96; III, c.108, nn.2833, 2835; and the sources in Aristotle: *In III de Anim.*, lect.11, nn.746-64; *In VI Meta.*, lect.4, nn.1230-40; IX, lect.11, nn.1907-08; *In I Periherm.*, lect.3, nn.1-10.

[198] See *In Boeth. de Trin.*, q.5, a.3c (D, pp.182-83); *In I Sent.*, d.19, q.5, a.1 ad 7; d.23, q.2, a.2, sol.1; *Ver.*, q.14, a.1; *C. Gent.*, I, c.59, 495-96; *Sum. Theol.*, I, q.58, a.3; q.85, a.3; *In III de Anim.*, lect.11, nn.746-64 (the source); *In IV Meta.*, lect.6, n.605; VI, lect.4, n.1232; *In Periherm.*, prooem., nn.1-3; lect.1, nn.5, 17; lect.3, nn.2-4; *In Post. Anal.*, prooem.; *Spir. creat.*, a.9 ad 6, a.11 ad 7. Garceau criticized all recent attempts to interpret these texts and to correlate them with the other Thomist texts regarding judgement.

then some accidents.[199] Then, to demonstrate that the definition is adequate to a given subject, we must resolve it to the first principles of sense
and intellect because all demonstration and deduction are dependent
upon previous investigation and induction.[200] Finally, to have the power
to judge that an enunciation of the composition of subject and definition
is true,[201] we must reflect upon the act of understanding to apprehend the
nature of the intellect itself, for in the first operation of understanding we
know directly the natures of things and not the ability of the intellect to
understand these natures.[202]

---

[199] *Sum. Theol.*, I, q.85, a.5c: "...intellectus humanus necesse habet intelligere componendo
et dividendo. Cum enim intellectus humanus exeat de potentia in actum, similitudinem
quandam habet cum rebus generabilibus, quae non statim perfectionem suam habent,
sed eam successive acquirunt. Et similiter intellectus humanus non statim in prima
apprehensione capit perfectam rei cognitionem; sed primo apprehendit aliquid de ipsa,
puta quidditatem ipsius rei, quae est primum et proprium obiectum intellectus; et
deinde intelligit proprietates et accidentia et habitudines circumstantes rei essentiam. Et
secundum hoc, necesse habet unum apprehensum alii componere vel dividere; et ex una
compositione vel divisione ad aliam procedere, quod est ratiocinari"; see also *In Boeth. de
Trin.*, q.5, a.3c (D, p.182); *In III de Anim.*, lect.11, nn.746-51; *Spir. creat.*, a.11 ad 7 (K,
pp.145-46). This is unnecessary for angelic or divine intellects (see *Sum. Theol.*, I, q.14,
a.7c; q.58, a.4c; q.85, a.5c. See also chapter 4, sections 2.3 and 2.4.

[200] *In IV Meta.*, lect.6, n.605 (fn.107); see also *Ver.*, q.1, ,a.12c; q.14, a.1c; *In I Sent.*, d.19,
q.5, a.1 ad 7; *C. Gent.*, I, c.59, nn.495-96; *Sum. Theol.*, I, q.58, a.3c; *In III de Anim.*,
lect.11, n.760f.; *In I Periherm.*, prooem., lect.1, nn.5, 17; lect.3, nn.2-4; *Spir. creat.*, a.9
ad 6. See also section 2.1.1.

[201] *Ver.*, q.1, a.3c: "Intellectus autem formans quidditates, non habet nisi similitudinem
rei existentis extra animam, sicut et sensus in quantum accipit speciem rei sensibilis; sed
quando incipit iudicare de re apprehensa, tunc ipsum iudicium intellectus est quoddam
proprium ei, quod non invenitur extra in re. Sed quando adaequatur ei quod est extra in
re, dicitur iudicium verum esse. Tunc autem iudicat intellectus de re apprehensa quando
dicit quod aliquid est vel non est, quod est intellectus componentis et dividentis; unde
et Philosophus dicit VI *Metaph.* [text.8], quod compositio et divisio est in intellectu, et
non in rebus. Et inde est quod veritas per prius invenitur in compositione et divisione
intellectus. Secundario autem dicitur verum et per posterius in intellectu formante
definitiones; unde definitio dicitur vera vel falsa, ratione compositionis verae vel falsae";
see also *In III Sent.*, d.23, q.2, a.1 sol..

[202] See chapter 1, fnn.35-39, 43-48; and also *In VI Meta.*, lect.4, n.1232.

Hence, the knowledge of the adequacy of the intellect in understanding depends upon a reflection of the intellect upon the act of understanding to grasp the species by which it has understood.[203] In this reflection the human intellect knows, first, that the truth of understanding is measured by the being of things;[204] secondly, that understanding is a knowledge of being because it apprehends the essences of things;[205] and, thirdly, that it apprehends essences because the species under which it knows things are likenesses of what they really are.[206] Therefore, the intellect becomes perfect in the operation of understanding, not just because it knows things truly, but specifically because it knows the truth of its adequacy to being.[207]

---

[203] See chapter 2, section 2.2.

[204] *In IX Meta.*, lect.11, n.1898: "...verum et falsum est in rebus componi et dividi. Oportet enim veritatem et falsitatem quae est in oratione vel opinione, reduci ad dispositionem rei sicut ad causam"; see also nn.1895-1900. And, see chapter 1, fnn.214ff., esp. 215; chapter 4, fn.51..

[205] See chapter 1, section 2.5.

[206] See *In VI Meta.*, lect.4, n.1234: "Sciendum est autem, quod cum quaelibet cognitio perficiatur per hoc quod similtudo rei cognitae est in cognoscente; sicut perfectio rei cognitae consistit in hoc quod habet talem formam per quam est res talis, ita perfectio cognitionis consistit in hoc, quod habet similitudinem formae praedictae. Ex hoc autem, quod res cognita habet formam sibi debitam, dicitur esse bona; et ex hoc, quod aliquem defectum habet, dicitur esse mala. Et eodem modo ex hoc quod cognoscens habet similitudinem rei cognitae, dicitur habere veram cognitionem: ex hoc vero, quod deficit a tali similitudine, dicitur falsam cognitionem habere. Sicut ergo bonum et malum designant perfectiones, quae sunt in rebus: ita verum et falsum designant perfectiones cognitionum"; see also chapter 1, fn.222; chapter 2, section 2.1; and chapter 4, section 2.6.

[207] *Sum. Theol.*, I, q.16, a.2c: "Intellectus autem conformitatem sui ad rem intelligibilem cognoscere potest: sed tamen non apprehendit eam secundum quod cognoscit de aliquo *quod quid est*; sed quando iudicat rem ita se habere sicut est forma quam de re apprehendit, tunc primo cognoscit et dicit verum. Et hoc facit componendo et divendo: nam in omni propositione aliquam formam significatam per praedicatum, vel applicat alicui rei significatae per subiectum, vel removet ab ea. Et ideo bene invenitur quod sensus est verus de aliqua re, vel intellectus cognoscendo *quod quid est*: sed non quod cognoscat aut dicat verum. Et similiter est de vocibus complexis aut incomplexis. Veritas quidem

2.2.2. THE MEANING OF LIFE

Since Aquinas called the double operation of understanding a form of
life, it is necessary to understand what he meant by the term, "life," to
appreciate what he intended by applying it to "understanding." His analysis of life falls into three parts. In the first he is concerned with the
reason for the difference between the living and the inert; in the second,
with the nature of vital operation; and in the third, with the basis for the
degrees of perfection in life itself. Therefore, to grasp what he meant by
"life" it will be necessary to follow Thomas through these three stages of
his analysis.

In the first place, Aristotle has shown that the way to distinguish
the living from the non-living is to pick what is distinctive of things
most obviously alive.[208] But animals are most obviously alive, and what is
distinctive of the life of animals is self-movement, for we say an animal
is alive as soon as it begins to move of itself, and we judge it is alive until
it no longer appears to move of itself and needs to be moved by another.[209] Therefore, whatever moves itself by any kind of movement, either in

---

igitur potest esse in sensu, vel in intellectu cognoscente *quod quid est*, ut in quadam re
vera: non autem ut cognitum in cognoscente, quod importat nomen *veri*; perfectio enim
intellectus est verum ut cognitum. Et ideo, proprie loquendo, veritas est in intellectu
componente et dividente: non autem in sensu, neque in intellectu cognoscente *quod quid
est*"; see also *C. Gent.*, I, c.59, n.496. See chapter 1, fnn.26, 41, 44, 45, 121, 206, 214,
215, 218; chapter 2, fn.56.

[208] *Sum. Theol.*, I, q.18, a.1c: "...ex his quae manifeste vivunt, accipere possumus quorum
sit vivere, et quorum non sit vivere. Vivere autem manifeste animalibus convenit: dicitur
enim in libro *de Vegetabilibus*, quod *vita in animalibus manifesta est*. Unde secundum illud
oportet distinguere viventia a non viventibus, secundum quod animalia dicuntur vivere";
the reference is to *On Plants*, I, c.1, 815, a.10. Likewise, Aristotle said that philosophers
studied life because they were interested in the soul and knew the animate differed from
the inanimate in living: see *In I de Anim.*, lect.3, n.254; *Sum. Theol.*, I, q.75, a.1c.

[209] *Ibid.*: "Hoc autem est in quo primo manifestatur vita, et in quo ultimo remanet. Primo
autem dicimus animal vivere, quando incipit ex se motum habere, et tandiu iudicatur
animal vivere, quandiu talis motus in eo apparet; quando vero iam ex se non habet
aliquem motum, sed movetur tantum ad alio, tunc dicitur animal mortuum, per defectum

the strict sense of an imperfect act or in the broad sense of an act of the perfect (which includes sensing and understanding), is properly said to be alive,[210] but anything whose nature is not to move itself to some movement or to some operation cannot be said to be living, except possibly metaphorically.[211]

The self-movement in life does not mean, however, that anything living is capable of moving itself as a body.[212] The apparent self-movement

---

vitae". Yet Aristotle said that nutrition is the minimum condition for distinguishing life from physical movement (see *In I de Anim.*, lect.14, n.10), that, besides nutrition and locomotion, sensation also is an ordinary form of life (see *ibid.*, II, lect.7, n.323), that sense life is distinctive of animal life as opposed to human (see *In IX Eth.*, lect.11, n.1902), that philosophers have studied either sense or movement as distinctive of life (see *In I de Anim.*, lect.3, n.31; lect.5, n.65), and that understanding is the highest form of life (see *ibid.*, II, lect.1, n.219; lect.3, nn.255, 260-61). Nevertheless, Aristotle accepted the insight of Democritus, Leucippus, and Plato (see *ibid.*, I, lect.3, n.37; II, lect.1, n.219; lect.5, n.285) that self-movement is distinctive of life, an impression apparently confirmed by the findings of developmental psychology and anthropology: see Breton, 261-65. See fn.232.

[210] *Ibid.*: "Ex quo patet quod illa proprie sunt viventia, quae seipsa secundum aliquam speciem motus movent; sive accipiatur motus proprie, sicut motus dicitur actus imperfecti, id est existentis in potentia; sive motus accipiatur communiter, prout motus dicitur actus perfecti, prout intelligere et sentire dicitur *moveri*, ut dicitur in III *de Anima*. Ut sic viventia dicantur quaecumque se agunt ad motum vel operationem aliquam"; see also q.81, a.1 ad 2; II-II, q.179, a.1c; *In III Sent.*, d. 35, q.1, a.1 sol.; IV, q.2, a.3, sol.2; *Ver.*, q.4, a.8c; q.24, a.1c; *C. Gent.*, I, c.90, n.1767; c.97, n.813. Thus, we attribute life to God most properly because He has within Himself the principle for His act (see *Pot.*, q.7, a.5c; *Sum. Theol.*, I, q.18, a.3c ad 1; *In II Meta.*, lect.8, n.2544) and to the Holy Spirit as the intrinsic principle by which God moves creation (see *Ver.*, q.4, a.8 ad 3; *C. Gent.*, IV, c.20, n.3574; *Sum. Theol.*, I, q.45, a.6 ad 2) but not to angels as they govern things because they remain extrinsic to them (see *Sum. Theol.*, I, q.51, a.1 ad 3; a.3 ad 1).

[211] *Ibid.*: "...ea vero in quorum natura non est ut se agant ad aliquem motum vel operationem, viventia dici non possunt, nisi per aliquam similitudinem"; see also *In III* and *IV Sent.*, *loc. cit.*. Thus movement in anything is similar to life in the living (see *Sum. Theol.*, *loc. cit.*, ad 1); and we call spring water living and mercury quicksilver because they obviously have an internal principle of movement (see *ibid.*, ad 3; *C. Gent.*, I, c.97, n.813), but we have no reason to attribute life to things which show no signs of self-movement (see *C. Gent.*, II, c.90, nn.1761-62, 1764). See fn.233.

[212] *Sum. Theol.*, I, q.3, a.1c: "Quia corpus aut est vivum, aut non vivum. Corpus autem vivum, manifestum est quod est nobilius corpore non vivo. Corpus autem vivum non

in animal locomotion is really an effect of external stimulation or internal impulses; it means only that an animal can move itself by the appetite it has for the things whose forms it senses; and in being attracted to things the soul of an animal is accidentally affected.[213] In principle, anything subject to local movement must be divisible to get from place to place,[214] and so no body can move itself as a whole, for it has to be still as a whole if it becomes still in part.[215] To explain the self-movement of the living, then, we must suppose that they are composed of a divisible mobile and an indivisible motor[216] and that the motor cannot be moved as such in moving the mobile.[217]

Hence, we get the term "life," from something externally apparent, animal locomotion, since we name things as we become familiar with them through the study of sensible imagery; but by the notion of life we mean something essential, the substance of things whose nature is to move or to activate themselves in any way to operation, for we understand things by learning what they really are supposed to be.[218] "To live",

---

vivit inquantum corpus, quia sic omne corpus viveret: oportet igitur quod vivat per aliquid aliud, sicut corpus nostrum vivit per animam. Illud autem per quod vivit corpus, est nobilius quam corpus". In other words, the movements of living things, animals in particular, are not simply natural (see *In VIII Phys.*, lect.7, n.3), and the self-movement of living things occurs because they are divided into parts, one of which moves another (see *In VIII Meta.*, lect.8, n.1442f., *C. Gent.*, II, c.65, n.1430).

[213] See *In VIII Phys.*, lect.4, nn.6-7; lect.13, n.4. See fn.285.

[214] See *In VI Phys.*, lect.5, n.10; lect.6, n.2; lect.7, n.6f..

[215] See *In VII Phys.*, lect.1, n.2f.; lect.2, nn.5-6; VIII, lect.7, n.8; lect.11; *C. .Gent.*, I, c.13; c.20; II, c.70, n.1472.

[216] See *In VIII Phys.*, lect.10, nn.10-12; lect.11, nn.11-12; *In I de Anim.*, lect.6, nn.72-73; lect.11, nn.169-70. *Sum. Theol.*, I, q.51, a.3 ad 3: "...motus qui est a motore coniuncto est proprium opus vitae"; see also q.51, a.1c; a.2c.

[217] See *In VIII Phys.*, lect.1, n.7f.; VIII, lect.10, nn.5-9; lect.11, nn.3-5; *In I de Anim.*, lect.8.

[218] *Sum. Theol.*, I, q.18, a.2c: "...intellectus noster, qui proprie est cognoscitivus quidditatis

then, means primarily the way for the living to be, and "life" means the same thing in the abstract; only secondarily does it mean the operations from which we get the name.[219] The self-movement distinctive of living things means; therefore, not that they move themselves as a whole, but that they have within themselves the capacity to move or act on their own.

Once we have grasped the reason for the distinction between the living and the inert, we must analyze, in the second place, the nature of the vital operations by which the living move themselves in the exercise of life. Now we discover the nature of anything from the entelechy or form

---

rei ut proprii obiecti, accipit a sensu, cuius propria obiecta sunt accidentia exteriora. Et inde est quod ex his quae exterius apparent de re, devenimus ad cognoscendam essentiam rei. Et quia sic nominamus aliquid sicut cognoscimus illud, ut ex supradictis patet, inde est quod plerumque a proprietatibus exterioribus imponuntur nomina ad significandas essentias rerum. Unde huiusmodi nomina quandoque accipiuntur proprie pro ipsis essentiis rerum, ad quas significandas principaliter sunt imposita: aliquando autem sumuntur pro proprietatibus a quibus imponuntur, et hoc minus proprie. Sicut patet quod hoc nomen *corpus* impositum est ad significandum quoddam genus substantiarum, ex eo quod in eis inveniuntur tres dimensiones: et ideo aliquando ponitur hoc nomen *corpus* ad significandas tres dimensiones, secundum quod corpus ponitur species quantitatis"; see also q.77, a.1 ad 7. Thus, though we can sense life in ourselves (see *In II de Anim.*, lect.13, n.390) and perceive it in others (see *ibid.*, n.396), yet it is something essentially intelligible (see *Sum. Theol.*, I, q.12, a.3 ad 2 [chapter 1, fn.147]). Contrary to Breton, 267-70, Thomas did not say life was something peculiarly perceptible to the cogitative sense. See fnn.118-19; chaper 1, fnn.207-09.

[219] *Ibid.*: "Sic ergo dicendum est et de vita. Nam *vitae* nomen sumitur ex quodam exterius apparenti circa rem, quod est movere seipsum: non tamen est impositum hoc nomen ad hoc significandum, sed ad significandam substantiam cui convenit secundum suam naturam movere seipsam, vel agere se quocumque modo ad operationem. Et secundum hoc, vivere nihil aliud est quam esse in tali natura: et vita significat hoc ipsum, sed in abstracto; sicut hoc nomen *cursus* significat ipsum *currere* in abstracto. Unde *vivum* non est praedicatum accidentale, sed substantiale. Quandoque tamen vita sumitur minus proprie pro operationibus vitae, a quibus nomen vitae assumitur; sicut dicit Philosophus, IX *Ethic.*, quod *vivere principaliter est sentire vel intelligere*"; see also *In I Sent.*, d.33, q.1, a.1 ad 1; d.38, q.1, a.2 ad 3; *Ver.*, q.4, a.8c; *C. Gent.*, I, c.98, n.817; II, c.58, nn.1343, 1347; *Sum. Theol.*, I, q.51, a.1 ad 3; q.54, a.1 ad 2; a.2 ad 1; I-II, q.3, a.2 ad 1; q.56, a.1 ad 1; II-II, q.179, a.1 ad 1; *In XVIII Ioan.*, lect.1, n.3 (442a). The sources for this notion are to be found at *In II de Anim.*, lect.8, n.319 (see also I, lect.14, n.209) and *In IX Eth.*, lect.11, n.1902.

which it takes as it moves toward perfection in a certain term.[220] For we naturally suppose that there must be an inner principle to account for anything moving in a certain way,[221] and we try to apprehend from the tendency of the movement just what that inner principle is.[222] The name, "nature", is taken from the birth of animals because at birth animals obviously have a form that enables them to operate on their own to seek their perfection.[223] But the notion of nature means the primary intrinsic principle or cause of movement and rest in anything to which such a principle is essential,[224] whether

---

[220] Movement is really an imperfect act (see *In III Phys.*, lect.5, n.17; IV, lect.23, n.5) and as such an entelechy (see *ibid.*, III, lect.2, n.3), intelligible by its term (see *ibid.*, V, lect.1, nn.5-6; lect.2, n.2; lect.9, n.5; and III, lect.1, n.7), in the categories of quantity, quality, and place (see *ibid.* V, lect.1-lect. 4; lect.5, n.10; lect.6; lect.12; and III, lect.2-lect. 3; *In XI Meta.*, lect.9; lect.12; *In I de Gen.*, lect.11-lect. 17 [growth]; *In VII Phys.*, lect.4-lect. 5 [alteration]; *ibid.*, lect.14 [local movement]) because these categories allow for a contrariety of principle and term (see *In III Phys.*, lect.1, n.3; VI, lect.5, n.16; VIII, lect.14-lect. 15; and *Sum. Theol.*, I, q.110, a.3c). This aspect of movement, as something in reality, is a complement to the way movement is apprehended by reason to imply cause and effect because it is a medium between a principle, for which it is an act, and a term, to which it is in potency (see *In III Phys.*, lect.5, n.17, and fnn.125ff.).

[221] *In I Phys.*, lect.2, n.7: "Est autem necessarium motum supponi in scientia naturali, sicut necessarium est supponi naturam, in cuius definitione ponitur motus; est enim natura principium motus, ut infra dicetur"; see also VIII, lect.5, nn.3-4; lect.6, nn.1-2. Thus the immobile either do not have a nature or else have a nature too difficult to move or lacking any movement: see *Ibid.*, V, lect.4, n.6.

[222] *In II Phys.*, lect.1, n.8: "...ridiculum est quod aliquis tentet demonstrare quod natura sit, cum manifestum sit secundum sensum quod multa sunt a natura, quae habent principium sui motus in se...Naturam autem esse, est per se notum, inquantum naturalia sunt manifesta sensui. Sed quid sit uniuscuiusque rei natura, vel quod principium motus, hoc non est manifestum"; see also I, lect.1, n.3; II, lect.4, nn.7-10; and *In Boeth. de Trin.*, q.5, a.2 (D, pp.173-79); *Sum. Theol.*, I, q.84, a.1c. See also chapter 1, fnn.142-47, and chapter 4, section 2.5.

[223] See *In V Meta.*, lect.5, n.808; *In II Phys.*, lect.2, n.7; and *Sum. Theol.*, III, q.2, a.1. For the connection between generation and the state of nature, see *Sum. Theol.*, III, q.2, a.1c.

[224] See *In II Phys.*, lect.2, n.5. Thus nature is not a force but simply a principle; as such, it is opposed to art as intrinsic (which eluded the philosophers who studied only matter, thought everything merely sensible, presumed reality no more than appearances, and reduced truth to mere opinion: see *In I Phys.*, lect.2, nn.1, 3; lect.13, n.9; II, lect.1, nn.2, 4, 5; lect.2, n.1; lect.4, nn.5-8; lect.13, n.3; lect.14, nn.8, 12), to immediate potencies

the thing is alive or inert.[225] And since we presume that we can discover what things really are by understanding the basis for their operations,[226] we intend by the idea of nature to mean primarily and properly the substance of whatever becomes intelligible to us in the form its movement takes.[227] Hence, we suppose that it is of the nature of the living to have a certain kind of form called a soul to account for the self-movement distinctive of their operations.[228]

---

as primary, and to the coincidential as essential, The contradictory of nature is violence, which moves something without giving it an internal principle of movement (see *In VIII Phys.*, lect.7, nn.3-4; *In III de Caelo*, lect.7, nn.5-6; *In III Eth.*, lect.2, n.405; *C. Gent.*, IV, c. 22, n.3588; III, cc.4-24; *Sum. Theol.*, I-II, q.6, aa.4-5).

[225] See *ibid.*; I, lect.12, n.2; *In Meta.*, *loc. cit.*, nn.810-15; and *Sum. Theol.*, I, q.115, a.2c.

[226] See chapter 4, section 2.2.

[227] *In Meta.*, *loc. cit.*, n.826: "Unde patet ex dictis, quod 'primo et proprie natura dicitur substantia', idest forma rerum habentium in se principium motus inquantum huiusmodi. Materia enim dicitur esse natura, quia est formae susceptibilis. Et generationes habent nomen naturae, quia sunt motus procedentes a forma, et iterum ad formas. Et idipsum, scilicet forma est principium motus rerum existentium secundum naturam, aut in actu, aut in potentia. Forma enim non semper facit motum in actu, sed quandoque in potentia tantum: sicut quando impeditur motus naturalis ab aliquo exteriori prohibente, vel etiam quando impeditur actio naturalis ex materiae defectu"; see also *In II Sent.*, d.37, q.1, a.1 sol.; III, d.5, q.1, a.2; *Ente et ess.*, c.1 (B, pp.13-14); *C. Gent.*, IV, c.35, nn.3728-29; *Sum. Theol.*, I, q.3, a.3c; q.13, a.6c; q.29, a.2c; I-II, q.31, a.7c; q.110, a.1c. Thus by nature is meant both matter and form (see *In Meta.*, *loc. cit.*, nn.816-19, 821; *In II Phys.*, lect.2, nn.1-2), but not lack, since nature means an intrinsic possibility for act (see *In I Phys.*, lect.10, nn.4, 7; lect.11, nn.9, 14, 15; lect.12, nn.2-5, 7, 8, 10; lect.13, nn.304, 309; lect.15, nn.3-4, 8, 10-11; *In I de Gen.*, lect.9; II, lect.14); properly, though, nature means form (see *In Meta.*, *loc. cit.*, nn.820, 824-25; *In II Phys.*, lect.2, nn.6-7) not matter, as the pre-Socratics thought (see *In Phys.*, *ibid*, n.2; lect.12, n.1), and by form is meant, not just the formal principle by which someting is intelligible, but also the species or *ratio* which is thereby understood (see *In Meta.*, *loc. cit.*, n.822; *In II Phys.*, lect.2, nn.3-8; I, lect.13, n.9). See F. Breidenbach, *The Meaning of Nature in Aristotle* (Unpublished Dissertation: St. Louis, Missouri, 1953); J. Weisheipl, "The Concept of Nature," *New Scholasticism*, 38 (1954), 377-408.

[228] *In II Post. Anal.*, lect.3, n.11: "…illi qui volunt demonstrare per terminos convertibiles *quod quid est* alicuius rei, puta *quid est anima*, vel *quid est homo*, vel *quodcunque aliud huiusmodi*, necesse est quod incidant in hoc quod petant principium. Et inducit examplum de definitione animae secundum Platonem. Quia enim anima vivit, et est

Phenomenologically, then, the soul can be defined as the first act of an organic physical body.[229] For the organic structure of a living body enables it to have one part move another[230] and the soul, as the basic perfection of such a body, moves it as a whole by moving one part to move another.[231] Thus the soul causes the vital motion in the animal self-move-

---

corpori causa vivendi, sequitur quod differat a corpore per hoc quod corpus vivit per aliam causam, anima vero vivit per seipsam…Sic ergo dicebat animam esse numerum seipsum moventem: dicebat etiam animam esse id quod est sibi causa vivendi. Si quis ergo velit probare *quid* est anima, quia scilicet est id quod est sibi causa vivendi, et assumat pro medio quod anima est numerus seipsum movens, necesse est hoc petere, scilicet quod anima sit numerus seipsum movens: ita scilicet quod hoc sit idem ipsi animae, tanquam quod quid est eius. Aloquin non sequeretur quod si aliquid est quod quid est numeri moventis seipsum, quod sit quod quid est ipsius animae"; see also fnn.208-209. *Sum. Theol.*, I, q.51, a.3c: "…secundum Philosophum in libro *de Somn. et Vig.*, *cuius est potentia, eius est actio*; unde nihil potest habere opus vitae quod non habet vitam, quae est potentiale principium talis actionis"; see also *In II Sent.*, d.8, a.4 sol.; *Pot.*, q.6, a.8c.

[229] See *In II de Anim.*, lect.1, n.233; *Sum. Theol.*, I, q.75, a.1c. Thus, just as nature in general, so also the soul in particular is opposed to an artificial form as intrinsic species to extrinsic (see *ibid.*, lect.2, n;.235f) and to particular potencies as whole to parts (see *ibid.*, n.239f.).

[230] *Ibid.*, n.230: "…quia dixerat, quod anima est actus corporis physici habentis vitam in potentia, etiam dicit, quod tale est omne corpus organicum. Et dicitur *corpus organicum*, quod habet diversitatem organorum. Diversitas autem organorum necessaria est in corpore suscipiente vitam propter diversas operationes animae. Anima enim, cum sit forma perfectissima inter formas rerum corporalium, est principium diversarum operationum; et ideo requirit diversitatem organorum in suo perfectibili. Formae vero rerum inanimatarum, propter sui imperfectionem sunt principia paucarum operationum: unde non exigunt diversitatem organorum in suis perfectionibus"; see also nn.220-32; lect.7, n.318; *In VII Phys.*, lect.1, n.2; VIII, lect.2, n.4.

[231] *In II de Anim.*, lect.7, n.323: "*Ostendit quod anima est principium moventis corporis*, sicut unde motus: et utitur quasi tali ratione. Omnis forma corporis naturalis est principium motus proprii illius corporis, sicut forma ignis est principium motus eius. Sed quidam motus sunt proprii rebus viventibus: scilicet motus localis, quo animalia movent seipsa motu processivo secundum locum, licet hoc non insit omnibus viventibus: et similiter sentire est alteratio quaedam: et hoc non inest nisi habentibus animam. Item motus augmenti et decrementi non inest nisi illis quae aluntur, et nihil alitur nisi habens animam: ergo oportet, quod anima sit principium omnium istorum motuum"; see also *In VII Phys.*, lect.1, n.2; VIII, lect.7; lect.13. Thus, though the soul may be united immediately to the body as form to matter, it can also move one part of the body by another as the motor for the whole body: see *In II de Anim.*, lect.2, n.234.

ment typical of life by moving the heart to move the rest of the body.[232] And any operation that proceeds from the initiative of an inner principle can be called vital by way of metaphor.[233] But the living can be distinguished from the non-living by pointing to an inner principle capable of initiating *self*-movement.

Yet, to explain life by referring to the soul as the motor of an organic physical body is to give it just a vague, generic definition.[234] It fails to note the essential difference between a vital operation, which is as such the act of something perfect, and mere physical movement, which is the act of something imperfect as such.[235] The term, "movement", does not exclude

---

[232] *Sum. Theol.*, I-II, q.17, a.9 ad 2: "Ita etiam in corporalibus motibus principium est secundum naturam. Principium autem corporalis motus est a motu cordis. Unde motus cordis est secundum naturam, et non secundum voluntatem: consequitur enim sicut per se accidens vitam, quae est ex unione animae et corporis. Sicut motus gravium et levium consequitur formam substantialem ipsorum: unde et a generante moveri dicuntur, secundum Philosophum in VIII *Physic*. Et propter hoc motus iste *vitalis* dicitur"; see also q.37, a.4c; q.39, a.5; *Q. de Anim.*, a.9 ad 13: "...cor est primum instrumentum per quod anima movet ceteras partes corporis; et ideo eo mediante anima unitur reliquis partibus corporis ut motor, licet ut forma uniatur unicuique parti corporis per se et immediate"; see also a.10, ad 4; *In II de Anim.*, lect.2, n.234. Hence, though the soul is united to the body as a whole, it is united to the heart especially as a motive force to be diffused to the rest of the body: see *C. Gent.*, II, c.72, n.1487. See fn.210.

[233] *C. Gent.*, IV, c.20, n.3574: "Vita maxime in motus manifestatur: moventia enim seipsa *vivere* dicimus, et universaliter quaecumque a seipsis aguntur ad operandum... nam etiam corporalis vita animalium est per spiritum vitalem a principio vitae in cetera membra diffusum"; *Sum. Theol.*, I, q.18, a.1 ad 1: "...motus dicitur quasi vita corporum naturalium, per similitudinem; et non per proprietatem. Nam motus caeli est in universo corporalium naturarum, sicut motus cordis in animali, quo conservatur vita. Similiter etiam quicumque motus naturalis hoc modo se habet ad res naturales, ut quaedam similitudo vitalis operationis". See fn.211.

[234] See *In I de Anim.*, lect.2, n.74f.; II, lect.2, n.244; lect.5, n.297.

[235] *Sum. Theol.*, I-II, q.31, a.2 ad 1: "...sicut dicitur in III *de Anima*, motus dupliciter dicitur. Uno modo, qui est *actus imperfecti*, scilicet *existentis in potentia, inquantum huiusmodi*: et talis motus est successivus, et in tempore. Alius autem motus est *actus perfecti*, idest *existentis in actu*; sicut intelligere, sentire et velle et huiusmodi, et etiam delectari. Et huiusmodi motus non est successivus, nec per se in tempore"; see also *In IV Sent.*, d.17, q.1, a.5, sol.3 ad 1; *In IV de Div. Nom.*, lect.7; *Sum. Theol.*, I, q.18, a.1c;

the act of the perfect, since the term of movement is perfection;[236] but the act of the perfect is, strictly speaking, different from movement[237] and, as opposed to movement, it is properly called operation.[238] Whereas the very notion of movement implies a process of change from one contrary to another, operation implies by contrast, no change at all, but repose in perfection;[239] whereas movement is imperfect at any given moment and tends to become perfect only over a period of time, operation is perfect in an instant and tends to remain perfect as long as it lasts.[240] In this

---

q.53, a.1 ad 2; a.3c; q.58, a.1 ad 1; III, q.21, a.1 ad 3; and the source at *In III de Anim.*, lect.12, n.766. See Lonergan, "The Concept of *Verbum*," *Theological Studies*, 8 (1947), 408-13 and *Verbum*, 101-106.

[236] *In V Phys.*, lect.9, n.5: "Et quod quies in termino ad quem sit motus perfectio, patet per hoc quod simul fit illa quies cum motu: quia ipsum moveri ad terminum est fieri quietem. Unde cum motus sit causa illius quietis, non potest ei opponi, quia oppositum non est causa sui oppositi". See fnn.122, 149, 218.

[237] *Ibid.*, III, lect.2, n.5: "Considerandum est enim quod antequam aliquid moveatur, est in potentia ad duos actus, scilicet ad actum perfectum, qui est terminus motus, et ad actum imperfectum, qui est motus: sicut aqua antequam incipiat calefieri est in potentia ad calefieri et ad calidum esse; cum autem calefit, reducitur in actum imperfectum, qui est motus; nondum autem in actum perfectum, qui est terminus motus, sed adhuc respectu ipsius remanet in potentia"; see also n.3.

[238] *In III de Anim.*, lect.12, n.766: "Et quia motus, qui est in rebus corporalibus, de quo determinatum est in *libro Physicorum*, est contrario in contrarium, manifestum est, quod sentire, si dicatur motus, est alia species motus ab ea de qua determinatum est in *libro Physicorum*: ille enim motus est actus existentis in potentia, inquantum huiusmodi, est imperfectum, ideo ille motus est actus imperfecti. Sed iste motus est actus perfecti: est enim operatio sensus iam facti in actu, per suam speciem. Non enim sentire convenit sensui nisi in actu existenti; et ideo iste motus simpliciter est alter a motu physico. Ex huiusmodi motus dicitur proprie operatio, ut sentire et intelligere et velle"; see also I, lect.6, nn.82, 86; lect.10, n.160; *In V Phys.*, lect.8; VII, lect.1, n.7; and *In I Sent.*, d.4, q.1, a.1 ad 1; d.37, q.4, a.1 ad 1; II, d.11, q.2, a.1 sol.; d.15, q.3, a.2 sol.; III, d.31, q.2, a.1, sol.2; *Ver.*, q.8, a.15 ad 3. See also fn.244.

[239] See the contrast made between the movement in the alteration of a physical quality in *In VII Phys.*, lect.5 (see also *ibid.*, lect.4, nn.2-3; V, lect.4, n.2) and the quiet necessary for moral virtue and contemplation in *ibid.*, lect.6. See fnn.235, 243.

[240] See *In X Eth.*, lect.5, esp. nn.2006, 2008, 2018; lect.3, n.1990; and *In I Sent.*, d.7, q.1, a.1 ad 3; *In IV Sent.*, d.17, q.1, a.5, sol.3 ad 1; d.49, q.3, a.1, sol.3; *Ver.*, q.8, a.14 ad 12;

sense operation is neither passion nor motion, but simply the perfection of an operative actually existing; it is not a process by which something acts upon another or is acted upon by another, but a process in which something acts to perfect itself.[241]

From operation in this sense we first get the notion of act, and we apply the notion to form because it is the principle of operation[242] and to movement because it is an imperfect kind of operation.[243] In itself,

---

Sum. Theol., I II, q.31, a.2 ad1 (fn.235).

[241] *C. Gent.*, III, c.22, n.2025: "Nam quaedam operatio est rei ut aliud moventis, sicut calefacere et secare. Quaedam vero est operatio rei ut ab alio motae, sicut calefieri et secari. Quaedam vero operatio est perfectio operantis actu existentis in aliud transmutandum non tendens: quorum primo differunt a passione et motu; secundo vero, ab actione transmutativa exterioris materiae. Huiusmodi autem operatio est sicut intelligere, sentire et velle". Thomas made use of a three-fold distinction among *operatio, actio*, and *factio* to clarify the differences among (1) natural science, moral science, and the arts (see *In VI Meta.*, lect.1, nn.1152-55; XI, lect.7, nn.2252-55), (2) the habits of the speculative intellect, prudence, and art (see *In VI Eth.*, lect.1-lect. 6), and (3) the acts interior to intellect and will, voluntary human activities, and actions of using other things (see *Sum. Theol.*. I-II, qq.1-11, 12-15, 16-17). However, he generally distinguished either between two kinds of *operatio* or *actio* (see *In I Sent.*, d.40, q.1, a.1 ad 1; *Ver.*, q.8, a.6c; *Pot.*, q.3, a.15c; q.8, a.1c; q.10, a.1c; *C. Gent.*, I, c.100, n.831; II, c.1, n.853; *Sum. Theol.*, I, q.18, a.3 ad 1; q.23, a.2 ad 1; q.27, a.1c; a.3c; a.5c; q.28, a.4c; q.54, a.1 ad 3; a.2c; q.56, a.1c; q.85, a.2c; q.87, a.3c; I-II, q.3, a.2 ad 3; *Unit. intell.*, c.3 [K, n.71]; from the source at *In IX Meta.*, lect.8, nn.1862-65) or *actus secundus* (see *Pot.*, q.5, a.5 ad 14; *Sum. Theol.*, I-II, q.31, a.5c; q.57, a.4c; q.74, a.1c), or else between *operatio* or *actio* and *factio* (see *In II Sent.*, d.12, esp. text.; III, d.23, q.1, a.4, sol.1 ad 4; d.33, q.2, a.2, sol.1; d.31, q.1, a.1 sol.; *Ver.*, q.5, a.1c; *C. Gent.*, II, c.1, n.855; *In V Meta.*, lect.20, n.1062; IX, lect.2, nn.1786-88; from the source in *Eth.* II, lect.4, nn.281-83; lect.6, n.315; VI, lect.3, nn.1150-60; lect.4, nn.1165-74). See Lonergan, "The Concept of *Verbum*," *Theological Studies*, 8 (1947), 425-29 and *Verbum*, 119-24.

[242] *Pot.*, q.1, a.1c: "...potentia dicitur ab actu: actus autem est duplex: scilicet *primus*, qui est forma; et *secundus*, qui est operatio: et sicut videtur ex communi hominum intellectu, nomen actus primo fuit attributum operationi: sic enim quasi omnes intelligunt actum; secundo autem exinde fuit translatum ad formam, in quantum forma est principium operationis et finis"; see also *In IX Meta.*, lect.8, n.1861. In the place to which the latter citation refers (*In IX Meta.*, lect.3, n.1805), Thomas says that the notion of act is derived from movement, the most obvious kind of act, but it would seem that here he is using movement as the condition of all sensible nature: see fnn.122-27, 149.

[243] *Ver.*, q.8, a.14 ad 12: "...illa operatio per se cadit sub tempore quae expectat aliquid

though, operation is the end of a substance because the ultimate perfection of anything is to act.[244] Thus the form of a substance is an act in the matter which is in potency to it and also a potency for the operation or motion which is its act.[245] In nature, then, there is a double potency, an active potency to which there corresponds the act which is operation and a passive potency to which there corresponds the first act of form; just as nothing suffers without a passive potency, so nothing acts except by the first act which is form.[246] Hence, movement is the imperfect act which

---

in futurum, ad hoc quod eius species compleatur; sicut patet in motu, qui non habet speciem completam donec ad terminum perducatur: non enim est idem specie motus ad medium et ad terminum. Operationes vero quae statim habent speciem suam completam, non mensurantur tempore, nisi per accidens, sicut intelligere, sentire, et huiusmodi; unde Philosophus dicit in X *Ethic.*, quod delectari non est in tempore. Tamen in tempore possunt esse tales operationes, inquantum motui coniunguntur in natura tempori subiecta existentes, quae est natura corporea generabilis et corruptibilis, qua ut organo potentiae sensitivae utuntur, a quibus noster intellectus accipit"; see also *In II de Anim.*, lect.10, n.356.

[244] See *In IX Meta.*, lect.8, nn.1857-66; see also lect.7-lect. 9; and *In I Sent.*, d.35, q.1, a.5 ad 4; IV, d.49, q.3, a.2 sol.; *Pot.*, q.5, a.5 ad 14; *Sum. Theol.* I-II, q.3, a.2; q.49, a.3c ad 1; a.4 ad 1; III, q.9, a.1c; a.4c; *In II de Anim.*, lect.1, n.228.

[245] *In IX Meta.*, lect.5, nn.1828-29: "*Ostendit, quod diversimode dicatur actus.* Et ponit *duas* diversitates: quarum *prima* est, quod actus dicitur vel actus, vel operatio. Ad hanc diversitatem actus insinuandam dicit primo, quod non omnia dicimus similiter esse actu, sed hoc diversimode. Et haec diversitas considerari potest per diversas proportiones. Potest enim *sic* accipi proportio, ut dicamus, quod sicut hoc est in hoc, ita hoc in hoc. Utputa visus sicut est in oculo, ita auditus in aure. Et per hunc modum proportionis accipitur comparatio substantiae, idest formae, ad materiam; nam forma in materia dicitur esse. *Alius modus* proportionis est, ut dicamus quod sicut habet se hoc ad hoc, ita hoc ad hoc; puta sicut se habet visus ad videndum, ita auditus ad audiendum. Et per hunc modum proportionis accipitur comparatio motus ad potentiam motivam, vel cuiuscumque operationis ad potentiam operativam"; see the entire *lectio* and lect.7, n.1846; lect.8, nn.1862-64.

[246] *Pot.*, q.1, a.1c: "Unde et similiter duplex est potentia: *una activa* cui respondet actus, qui est operatio; et huic primo nomen potentiae videtur fuisse attributum: *alia* est potentia passiva, cui respondet actus primus, qui est forma, ad quam similiter videtur secundario nomen potentiae devolutum. Sicut autem nihil patitur nisi ratione potentiae passivae, ita nihil agit nisi ratione actus primi, qui est forma. Dictum est enim, quod ad ipsum primo nomen actus ex actione devenit"; see also *In I Sent.*, d.7, q.1, a.1 ad 3; d.42,

occurs in the transition from potency to act in the reception of form,[247] but, once a form is received, the thing whose form it is has an active potency to the act which proceeds from it as its operation.[248]

In the context of operation, then, "potency" has neither the primary sense of the power in a being to cause action and to resist passion,[249] nor the technical sense of the habit or lack of some perfection,[250] but the general sense of the possibility for perfection in a nature as the primary inner principle of movement and rest in anything capable of moving by itself.[251] Both the inert and the living have such a potency because

---

q.1, a.1 ad 2, ad 4; a.2 sol.; *C. Gent.*, II, c.10, n.903; *Sum. Theol.*, I, q.25, a.1c.

[247] *Ver.*, q.22, a.5 ad 8: "...forma recepta in aliquo non movet illud in quo recipitur; sed ipsum habere talem formam, est ipsum motum esse; sed movetur ab exteriori agente; sicut corpus quod calefit per ignem, non movetur a calore recepto, sed ab igne. Ita intellectus non movetur a specie iam recepta, vel a vero quod consequitur ipsam speciem; sed ab aliqua re exteriori quae imprimit in intellectum, sicut est intellectus agens, vel phantasia, vel aliquid aliud huiusmodi. Et praeterea, sicut verum est proportionatum intellectui, ita et bonum affectui. Unde verum propter hoc quod est in apprehensione, non est minus natum movere intellectum quam bonum affectum"; see also *Sum. Theol.*, I, q.79, a.2c.

[248] *Pot.*, q.2, a.2c: "Potentia autem, licet sit principium quandoque et actionis et eius quod est per actionem productum, tamen unum accidit ei, alterum vero competit ei per se: non enim potentia activa semper, per suam actionem, aliquam rem producit quae sit terminus actionis, cum sint multae operationes quae non habent aliquid operatum, ut Philosophus dicit. [I *Ethic.*, cap. 1, et IX *Metaph.*, lect.15]; semper enim potentia est actionis vel operationis principium. Unde non oportet quod propter relationem principii, quam nomen potentiae importat, relative dicatur in divinis"; see also q.1, a.1 ad 1; *In I Sent.*, d.42, q.1, a.1 ad 4; *C. Gent.*, II, c.30, n.1076; *Sum. Theol.*, I, q.25, a.1 ad 3. See Lonergan, "The Concept of *Verbum*," *Theological Studies*, 8 (1947), 423 and *Verbum*, 117. Thus every form gives both being and operation: see *Sum. Theol.*, I, q.42, a.1 ad 1; I-II, q.111, a.2c.

[249] See *In I Sent.*, d.42, q.1, a.1 sol., ad 3; *C. Gent.*, II, c.6; c.7, nn.886, 888; cc.8-9; *Sum. Theol.*, I, q.25, a.1c ad 1; *In V Meta.*, lect.14, nn.960; IX, lect.1, nn.1776-78; lect.7-lect. 9.

[250] See fnn.142-47.

[251] *In IX Meta.*, lect.7, n.1844-45: "Loquimur autem nunc de potentia non solum secundum quod est principium motus in alio, secundum quod est aliud, ut supra definita est potentia activa; sed universaliter de omni principio, sive sit principium motivum, sive

both can move by themselves;[252] but, since only the living can move of themselves, whereas the inert must be moved by others, the potency in the former is active and in the latter passive.[253] In the living, potency is active enough to enable anything alive to operate on its own with only help from others, but the potency in anything inert is so passive that it cannot move at all unless another causes its movement.[254] Hence, the

---

immobilitatis et quietis, aut operationis absque motus existentis, cuiusmodi est intelligere, quia et natura ad idem pertinere videtur quod potentia. Est enim natura in eodem genere cum potentia ipsa, quia utrumque est principium motus, licet natura non sit principium motus in alio, sed in eo in quo est, inquantum huiusmodi, ut manifestatus in secundo *Physicorum.* Et tamen natura non solum est principium motus, sed etiam quietis. Et propter hoc potentia intelligenda est non solum principium motus, sed etiam principium immobilitatis. Omni ergo tali potentia, actus prior est, et ratione, et substantia, et etiam tempore quodammodo, alio vero modo non"; see the argument from lect.2-lect.4, that potency explains why not everything is possible nor nothing impossible. This is the objective corollary to the principle of contradiction: see fnn.104-109.

[252] *In II Phys.*, lect.1, n.2: "Dicimus autem esse a natura quaelibet animalia, et partes ipsorum, sicut carnem et ossa, et etiam plantas et corpora simplicia, scilicet elementa, quae non resolvuntur in aliqua corpora priora, ut sunt terra ignis, aër et aqua: haec enim et omnia similia a natura dicuntur esse. Et differunt haec omnia ab his quae non sunt a natura, quia omnia huiusmodi videntur habere in se principium alicuius motus et status; quaedam quidem secundum locum, sicut gravia et levia, et etiam corpora caelestia; quaedam vero secundum augmentum et decrementum, ut animalia et plantae; quaedam vero secundum alterationem, ut corpora simplicia et omnia quae componuntur ex eis. Sed ea quae non sunt a natura, sicut lectus et indumentum et similia, quae accipiunt huiusmodi praedicationem secundum quod sunt ab arte, nullius mutationis principium habent in seipsis nisi per accidens"; see also n.4; VIII, lect.7, nn.3, 5; lect.8, nn.1, 8; and *Ver.*, q.24, a.1c.

[253] *Ibid.*, n.4: "Et ideo dicendum est quod in rebus naturalibus eo modo est principium motus, quo eis motus convenit. Quibus ergo convenit movere, est in eis principium activum motus; quibus autem competit moveri, est in eis principium passivum, quod est materia. Quod quidem principium, inquantum habet potentiam naturalem ad talem formam et motum, facit esse motum naturalem"; see also *Sum. Theol.*, I, q.6, a.5 ad 2.

[254] *Ver.*, q.11, a.1c: "...in naturalibus rebus aliquid praeexistit in potentia *dupliciter. Uno modo* in potentia activa completa; quando, scilicet, principium intrinsecum sufficienter potest perducere in actum perfectum, sicut patet in sanatione: ex virtute enim naturale quae est in aegro, aeger ad sanitatem perducitur. *Alio modo* in potentia passiva; quando, scilicet, principium intrinsecum non suffici ad educendum in actum, sicut patet quando ex aëre fit ignis; hoc enim non potest fieri per aliquam virtutem in aërem existentem.

nature of anything alive is to be the cause of its own operation, but the nature of the inert is to be just a principle of movement from another.[255] For example, the forms of gravity and levity in the elements are passive potencies, for the elements move only when they are out of place and are still as soon as they are in their proper places.[256] By contrast, the souls of the living are active potencies, for the living begins to move as soon as they become perfect and continue to move as long as they remain

---

Quando igitur praeexistit aliquod in potentia activa completa, tunc agens extrinsecum non agit nisi adiuvando agens intrinsecum, et ministrando ei ea quibus posit in actum exire; sicut medicus in sanatione est minister naturae, quae principaliter operatur, confortando naturam, et apponendo medicinas, quibus velut instrumentis natura utitur ad sanationem. Quando vero aliquid praeexistit in potentia passiva tantum, tunc agens extrinsecum est quod educit principaliter de potentia in actum; sicut ignis facit de aëre, qui est potentia ignis, actu ignem".

[255] *In Phys.*, *loc. cit.*, n.5: "Dicitur autem *principium et causa*, ad designandum quod non omnium motuum natura est eodem modo principium in eo quod movetur, sed diversimode, ut dictum est"; see also fn.252.

[256] *Ibid.*, n.4: "In corporibus vero gravibus et levibus est principium formale sui motus (sed huiusmodi principium formale non potest dici potentia activa, ad quam pertinet motus iste, sed comprehenditur sub potentia passiva: gravitas enim in terra non est principium ut moveat, sed magis ut moveatur): quia sicut alia accidentia consequuntur formam substantialem, ita et locus, et per consequens moveri ad locum: non tamen ita quod forma naturalis sit motor, sed motor est generans, quod dat talem formam, ad quam talis motus consequitur"; see also VIII, lect.4, nn.2-5; lect.7, n.5f.. In *Gott, der erster Beweger aller Dinge*, p.34, J. Stufler showed that in Aquinas's earlier works these forms were called active (see *In III Sent.*, d.3, q.2, a.1 ad 6; d.22, q.3, a.2, sol.1; IV, d.43, q.1, a.1 sol.; *Ver.*, q.12, s.3c) but in the later works passive (see *In II Phys.*, *loc. cit.*; VIII, lect.8, n.7; *In V Meta.*, lect.14, n.955; *In I de Caelo*, lect.3, n.4 [see also lect.7, nn.2-7]; *Sum. Theol.*, III, q.32, a.4c). In the earlier works, though, they were not called motors (see *In II Sent.*, d.14, q.1, a.3c; *Ver.*, q.22, a.3c; a.5 ad 8), and they were called active only as principles of movement internal to the subjects of movement (see *Ver.*, q.24, a.1c; *Pot.*, q.5, a.5c; *C. Gent.*, III, c.23, nn.2037, 2040-41) or as incipient forms of the perfections to which the subjects were being moved (see *In II Phys.*, *loc. cit.*, n.3; VIII, lect.7, n.1); see Lonergan, "The Concept of *Verbum*," *Theological Studies*, 8 (1947), 418 and *Verbum*, 112. Thus Thomas said that the places for the elements were called natural, not because they attracted the elements, but because they were evidently where the elements were supposed to be (see *In IV Phys.*, lect.1, nn.1-7; lect.5, n.2; *Sum. Theol.*, I, q.13, a.6c).

perfect.[257] Even in embryo the nature of the living is to be active, for the intrinsic force given an embryo by its progenitor enables it to operate on its own.[258] Therefore, the potencies of the living should properly be called operative to distinguish them from both passive potencies in the inert and active potencies in agents of an action or operation in another.[259]

To understand why an operative potency is not simply either active or passive, it must be considered in relation to both the subject in which it is rooted and the object of its operation.[260] It must be considered in relation to its object for the end of any potency is to operate, and the object of an operation specifies it just as a term specifies a movement.[261]

---

[257] *Sum. Theol.*, I, q.18, a.1 ad 2: "...corporibus gravibus et levibus non competit moveri, nisi secundum quod sunt extra dispositionem suae naturae, utpote cum sunt extra locum proprium: cum enim sunt in loco proprio et naturali, quiescunt. Sed plantae et aliae res viventes moventur motu vitali, secundum hoc quod sunt in sua dispositione naturali, non autem in accedendo ad eam vel in recedendo ab ea: imo secundum quod recedunt a tali motu, recedunt a naturali dispositione. – Et praeterea, corpora gravia et levia moventur a motore extrinsceo, vel generante, qui dat formam, vel removente prohibens, ut dicitur in VIII *Physic.*: et ita non movent seipsa, sicut corpora viventia"; see also a.2 ad 2; *C. Gent.*, II, c.90, n.1767.

[258] See *In II Sent.*, d.18, q.2, a.1 ad 2, ad 4; *Pot.*, q.3, a.8 ad 13, ad 14; a.9 ad 15, ad 25; *C. Gent.*, II, c.56, n.1339; c.83, n.1658; c.89, n.1736; *Sum. Theol.*, I, q.118, a.1c ad 3; a.2 ad 2; I-II, q.107, a.3c, ad 2. This speculative embryology is valuable only for showing that Aquinas followed the logic of the Aristotelian distinction between the living and the inert.

[259] See *Sum. Theol.*, I, q.54, a.3c; q.77, a.3c; *Spir. creat.*, a.llc; *In IX Meta.*, lect.5, n.1829. See Lonergan, "The Concept of *Verbum*," *Theological Studies*, 8 (1947), 425 and *Verbum*, 119.

[260] *Ver.*, q.10, a.1 ad 2: "...genera potentiarum animae distinguuntur *dupliciter: uno modo* ex parte obiecti; *alio modo* ex parte subiecti, sive ex parte modi agendi, quod in idem redit. Si igitur distinguantur *ex parte obiecti*, sic inveniuntur quinque potentiarum genera supra enumerata. Si autem distinguantur *ex parte subiecti* vel modi agendi, sic sunt tria genera potentiarum animae: scilicet vegetativum, sensitivum et intellectivum"; see also c; q.22, a.10 ad 2. Contrary to what Lonergan says in "The Concept of *Verbum*," *Theological Studies*, 8 (1947), 433 and *Verbum*, 128-29ff., the cause-effect relationship of potency and object was not the only, nor even the primary, basis which Thomas used to determine the nature of the soul.

[261] *Ver.*, q.15, a.2c: "Omnis autem potentia animae, sive activa sive passiva, ordinatur ad actum sicut ad finem, ut patet in IX *Metaph.* [I, comm.11 et 15]; unde unaquaeque

Now every operative must be united to its object to operate upon it,[262] but, whereas the object of an operation which passes from the operative is something separate and distance, the object of an operation which remains within the operative is a form united to it as its proper perfection.[263] In the latter case, an operation occurs only because of the identity of the operative with its proper form,[264] and the operation necessarily follows this identity as the perfection of the operative in act.[265] Hence,

---

potentia habet determinatum modum et speciem, secundum quod potest esse conveniens ad talem actum. Et secundum hoc diversificatae sunt potentiae, quod diversitas actuum diversa principia requirebat a quibus elicerentur. Cum autem obiectum comparetur ad actum sicut terminus, terminis autem specificentur actus, ut patet in V *Phys.*, oportet quod actus penes obiecta distinguantur; et ideo obiectorum diversitas, potentiarum diversitatem inducit"; see also *Sum. Theol.*, I, q.77, a.3c; *Q. de Anim.*, a.13c. See also *In V Phys.*, lect.1, nn.5, 9 (re: *terminus motus*) and *In IX Meta.*, lect.8 (re: *finis operationis*).

[262] *Sum. Theol.*, I, q.73, a.1c: "Cum autem operans oporteat aliquo modo coniungi suo obiecto circa quod operatur, necesse est extrinsecam rem, quae est obiectam operationis animae, secundum duplicem rationem ad animae compari"; see also q.54, a.2c.

[263] *Ibid.*, q.56, a.1c: "...obiectum aliter se habet in actione quae manet in agente, et in actione quae transit in aliquid exterius. Nam in actione quae transit in aliquid exterius, obiectum sive materia in quam transit actus, est separata ab agente: sicut calefactum a calefaciente, et aedificatum ab aedificante. Sed in actione quae manet in agente, oportet ad hoc quod procedat actio, quod obiectum uniatur agenti: sicut oportet quod sensibile uniatur sensui, ad hoc quod sentiat actu. Et ita se habet obiectum unitum potentiae ad huiusmodi actionem, sicut forma quae est principium actionis in aliis agentibus: sicut enim calor est principium formale calefactionis in igne, ita species rei visae est principium formale visionis in oculo".

[264] *Ibid.*, q.14, a.2c: "...licet in operationibus quae transeunt in exteriorem effectum, obiectum operationis, quod significatur ut terminus, sit aliquid extra operantem; tamen in operationibus quae sunt in operante, obiectum quod significatar ut terminus operationis, est in ipso operante; et secundum quod est in eo, sic est operatio in actu. Unde dicitur in libro *de Anima*, quod sensibile in actu est sensus in actu, et intelligibile in actu est intellectus in actu. Ex hoc enim aliquid in actu sentimus vel intelligimus, quod intellectus noster vel sensus informatur in actu per speciem sensibilis vel intelligibilis. Et secundum hoc tantum sensus vel intellectus aliud est a sensibili vel intelligibili, quia utrumque est in potentia"; see also a.5c; a.8c; a,12c; a.15 ad 1.

[265] *C. Gent.* II, c.30, n.1076: "Sicut enim alia accidentia ex necessitate principiorum essentialium procedunt, ita et actio ex necessitate formae per quam agens est actu: sic enim agit ut actu est. Differenter taman hoc accidit in actione quae in ipso agente manet,

once the object becomes the form of the operative, then it is the term or end for which the operative acts, the operation is an action, and the potency of the operative is active; but as long as the object is not the form of the operative, it remains the cause or principle of the operation, the operation is still a passion, and the potency of the operative is passive.[266] The object causes the operation, therefore, not insofar as it becomes the form from which the operation proceeds, but only insofar as it remains separate from the operative as the end to which the operative is in potency and for which it must operate to become perfect.[267] Thus, the end is the cause of causes because it is the principle for which any agent acts.[268]

---

sicut intelligere et velle; et in actione quae in alterum transit, sicut calefacere. Nam in primo genere actionis, sequitur ex forma per quam agens fit actu, necessitas actionis ipsius: quia ad eius esse nihil extrinsecum requiritur in quod actio terminetur. Cum enim sensus fuerit factus in actu per speciem sensibilem, necesse est ipsum sentire; et similiter cum intellectus est in actu per speciem intelligibilem. In secundo autem genere actionis, sequitur ex forma necessitas actionis quantum ad virtutem agendi: si enim ignis sit calidus, necessarium est ipsum habere virtutem calefaciendi, tamen non necesse est ipsum calefacere; eo quod ab extrinseco impediri potest".

[266] The source for this notion is at *In II de Anim.*, lect.6, nn.304-306; it is employed in *I Sent.*, d.17, q.1, a.4 sol.; II, d.44, q.2, a.1 sol.; III, d.23, q.1, a.2 ad 3; *Ver.*, q.15, a.2c; q.16, a.1 ad 13; q.26, a.3 ad 4; *C. Gent.*, II, c.76, n.1575; *Sum. Theol.*, I, q.77, a.3c; q.78, a.1c; q.87, a.3c; I-II, q.18, a.2 ad 3; *Q. de Anim.*, aa.3, 12, 13. See Lonergan, "The Concept of *Verbum*," *Theological Studies*, 8 (1947), 433ff. and Verbum, 128f.. Operation, as opposed to a habit or a potency, is a passion (see *In II Eth.*, lect.5, an.291-96).

[267] The primary example occurs in knowledge; see *Sum. Theol.*, 1, q.56, a.1c: "Sed considerandum est quod huiusmodi species obiecti quandoque est in potentia tantum in cognoscitiva virtute: et tunc est cognoscens in potentia tantum; et ad hoc quod actu cognoscat, requiritur quod potentia cognoscitiva reducatur in actum speciei. Si autem semper eam actu habeat, nihilominus per eam cognoscere potest absque aliqua mutatione vel receptione praecedenti. Ex quo patet quod moveri ab obiecto non est de ratione cognoscentis inquantum est cognoscens, sed inquantum est potentia cognoscens". In general, though, a cause that gives a form also gives the consequent operation (see e.g, *Sum. Theol.*, I-II, q.23, a.4c; q.26, a.6c; and also fn.256), but a cause that acts violently gives only the operation without imparting any form by which the object of its operation can act (see *Malo*, q.6, a.1 ad 4; *Sum. Theol.*, I-II, q.6, a.4c ad 2; a.5; q.9, a.4 ad 1, ad 2, ad 3; and also fn.224).

[268] The sources are at in *In II Phys.*, lect.4, nn.8-10; lect.5, nn.6-11; lect.6, nn.9-11;

On this basis only the agent intellect and the vegetative potency
are active, and all the other potencies of the soul, though operative, are
passive.[269] The vegetative, or the nutritive, potency is active because the
proper object of nutrition is the material which an organism converts to
food.[270] Sense, appetite, and motility, however, are all passive because the
object of each causes it to operate: the proper object of a sense is whatever
is the primary and essential cause of its sensation;[271] the object of appetite
is whatever moves the appetite when it is apprehended as good;[272] and
the object of the motive force is the good to which appetite moves it.[273]

---

lect.12-lect. 15, esp. lect.13, n.5; lect.14, nn.7-8; lect.15, nn.5-6. Use is made of this
notion in such places as *C. Gent.*, I, c.76, n,650; *Sum. Theol.*, I, q.44, a.4; q,105, a,5c;
I-II, q.1., a.1, sed contr.; q.8, a.2c; q.9, a.3c; q.10, a.1c; q.54, a.2 ad 3; q.94, a.2c; and at
In I Eth., lect.18, n.223; III, lect.8, n.474; VII, lect.8, n.431. See also *In Lib. de Caus.*,
prop.1 (S, pp.8-9). For an interpretation of this notion see fnn.514ff..

[269] *Virt. in comm.*, a.3 ad 5: "...inter potentias animae non sunt activae nisi intellectus
agens, et vires animae vegetabilis, quae non sunt aliquorum habituum subiecta. Aliae
autem potentiae animae sunt passivae: principia tamen actionum animae existentes
secundum quod sunt motae a suis activis"; see also *Sum. Theol.*, I, q.85, a.2 ad 3. Yet the
human intellect as a whole is passive to being, whereas the vegetative potency is active
regarding the body: see *Sum. Theol.*, I, q.79, a.2 ad 3.

[270] See *In II de Anim.*, lect.9, nn.334-40, 345-48.

[271] *In II de Anim.*, lect.13, n.393: "...sentire consistit in quodam pati et alterari, ut supra
dictum est. Quicquid igitur facit differentiam in ipsa passione vel alteratione sensus,
habet per se habitudinem ad sensum, et dicitur sensibile per se. Quod autem nullam facit
differentiam circa immutationem sensus, dicitur sensibile per accidens. Unde et in litera
dicit Philosophus, quod a sensibili per accidens nihil patitur sensus, secundum quod
huiusmodi"; see also nn.384, 387, 394; lect.12, n.183; lect.10, n.350; III, lect.17, n.864;
Sum. Theol., I, q.17, a.2c (implicitly); q.79, a.3 ad 2: q.85, a.2 ad 3; *Q. de Anim.*, a,19c;
In de Sensu, lect.4, n.48f..

[272] *Sum. Theol.*, I, q.80, a.2c: "Potentia enim appetitiva est potentia passiva, quae nata est
moveri ab apprehenso: unde appetibile apprehensum est movens non motum, appetitus
autem movens motum, ut dicitur in III *de Anima*, et XII *Metaphys.*"; see also q.78, a.1 ad
2; and *In II de Anim.*, lect, 2, n.265; lect.5, nn.288-91; III, lect.12, nn.768-69; lect.15,
n.821f.; *In XII Meta.*, lect.6, nn.2517-18.

[273] *Sum. Theol.*, I, q.75, a.3 ad 3: "...vis motiva est duplex. Una quae imperat motum,
scilicet appetitiva. Et huius operatio in anima sensitiva non est sine corpore; sed ira et

In the intellect, though, there is both an active and a passive potency, the agent and the possible intellect, because it moves sensible imagery by abstracting from it intelligible species and the species in sensible imagery move it by giving it something to understand.[274] Hence, when operative potencies are considered in relation to the objects of their operations, it is evident that there are in the soul five sorts of potency, distinguished from one another by the objects to which they are related in their operations.[275]

To understand what is distinctive about operative potencies, however, they must also be considered in relation to the subjects in which they are rooted. Considered that way, there are only three kinds of operative potency, for an operative potency gets from the soul the perfection of the act by which it operates,[276] and there are three degrees of perfection

---

gaudium et omnes huiusmodi passiones sunt cum aliqua corporis immutatione. Alia vis motiva est exequens motum, per quam membra redduntur habilia ad obediendum appetitui: cuius actus non est movere, sed moveri. Unde patat quod movere non est actus animae sensitivae sine corpore"; see also q.76, a.4 ad 1, ad 2; a.6 ad 3; and *In III de Anim.*, lect.14. See also fn.232.

[274] *C. Gent.*, II, c.76, nn.1575: "In natura cuiuslibet moventis est principium sufficiens ad operationem naturalem eiusdem: et si quidem operatio illa consistat in actione, adest ei principium activum, sicut patet de potentiis animae nutritivae in plantis; si vero operatio illa consistat in passione, adest ei principium passivum, sicut patet de potentiis sensitivis in animalibus. Homo autem est perfectissimus inter omnia inferiora moventia. Eius autem propria et naturalis operatio est intelligere; quae non completur sine passione quadam, inquantum intellectus patitur ab intelligibili; et etiam sine actione, inquantum intellectus facit intelligibilia in potentia esse intelligibilia in actu. Oportet igitur in natura hominis esse utriusque proprium principium scilicet intellectum agentem et possibilam; et neutrum secundum esse ab anima hominis separatum esse"; see also section 2.1.3.

[275] See *In I de Anim.*, lect.14, nn.201-202; II, lect.4, n.225 for the analytic mode of presenting this notion and *ibid.*, II, lect.5, nn.279-86; *Sum. Theol.*, I, q.78, a.1c for the synthetic mode; see also *Ver.*, q.10, a.1 ad 2; *Q. de Anim.*, a.13c.

[276] *In II de Anim.*, lect.5, n.281: "...cum omnis potentia dicatur ad actum proprium, potentia operativa dicitur ad actum qui est operatio. Potentiae autem animae sunt operativae, talis enim est potentia formae; unde necesse est secundum diversas operationes animae, accipi diversitatem potentiarum. Operatio autem animae, est operatio rei viventis. Cum igitur unicuique rei competat propria operatio, secundum quod habet esse, eo quod unumquodque operatur inquantum est ens: oportet operationes animas considerare, secundum quod invenitur in viventibus"; see also lect.24, nn.551-54; *Malo*,

in the way a soul acts.[277] Every operation of an animate nature surpasses the perfection of inanimate movement simply because it proceeds from an inner principle,[278] but the degree of perfection in an animate operation is commensurate to its transcendence of the corporeal quality of any physical movement.[279] Hence, the vegetative, the animal, and the rational souls are distinguished from one another by the degree to which they act independently of corporeal quality.[280] A vegetative soul has the potency to use corporeal matter as food for its own growth and development, but the operation of nutrition is just a physical movement completely dependent upon corporeal quality.[281] An animal soul, however, has the potency

---

q.16, a.12 ad 2. See fn.260.

[277] *Ver.*, q,10, a.1 ad 2: "Si autem distinguantur *ex parte subiecti* vel modi agendi, sic sunt tria genera potentiarum animae: scilicet vegetativum, sensitivum et intellectivum. Operatio enim animae *tripliciter* potest se habere ad materiam. *Uno modo* ita quod per modum naturalis actionis exerceatur; et talium actionum principium est potentia nutritiva, cuius actus exercentur qualitatibus activis et passivis, sicut et aliae actiones materiales. *Alio modo* ita quod operatio animae non pertingat ad ipsam materiam, sed solun ad materiae conditiones, sicut est in actibus potentiae sensitivae: in sensu enim recipitur species sine materia, sed tamen cum materiae conditionibus. *Tertio modo* ita quod operatio animae excedat et materiam et materiae conditiones; et sic est pars animae intellective".

[278] *In II de Anim.*, lect.5, n.285: "Corpora enim inanimata generantur et conservantur in esse a principio motivo extrinseco; animata vero generantur a principio intrinseco, quod est in semine, conservantur vero a principio nutritivo intrinseco. Hoc enim videtur esse viventium proprium, quod operentur tamquam ex seipsis mota"; see also *Sum. Theol.*, I, q.78, a.lc; and q.72, a.1 ad 1.

[279] *Sum. Theol.*, I, q,78, a.1c: "...diversae animae distinguuntur secundum quod diversimode operatio animae supergreditur operationem naturae corporalis: tota enim natura corporalis subiacet animae, et comparatur ad ipsam sicut materia et instrumentum"; see also *In II de Anim.*, lect.5, n.282f..

[280] See the various treatments of this notion at *Ver.*, q.10, a.1; *C. Gent.*, IV, c.11; *Sum. Theol.*, I, q.78, a.1c; *Q. de Anim.*, aa.9, 12, 13; and at the source, *In I de Anim.*, lect.14, n.199f.; II, lect.5, n.279f..

[281] See *In II de Anim.*, lect.5, n.285; lect.3, n.258; lect.6, n.300; lect.7, n.310; and esp. lect.9; see also fn.20.

to be independent of corporeal quality but not of corporeal organs in its operations,[282] for neither sense nor movement is possible without the appropriate organs,[283] sense requires in the organ a certain proportion or disposition susceptible to destruction by extremes of sensibility,[284] and some corporeal change always accompanies an act of joy or sorrow in the appetite.[285] By contrast, the rational soul is completely independent of either corporeal qualities or corporeal organs in the exercise of its operation,[286] for the capacity to understand is increased rather than diminished by extremes of intelligibility,[287] the intellectual soul must be free of any corporeal nature to understand all such natures,[288] and the will cannot be compelled to move by the influence of any body, even a heavenly body.[289] Hence, there are three kinds of operative potency—vegetative, animal, and rational—corresponding to the degrees of perfection in the souls in which they are rooted.

The effect of the soul upon animate operation, therefore, is to free it from the passion of physical movement. Strictly, passion means a change for the worse; technically, it has been taken to mean an alteration of a

---

[282] See fnn.280-81.

[283] See *In II de Anim.*, lect.13; III, lect.14; lect.15, n.832f..

[284] See *In II de Anim.*, lect.24, n.556; III, lect.2, n.597; lect.7, n.687.

[285] See *Sum. Theol.*, I, q.20, a.1 ad 1, ad 2; q.117, a.3c; *In II de Anim.*, lect.5, n,288f.. See fn.213.

[286] See fn.280.

[287] See *In II Sent.*, d.19, q.1, a.1 sol.; *In IV de Div. Nom.*, lect. 1, n.277; VI, lect.1, nn.683-85; *Ver.*, q.5, a.2 ad 6; *Pot.*, q.5, ad 3, 4; *C. Gent.*, II, c.66, n.1441; *Sum. Theol.*, I, q.9, a.2c; q.50, a.5c; q.65, a.1 ad 1; q.79, a.2c; q.104, aa.3, 4; *Comp.* c.74, nn.128-29; *Q. de Anim.*, a.lc; and the source, *In III de Anim.*, lect.7, n.687.

[288] See chapter 2, fnn.22-23.

[289] See *In II Sent.*, d.15, q.1, a.3 sol.; *Ver.*, q.5, a.10c; *In Matth.*, c.2; *C. Gent.*, III, cc.85, 87; *Sum. Theol.*, I-II, q.9, a.5c; *Malo*, q.6; *In III de Anim.*, lect.4, n.617f.; *In III Eth.*, lect.13; *In I Periherm.*, lect.14; *Comp.*, cc.127, 128.

physical quality; and broadly, it can mean simply the reception of act by potency.[290] Thus, nutrition is strictly a passion to the matter which becomes food but only technically a passion to the organism which is nourished.[291] Sensation is also a passion, since a sense is passive to the object of its operation;[292] but it is only technically a passion to the organ, which is materially changed, and broadly a passion to the sense itself, which is only spiritually changed.[293] Thus sense receives as such only the form of its object,[294] and the senses are distinguished from one another

---

[290] General statements: *In III Sent.*, d.15, q.2, a.1, sol.1 and 2; *Sum. Theol.*, I-II, q.22, a.1c. The distinction between the proper and the broad sense: *Ver.*, q.26, a.1c; *Sum. Theol.*, I, q.79, a.2c; *In I de Anim.*, lect.10, nn.157-62; II, lect.10, n.350; lect.11, nn.365-72; lect.12, n.382; III, lect.7, nn.676, 687f.; lect.9, nn.720, 722; lect.12, n.765; *In VII Phys.*, lect.4-lect.6; *In V Meta.*, lect.16, n.987f.. Passion in appetite: *In II Eth.*, lect, 3; lect.5; IV, lect.17; VII, lect.3, n.1351, etc.. Reception-perfection: *In V Meta.*, lect.20, n.1065f.; and *In III Sent.*, d.26, q.1, a.1 sol.; IV, d.44, q.3, a.1 sol.3; *Ver.*, q.26, a.1c; *Sum. Theol.*, III, q.15, a.4c. See Lonergan, "The Concept of *Verbum*," *Theological Studies*, 8 (1947), 413f. and *Verbum*, 107f..

[291] See fnn.270, 281.

[292] See the texts in Lonergan, "The Concept of *Verbum*," *Theological Studies*, 8 (1947), 435 and *Verbum*, 131: *In IV Sent.*, d.50, q.1, a.4 sol.; *C. Gent.*, II, c.57, n.1333; c.76, n.1575; *Sum. Theol.*, I, q.17, a.2 ad 1; q.27, a.5c; q.85, a.2 ad 3; *Quodl.*, V, a.9, ad 2; and at the sources, *In II de Anim.*, lect.10, n.350; lect.13, 393. To these may be added the texts in which Aquinas explicitly contrasts the Aristotelian view of sensation as reception with the Platonic and naturalist view of it as a kind of projection or radiation; see *In I de Caelo*, lect.12, n.4; *In III de Anim.*, lect.17, n.864; *In de Sensu*, lect.4, n.48 f.; *Q. de Anim.*, a.19c.

[293] *Sum. Theol.*, I, q.78, a.3c: "Est autem duplex immutatio: una naturalis, et alia spiritualis. Naturalis quidem, secundum quod forma immutantis recipitur in immutato secundum esse naturale, sicut calor in calefacto. Spiritualis autem, secundum quod forma immutantis recipitur in immutato secundum esse spirituale; ut forma coloris in pupilla, quae non fit per hoc colorata. Ad operationem autem sensus requiritur immutatio spiritualis, per quam intentio formae sensibilis fiat in organo sensus. Alioquin, si sola immutatio naturalis sufficeret ad sentiendum, omnia corpora naturalia sentirent dum alterantur"; see also *Unit. intell.*, c.1 (K, n.23). Sensation may result in a passion in the strictest sense if the effect of the object upon the organ exceeds the limits of its disposition; see fn.284.

[294] *In II de Anim.*, lect.24, n.553: "Quandoque vero forma recipitur in patiente secundum alium modum essendi, quam sit in agente; quia dispositio materialis patientis ad

by the degree of immateriality in the reception of form.[295] Likewise, understanding is a passion, since the intellect is moved to understand by
species from sensible imagery, but only broadly, for the species perfect
the intellect without altering it in any way.[296] Consequently, nutrition,
though it proceeds from an inner principle, remains a physical movement; sense appetite also implies some physical movement but not sense
knowledge as such; and understanding, which does not even suppose a
corporeal subject, is a movement only metaphorically.[297]

   Since the effect of a soul upon a potency is to free the operation of the
potency from the passion of physical movement, the degree of perfection
which a potency receives from the soul is the basis for the formal ratio
by which an object specifies it.[298] Though the object of a passive potency

---

recipiendum, non est similis dispositioni materiali, quae est in agente. Et ideo forma
recipitur in patiente sine materia, inquantum patiens assimilatur agenti secundum
formam, et non secundum materiam. Et per hunc modum, sensus recipit formam sine
materia, quia alterius modi esse habet forma in sensu, et in re sensibili. Nam in re sensibili
habet esse naturale, in sensu autem habet esse intentionale et spirituale"; see nn.551-54.

[295] *Sum. Theol.*, I, q.78, a.3c: "Accipienda est ergo ratio numeri et distinctionis exteriorum
sensuum, secundum illud quod proprie et per se ad sensum pertinet. Est autem sensus
quaedam potentia passiva, quae nata est immutari ab exteriori sensibili. Exterius ergo
immutativum est quod per se a sensu percipitur, et secundum cuius diversitatem sensitivae
potentiae distinguuntur"; see also *In II Sent.*, d.2, q.2, a.2 ad 5; III, d.14, a.1. sol.2; *In I
Meta.*, lect.1, n.6f.; *In II de Anim.*, lect.14; III, lect.1; *Q. de Anim.*, a.13.

[296] *In III de Anim.*, lect.12, n.766 (fn.238). See chapter 1, sections 2.4 and 2.5.

[297] See *In I de Anim.*, lect.10, nn.157-62; III, lect.12, n.765.

[298] *In II de Anim.*, lect.6, n.307: "...ex obiectis diversis non diversificantur actus et
potentiae animae, nisi quando fuerit differentia obiectorum inquantum sunt obiecta, id
est secundum rationem formalem obiecti, sicut visibile ab audibili. Si autem servetur
eadem ratio obiecti, quaecumque alia diversitas non inducit diversitatem actum
secundum speciem et potentiae. Eiusdem enim potentiae est videre hominem coloratum
et lapidem coloratum; quia haec diversitas per accidens se habet in obiecto inquantum
est obiectum"; see also lect.13, n.394; and *Ver.*, q.15, a.2c; q.22, a.10c; *Sum. Theol.*, I,
q.l, a.3c; a.7c; q.45, a.4 ad 1; q.77, a.3c ad 2; q.82, a.4 ad 1. Thus the perfection of the
species in sensation is due to the virtue of the sensible soul; see *In II de Anim.*, lect.24 ,
nn.55l-54; *Malo*, q.16. a.12 ad 2.

specifies it properly and essentially according to the way it changes it,[299] yet the more independent a soul is from the body to which it is joined, the more universal will be the object to which its potency is related.[300] Thus the object of the nutritive potency is the body to which its soul is joined, but the object of sense, sense appetite, and motility is every sensible body, and the object of the intellect is being in all its universality.[301]

Hence, since we can discern an essence only through a study of its accidents, we can determine the nature of a soul from the power of its potency,[302] for this power is evident in the ratio of the potency to its proper object.[303] A proper and formal definition of the soul, then, in terms of

---

[299] *Ver.*, q.15. a.2c: "*Quaedam* vero potentiae aptantur his in quibus corpora diversificantur, secundum diversum modum immutandi ; et sic est visus circa colorem, auditus circa sonum, et sic de aliis". See fn.271. Thus operation is receptive not active (see *In I Sent.*, d.15, q.5, a.3 ad 4); it can be the effect of a cause (*C. Gent.*, II, c.22, n.2025; *Sum. Theol.*, I-II, q.111, a.2c).

[300] *Sum. Theol.*, I. q.78, a.lc: "Genera vero potentiarum animae distinguuntur secundum obiecta. Quanto enim potentia est altior, tanto respicit universalius obiectum..."; see q.77, a.3 ad 4.

[301] See *ibid.*

[302] *Sum. Theol.*, I, q.77, a.l ad 7: "...*rationale* et *sensibile*, prout sunt differentiae, non sumuntur a potentiis sensus et rationis; sed ab ipsa anima sensitiva et rationali. Quia tamen formae substantiales, quae secundum se sunt nobis ignotae, innotescunt per accidentia; nihil prohibet interdum accidentia loco differentiarum substantialium poni"; see also *In Boeth. de Trin.*, q.6, a.4 ad 2 (D, p.228); *Ver.*, q.4, a.8 ad 1; q.10 a.1c; *C. Gent.*, I, c.3, n.18; *Sum. Theol.*, I, q.85, a.3 ad 4; a.8 ad 1; *Spir. creat.*, a.11 ad 3, ad 18; *In VII de Div. Nom.*, lect.2, nn.711, 713; and in the commentaries on Aristotle: *In VIII Meta.*, lect.2; also VII, lect.12, n.1552; *In II de Caelo*, lect.4, n.3; *In I de Gen.*, lect.8, n.5; *In I de Anim.*, lect.1, n.15; *In II Post. Anal.*, lect. 8, n.6. See also fnn.218-19 and chapter 1, fn.208.

[303] *In II de Anim.*, lect.6, nn.304-305: "Dicens, quod si oportet de aliqua parte animae dicere *quid est*, scilicet quid est intellectivum, aut sensitivum, aut vegetativum, prius oportet dicere de actibus, scilicet quid sit intelligere, et quid sentire. *Et hoc ideo*, quia secundum rationem definitivam, actus et operationes sunt priores potentiis. Potentia enim, secundum hoc ipsum quod est, importat habitudinem quamdam ad actum: est enim principium quoddam agendi vel patiendi: unde oportet, quod actus ponantur in definitionibus potentiarum. Et si ita se habet circa ordinem actus et potentiae, et actibus adhuc sunt priora opposita, idest obiecta. Species enim actuum et operationum sumuntur

its potential parts is that it is the act and form of a living body,[304] for it is the first principle of operation in a living body, and the first principle of operation in the act called form.[305] By its essence, the soul gives a body being, life, and (in some cases) intelligence;[306] but it enables a body to operate only through potencies distinct from its essence, since it is in act to being and in potency to operation, and nothing can be in act and in potency in the same respect.[307] Thus, contrary to what Plato and the naturalists believed, self-movement in the living does not derive from any self-movement in the soul.[308] Operative potencies emanate from the soul as a natural result of its being a form in act to being and are received in it, either in union with the body or by itself, as a consequence of its potency to operation.[309] Consequently, though the potencies are the immediate

secundum ordinem ad obiecta"; see also *In III Sent.*, d.23, q.1, a.2 ad 3; *Sum. Theol.*, I, q.77, a.3c; and q.87, a.3c.

[304] See *ibid.*, n.299; lect.2, n.244; lect.5, n.297.

[305] See *ibid.*, lect.3, nn.253-69; and leet. 1, nn.220-29; lect.4, nn.271-78; *C. Gent.*, II, cc.57, 63-65, 69-70; and *Sum. Theol.*, I, q.76; *Q. de Anim.*, aa.1-2, 6; *Spir. creat.*, aa.1-2.

[306] *Spir. creat.*, a.11 ad 14: "...anima, in quantum est forma corporis secundum suam essentiam, dat esse corpori, in quantum est forma substantialis; et dat sibi huiusmodi esse quod est vivere, in quantum est talis forma, scil. anima; et dat ei huiusmodi vivere, scil. in intellectuali natura, in quantum est talis anima, scil. intellectiva"; see also aa.3, 4; *C. Gent.*, II, cc.58, 71-72; *Subst. sep.*, c.11, n.108*; Sum. Theol.*, I, q.76, aa.3-4, 6-8; *Q. de Anim.*, aa.9-11. See fnn, 218-19.

[307] See *In I Sent.*, d.3, q.4, a.2; *Quodl.*, VII, a.5; X, a.5; *C. Gent.*, II, c.53; *Sum. Theol.*, I, q.54, a.3c; q.77, a.1; q.79, a.1; *Q. de Anim.*, a.12c; *Spir. creat.*, a.11; and *In II de Anim.*, lect.1, nn.213-19. Thus the soul is in the body as sense in the organ, and the soul is for being as sense for sensing (see *In II de Anim.*, lect.2, n.239; *Sum. Theol.*, I, q.76, a.8 ad 3).

[308] See *In I de Anim.*, lect.6, n.71; and also nn.68-86; lect.3, nn.33-42; lect.7.

[309] See *Sum. Theol.*, I, q.77, aa.5-7; and also *In I Sent.*, d.3, q.4, a.2; *Q. de Anim.*, aa.9c, 19c; *Spir. creat.*, a.11; *In I de Anim.*, lect.14, nn.204-05; II, lect.5, n.288f.; lect.6, nn.300-302. Note that the emanation is not a *transmutatio* (*Sum. Theol.*, I, q.77, a.6 ad 2); see Lonergan, "The Concept of *Verbum*," *Theological Studies*, 8 (1947), 438-39 and *Verbum*, 134-35. Thus the potencies are properties without which the soul can be defined but which the soul cannot be judged to be without (see *Sum. Theol.*, I, q.77, a.1 ad 5; *Q. de*

principles of operation, the soul itself remains the remote principle because the potencies are just its instruments.[310]

That a potency is a part of the soul by which it operates is particularly
evident in the case of the intellect, for we can mean by "understanding"
either the operation or the being of an intellectual nature and by "intellect" either the potency or the essence of an intellectual soul.[311] Hence,
it is better to say we understand by our souls through our intellects than
by our intellects alone.[312] By the intellect or the mind, then, sometimes
we mean the immediate principle of understanding and at other times
the essence of the soul from which this potency flows.[313] And since the
soul is the primary principle by which a man acts through his intellect or
his body, though understanding is independent of the body, we can still
say that the principle of understanding, whether it is called the intellect

---

Anim., a.12c ad fin.; *Spir. creat.*, a.11c [K, pp.142-43]). See G. Klubertanz, "The Unity of
Human Operation," *Modern Schoolman*, 24 (1950), 85-89, 102-103.

[310] *Sum. Theol.*, I, q.77, a.1 ad 3: "...hoc ipsum quod forma accidentalis est actionis
principium, habet a forma substantiali. Et ideo forma substantialis est primum actionis
principium, sed non proximum. Et secundum hoc Philosophus dicit quod id *quo
intelligimus et sentimus, est anima*".

[311] *Spir. creat.*, a.11 ad 14: "Intelligere autem quandoque sumitur pro operatione, et sic
principium eius est potentia vel habitus; quandoque vero pro ipso esse intellectualis
naturae, et sic principium eius quod est intelligere, est ipsa essentia animae intellectivae".

[312] *Ibid.*, ad 18: "...intellectus non solum est potentia intellectiva, sed multo magis
substantia per potentiam; unde intelligitur non solum potentia, sed etiam substantia"; see
also *Sum. Theol.*, I, q.79, a.1 ad 1.

[313] *Ver.*, q.10, a.1c: "Sed anima humana pertingit ad altissimum gradum qui est inter
potentias animae, et ex hoc denominatur; unde dicitur intellectiva, et quandoque etiam
intellectus, et similiter mens, inquantum scilicet ex ipsa nata est effluere talis potentia,
quia est sibi proprium prae aliis animabus. Patet ergo, quod mens in anima nostra dicit
illud quod est altissimum in virtute ipsius. Unde, cum secundum id quod est altissimum
in nobis divina imago inveniatur in nobis, imago non pertinebit ad essentiam animae nisi
secundum mentem prout nominat altissimam potentiam eius. Et sic mens, prout in ea
est imago, nominat potentiam animae, et non essentiam; vel si nominat essentiam, hoc
non est nisi inquantum ab ea fluit talis potentia"; see also ad 6; *Sum. Theol.*, I, q.75, a.2c;
q.79, a.1 ad 1. See chapter 1, fn.208.

or the intellective soul, is the form of the human body, for the primary principle by which anything operates is its form.[314]

It is clear, then, that what makes vital operation essentially different from mere physical movement is the natural perfection of the soul from which it proceeds. To understand fully the meaning of life, however, we must realize, in the third place, that the perfection of life differs from inertia according to the degree by which the soul of a living thing enables it to determine its operations for itself. For, since things are said to live because they operate of themselves and not as if moved by others, the perfection of life in anything is commensurate to the perfection with which it can operate of itself.[315]

Now an end is the cause for which an agent operates, and the form an agent gives to an instrument determines the end for which it operates; therefore, the more one can operate for himself by determining the end for which he acts, the more he will be an agent able to operate of himself and the less an instrument moved to operate by another.[316]

---

[314] *Sum. Theol.*, I, q.76, a.1c: "...necesse est dicere quod intellectus, qui est intellectualis operationis principium, sit humani corporis forma. Illud enim quo primo aliquid operatur, est forma eius cui operatio attribuitur: sicut quo primo sanatur corpus, est sanitas, et quo primo scit anima, est scientia; unde sanitas est forma corporis, et scientia animae. Et huius ratio est, quia nihil agit nisi secundum quod est actu: unde quo aliquid est actu, eo agit. Manifestum est autem quod primum quo corpus vivit, est anima. Et cum vita manifestetur secundum diversas operationes in diversis gradibus viventium, id quo primo operamur unumquodque horum operum vitae, est anima: anima enim est primum quo nutrimur, et sentimus, et movemur secundum locum; et similiter quo primo intelligimus. Hoc ergo principium quo primo intelligimus, sive dicatur intellectus sive anima intellectiva, est forma corporis. - Et haec est demonstratio Aristotelis in II *de Anima*"; see also *Q. de Anim.*, a.2c.

[315] *Sum. Theol.*, I, q.18, a.3c: "...cum vivere dicantur aliqua secundum quod operantur ex seipsis, et non quasi ab aliis mota; quanto perfectius competit hoc alicui, tanto perfectius in eo invenitur vita".

[316] *Ibid.*: "In moventibus autem et motis tria per ordinem inveniuntur. Nam primo, finis movet agentem; agens vero principale est quod per suam formam agit; et hoc interdum agit per aliquod instrumentum, quod non agit ex virtute suae formae, sed ex virtute principalis agentis; cui instrumento competit sola executio actionis"; see also fn.268.

By that criterion, all material nature operates only as an instrument of the soul, since the soul is the end for which the body operates.[317] Among living things, the gradation in the degree to which they can operate of themselves depends upon the number of operative potencies proper to their various souls.[318] As Aristotle said, the species of things are like a series of numbers or figures in which each superior number or figure includes the others and adds a difference of its own.[319] Hence, everything alive operates of itself because it is perfect in form. But plants act like instruments executing an operation under a form and for an end determined for them by nature, while animals can acquire the forms by which they operate but also must act for an end determined for them by nature. Only men are able to be agents in the full sense of the term, by willing, intending, and choosing the end for which they operate.[320]

The ultimate perfection of life is found, therefore, only in man. Whereas even the higher forms of animal life act instinctively for a natural end, man can determine for himself the end of his operations.[321] For he can understand the meaning of end, intend the proportion of end to

---

[317] See *In II Sent.*, d.1, q.2, a.5 sol.; *Malo*, q.5, a.5c; *Sum. Theol.*, I, q.76, a.5c; q.78, a.1c (fn.279); *Q. de Anim.*, a.8c; and *In II de Anim.*, lect.7, nn.321-22; lect.8, nn.331- 32. Thus whatever is alive must have the potencies necessary for it to be alive and to perform the operations proper to it (see *In III de Anim.*, lect.1; lect.17; lect.18, nn.872-74; *Sum. Theol.*, I, q.78, a.4).

[318] See *Sum. Theol.*, I, q.78, a.1c; and *In I de Anim.*, lect.3, n.2; II, lect.3, nn.254ff.; lect.6, n.300f.; lect.14, nn.796-807.

[319] See *C. Gent.*, I, c.54, n.448; *Sum. Theol.*, I, q.76, a.3c; q.77, a.7 ad 1; *Q. de Anim.*, a.9c; a.11c; *In II de Anim.*, lect.1, nn.221-22; lect.4, nn.274-75; lect.5, n.298; lect.6, n.300. This is not the Platomie notion of the soul as really a number (see *In I de Anim.*, lect.7; *In VIII Meta.*, lect.3, n.1722; *In V Phys.*, lect.3, n.5).

[320] See the following section, 2.2.3.

[321] *Sum. Theol.*, I, q.18, a.3c: "Sed quamvis huiusmodi animalia formam quae est principium motus, per sensum accipiant, non tamen per seipsa praestituunt sibi finem suae operationis, vel sui motus; sed est eis inditus a natura, cuius instinctu ad aliquid agendum moventur per formam sensa apprehensam".

means, and order means to the end—as is evident from the way the intellect can control sense potencies and direct them to use bodily organs in the execution of movements.[322] Therefore, understanding is the highest kind of life,[323] the intellect or mind the highest perfection intended by nature,[324] and man the most perfect being in nature.[325]

From this study of life, then, it is clear, first, that, though the living are distinguished from the inert by a kind of self-movement, this self-movement supposes movement from without and also the internal movement of one part of the body by another and of the body as a whole by the soul. Secondly, vital operation does not preclude passion from the object that causes it, but this passion is free of movement and becomes more like repose the more perfect the soul from which it emanates. And, thirdly, the perfection by which something alive can operate of itself is found fully only in man, inasmuch as he can determine for himself the end for which he operates. Therefore, it is evident that according to the way Aquinas understood live, the life of man cannot be in any liter-

---

[322] *Ibid.*: "Unde supra talia animalia sunt illa quae movent seipsa, etiam habito respectu ad finem, quem sibi praestituunt. Quod quidem non fit nisi per rationem et intellectum, cuius est cognoscere proportionem finis et eius quod est ad finem, et unum ordinare in alterum. Unde perfectior modus vivendi est eorum quae habent intellectum: haec enim perfectius movent seipsa. Et huius est signum, quod in uno et eodem homine virtus intellectiva movet potentias sensitivas; et potentiae sensitivae per suum imperium movent organa, quae exequuntur motum".

[323] *In XII Meta.*, lect.8, n.2544: "'Actus intellectus,' idest intelligere, vita quaedam est, et est perfectissimum quod est in vita"; *In XVII Ioan.*, lect.1, n.2186: "Inter opera autem vitae altius est opus intelligentiae, quod est intelligere; et ideo operatio intellectus maxime est vita. Sicut autem idem est sensus actu et sensibile in actu, ita intelligens in actu et res intellecta in actu. Cum ergo intelligentia sit vita et intelligere sit vivere, sequitur quod intelligere rem aeternam sit vivere vita aeterna"; see also *Pot.*, q.9, a.5c med..

[324] *In II de Anim.*, lect.6, n.301: "Sed in mortalibus habentibus intellectum, necesse est omnia alia praeexistere, sicut quaedam instrumenta, et praeparatoria ad intellectum, qui est ultima perfectio intenta in operatione naturae".

[325] *C. Gent.*, II, c.76, n.1575: "Homo autem est perfectissimus inter omnia inferiora moventia. Eius autem propria et naturalis operatio est intelligere"; see also n.1579; c.59, n.1367.

al sense a self-movement, that the operation of understanding can be a kind of passion without ceasing to be vital, but that man can understand properly the kind of life unique to himself only by a study of his own soul and the way it operates.

2.2.3. LIFE IN THE INTELLECT

In Aquinas's interpretation of understanding as a form of life, he began by following Aristotle's analogy of the operation of understanding to the operation of sensing. He used this analogy, however, as an introduction to the study of understanding in itself by reflection upon it in the intellect. For he believed that the freedom characteristic of one who can understand is unique to the life of man. Therefore, Aquinas showed that he thought that the freedom of life in the intellect can be understood only by the study of life as it is found in the intellect alone, and to appreciate his thought on life in the intellect it is necessary to follow his argument from the analogy of sensing to understanding, to the reflection upon understanding in itself, and the conclusion that understanding gives man a unique freedom.

First, then, Aquinas adopted Aristotle's comparison of understanding to sensing. Both sensing and understanding imply some passion from an object, since sometimes we do know and sometimes we do not, and the transition from not-knowing to knowing is marked by the effect of an object.[326] In neither case, though, is the passion an alteration entailing a concomitant loss, but simply a perfection gained in the passage from potency to act.[327] Thus the movement in understanding is, properly speaking, an act of the perfect called operation proceeding from the in-

---

[326] See *In III de Anim.*, lect.7, n.675; *Spir. creat.*, a.9c (K, p.107).

[327] See *In III de Anim.*, lect.12, n.765; and fnn.290-97.

tellect in act.[328] The intellect in act, then, is the act of understanding,[329] and this act is comparable to repose rather than to movement.[330] So the analogy of understanding to sensing helps to explain how the intellect can be moved to understand without being changed in the process.[331]

The intellect is subject to movement, of course, because originally we are ignorant and we can understand only what we learn from sensible experience.[332] Since nothing can move itself from potency to act, ordinarily we need the help of teachers, who already understand something themselves.[333] Yet learning implies no real passion in the intellect, even if

---

[328] *Ver.*, q.8, a.6c: "Actio autem appetitus et sensus et intellectus non est sicut actio progrediens in materiam exteriorem, sed sicut actio consistens in ipso agente, ut perfectio eius; et ideo oportet quod intelligens, secundum quod intelligit, sit actu; non autem oportet quod intelligendo intelligens sit ut agens, intellectum ut passum. Sed intelligens et intellectum, prout ex eis est effectum unum quid, quod est intellectus in actu, sunt unum principium huius actus qui est intelligere. Et dico ex eis effici unum quid, inquantum intellectum coniungitur intelligenti sive per essentiam suam, sive per similitudinem"; see also ad 3; *C. Gent.*, I, cc.47, 48; c.78, nn.1593-95; *Sum. Theol.*, I, q.54, a.1 ad 3 (chapter 2, fn.104); *Q. de Anim.*, a.5 ad 1; *Spir. creat.*, a.10 ad 3 (K, pp.128-29); and *In III de Anim.*, lect, 10, n.740; lect.12, n.766 (fn.238). Thus the action in understanding does not come between knower and known as does the action of making or doing something to another (see *In V Meta.*, lect.20, n.1062).

[329] *In III de Anim.*, lect.10, n.741: "*Tertia* conditio intellectus in actu, per quam differt ab intellectu possibili, et intellectu in habitu, est quia uterque quandoque intelligit, et quandoque non intelligit. Sed hoc non potest dici de intellectu in actu, qui consistit in ipso intelligere".

[330] *Ibid.*, I, lect.8, n.125: "...intelligentia magis assimilatur quieti, quam motui"; see also fnn.91-97.

[331] *In III de Anim.*, lect.12, n.767: "...cum sensibile reducat in actum sensitivum sine passione et alteratione, sicut de intellectu supra dictum est; manifestum est ex dictis, quod ipsum sentire est simile ei quod est intelligere, ita tamen quod quando est solum sentire, idest apprehendere et iudicare secundum sensum, hoc est simile ei quod est solum dicere et intelligere: quando scilicet intellectus iudicat aliquid, et apprehendit: quod est dicere, quia simplex apprehensio et iudicium sensus assimilatur speculationi intellectus".

[332] See chapter 1, sections 2.2 and 2.3; this chapter, section 2.1.1.

[333] See *In II de Anim.*, lect.11, nn.362, 371-72; *In IX Meta.*, lect.4, n.1815f.; lect.7, n.1850f.; and also *Sum. Theol.*, I, q.94, a.3c. See chapter 2, fnn.50-52ff., 117.

sometimes it implies the removal of error, since learning is basically the perfection of our natural ability to understand.[334] Whatever passion we may suffer in learning is absent when we consider something we already understand, for at that point we can operate on our own, not by teaching ourselves,[335] but simply by considering the matter whenever we want.[336] This implies no more change to the intellect than the building of a house does to the builder.[337] For we have in the light of our own intellects the native ability to understand the first principles on our own and to draw from them all the conclusions which they imply. Teachers suppose we have this ability, and the greater it is, the less we need teachers to help us.[338]

Thus we can speak of three stages in the transition from potency to act by which we learn a science: pure potency when one is ignorant, habit when one understands, and pure act when one understands and considers.[339] This process is comparable to seeing, in that the intellect in

---

[334] *In de Anim.*, *ibid.*, nn.363, 366, 369-70.

[335] *Ibid.*, n.368: "...cum ille qui transit de habitu in actum, non accipiat de novo scientiam, sed proficiat, et perficiatur in eo quod habet: doceri autem, scientiam est acquirere: manifestum est, quod cum educitur aliquis de potentia in actum, secundum hoc quod incipit facere eum intelligere actu et sapere, non est iustum quod talis exitus de potentia in actum habeat denominationem doctrinae; sed aliquam aliam potest habere, quae quidem forte non est posita, sed potest poni"; see also *Ver.*, q.11, a.1 ad 12; a.2c; *Sum. Theol.*, I, q.117, a.1 ad 4.

[336] *Ibid.*, n.364: "Qui vero est in potentia *secundo modo*, ut scilicet iam habens habitum, transit ex eo quod habet sensum aut scientiam et non agit secundum ea, in agere; quia scilicet fit agens secundum scientiam"; see also III, lect.8, n.700.

[337] See *ibid.*, n.377.

[338] See fn.104.

[339] See the sources at *In II de Anim.*, lect.1, nn.216, 227-29; lect.10, n.355; lect.11, nn.358-70; III, lect.8, nn.700-704; see also *C. Gent.*, II, c.73, n.1508f.; *Sum. Theol.*, I, q.54, a.4c; q.58, a.1c; q.79, a.6 ad 3; a.10c; q.84, a.4c; *In VIII Phys.*, lect, 8, n.3; *Unit. intell.*, c.4, nn.92-95. Thus the habit of science is constituted by the species by which one understands (see *In III Sent.*, d.31, q.2, a.4 sol.; *Ver.*, q.10, a.2c; *C. Gent.*, II, c.74; *Sum. Theol.*, I, q.79, a.6c ad 3; q.84, a.4c; q.79, a.10c; *In II de Anim.*, lect.11, n.360;

potency to science is like eyes without sight, and the intellect with the habit of science but not considering is like eyes with sight not looking.[340] In every act of understanding, then, there is a certain passion since the intellect, like sight, knows because it receives species from its objects,[341] for we need sensible imagery whenever we want to understand anything at all, whether we are learning it for the first time or using it to some purpose.[342] Therefore, we need sensible imagery, not just to suggest something for the intellect to understand on its own, but to cause the intellect to understand.[343]

In understanding, however, as in sensing, there is a double operation. In sensing the operation is material and physical insofar as the object affects sense, but formal and spiritual insofar as sense not only senses the object but judges that it senses the object.[344] Likewise, in understanding,

---

Spir. creat., a.9c; Unit. intell., c.4 [K, nn.93-94]), and it is acquired through practice of the kind of act for which it is a proficiency (see Sum. Theol., I, q.89, a.5c; q.87, a.2c; I-II, q.51, a.2c; Ver., q.10, a.9c; and the source at In II Eth., lect.1, n.252f.).

[340] See fn.245f..

[341] In III de Anim., lect.7, n.676: "Ergo, si intelligere est simile ei quod est sentire; et partem intellectivam oportet esse impassibilem, passione proprie accepta; sed oportet quod habeat aliquid simile passibilitati: quia oportet huiusmodi partem esse susceptivam speciei intelligibilis, et quod sit in potentia ad huiusmodi speciem, sed non sit hoc in actu. Et sic oportet, quod sicut se habet sensitivum ad sensibilia, similiter se habeat intellectivum ad intelligibilia; quia utrumque est in potentia ad suum obiectum, et est susceptivum eius"; see also In I Sent., d.8, q.3, a.2c; III, d.15, q.2, a.1, sol.2; Ver., q.8, a.1 ad 14; C. Gent., II, c.60, n.1375; Sum. Theol., I, q.79, a.2c. The intellect is passive in any act of understanding that is not identical with being, its natural and essential object (see In III Sent., d.14, a.1, sol.2; C. Gent., II, c.98 n.1835; Sum. Theol., I, q.79, a.2c; In III de Anim., lect.11, n.759; In XII Meta., lect.8, n.1536f.); see Lonergan, "The Concept of Verbum," Theological Studies, 8 (1947), 436 and Verbum, 131-32.

[342] See chapter 1, section 2.3.

[343] See chapter 1, section 2.4.

[344] In III de Anim., lect, 2, n.588: "Redit ergo solutio ad hoc, quod actio visus potest considerari, vel secundum quod consistit in immutatione organi a sensibili exteriori, et sic non sentitur nisi color. Unde ista actione, visus non videt se videre. Alia est actio

the intellect not only understands the object by apprehending essential parts of it, but also knows and considers the object by judging it as a whole.[345] For we understand things both by abstracting an intelligible species from sensible imagery and also by inspecting them in the imagery itself. Hence, the act of understanding is complete only in the second operation by which we know and judge things as they are in the concrete.[346]

At this point the analogy of intellect to sense breaks down. For the analogy of sense extends only to the possible intellect, which is susceptible to species from sensible imagery and can understand and consider in sensible imagery the objects by whose species it is informed.[347] Yet, since sensible imagery is unintelligible in itself and does not reveal things themselves apart from appearances, we must suppose an agent intellect to abstract intelligible species from sensible imagery so that the intellect can have something stable to understand and to discern things themselves from mere appearances so that the intellect can judge the true from the false and the good from the bad.[348] Even when the possible intellect

---

visus secundum quam, post immutationem organi, iudicat de ipsa perceptione organi a sensibili, etiam abeunte sensibili: et sic visus non videt solum colorem, vel sentit, sed sentit etiam visionem coloris"; see the entire *lectio*. See also fnn.292-95, and chapter 2, fn.69.

[345] *In I de Anim.*, lect.10, n.164: "Sic ergo 'intelligere', idest simplex apprehensio 'et considerare', idest operatio intellectus quae est in componendo et dividendo"; see also III, lect.3; lect.11; and section 2.2.1. Consideration, therefore, is the kind of understanding proper to someone proficient in a given science; see *In VII Phys.*, lect, 6, n.4; *In IX Meta.*, lect.9, n.1882.

[346] See chapter 4, section 2.3, esp. fn.46.

[347] See fn.274; see also *In III Sent.*, d.14, a.1, sol.2; *Ver.*, q.10, a.6c; q.16, a.1 ad 13; *C. Gent.*, II, c.60, nn.1371-75; c.76, nn.1573-79; *Sum. Theol.*, I, q.76, aa.2, 3; and *In III de Anim.*, lect.9-lect.10; *Q. de Anim.*, aa.2-3; *Spir. creat.*, aa.2, 10; *Unit. intell.*, c.1, nn.5-11; cc.3-4.

[348] *Sum. Theol.*, I, q.84, a.6 ad 1: "...veritas non sit totaliter a sensibus expectanda. Requiritur enim lumen intellectus agentis, per quod immutabiliter veritatem in rebus mutabilibus cognoscamus, et discernamus ipsas res a similitudinibus rerum"; *Spir. creat.*, a.10c (K, p.127): "Unde dicimus quod lumen intellectus agentis, de quo Aristoteles

is in first act through a habit of science, it cannot actually understand anything without the influence of the agent intellect.[349] For it can reduce itself from potency to act only because it actually understands what the first principles imply, but it cannot actually understand the first principles unless the agent intellect makes the terms for them evident in sensible imagery.[350] Therefore, we judge the truth of the first principles in light of our agent intellects and then use them to judge the truth of everything else.[351] For the first principles make an argument cogent only in the light of the intellect itself,[352] and so we must consider them as instruments

---

loquitur, est nobis immediate impressum a Deo, et secundum hoc discernimus verum a falso, et bonum a malo"; see also *Sum. Theol.*, I-II, q.109, a.1c init.; II-II, q.173, a.2c.

[349] *Q. de Anim.*, a.4 ad 6: "...intellectus possibilis factus in actu non sufficit ad causandum scientiam in nobis, nisi praesupposito intellectu agente".

[350] *Ibid.*: "Si enim loquamar de intellectu in actu qui est in ipso addiscente, contingit quod intellectus possibilis alicuius sit in potentia quantum ad aliquid, et quantum ad aliquid in actu. Et per quod est in actu potest reduci, etiam quantum ad id quod est in potentia, in actum; sicut per id quod est actu cognoscens principia, fit in actu cognoscens conclusiones, quas prius cognoscebat in potentia. Sed tamen actualem cognitionem principiorum habere non potest intellectus possibilis nisi per intellectum agentem. Cognitio enim principiorum a sensibilibus accipitur ut dicitur in fine libri *Posteriorum* [lib. II, com. ult.]. A sensibilibus autem non possunt intelligibilia accipi nisi per abstractionem intellectus agentis".

[351] *In Boeth. de Trin.*, q.3, a.1 ad 4 (D, p.114): "...quandocumque acceptis aliquo modo assentitur, oportet esse aliquid quod inclinet ad assensum, sicut lumen naturaliter inditum in hoc quod assentitur primis principiis per se notis et ipsorum principiorum veritas in hoc quod assentitur conclusionibus scitis et aliquae verisimilitudines in hoc quod assentimus his quae opinamur". We judge the first principles by virtue of wisdom; see *Sum. Theol.*, I-II, q.66, a.5 ad 4.

[352] In III Sent., d.23, q.2, a.1 ad 4: "...argumentum proprie dicitur processus rationis de notis ad ignota manifestanda, secundum quod dicit BOETIUS (lib. I De differentiis topicis, L. 64, 1174) quod 'est ratio rei dubiae faciens fidem'. Et quia tota vis argumenti consistit in medio termino, ex quo ad ignotorum probationem proceditur; ideo dicitur ipsum medium argumentum sive sit signum sive causa sive effectus...Et quia medium vel principium dicitur argumentum inquantum habet virtutem manifestandi conclusionem, et hoc verius inest ei ex lumine intellectus agentis, cuius est instrumentum, quia 'omnia quae arguuntur a lumine manifestantur', ut dicitur Ephes., v, 13; ideo ipsum lumen quo manifestantur principia, sicut principiis manifestantur conclusiones, potest

which the agent intellect uses to enable the possible intellect to understand[353] through a power of judgment proper to it alone.[354]

At this point, the analogy of intellect to sense recurs, for, once the intellect actually understands something, it can speak an inner word,[355] much as sense can imagine once it has sensed.[356] The action of speak-

---

dici argumentum ipsorum principiorum". Lonergan in "The Concept of Verbum," *Theological Studies*, 8 (1947), 67f. and *Verbum*, 82f., points out the distinction.which Thomas made between the element of light and the element of specific determination in any habit of science.

[353] See *Ver.*, q.11, a.3c; *Q. de Anim.*, a.4 ad 16; a.5c ad fin.; *C. Gent.*, II, c.78, n.1591; and *In III de Anim.*, lect.10, n.729.

[354] *Spir. creat.*, a.10 ad 8: "...supra sensum est virtus intellectiva quae iudicat de veritate, non per aliqua intelligibilia extra existentia, sed per lumen intellectus agentis, quod facit intelligibilia"; see also *Malo.*, q.16, a.12c; *Sum. Theol.*, II-II, q,173, a.2c. See Lonergan, in "The Concept of *Verbum*," *Theological Studies*, 8 (1947), 68-70 and *Verbum*, 82-85.

[355] *Ver.*, q.4, a.2 ad 5: "...in nobis *dicere* non solum significat intelligere, sed intelligere cum hoc quod est ex se exprimere aliquam conceptionem; nec aliter possumus intelligere, nisi huiusmodi conceptionem exprimendo; et ideo omne intelligere in nobis, proprie loquendo, est dicere"; *Pot.*, q.8, a.lc: "Huiusmodi autem verbum nostri intellectus, est quidem extrinsecum ab esse ipsius intellectus (non enim est de essentia, sed est quasi passio ipsius), non tamen est extrinsecum ab ipso intelligere intellectus, cum ipsum intelligere compleri non possit sine verbo praedicto"; q.9, a.5c: "De ratione autem eius quod est intelligere, est quod sit intelligens et intellectum...*Hoc ergo est primo et per se intellectum, quod intellectus in seipso concipit de re intellecta*, sive illud sit definitio, sive enuntiatio, secundum quod ponuntur duae operationes intellectus, in III *de Anima* [comment. 12]. Hoc autem sic ab intellectu conceptum dicitur *verbum interius*, hoc enim est quod significatur per vocem; non enim vox exterior significat ipsum intellectum, aut formam ipsius intelligibilem, aut ipsum intelligere, sed conceptum intellectus quo mediante significat rem: ut cum dico, 'homo' vel 'homo est animal'"; *Sum. Theol.*, I, q.27, a.lc (chapter 1, fn.201). See also *C. Gent.*, IV, c.11, n.3469; *Comp.*, cc.37, 38; *In I Ioan.*, lect.1, n.25; and *In III de Anim.*, lect.3, n.604.

[356] *Sum. Theol.*, q.85, a.2 ad 3 "...in parte sensitiva invenitur duplex operatio. Una secundum solam immutationem: et sic perficitur operatio sensus per hoc quod immutatur a sensibili. Alia operatio est formatio, secundum quod vis imaginativa format sibi aliquod idolum rei absentis, vel etiam nunquam visae. Et utraque haec operatio coniungitur la intellectu. Nam primo quidem consideratur passio intellectus possibilis secundum quod informatur specie intelligibili. Qua quidem formatus, format secundo vel definitionem vel divisionem vel compositionem, quae per vocem significatur. Unde ratio quam significat nomen, est definitio; et enuntiatio significat compositionem et divisionem intellectus.

ing follows the passion of understanding, just as the action of imagining follows the passion of sensing; and the intellect is a passive potency to understanding and an active potency to speaking, just as sense is a passive potency and imagination an active potency.[357] Because understanding is a natural operation but speaking a kind of action or production,[358] speaking (in the strict sense) is distinct from understanding,[359] and the

---

Non ergo voces significant ipsas species intelligibiles; sed ea quae intellectus sibi format ad iudicandum de rebus exterioribus".

[357] Re: sense vs. imagination, see *Sum. Theol.*, I, q.78, a.4c med. & ad fin.; and *In II de Anim.*, lect.4, nn.265-67; lect.6, n.302; III, lect.5, nn.632, 637-54, esp. 643; lect. 6, nn.655-60, 664-69; lect.13, n.792; lect.16, n.839. See also fnn.292-95, 299.

[358] Composition and division, the ordinary form of speech, is a work of art (*In III de Anim.*, lect.11, n.751); logic, the study of speech, is a speculative art (*In Post. Anal.*, prooem., nn.1-5); logic, or rational philosophy, is opposed to natural philosophy as the study of artifacts, to the study of natural objects (*In I Eth.*, lect.1, n.2); and the study of understanding in the *De Anima* falls under natural philosophy (see *In II Phys.*, lect.4, n.10; *In I de Anim.*, lect.1, n.7; lect.2, n.23; *Sum. Theol.*, I, q.76, a.1 ad 1). Aristotle occasionally called conceptions passions of the soul, perhaps to indicate that understanding is a kind of passion or that concepts are the effects of the action of things upon the soul: see *Pot.*, q,8, a.1c; *In I Periherm.*, lect, 2, nn.5-12.

[359] *Pot.*, q.9, a.9 ad 8: "...*dicere* potest dupliciter sumi: *Uno modo* proprie secundum quod *dicere* idem est quod verbum concipere;... *Alio modo* communiter, prout *dicere* nihil est aliud quam intelligere ; *Sum. Theol.*, I, q.34, a.1 ad 3: "Anselmus vero improprie accepit *dicere* pro *intelligere*. Quae taman differunt. Nam *intelligere* importat solam habitudinem intelligentis ad rem intellectam; in qua nulla ratio originis importatur, sed solum informatio quaedam in intellectu nostro, prout intellectus noster fit in actu per formam rei intellectae. In Deo autem importat omnimodam identitatem: quia in Deo est omnino idem intellectus et intellectum, ut supra ostensum est. Sed *dicere* importat principaliter habitudinem ad verbum conceptum: nihil enim est aliud *dicere* quam proferre verbum. Sed mediante verbo importat habitudinem ad rem intellectam, quae in verbo prolato manifestatur intelligenti". Thus 'speaking' and 'word' are properly predicated of God inasmuch as the intellect must have in it what it understands, and what the human intellect understands is the inner word it speaks (see *Ver.*, q.4, a.2c; *Pot.*, q.9, a.5c; *C. Gent.*, IV, c.11, n.3469), but speaking a word, in the strict sense of making a distinct word proceed from and within the intellect, is properly predicated of the Father only in the light of faith (see *In Boeth. de Trin.*, q.1, a.4 ad 6 [D, p.79]; *Ver.*, q.4, a.2 ad 5; *Pot.*, q.8, a.1c ad 12; *Sum. Theol.*, I, q.32, a.1 ad 2); in that light the predication is proper, not metaphorical (see *In I Sent.*, d.27, q.2, a.1. sol.; *Ver.*, q.4, a.1c ad 10; *Pot.*, q.9, a.5c; a.9c; *Sum. Theol.*, I, q.27, a.lc; q.34, a.lc).

inner word is an effect distinct from the intellect itself.[360] The intellect conceives of the inner word at the term of understanding to have some idea of the nature of the concrete thing it has understood.[361] Because understanding comprises the double operation of simple apprehension and judgment or consideration, the speaking and inner word following it can be either a definition in which the intellect conceives of the essence of a thing in the abstract or an enunciation in which the intellect judges about the substance of something in the concrete.[362] Only in an enunciation do we complete understanding with an assertion of the truth,[363] for only in a judgment does the intellect more act on its own than suffer from things,[364] and only then does it have something proper to it to add to the act of understanding.[365]

Thus, the analogy of intellect to sense does help to explain how the intellect can suffer some passion in understanding without being changed in the process and how it can become an active potency to speak an inner word after it has been a passive potency to the operation of understanding. The analogy does not explain, however, the unique power of the intellect to make things intelligible through abstraction and to know the truth of what it has understood. The science of the soul is uniquely cer-

---

[360] *Ver.*, q.4, a.2c: "Ipsa enim conceptio est effectus actus intelligendi". See also chapter 1, fn.200.

[361] *Pot.*, q.8, a.1c: "Differt autem *ab actione* intellectus; quia praedicta conceptio consideratur ut terminus actionis, et quasi quoddam per ipsam constitutum. Intellectus enim sua actione format rei definitionem, vel etiam propositionem affirmativam seu negativam". See also chapter 1, section 2.6, esp. fnn.199-203.

[362] See section 2.2.1, esp. fn.198, and chapter 4, sections 2.4 and 2.6.

[363] See *In III de Anim.*, lect.11, n.746f.; *In I Periherm.*, lect.3, esp. n.9; lect.4-lect. 5, esp. lect.5, n.20f..

[364] *Ver.*, q.1, a.10c: "...veritas et falsitas praecipue in iudicio animae existunt, anima vero in quantum de rebus iudicat, non patitur a rebus, sed magis quodammodo agit".

[365] *Ibid.*, a.3c (fn.201).

tain, though, not because of some analogy but because, as Aristotle said, we have the subject of the science within us.[366] We perceive life within ourselves as well as in others;[367] it is something we experience because the essence of the soul is within us[368] and does not have to be imagined.[369] We know life by living, for our senses sense that they sense besides sensing what they sense,[370] and we investigate the nature of the intellect only because we understand our own intellects in the act of understanding.[371] The proper way to understand the life of the intellect, then, is to reflect upon the act of understanding,[372] for in the act of understanding, we understand understanding itself,[373] since the act is perfectly demonstrative of its own nature and of the nature of the soul from which it emanates.[374]

As Aristotle said, it is possible to understand the nature of a soul only by determining the power of the potency proper to it, and that can be determined only by a study of its operation,[375] for the formal ratio

---

[366] *In I de Anim.*, lect.1, n.6 (chapter 1, fn.34).

[367] *In II de Anim.*, lect.13, n.390: "Sensu enim communi percipimus nos vivere…"; see also n.396; *In IX Eth.*, lect.14, n.1948; and *Ver.*, q.10, a.8c; *Sum. Theol.*, I, q.87, a.lc.

[368] *Sum. Theol.*, I-II, q.112, a.5 ad .1: "…illa quae sunt per essentiam sui in anima, cognoscuntur experimentali cognitione, inquantum homo experitur per actus principia intrinseca: sicut voluntatem percipimus volendo, et vitam in operibus vitae".

[369] See chapter 1, fn.46; see also fnn.35-36, 39.

[370] See fn.344 and chapter 1, fn.44; chapter 2, fn.70. The proper senses, however, sense not sensations but sensibles (see *In I Sent.*, d.17, q.1, a.5 ad 3; *C. Gent.*, II, c.66, n.1439; *Sum. Theol.*, 1, q.78, a.4 ad 2; and *In III de Anim.*, lect, 2, nn.584, 588).

[371] *In III de Anim.*, lect.9, n.724 (chapter 1, fn.47); see also *C. Gent.*, II, c.76, n.1577; *Q. de Anim.*, a.5c.

[372] See chapter 1, fnn.39, 43-45.

[373] See chapter 1, fn.38.

[374] See chapter 1, fnn.37-40, 42-43, 46.

[375] See fnn.260, 276-89, 302-10.

of the operation to its object reveals the degree of perfection which the operation gets from the soul.[376] Now if there is any operation proper to man as man, it is understanding and reasoning, the operation which distinguishes men from brutes.[377] Just as obviously, understanding and reasoning is an operation of the soul apart from the body.[378] For by understanding we can apprehend every corporeal nature, but nothing can be in act to anything it receives;[379] we can abstract the natures of things from matter and material conditions, but the power of a potency is evident in the formal ratio to its object;[380] and we can determine the causes for things, but the search for causes arises from wonder about effects and not from the flow of events.[381] Therefore, it is evident from the nature of understanding that the soul needs the body in its operation as an object to provide it with the sensible imagery it understands, but it does not need it as a subject for the exercise of its operation.[382] Thus, no intelligible object can harm the intellect, even indirectly, and extremes beyond the comprehension of the human intellect only assist it to understand its

---

[376] See fnn.290-301.

[377] See *C. Gent.*, II, c.60, n.1371; c.79, n.1601; and the source at *In I Eth.*, lect.10, nn.119, 123-26. See also chapter 1, fn.28.

[378] See *In I de Anim.*, lect.2, nn.17-20; and *Subst. sep.*, c.19, n.171; *Q. de Anim.*, a.15 ad 10; *Unit. intell.*, c.1 (K, n.199).

[379] See chapter 2, fnn.19-32. This is the basis Thomas used to distinguish intellectual life from sense life; see *Q. de Anim*, aa.1-2.

[380] See chapter 1, section 2.5, and chapter 2, fnn.33-42. This is the basis Thomas used to show the intrinsic possibility of immortality; see *Q. de Anim.*, aa.14-15ff..

[381] See chapter 2, fnn.43-49, and *Sum. Theol.*, I-II, q.1, a.1c; q.3, a.8c; and also *In II Phys.*, lect.6-lect. 9; *In I Meta.*, lect.1, n.23-lect.4, n.92, esp. lect.3, n.66; *In III de Anim.*, lect.4, n.631; *In II Post. Anal.*, lect.1. This is the basis Thomas used to show the necessity for immortality; see *C. Gent.*, III, esp. c.55.

[382] See chapter 1, fn.55f..

primary and proper objects.[383]

The analogy of understanding to movement, therefore, is a mere metaphor,[384] and understanding would better be compared to repose.[385] In fact, any movement of passion, such as occurs in young men, prevents understanding,[386] and the life of intellect is lived best in the quiet of contemplation.[387] Therefore, though the study of the soul as the form of a body is part of natural philosophy, the study of the soul as a spirit apart from the body is properly pursued in metaphysics.[388] The human soul is only logically in the same genus as the soul of a beast of burden; really they are in different genera altogether, for the latter is corruptible and the former is not.[389]

---

[383] *C. Gent.*, II, c.66, n.1441: "Sensus corrumpitur ab excellenti sensibili. Intellectus autem non corrumpitur ab excellentia intelligibilis: quinimmo qui intelligit maiora, potest melius postmodum minora intelligere"; see also c.55, esp. nn.1305-06; and *In II Sent.*, d.19, q.1, a.1 sol.; *In IV de Div. Nom.*, lect.1, n.277; VI, lect.1, nn.683-85; *Ver.*, q.5, a.2 ad 6; *Pot.*, q.5, aa.3, 4; *Sum. Theol.*, I, q.9, a.2c; q.50, a.5c; q.65, a.1 ad 1; q.79, a.2c; q.104, aa.3, 4; *Comp.*, c.74, nn.128-29; *Q. de Anim.*, a.1c; and the source at *In III de Anim.*, lect.7, n.687. Thus the native infinity of the intellect is greater than that of sense because it is co-extensive with being (see fn.301; chapter 1, fnn.214, 216; chapter 2, fnn.16-17).

[384] See fn.297. Thus the passion in understanding is generically different from the passion in sensing (see *C. Gent.*, II, c.82, n.1643).

[385] See fnn.30 and *Ver.*, q.10, a.6 ad 9.

[386] See chapter 1, fn.67.

[387] See *Sum. Theol.*, II-II, q.182, a.1; the source at *In X Eth.*, lect.10-lect 11; and the many parallels.

[388] *In II Phys.*, lect.4, n.10: "Sed quomodo se habeant formae totaliter a materia separatae, et quid sint, vel etiam quomodo se habeat haec forma, idest anima rationalis, secundum quod est separabilis et sine corpore existere potens, et quid sit secundum suam essentiam separabile, hoc determinare pertinet ad philosophum primum"; see also *In de Sens.*, lect.1, n.4; *Unit. intell.*, c.1 (K, n.41).

[389] *Q. de Anim.*, a.14 ad 2: "...si anima humana et anima iumentorum per se collocarentur in genere, sequeretur quod diversorum generum essent secundum naturalem generis considerationem. Sic enim corruptibile et incorruptibile necesse est genere differe, licet in aliqua ratione communi possent convenire. Ex quo et in uno genere possunt esse

Now Aristotle himself may not have made such a study of the soul, but he certainly laid the basis for it in the notion that the soul is the formal principle by which each man understands.[390] Since each man understands that he is understanding whenever he understands, it is possible both to refute the claims of skeptics and to show that the intellect, while a spirit, is the immediate and only substantial form of the body.[391] For a skeptic cannot really deny he understands and if he does his opinion is, by his own admission, worthless.[392] And anyone who claims that a man can understand by a separate intellect can neither gainsay nor explain the experience which each and every man has of being the one who understands whenever he understands.[393]

The basis, then, for both rational psychology and metaphysics is the

---

secundum logicam considerationem".

[390] *In III de Anim.*, lect.7, n.690: "Manifestum est enim, quod hic homo intelligit. Si enim hoc negetur, tunc dicens hanc opinionem non intelligit aliquid, et ideo non est audiendus: si autem intelligit oportet quod aliquo formaliter intelligat. Hic autem est intellectus possibilis, de quo Philosophus dicit: 'Dico autem intellectum quo intelligit et opinatur anima'. Intellectus ergo possibilis est, quo hic homo, formaliter loquendo, intelligit".

[391] See *Comp.*, c.85, n.150; *Q. de Anim.*, a.2c med..

[392] See *In I de Anim.*, lect.5, n.39; III, lect.2, nn.594-96; lect.4, nn.625-35; *In IV Meta.*, lect.6-1ect.15, esp. lect.10. Thus the argument *ad hominem* is the only and the adequate demonstration for the truth of the first principles; see *In XI Meta.*, lect.5, nn.2213, 2220.

[393] *Sum. Theol.*, I, q.76, a.1c (chapter 1, fn.57); see also fnn.311- 14 and chapter 1, fn.57. Thomas had a number of dialectical arguments to use against Averroists, but his basic argument was "this man understands"; see also *In II Sent.*, d.17, q.2, a.1c; *Q. de Anim.*, a.2c; a.3c; *Spir. creat.*, aa.2, 9; *Unit. intell.*, c.3 (K, nn.61, 71-79); c.4 (K, nn.84, 90-91); *Comp.*, c.85. This argument was also the basis for Thomas's entire theory of the soul: because understanding is of quiddities, it is immaterial, and the soul is spiritual; because each of us understands, the soul is the form of the body; and because one body can have only one substantial form, the soul is its immediate and unique form (see *Q. de Anim.*, aa.1-2; *Sum. Theol.*, I, qq.75-76). D.A. Callus, in "Les sources de saint Thomas: état de la question," *Aristote et saint Thomas d'Aquin,* Journées d'études internationales (Louvain-Paris, 1957), has shown how Thomas's a commentaries on Aristotle were an anti-Averroistic polemic.

fact that in every complete act of understanding not only do we understand what things really are but we also return upon the act of understanding to apprehend the species by which we have understood. By doing that we understand that the nature of our intellect is to understand the natures of things.[394] Hence, as Aristotle said, the intellect understands itself just as it understands everything else, by understanding the species by which it understands.[395]

Now the reason the nature of understanding can be properly understood not by analogy to sense, but only by reflection upon the intellect itself is that the self-movement based upon understanding is unique to the life of man. Some species of self-movement is found in other beings: in everything natural insofar as an inner principle of movement and rest enables it to move by itself; in everything alive insofar as the soul moves the body and enables one part of the body to move another; and in every animal insofar as its appetite enables it to move itself to or away from whatever it senses.[396] Only man, however, has the ability to choose freely whether to act or not and whether to do this or that.[397] For only man has the intelligence to know his end in such a way that he can propose for himself the ends for which he acts and order himself to choose the

---

[394] See chapter 2, section 2.2.

[395] See chapter 1, fnn.37-40.

[396] See *Ver.*, q.22, a.4c; a.5c; q.24, a.1c; *Sum. Theol.*, I, q.59, a.3c; q.82, a.1c; *Malo*, q.6, a. un.. See also fnn.208-11, 213, 218-19, 223-25, 230.

[397] *Sum. Theol.*, I-II, q.13. a.6c: "...homo non ex necessitate eligit. Et hoe ideo, quia quod possibile est non esse, non necesse est esse. Quod autem possibile sit non eligere vel eligere, huius ratio ex duplici hominis potestate accipi potest. Potest enim homo velle et non velle, agere et non agere: potest etiam velle hoc aut illud, et agere hoc aut illud. Cuius ratio ex ipsa virtute rationis accipitur. Quidquid enim ratio potest apprehendere ut bonum, in hoc voluntas tendere potest"; see also *In II Sent.*, d.25, q.1, a.2 sol.; *Ver.*, q.20, a.2c; q.22, a.4c; a.6c; q.24, a.2c; *C. Gent.*, I, c.88, n.731; II, c.47, n.1238; c.48, nn.1243, 1246; *In I Periherm.*, lect.14.

appropriate means.[398]

True, brute animals are also said to move themselves,[399] but, as the spontaneity and regularity of their actions show, their appetites are determined by natural instinct to respond to the forms of whatever they sense or imagine.[400] They are really more acted upon than acting.[401] A man, though, can resist acting on impulse, for a man has in his intellect the ability to understand what things really are and to deliberate about how he should act toward them.[402] Thus a man can really act of himself and be the master of his actions. This is the presumption underlying all of human life—all civil conversation, all legal government, and all moral science.[403]

---

[398] See *In II Sent.*, d.25, a.1 sol.; *Sum. Theol.*, I-II, q.6, a.1c. See also fnn.266-68, 315-25.

[399] See *Ver.*, q.24, a.2c; *In III de Anim.*, lect.16, n.836. See also fn.396.

[400] See *Ver.*, q.24, a.2c ad 2, ad 3; *C. Gent.*, II, c.82, n.1631f.; *Sum. Theol.*, I, q.83, a.1c; I-II, q.6, a.2c; *Malo*, q.6, a. un. c.

[401] See *Ver.*, q.22, a.4c; *C. Gent.*, II, c.76, n.1579; *Sum. Theol.*, I, q.22, a.2 ad 4; q.103, a.5 ad 2. Thus animals do not even really move themselves (see *Sum. Theol.*, I-II, q.1, a.2c).

[402] See *In III de Anim.*, lect.6, n.670; lect.15, nn.819-21, 826; lect.16, nn.840-46. Thus man is free insofar as he can choose for himself what to do (see *C. Gent.*, I, c.72, n.624; lect.88, n.734; II, lect.47, n.1243; etc.; and *In I Meta.*, lect.3, n.58).

[403] *C. Gent.*, II, c.60, n.1374: "Voluntas autem hominis non est extrinseca ab homine, quasi in quadam substantia separata fundata, sed est in ipso homine. Aliter enim non esset dominus suarum actionum, quia ageretur voluntate cuiusdam substantiae separatae; et in ipso essent tantum potentiae appetitivae cum passione operantes, scilicet irascibilis et concupiscibilis, quae sunt in parte sensitiva, sicut et in ceteris animalibus, quae magis aguntur quam agent. Hoc autem est impossibile, et destructivum totius moralis philosophiae et politicae conversationis. Oportet igitur intellectum possibilem in nobis esse, per quem a brutis differamus, et non solum secundum intellectum passivum"; c.76, n.1579: "Operatio autem propria hominis est intelligere: cuius primum principium est intellectus agens, qui facit species intelligibiles, a quibus patitur quodammodo intellectus possibilis, qui factus in actu, movet voluntatem. Si igitur intellectus agens est quaedam substantia extra hominem, tota operatio hominis dependet a principio extrinseco. Non igitur erit homo agens seipsum, sed actus ab alio. Et sic non erit dominus suarum operationum; nec merebitur laudem aut vituperium; et peribit tota scientia moralis et conversatio politica; quod est inconveniens. Non est igitur intellectus agens substantia

For man acts of himself inasmuch as his actions are voluntary, intentional, and free, but the voluntariety, the intentionality, and the freedom of a man's actions are all consequences of his having an intellect of his own and using it. First, a man has a distinctive appetite called the will, which is capable of loving the good as such, because he has an intellect capable of knowing the truth about being.[404] The love of the good as such is a complacency in which there is only repose,[405] but, since the good is what everything seeks,[406] the will moves the intellect to intend the good in its operation.[407] Thus, secondly, a man moves himself by intending in all his operations to attain the happiness he would find in a life of under-

---

separata ab homine"; see also I, c.88, n.733; II, c.23, n.995; c.47, n.1239; c.48, n,1242; III, c.112, n.2857; *Sum. Theol.*, I, q.19, a.10c; a.12 ad 3; q.22, a.2 ad 4, ad 5; q.83, a.lc; q.96, a.2c; a.3c; q.103, a.5 ad 2; q.115, a.4c; *In II Sent.*, d.25, q.1, a.1 sol.; *Ver.*, q.24, a.4c; *Unit. intell.*, c.3 (K, nn.82, 89 [fn.109]); and the sources at *In II Phys.*, lect.10, n.4; *In VI Eth.*, lect.2, nn.1126-27; and *In IX* Meta., lect.1, n.1787.

[404] Appetite is a potency distinct from sense or intellect because it moves one to unite with an object in itself instead of allowing the object to be united to oneself (see *In III Sent.*, d.27, q.1, a.2 sol.; *Ver.*, q.22, a.3c; a.10c; *Sum. Theol.*, q.78, a.1c ad 3; q.80, a.1c ad 3; *In III de Anim.*, lect.14 [see also II, lect.2, n.265; lect.5, n.288]). The will is different from any other appetite because its object is the good apprended by intellect (see *Ver.*, q.22, a.4c; q.25, a.1c; *C. Gent.*, II, c.47, n.1238; c.75, n.1309; *Sum. Theol.*, I, q.19, a.lc; q.59, a.1c; q.80, a.2c; I-II, q.10, a.1c). Whoever has an intellect has a will (see *In I Sent.*, d.44, q.1; *Ver.*, q,23, a.1c; *Pot.*, q.6, a.6c; *C. Gent.*, I, cc.72-73; II, c.47; IV, c.19; *Sum. Theol.*, I, q.19, a.1c; q.59, a.3c *Comp.*, c.32) and the object of his will is the good as such (see *In IV Sent.*, d.49, q.1, a.3, sol.3; *Ver.*, q.16, a.3 ad 5; q.22, a.6c; a.11c; *C. Gent.*, I, c.37; IV, c.92; *Sum. Theol.*, I, q.19, a.9c; q.82, a.3c; I-II, q.8, a.1c; q.78, a.1 ad 2). But, since the good as such is apprehended by the intellect, the will is a passive potency both to the good and to the intellect apprehending the good (see *Ver.*, q.22, a.4c; q.25, a.lc; *Sum. Theol.*, I, q.80, a.2c; *In III de Anim.*, lect.15, nn.820-25; *In XII Meta.*, lect.7, nn.2519-22).

[405] See *Sum. Theol.*, I-II, q.28, a.2 ad 1; to this extent the lover is united to the beloved (see *Sum. Theol.*, I-II, q.16, a.11c; q.25, a.2 ad 2; q.26, a.2 ad 2; q.28, a.1c ad 2; a.5 ad ea quae...obiiciunter); see Crowe, "Complacency and Concern", 37-38.

[406] See *In I Sent.*, d.34, q.2, a. un. ad 4; *In Boeth. de Hebdom.*, lect.2, n.36f.; *Ver.*, q.21, aa.1-2; *C. Gent.*, I, c.40; II, c.47, n.1237; *Sum. Theol.*, I, q.5, a.1; *In I de Div. Nom.*, lect.3; *In III Phys.*, lect.5; and *In I Eth.*, lect.1, nn.9-11.

[407] See *Sum. Theol.*, I, q.1, a.1c.

standing the truth.[408] With that intention in mind a man can move his will to intend his end in every operation,[409] so that the will moves itself rationally to choose appropriate means.[410] Thirdly, therefore, the will is free to move itself in the choice of means, not because it can act directly upon itself, but because it can move the intellect to become practical.[411] The effect of this movement is for the intellect in any given act to apply its knowledge of the universal to a particular thing one can do[412] and over the long run to develop in itself the virtue of prudence[413] and in sense appetites moral virtue.[414] Hence, the freedom of a man's actions depends

---

[408] Man moves himself by intending his end (see *ibid.*, aa.2, 4, 7-8); this end is his own happiness (see *ibid.*, q.2, aa.7-8); his happiness consists in the operation of understanding (see *ibid.*, q.3; I, q.12, a.1; q,26, aa.1-2; *In I Eth.*, lect.10); understanding enables him to contemplate the truth (see *ibid.*, aa. 4, 7-8; and *In IV Sent.*, d.49, q.1, a.1, sol 2; *C. Gent.*, I, c.1; II, c.55; c.83, n.1675; III, c.26; *Comp.*, c.107); and that gives him delight (see *Sum. Theol.*, I-II, q.4, aa.1-2; I, q.26, a.4) and joy (*ibid.*, q.11, aa.1-4).

[409] See *In II Sent.*, d.38, a.3 sol.; *Ver.*, q.22, a.13; *Sum. Theol.*, I-II, q.12, a.1c. See also Hayen, *L'intentionnel*, pp.164-71.

[410] See *Ver.*, q,22, a.14; *Sum. Theol.*, I, q.60, a.2c; I-II, q,8, aa.2-3; q.9, a.1c; q.12, a.4c; *Malo*, q.6, a. un. c. Thus the only movement in spiritual creatures is in choice (see *In Boeth. de Trin.*, q.5, a.2 ad 7; a.4 ad 2, ad 3).

[411] See *In I Sent.*, d.45, q.2 ad 1; d.24, q.1, a.3 ad 15; *Ver.*, q.22, a.13 ad 9; *Sum. Theol.*, I-II, q.8, a.3c; q.14; III, q.18, a.3c; *Malo*, q.6, a. un. c; *In III de Anim.*, lect.14, nn.813-16; lect.15, n.820; lect.16, n.845; *In VI Eth.*, lect.2, nn.1130-31. Thus the principles which the speculative intellect understands become the ends for which the practical intellect acts (see *Sum. Theol.*, I, q.79, a.12c; *In II Phys.*, lect.15; *In VI Eth.*, lect.4, n.1170 [see also lect.2]), for the ends for which the will acts must not only be good but be known to be convenient (see *Malo*, q.6 a. un. c).

[412] See *In III Sent.*, d.23, q.2, a.3, sol.2 ad 3; d.27, q.1, a.4 ad 4; *In Boeth. de Trin.*, q.5, a.1c (D, p.164); *Ver.*, q,2, a.8c; q.3, a.3c; q.14, aa.8, 16; q.79, a.11c; *In III de Anim.*, lect.14, nn.813-15; *In IX Meta.*, lect.4, n.1819f.; *In VI Eth.*, lect.2, nn.1132, 1135f.. See also chapter 3, fnn.56-63.

[413] See *Sum. Theol.*, I, q.79, a.13c; I-II, q.56, aa.3, 6; q.57, aa.4-6; II-II, qq.47-56; *In VI Eth.*, lect.4, lect.7-lect. 11.

[414] See *Sum. Theol.*, I, q.81, a.3 ad 3; I-II, qq.58-60; and *In VI Eth.*, lect.19-lect. 20; II, lect.1-lect. 11.

upon how rational he is when he acts, since everyone chooses his end as he sees it.[415]

Now a man's rationality is evident to him if he can judge whether he should act, for if he can reflect upon his own judgment, he remains free to act or not.[416] By being able to deliberate before acting, a man retains the power to choose and can resist external influences.[417] For in any choice a man is conscious of applying his will to act,[418] and if he knows

---

[415] See *In II Sent.*, d.25, q.1, a.11 ad 5; a.4 sol.; *Virt.*, q.1, a.9 ad 21; *C. Gent.*, IV, c.95, n.4274; *Sum. Theol.*, I, q.83, a.1 ad 5; I-II, q.9, a. 2c ad 2; q.10, a.3c ad 2; *Malo*, q.6, a. un. c; and the source at *In III Eth.*, lect.13, n.516f. (see also lect.11-lect. 13).

[416] *Ver.*, q.24, a.2c: "Appetitum autem, si non sit aliquid prohibens, sequitur motus vel *operatio*. Et ideo, si iudicium cognitivae non sit in potestate alicuius, sed sit aliunde determinatum, nec appetitus erit in potestate eius, et per consequens nec motus vel operatio absolute. Iudicium autem est in potestate iudicantis secundum quod potest de suo iudicio iudicare: de eo enim quod est in nostra potestate, possumus iudicare. Iudicare autem de iudicio suo est solius rationis, quae super actum suum reflectitur, et cognoscit habitudines rerum de quibus iudicat, et per quas iudicat: unde totius libertatis radix est in ratione constituta"; *C. Gent.*, II, c.48, n.1243: "Sola ergo moventia seipsa libertatem in agendo habent. Et haec sola iudicio agunt: nam movens seipsum dividitur in movens et motum; movens autem est appetitus ab intellectu vel phantasia aut sensu motus, quorum est iudicare. Horum igitur haec sola libere iudicant quaecumque in iudicando seipsa movent. Nulla autem potentia iudicans seipsam ad iudicandum movet nisi supra actum suum reflectatur: oportet enim, si se ad iudicandum agit, quod suum iudicium cognoscat. Quod quidem solius intellectus est"; see also *Sum. Theol.*, I-II, q.1, a.2 ad 1; a.4 ad 3; q.9, a.3c; q.17, a.6c ad 1; and chapter 2, section 2.2. See P. Siwek, "La conscience du libre arbitre dans la philosophie de S. Thomas d'Aquin," *L'homme et son destin d'après les penseurs du moyen âge*: Actes du premier congrès international de philosophie médiévale, Louvain-Bruxelles, 1958 (Louvain-Paris, 1960), pp.595-600.

[417] *Liberum arbitrium* is the will determined by a rational judgment (see *In II Sent.*, d.24, q.1, a.3 sol.; *Ver.*, q.24, a.6c; *Sum. Theol.*, I, q.82, a.3c; III, q.18, aa.3-4), so it can be called either an intellective appetite or an appetitive intellect (see *Ver.*, q.24, a.4c; *Sum. Theol.*, I, q.82, a.3c; *In VI Eth.*, lect.2, n.1137), but the latter more properly (see *Sum. Theol.*, loc. cit.; *In III Eth.*, lect.9, n.484). The rectitude of the decision depends upon its rationality (see *In III de Anim.,* lect.15, n.826; also n.819; lect.6, n.670), and the rationality of the judgment is due to deliberation (see *Sum. Theol.*, I-II, q.6, a.2c; *In III de Anim.*, lect.16, nn.840-842). See also Lebacqz, 27.

[418] Conscience begins. with the application of the will to choice—*Ver.*, q.17, a.1c: "Nomen enim *conscientiae* significat applicationem scientiae ad aliquid; unde conscire dicitur quasi simul scire. Quaelibet autem scientia ad aliquid applicari potest; unde conscientia non

that he is applying it rationally, he is aware of being free from sensual impulses.[419] Rationality of judgment is crucial to liberty because, no matter what object the intellect may present to the will to specify it, even if the object is the act of willing happiness itself, the will retains the option to choose it or not, for it can move the intellect to present it with whatever it wants.[420] As a potency in the intellectual soul, the will can reflect upon itself, upon the intellect, and upon the soul itself, so that it can will itself to will, the intellect to understand, the soul to be, and so forth.[421]

From Aquinas's theory of human self-motivation, therefore, it is evident that he thought the life of man could be properly understood only by reflection upon the intellectual soul in operation. Only this, he

---

potest nominare aliquem habitum specialem, vel aliquam potentiam, sed nominat ipsum actum, qui est applicatio cuiuscumque habitus vel cuiuscumque notitiae ad aliquem actum particularem"; see also *In II Sent.*, d.24, q.2, a.4 sol.; *Quodl.*, III, a.26; *Sum. Theol.*, I, q.79, a.13c. This application is called conscience because one knows it as he does it— *Sum. Theol.*, I-II, q.15, a.1c: "...applicatio appetitivae virtutis ad rem, secundum quod ei inhaeret, accipit nomen sensus, quasi experientiam quandam sumens de re cui inhaeret, inquantum complacet sibi in ea".

[419] If one follows reason not sense (see *In III de Anim.*, lect.15, n,827), his will cannot be determined by sense appetites (see *Ver.*, q.5, a.10c; q.22, a.9c ad 3, ad 6; I-II, q.9, a.2c; q.10, a.3c ad 3; q.77, a.7c). Thus ignorance can lessen voluntariety (see *In II Sent.*, d.39, q.1, a.1 ad 4; d.43, a.1 ad 3; *Sum. Theol.*, I, q.76, aa.3-4; I-II, q.6, a.8c; *Malo*, q.3, a.8c; *In III Eth.*, lect.1 & lect 3), but concupiscence increases it while destroying freedom (see *Sum. Theol.*, I-II, q.6, a.7c; *In III de Anim.*, lect.16, n.846; *In III Eth.*, lect.2 & lect.4).

[420] The intellect specifies the will by giving it the end for which it acts (see *In II Sent.*, d.25, a.2 ad 4; III, d.27, q.1, a.4 sol.; *Vir.*, q.2, a.3 ad 12, ad 13; *Ver.*, q.22, a.11c; *C. Gent.*, III, c.26; *Sum. Theol.*, I, q.82, a.3c; a.4 ad 1; I-II, q.9, a.1c; II-II, q.23, a.6 ad 1), but only the final end is objectively necessary to will (see *In II Sent.*, d.25, a.2 sol.; *Ver.*, q.22, a.5c; *Sum. Theol.*, I, q.82, aa.1-2; I-II, q.10, a.2c), and even in regard to it the will retains freedom of exercise because one can will to think of something else (see *Ver.*, q.22, a.6c; *Sum. Theol.*, I-II, q.9, a.1c; *Malo*, q.6, a. un. c).

[421] *Ver.*, q.22, a.12: "Potentiis autem animae superioribus, ex hoc quod immateriales sunt, competit quod reflectantur super seipsas; unde tam voluntas quam intellectus reflectuntur super se, et unum super alterum, et super essentiam animae, et super omnes eius vires. Intellectus enim intelligit se, et voluntatem, et essentiam animae, et omnes animae vires; et similiter voluntas vult se velle, et intellectum intelligere, et vult essentiam animae, et sic de aliis"; see also fnn.409-411, 416.

thought, would show that the life of man consists in the self-mastery of deciding for himself the ends for which he will operate.[422] Therefore, according to Aquinas, understanding exemplifies mot perfectly the self-movement typical of life, not because the intellect is impervious to movement from sensible imagery or moves itself to understand by producing the concepts it perceives, but rather because man has in his own intellect the power to make sensible imagery intelligible and to realize his own perfection.

2.3. THE MEANING OF INTELLIGENCE

Thomas Aquinas thought of understanding primarily as neither movement nor life, but purely and simply as the act of intelligence. For the perfection of understanding, as he conceived of it, was a comprehension of being by an intellect capable by itself of understanding everything. In such a intellect there would be room for neither passion nor operation, but only for the pure perfection of act. Thus Aquinas based his theory of understanding upon the notion that the intellect in the act of understanding is the act of the intelligible as understood. In other words, according to Aquinas, understanding is a function of the perfection of intelligence in the intellect rather than of the evidence for intelligibility in an object.

This point is important enough to examine in some detail. We can begin from the fact that Aquinas considered understanding to be the very life of man since it is the act to which man most inclines and the one in which he is happiest.[423] But no one can be completely happy while he still desires and seeks something more;[424] and, since the object of under-

---

[422] See fnn.311-14

[423] See fnn.182-92, esp. fn.183.

[424] *Sum. Theol.*, I-II, q.3, a.8c: "…homo non est perfecte beatus, quandiu restat sibi aliquid desiderandum et quaerendum". See J. Legrand, "Connaissance de Dieu et philosophie,"

standing is to know what something is, or its essence, no one, knowing of something, can be happy he has understood it until he knows the cause for it and can tell just what it is.[425] The desire to know the cause of everything is called wonder, Aristotle said, and it is the source of inquiry when we do not understand what something is and of repose when we discover the essence of its cause.[426]

Because we can wonder about anything, the object of the intellect must be infinite; no matter what we think of, we can always think of something greater.[427] Thus the object of the intellect is being in all its universality.[428] But it is obvious that no man actually understands being. Since a potency must be united to its object to be in act toward it,[429] only

---

Nouvelle revue théologique, 85 (1963), 239-69, 357-86.

[425] *Ibid.*: "Secundum est, quod uniuscuiusque potentiae perfectio attenditur secundum rationem sui obiecti. Obiectum autem intellectus est *quod quid est*, idest essentia rei, ut dicitur in III *de Anima*. Unde intantum procedit perfectio intellectus, inquantum cognoscit essentiam alicuius rei. Si ergo intellectus aliquis cognoscat essentiam alicuius effectus, per quam non possit cognosci essentia causae, ut scilicet sciatur de causa *quid est*; non dicitur intellectus attingere ad causam simpliciter, quamvis per effectum cognoscere possit de causa *an sit*. Et ideo remanet naturaliter homini desiderium, cum cognoscit effectum, et scit eum habere causam, ut etiam sciat de causa *quid est*"; see also *In III de Anim.*, lect.8, n.705f., 717; lect.11, nn.760-61; *In VII Meta.*, lect.5, nn.1356-80. See also chapter 1, fnn.214-26 and chapter 4, sections 2.1 and 2.2.

[426] *Ibid.*: "Et illud desiderium est admirationis, et causat inquisitionem, ut dicitur in principio *Metaphys*. Puta si aliquis cognoscens eclipsim solis, considerat quod ex aliqua causa procedit, de qua, quia nescit quid sit, admiratur, et admirando inquirit. Nec ista inquisitio quiescit, quosque perveniat ad cognoscendum essentiam causae"; see also I, q.12, a. lc; and the sources at *In I Meta.*, lect.1, nn.2-4; lect.3, nn.54, 66ff.

[427] *C. Gent.*, I, c. 43, n.365: "Intellectus noster ad infinitum in intelligendo extenditur: cuius signum est quod, qualibet quantitate finita data, intellectus noster maiorem excogitare potest"; see also *In III Phys.*, lect.7, n.6; and fnn.144, 165, 433.

[428] See chapter 1, fnn.214, 216, 219.

[429] *Sum. Theol.*, I, q.78, a. lc: "Est autem aliud genus potentiarum animae, quod respicit adhuc universalius obiectum, scilicet non solum corpus sensibile, sed universaliter omne ens...Cum autem operans oporteat aliquo modo coniungi suo obiecto circa quod operatur, necesse est extrinsecam rem, quae est obiectum operationis animae, secundum

an intellect infinite in understanding would comprehend being in all its universality.[430] Such an intellect could understand of itself itself and everything else, but it is evident from the way we can understand anything by knowing the contrary that our intellect does not of itself understand everything at once.[431]

In a way, though, the human intellect is everything, for it is receptive to every intelligible form.[432] Though it is not infinite in act, it is infinite

---

duplicem rationem ad animam comparari. Uno modo, secundum quod nata est animae coniungi et in anima esse per sua similitudinem. Et quantum ad hoc, sunt duo genera potentiarum: scilicet *sensitivum*, respectu obiecti minus communis, quod est corpus sensibile; et *intellectivum*, respectu obiecti communissimi, quod est ens universale"; see also chapter 1, fnn.214, 216, 219.

[430] *Sum. Theol.*, I, q.79, a.2c: "Intellectus enim, sicut supra dictum est, habet operationem circa ens in universali. Considerari ergo potest utrum intellectus sit in actu vel potentia, ex hoc quod consideratur quomodo intellectus se habeat ad ens universale. Invenitur enim aliquis intellectus qui ad ens universale se habet sicut actus totius entis: et talis est intellectus divinus, qui est Dei essentia, in qua originaliter et virtualiter totum ens praeexistit sicut in prima causa. Et ideo intellectus divinus non est in potentia, sed est actus purus. Nullus autem intellectus creatus potest se habere ut actus respectu totius entis universalis: quia sic oporteret quod esset ens infinitum. Unde omnis intellectus creatus, per hoc ipsum quod est, non est actus omnium intelligibilium, sed comparatur ad ipsa intelligibilia sicut potentia ad actum"; see also *In III Sent.*, d.14, a.1, sol.2c; *C. Gent.*, II, c.98, n.1835; and chapter 2, fnn.14-17.

[431] *In III de Anim.*, lect.11, n.759: "Oportet autem quod intellectus noster qui sic cognoscit unum contrariorum per alterum, sit in potentia cognoscens, et quod in ipso sit species unius oppositi per quam aliud cognoscat, ita quod quandoque sit in ipso species albi, et quandoque species nigri, ut per unum possit cognoscere alterum. Si autem est aliquis intellectus, cui non inest unum contrariorum, ad cognitionem alterius, tunc oportet, quod talis intellectus cognoscat seipsum primo et per seipsum cognoscat alia, et quod sit semper in actu, et sit penitus separabilis a materia etiam secundum esse, ut ostensum est de intellectu Dei in *duodecimo Metaphysicorum*"; see also *In VII Meta.*, lect.6, n.1405 and *C. Gent.*, II, c.76, n.1568. See fn.575.

[432] *Ibid.*, lect.13, n.90: "...anima data est homini loco omnium formarum, ut sit homo quodammodo totum ens, inquantum secundum animam est quodammodo omnia, prout eius anima est receptiva omnium formarum. Nam intellectus est quaedam potentia receptiva omnium formarum intelligibilium"; see also *Q. de Anim.*, a.8 ad 20, where the soul is called "*species specierum*". See M.-D.Chenu, "L'homme-dans-le-monde," *Saint Thomas d'Aquin Aujourd'hui* (Recherches de Philosophie, 6: Paris, 1963).

in potency; just as its proportionate object, the quiddities of material things, come one after another, the human intellect can understand one thing after another.[433] The infinite potency of the intellect to understand corresponds to the ability of the agent intellect to abstract from sensible imagery the species by which it understands.[434] Hence, in any act of understanding, one knows as much as he can learn from the intelligible species which determine his intellect at the time.[435]

The power of the human intellect is infinite, then, because it extends beyond the limitations of corporeal matter and any individual to discern the universal with its infinity of individuals.[436] Because of the universality of understanding, the human intellect can be elevated by God to un-

---

[433] *Sum. Theol.*, I, q.86, a.2c: "…cum potentia proportionetur suo obiecto, oportet hoc modo se habere intellectum ad infinitum, sicut se habet eius obiectum, quod est quidditas rei materialis. In rebus autem materialibus non invenitur infinitum in actu, sed solum in potentia, secundum quod unum succedit alteri, ut dicitur in III *Physic.* Et ideo in intellectu nostro invenitur infinitum in potentia, in accipiendo scilicet unum post aliud: quia numquam intellectus noster tot intelligit, quin possit plura intelligere"; see also *Ver.*, q.1, a.2 ad 4, and fn.427.

[434] *Spir. creat.*, a.10 ad 7: "De quocumque tamen intelligatur, non sequitur ex hoc quod virtus intellectus quo intelligimus, sit infinita simpliciter, sed quod sit infinita respectu alicuius generis. Nihil enim prohibet aliquam virtutem, quae in se finita est, non habere terminum in aliquo genere determinato, sed tamen habet terminum in quantum ad superius genus se extendere non potest: sicut visus non habet terminum in genere coloris, quia si in infinitum multiplicarentur, omnes possent a visu cognosci; non tamen potest cognoscere ea quae sunt superioris generis, sicut universalia. Similiter intellectus noster non habet terminum respectu intelligibilium sibi connaturalium, quae a sensibus abstrahuntur; sed tamen terminum habet, quia circa superiora intelligibilia, quae sunt substantiae separatae, deficit: habet enim se ad manifestissima rerum 'sicut oculus noctuae ad lucem solis', ut dicitur in II *Metaph.* [c.1, 993b 9]"; see also *C. Gent.*, II, c.60, n.1388; c.76, n.1561, *Sum. Theol.*, I, q.79, a.7c; and fnn.147, 157-61.

[435] See *Sum. Theol.*, I, q.86, a.2 ad 3, and chapter 1, fnn.221-26; chapter 2, fnn.50-62, esp 57-59.

[436] *Sum. Theol.*, I, q.86, a.2 ad 4: "…sicut intellectus noster est infinitus virtute, ita infinitum cognoscit. Est enim virtus eius infinita, secundum quod non terminatur per materiam corporalem. Et est cognoscitivus universalis, quod est abstractum a materia individuali, et per consequens non finitur ad aliquod individuum, sed, quantum est de se, ad infinita individua se extendit".

derstand Him in His essence.[437] In this act of understanding, the divine essence would have to be the form by which the human intellect understood since the object of any kind of sight, intellective as well as sensitive, must be united to it and present to the seer, and no finite form would be an adequate likeness of God Himself.[438] The vision of the divine essence would enable the human intellect to understand God and everything else according to its own capacity and the light God gave it.[439]

Thus a man could be perfectly happy if he were united to God, the First Cause, in the act of understanding Him by His essence.[440] Because we are not thus united to God, our intellects are not fully in act and we retain a natural desire to inquire into the cause of everything.[441] To that extent, human understanding remains not an act but a certain passion, and the human intellect not an active but a passive potency.[442]

Thus, Aquinas thought of the act in understanding as infinite, with the consequence that he considered the human intellect passive inasmuch

---

[437] See chapter 4, fnn.103-105.

[438] *Sum. Theol.*, I, q.12, a.2c: "...ad visionem, tam sensibilem quam intellectualem, duo requiruntur, scilicet virtus visiva, et unio rei visae cum visu: non enim fit visio in actu, nisi per hoc quod res visa quodammodo est in vidente...Requiritur ergo ad videndum Deum aliqua Dei similitudo ex parte visivae potentiae, qua scilicet intellectus sit efficax ad vivendum Deum. Sed ex parte visae rei, quam necesse est aliquo modo uniri videnti, per nullam similitudinem creatam, Dei essentia videri potest"; see also a.5c.

[439] See *ibid.*, aa.5-10.

[440] *Ibid.*, I-II, q.3, a.8c: "Ad perfectam igitur beatitudinem requiritur quod intellectus pertingat ad ipsam essentiam primae causae. Et sic perfectionem suam habebit per unionem ad Deum sicut ad obiectum, in quo solo beatitudo hominis consistit, ut supra dictum est".

[441] *Ibid.*: "Si igitur intellectus humanus, cognoscens esssentiam alicuius effectus creati, non cognoscat de Deo nisi *en est*; nondum perfectio eius attingit simpliciter ad causam primam, sed remanet ei adhuc naturale desiderium inquirendo causam. Unde nondum est perfecte beatus"; see also I, q.12, a.1c; a.8 ad 4; q.62, a.1c; *C. Gent.*, III, c.25, nn.2065-66; *Comp.*, c.104. See Lonergan, "The Concept of *Verbum*," *Theological Studies,* 7 (1946), 381 and *Verbum*, 35.

[442] See fn.341.

as its understanding was not actually infinite but also active inasmuch as it had the power to aspire to the infinite act of understanding the cause of everything in itself. Because of this outlook, Aquinas spoke of the intellect as being act to the extent it could of itself understand anything. Correlatively, he regarded intelligence as the paradigm for the meaning of act. Therefore, when he explained the meaning of act in understanding, he referred primarily to neither the passion in movement nor the operation of life but rather to the intelligence of the intellect simply being itself.

2.3.1. INTELLIGENCE IN ACT

According to Aquinas, the intellect is subject to movement to the extent it depends upon another for its understanding, but it is in act to the extent it can understand anything of itself.

That the intellect is subject to movement to the extent it depends upon another for its understanding is evident, as Thomas noted, in the fact that we experience movement as we realize the time it takes for things to change and for us to calculate the rate of such changes.[443] Understanding itself occurs in an instant, but the process of reasoning needed to learn about things and to communicate with others involves movement and time, for it requires the use of the senses, which are subject to the material conditions of bodily organs.[444] For the same reason a certain process is endemic to the very operation of understanding, since we cannot judge about anything as a whole except by composing and dividing elements of

---

[443] *In IV Phys.*, lect.23, n.5: "Sed motus non habet *esse* fixum in rebus, nec aliquid actu invenitur in rebus de motu, nisi quoddam indivisibile motus, quod est motus divisio: sed totalitas motus accipitur per considerationem animae, comparantis priorem dispositionem mobilis ad posteriorem. Sic igitur et tampus non habet *esse* extra animam, nisi secundem suum indivisibile: ipsa autem totalitas temporis accipitur per ordinationem numerantis prius et posterius in motu"; see also lect.16, n.6; lect.17, n.2; lect.19, nn.4-6; lect.20, n.8f..

[444] See fnn.91-97ff.

it that we only gradually discover in sensible imagery.[445] Even human wisdom remains intrinsically imperfect because the human intellect's dependence upon sensible imagery for the first principles of all it understands prevents it from getting beyond the sensible order to understand in itself the cause of everything.[446]

The act of understanding tends to become free of movement, however, as the intellect becomes capable of understanding of itself both itself and others. Dionysius spoke of three degrees of movement in the soul because it must understand by conversion to sensible imagery—first from exterior things to the soul itself, then to a unity with superior powers, and finally to an identity with God, the supreme good.[447] But insofar as any of these movements derives from the soul's knowledge of itself by its own presence, it entails no passion in the act of understanding.

First, the return of the soul to itself is perfect because the intellect can understand itself perfectly by reflection upon the nature of its own act.[448] To understand the nature of the intellectual soul as such requires a long and arduous process, but this process can be demonstrative if it is based upon the reflection which the intellect makes upon itself in every

---

[445] See section 2.2.1.

[446] See *Sum. Theol.*, I-II, q.3, a.7c; *C. Gent.*, III, c.48; *Comp.*, c.104; *In X Eth.*, lect.12.

[447] Sum. Theol., I, q.94, a.2c: "...ex hoc quod anima est accomodata ad corporis gubernationem et perfectionem secundum animalem vitam, competit animae nostrae talia modus intelligendi, qui est per conversionem ad phantasmata...Secundum autem hunc modum intelligendi, motus quidam invenitur in anima, ut Dionysius dicit 4 cap. de Div. Nom., secundam tres gradus. Qorum primus est, secundum quod a rebus exterioribus congregatur anima ad seipsam; secundum autem est, prout anima ascendit ad hoc quod uniatur virtutibus superioribus unitis, scilicet angelis; tertius autem gradus est, secundum quod ulterius manuduciter ad bonun quod est supra omnia, scilicet Deum".

[448] *Ibid.*: "Secundum igitur primum processum animae, qui est a rebus exterioribus ad seipsum, perficitur animae cognitio. Quia scilicet intellectualis operatio animae naturalem ordinem habet ad ea quae sunt extra, ut supra dictum est: et ita per eorum cognitionem perfecte cognosci potest nostra intellectualis operatio, sicut actus per obiectum. Et per ipsam intellectualem operationem perfecte potest cognosci humanus intellectus, sicut potentia per proprium actum"; see also chapter 1, fn.46f.

act of understanding when it turns from studying the natures of others to consider is own natures.[449] Even to call this reflection a "return", however, is to use a metaphor because terms such as "departure" and "return" are proper to movement, and the intellect nether moves out of itself nor comes back to itself.[450] As the author of the *Liber de Causis* used the metaphor, he meant by "return" the self-collectedness of the intellect as a spirit, which subsists in itself independently of matter; return of that kind is predicable, and most properly, of God, in whom there is no movement whatsoever.[451] Therefore, to the extent the intellect understands itself by its own essence, there is no movement in its self-understanding.[452]

Likewise, the human intellect remains unmoved by separate substances in its effort to understand them, for we can understand about them nothing but what we can extrapolate from an understanding of the nature of our own intellects.[453] We know nothing directly from such

---

[449] See chapter 1, fnn.37-45.

[450] *Ver.*, q.2, a.2 ad 2: "...locutio haec qua dicitur, quod sciens se, ad essentiam suam redit, est locutio metaphorica; non enim in intelligendo est motus, ut probatur in VII *Physicorum* [comm. 20]. Unde nec, proprie loquendo, est ibi recessus aut reditus; sed pro tanto dicitur esse processus vel motus, in quantam ex uno cognoscibili pervenitur ad aliud; et in nobis fit per quemdam discursum, secundum quem est exitus et reditus in animam nostram, dum cognoscit seipsam. Primo enim actus ab ipse exiens terminatur ad obiectum; et deinde reflectitur super actum; et deinde super potentiam et essentiam, secundum quod actus cognoscuntur ex obiectis, et potentiae per actus".

[451] *Ibid.*: "Sed tamen sciendum, quod reditio ad essentiam suam in libro *de Causis* nihil aliud dicitur nisi subsistentia rei in seipsa. Formae enim in se non subsistentes, sunt super aliud effusae et nullatenus ad seipsas collectae; sed formae in se subsistentes ita ad res alias effunduntur, eas perficiendo, vel eis influendo, quod in seipsis per se manent; et secundum hunc modum Deus maxime ad essentiam suam redit, quia omnibus providens, ac per hoc quodammodo in omnia exiens et procedens, in seipso fixus et immixtus permanet"; see also chapter 1, fn.36.

[452] See chapter 1, fnn.35, 39, 41, 48.

[453] *Sum. Theol.*, I, q.88, a.1 ad 1: "...ex illa auctoritate Augustini haberi potest quod illud quod mens nostra de cognitione incorporalium rerum accipere potest, per seipsam cognoscere possit. Et hoc adeo verum est, ut etiam apud philosophos dicatur quod scientia de anima est principium quoddam ad cognoscendum substantias separatas. Per hoc enim

substances, and from sensible imagery we can decipher nothing except by way of negation.[454] Consequently, we deny any movement or passion in the way such substances understand, especially in their understanding of themselves,[455] precisely because they must be independent of sensible imagery for their information[456] and, as subsistent forms, must be able to understand themselves by their own essences.[457]

Finally, our natural ability to know God is based upon the nature of our own minds.[458] True, God moves us to know Him just by impressing His likeness as first cause upon the being, the power, and the operation of everything finite,[459] but thus to understand God requires no more than

---

quod anima nostra cognoscit seipsam, pertingit ad cognitionem aliquam habendam de substantiis incorporeis, qualem eam contingit habere: non quod simpliciter et perfecte eas cognoscat, cognoscendo seipsam".

[454] See *ibid.*, c. & a.2; see also chapter 1, fnn.52-53.

[455] *Sum. Theol.*, I, q.56, a.1 ad 3: "...moveri et pati convenit intellectui secundum quod est in potentia. Unde non habet locum in intellectu angelico; maxime quantum ad hoc quod intelligit seipsum"; see also q.58, a.1 & loc. par..

[456] *Ibid.*, q.55, a.1c: "...species per quas angeli intelligunt, non sunt a rebus acceptae, sed eis connaturales"; see also loc. par. & q.57, a.1.

[457] *Ibid.*, q.56, a.lc: "Sic igitur et si aliquid in genere intelligibilium se habeat ut forma intelligibilia subsistens, intelliget seipsum. Angelus autem, cum sit immaterialis, est quaedam forma subsistens, et per hoc intelligibilis actu. Unde sequitur quod per suam formam, quae est sua substantia, seipsum intelligat".

[458] *Sum. Theol.*, I, q.93, a.4c: Unde imago Dei tripliciter potest considerari in homine. Uno quidem modo, secundum quod homo habet aptitudinem naturalem ad intelligendum et amandum Deum: et haec aptitudo consistit in ipsa natura mentis, quae est communis omnibus hominibus"; see also a.6c; *In Boeth. de Trin.*, q.1, a.3 ad 6 (D, pp.73-74); *Ver.*, q.10, a.12 ad 1; *C. Gent.*, I, c.11, n.70; *Subst. sep.*, c.1, n.43; *Sum. Theol.*, I, q.2, a.1 ad 1. See also fnn.423-42, and chapter 1, fn.54.

[459] *Pot.*, q.7, a.2c: "Oportet ergo esse aliquam causam superiorem omnibus cuius virtute omnia causent esse, et eius esse sit proprius effectus. Et haec causa est Deus. Proprius autem effectus cuiuslibet causae procedit ab ipsa secundum similitudinem suae naturae"; see also a.5c; q.3, aa.1, 4; *In I Sent.*, d.37, q.1, a.1 sol.; II, d.1, q.1, a.4 sol.; *C. Gent.*, II, c.87, n.1718; III, c.67; *Sum. Theol.*, I, q.8, a.1c; q.14, a.8 ad 3; a.9 ad 2; q.44, a.4 ad 3; q.45, a.5c; q.65, a.4c; q.93, aa.2, 6; q.105, a.5c; *In Lib. de Caus.*, prop.4 (S, pp.26-34);

the light our own intellects and God's application of this light and the species of things to act.[460] True, too, Augustine said that we must judge the finite truth of our intellects in light of the eternal reasons in God's intellect,[461] but that was the same as saying that we could judge the first principles of speculative science in the light of our own agent intellects,[462]

---

prop.18 (S, pp.100-104).

[460] *Sum. Theol.*, I-II, q.109, a.1c: "...intellectus humanus habet aliquam formam, scilicet ipsum intelligibile lumen, quod est de se sufficiens ad quaedam intelligibilia cognoscenda: ad ea scilicet in quorum notitiam per sensibilia possumus devenire. Altiora vero intelligibilia intellectus humanus cognoscere non potest nisi fortiori lumine perficiatur, sicut lumine fidei vel prophetiae; quod dicitur *lumen gratiae*, inquantum est naturae superadditum. Sic igitur dicendum est quod ad cognitionem cuiuscumque veri, homo indiget auxilio divino ut intellectus a Deo moveatur ad suum actum. Non autem indiget ad cognoscendam veritatem in omnibus, nova illustratione superaddita naturali illustrationi; sed in quibusdam, quae excedunt naturalem cognitionem". Thus God operates in the operation of everything else (see *In I Sent.*, d.3, q.32, a.1, sol.1 ad 2; II, d.1, q.1, a.4 sol.; *Pot.*, q.3, a.7c; *C. Gent.*, III, c.67; *Comp.*, c.135) including the operation of the intellect (see *Sum. Theol.*, I, q.84, a.4 ad 1; q.105, a.3c), but this does not mean that the intellect needs supernatural grace to know the truth (see *In II Sent.*, d.28, q.1, a.5 sol.; *Quodl.*, X, q.4, a.1c) or that man needs supernatural grace to be able to love God above all (see *Sum. Theol.*, I-II, q.109, a.3c; also I, q.60, a.5c).

[461] See *Ver.*, q.8, a.7 ad 1, ad 13; q.10, a.6 ad 6; a.8c. For the truth of things is based upon their likeness to species in the divine intellect (see *Sum. Theol.*, I, q.16, a.1c ad 1, ad 2; a.6c; q.57, aa.1, 2; q.65, a.4 ad 1; *In I Sent.*, d.19, q.5, a.2 sol.; *Ver.*, q.1, a.4c; q.21, a.4 ad 5; q.27, a.1 ad 7; *C, Gent.*, III, c.47; *Quodl.*, X, q.4, a.1; *Carit.*, a.9 ad 1; and also fn.429).

[462] *Sum. Theol.*, I, q.84, a.5c: "Cum ergo quaeritur utrum anima humana in rationibus aeternis omnia cognoscat, dicendum est quod aliquid in aliquo dicitur cognosci dupliciter. Uno modo, sicut in obiecto cognito; sicut aliquis videt in speculo ea quorum imagines in speculo resultant. Et hoc modo anima, in statu praesentis vitae, non potest videre omnia in rationibus aeternis; sed sic in rationibus aeternis cognoscunt omnia beati, qui Deum vident et omnia ipso. - Alio modo dicitur aliquid cognosci in aliquo sicut in cognitionis principio; sicut si dicamus quod in sole videntur ea quae videntur per solem. Et sic necesse est dicere quod anima humana omnia cognoscat in rationibus aeternis, per quarum participationem omnia cognoscimus. Ipsum enim lumen intellectuale quod est in nobis, nihil est aliud quam quaedam participata similitudo luminis increati, in quo continentur rationes aeternae"; see also q.87, a.1c; I-II, q.94, a.2c; *In Boeth. de Trin.*, q.1, a.3 ad 1; q.3, a.1 ad 4; *In III Sent.*, d.23, q.2, a.1 ad 4; *Ver.*, q.10, a.6c; q.11, a.1 ad 13; a.3c; *C. Gent.*, III, c.46, n.2231; c.47, nn.2241-44; *Comp.*, c.129; *Spir. creat.*, a.10 ad 8 (K, pp.132-33). Likewise, the truth of the eternal truths is eternal only to the mind of God (see *Sum. Theol.*, I, q.16, a.7c).

which are a participated resultance and likeness of God's eternal truth.[463] It is also true that we know God as the superior intellectual light by which we know and judge everything else,[464] but the power by which we thus know God is the agent intellect proper to each of us,[465] and that we know, not as *that which* we understand but as *that by which* we understand everything else.[466] Therefore, we have no natural knowledge of God

---

[463] *Sum. Theol.*, I, q.12, a.2c: "Manifestum est autem quod Deus et est auctor intellectivae virtutis, et ab intellectu videri potest. Et cum ipsa intellectiva virtus creaturae non sit Dei essentia, relinquitur quod sit aliqua participata similitudo ipsius, qui est primus intellectus. Unde et virtus intellectualis creaturae lumen quoddam intelligibile dicitur, quasi a prima luce derivatum: sive hoc intelligatur de virtute naturali, sive de aliqua perfectione superaddita gratiae vel gloriae"; see also q.87, a.1c; q.88, a.3 ad 1 (fn.466); *In IV Sent.*, d.49, q.2, a.7 ad 9. Thus the first principles are also likenesses of eternal truth (see *Ver.*, q.1, a.4 ad 5; q.10, a.6 ad 6; q.10, a.8 ad 8). Because the intellect has of itself the power to judge the truth, the soul must be created by God (see *In II Sent.*, d.18, q.2, a.1 sol.; d.19, q.1, a.4 sol.; *Ver.*, q.27, a.3 ad 9; *Pot.*, q.3, a.9c; *C. Gent.*, II, c.86, n.1710; c.87, nn.1716-19; c.89, n.1749f.; *Comp.*, c.93; Sum. Theol., I, q.90, a.2c; q.106, a.1 ad 3; q.118, a.2c; *Quodl.*, XI, q.5 ad 1, ad 4; XII, q.7, a.2c); see Lonergan, "The Concept of *Verbum*," *Theological Studies*, 8 (1947), 69-70 and *Verbum*, 83-84.

[464] *Sum. Theol.*, I, q.12, a.11 ad 3: " ...omnia dicimur in Deo videre, et secundum ipsum de omnibus iudicare, inquantum per participationem sui luminis omnia cognoscimus et diiudicamus; nam et ipsum lumen naturale rationis participatio quaedam est divini luminis; sicut etiam omnia sensibilia dicimus videre et iudicare in sole, id est per lumen solis"; see also q.16, a.6 ad 1, q.117, a.1 ad 1; and *In Boeth. de Trin.*, q.1, a.3c (D, p.68), ad 2, (D, p.73); *Ver.*, q.11, a.1c; *C. Gent.*, II, c.75, n.1558; *Q. de Anim.*, a.5c. The meaning of the elements in the light-analogy are explained especially in *In II de Anim.*, lect.14-lect. 15; and *Ver.*, q.9, a.1; *Sum. Theol.*, I, q.67, a.1c; q.106, a.1c.

[465] *Ibid.*, q.79, a.4c: "Sed, dato quod sit aliquis talis intellectus agens separatus, nihilominus tamen oportet ponere in ipsa anima humana aliquam virtutem ab illo intellectu superiori participatam, per quam anima humana facit intelligibilia in actu. Sicut et in aliis rebus naturalibus perfectis, praeter universales causas agentes, sunt propriae virtutes inditae singulis rebus perfectis, ab universalibus agentibus derivatae"; see also a.5 ad 3; q.84, a.4 ad ; *C. Gent.*, II, c.76; c.77, n.1584; c.78, n.1588; *Q. de Anim.*, a.5c; *Spir. creat.*, a.10c ad 8, ad 10; *Comp.*, c.86; and the source at *In III de Anim.*, lect.10, nn.728, 730ff..

[466] *Ibid.*, c.88, a.3 ad 1: "...in luce primae veritatis omnia intelligimus et iudicamus, inquantum ipsum lumen intellectus nostri, sive naturale sive gratuitum, nihil aliud est quam quaedam impressio veritatis primae, ut supra dictum est. Unde cum ipsum lumen intellectus nostri non se habeat ad intellectum nostrum sicut quod intelligitur, sed sicut quo intelligitur; multo minus Deus est id quod primo a nostro intellectu intelligitur"; see

as the object of our intellects;[467] naturally speaking, we know Him only as the principle of our desire to know in itself the cause of everything.[468]

If the intellect is moved by understanding inasmuch as its object is another and not itself, then the intellect in act of itself is simply the act of understanding, [469] and in this pure act it understands itself and everything else as well.[470] Thus, according to Aristotle, the First Mover is

---

also *In Boeth. de Trin.*, q.1, a.3 ad 1.

[467] *Ibid.*, q.8, a.3c: "Deus dicitur esse in re aliqua dupliciter. Uno modo, per modum causae agentis: et sic est in omnibus rebus creatis ab ipso. Alio modo, sicut obiectum operationis est in operante: quod proprium est in operationibus animae, secundum quod cognitum est in cognoscente, et desideratum in desiderante. Hoc igitur secundo modo, Deus specialiter est in rationali creatura, quae cognoscit et diligit illum actu vel habitu. Et quia hoc habet rationalis creatura per gratiam, ut infra patebit, dicitur esse hoc modo in sanctis per gratiam"; see also a.1c; q.12, aa.4, 5, 12; q.43, c.3c; and fn.464.

[468] See *In I Meta.*, lect.15, n.233, and fnn.423-42. Thus the agent intellect is to be compared, not to the light (*lux*) of the sun as Plato said, but to light (*lumen*) from the sun as Aristotle said (see *In III de Anim.*, lect.10, n.739; and *In Boeth. de Trin.*, q.1, a.1 ad 6; *Sum. Theol.*, I, q.79, a.4c; a.5 ad 3; *Malo*, q.16, a.12 ad 6; *Q. de Anim.*, a.4 ad 4; a.5c; *Spir. creat.*, a.10c [K, p.126]; ad 4 [K, pp.129-30]; *Unit. intell.*, c.4 [K, n.86]; c.5 [K, n.120]). Though J. Maréchal, in *Le point de depart de la métaphysique* (Brussels-Paris, ²1949): *V. Le Thomisme devant la philosophie critique*, was correct in saying that Thomas considered God to be known as final cause of the intellect (pp. 462-63), he was not correct in supposing that Thomas assumed the need for a critiquc to bridge the gap between subject and object (pp.47-72, 77, 81-84), that Thomas thought of truth simply as a function of affirmation in judgement (pp. 84ff., 185-87, 299-316, 346-56), or that Thomas believed God to be known implicitly in the object of every affirmation (pp. 314, 526, 528, 554-55, 581- 82ff.); nevertheless, Maréchal's fault lay in the presuppositions he borrowed from contemporary philosophy, not in his basic approach to Thomas's orientation of the intellect to the identity of being with intelligence in God alone (pp. 463-64).

[469] *In III de Anim.*, lect.10, n.741 (fn.329); *Sum. Theol.*, I, q.14, a.2c (fn.264). See also *In XII Meta.*, lect.11, nn.2601-03, and chapter 1, section 2.6.

[470] *Sum. Theol.*, I, q.14, a.2c: "Cum igitur Deus nihil potentialitatis habeat, sed sit actus purus, oportet quod in eo intellectus et intellectum sint idem omnibus modis: ita scilicet, ut neque careat specie intelligibili, sicut intellectus noster cum intelligit in potentia; neque species intelligibilis sit aliud a substantia intellectus divini, sicut accidit in intellectu nostro, cum est actu intelligens; sed ipsa species intelligibilis est ipse intellectus divinus. Et sic seipsum per seipsum intelligit"; see also aa.4c, 5c; q.28, a.4 ad 1; *In I Sent.*, d.35, a.1 ad 3, ad 5; *In VII de Div. Nom.*, lect.3, *Ver.*, q.2, a.3c; a.5 ad 15; *Subst. sep.*, c.14,

unmoved and immobile because his intellect is the intelligence of intelligence.[471] As such, He has no end but Himself for which to act,[472] and He is the good to which everything else is attracted.[473]

Movement, then, is predicated of God only metaphorically, either in the sense that, as Plato called every operation, including the operations of intellect and will, a movement, so God would be said to move Himself when He knows and loves Himself; or in the sense that, as every emanation of effects from a cause is called a procession or movement of the cause into the effects, so God would be said, according to Dionysius, to be moved by everything or proceed into everything by imparting His likeness to it in creation.[474] But by "movement" Plato really meant any

---

nn.120-26; *Comp.*, c.29, n.59; c.30, n.60; c.31, nn.61-62; *In Lib. de Caus.*, prop.15; and *C. Gent.*, I, cc.44-56, esp. c.45, n.83; c.47, nn.398-99.

[471] *In XII Meta.*, lect.11, n.2617: "Primum intelligit seipsum, ut ostensum est, et iterum supra ostensum est, quod primum est sua intelligentia: ergo intelligentia primi non est aliud quam intelligentia intelligentiae"; n.2620: "...in substantia prima, quae maxime remota est a materia, maxime idem est intelligere et intellectum. Et sic una est intelligentia intellecti tantum, et non est aliud intelligentia intellecti, et aliud intelligentia intelligentiae"; see also lect.8, nn.2536-44. See B.J. Lonergen, "The Concept of *Verbum*," *Theological Studies*, 10 (1949), 363-64; *Verbum*, p.188.

[472] See *ibid.*, nn.2603-16.

[473] See *ibid.*, n.2600; lect.5, n.2488-lect. 7, n.2535; lect.12.

[474] *In Boeth. de Trin.*, q.5, a.4 ad 2 (D, pp.196-97): "...moveri non attribuitur Deo proprie, sed quasi metaphorice, et hoc dupliciter. Una modo, secundum quod improprie operatio intellectus vel voluntatis motus dicitur, et secundum hoc dicitur aliquis movere se ipsum, quando intelligit vel diligit se. Et per hunc modum potest verificari dictum Platonis qui dixit quod primus motor movet se ipsum, quia scilicet intelligit et diligit se, ut Commentator dicit in VIII Physicorum. Alio modo, secundum quod ipse effluxus causatorum a suis causis [A 99 va] nominari potest processio sive motus quidam causae in causatum, in quantum in ipso effectu relinquitur similitudo causae, et sic causa, quae prius erat in se ipsa, postmodum fit in effectu per suam similitudinem. Et hoc modo Deus, qui similitudinem suam omnibus creaturis impartitus est, quantum ad aliquid dicitur per omnia moveri vel ad omnia procedere, quo modo loquendi utitur frequenter Dionysius. Et secundum hunc etiam modum videtur intelligi quod dicitur Sap. 7 (24; 8,1) quod 'omnium mobilium mobilior est sapientia' et quod 'attingit a fine usque ad finem fortiter'. Hoc autem non est proprie moveri, et ideo ratio non sequitur"; see also *In*

act, and by self-movement he meant what Aristotle called an operation or an act of the perfect.[475] So he differed from Aristotle only verbally,[476] and self-movement in the Platonic sense can be most properly ascribed to the act by which God understands and loves Himself of Himself.[477] Likewise, the term, "procession", connotes a certain operation in or from the agent in the action of emanating an effect; that is, insofar as we get our idea of

---

I Sent., d.8, q.3, a.1c ad 2; a.2; d.19, q.5, a.3; *Pot.*, q.3, a.17 ad 14; *Subst. sep.*, c.9, n.99; *Quodl.*, X, q.2, a. un.; *C. Gent.*, I, c.13; *Comp.*, c.4; *Sum. Theol.*, I, q.9, aa.1-2; *Malo*, q.16, a.2 ad 6; *In I Trin.*, c.6, lect.3. Thus God is fully at rest, having ceased the work of creation and never having desired anything (*Sum. Theol.*, I, q.77, a.2c), and can give us rest in Himself (*ibid.*, ad 3). Because there is no movement in God, there is no time but the single and total moment of eternity (see *In I Sent,*, d.19, q.2, a.1, *Sum. Theol.*, I, q.10, aa.1-6; I-II, q.113, a.7 ad 5; and *In IV Phys.*, lect.17ff.; lect.23, n.5) in which He can let us share (see C.J. Peter, *Participated Eternity in the Vision of God*: A Study of Thomas Aquinas and his Commentators on the Duration of the Acts of Glory [Analecta Gregoriana, 142: Rome, 1964], pp.5-72, 253-72).

[475] *In VII Phys.*, lect.1, n.7 (890): "Unde et Platonici, qui posuerunt aliqua movere seipsa, dixerunt quod nullum corporem aut divisibile movet seipsum; sed movere seipsum est tantummodo substantiae spiritualis, quae intelligit seipsam et amat seipsam: universaliter omnes operationes *motus* appellando; quia et huiusmodi operationes, scilicet sentire et intelligere, etiam Aristoteles in tertio *de Anima* nominat motum, secundum quod motus est actus perfecti. Sed hic loquitur de motu secundum quod est actus imperfecti, idest existentis in potentia, secundum quem motum indivisibile non movetur, ut in sexto probatum est, et hic assumitur. Et sic patet quod Aristoteles, ponens omne quod movetur ab alio moveri, a Platone, qui posuit aliqua movere seipsa, non dissentit in sententia, sed solum in verbis"; see also VIII, lect.10-lect. 11, lect.20, n.4 (1139); *In I Sent.*, d.45, q.1, a.1 ad 3; *Pot.*, q.10, a.1c; *C. Gent.*, I, c.13, n.90; II, c.82, nn.1644-46; *Q. de Anim.*, a.1c; and *In III de Anim.*, lect.12, n.766.

[476] See *In Phys.* and *C. Gent.*, II, *ibid.*

[477] *Sum. Theol.*, I, q.18, a.3 ad 1: "Unde, quia motus est actus mobilis, secunda actio, inquantum est actus operantis, dicitur motus eius; ex hac similitudine, quod, sicut motus est actus mobilis, ita huiusmodi actio est actus agentis; licet motus sit actus imperfecti, scilicet existentis in potentia, huiusmodi autem actio est actus perfecti, idest existentis in actu, ut dicitur in III *de Anima*. Hoc igitur modo quo intelligere est motus, id quod se intelligit, dicitur se movere. Et per hune modum etiam Plato posuit quod Deus movet seipsum: non eo modo quo motus est actus imperfecti"; see also c; q.9, a.1 ad 1; q.19, a.1 ad 3.

"procession" from an observation of physical movement.[478] But "action" without movement implies only an order of origin,[479] and, as such, the action of an agent in causing an effect need mean a real movement or change only in the effect[480] and a rational relation of the agent to the effect as its principle.[481] Hence, creation, in which there is no movement, implies only the dependence of the world upon God for its beginning in being and a rational relation of God to the world as its creator.[482]

It would seem, then, that Aquinas considered understanding an act and not a movement inasmuch as the intellect could understand anything of itself and not by dependence upon another.

2.3.2. THE MEANING OF ACT

Correlatively, according to Aquinas, the primary way to understand the meaning of act is not in the experience of movement or by an analysis of life but by knowing one's own ability to be the agent of his acts.

---

[478] See *In I Sent.*, d.13, q.1, a.1 sol.; ad 3; a.3 ad 2; *Ver.*, q.4, a.2 ad 7; *Pot.*, q.10, a.1c; *C. Gent.*, IV, c.26, nn.3627-28; *Sum. Theol.*, I, q.27, a.1c. See Lonergan, "The Concept of *Verbum*," *Theological Studies*, 8 (1947), 405ff. and *Verbum*, 98ff..

[479] *Sum. Theol.*, I, q.41, a.1 ad 2: "...primo coniicere potuimus orìginem alicuius ab alio, ex motu: quod enim aliquo res a sua dispositione removeretur per motum, manifestum fuit hoc ab aliqua causa accidere. Et ideo actio, secundum primam nominis impositionem, importet *originem motus*: sicut enim motus, prout est in mobili ab aliquo, dicitur *passio*: ita origo ipsius motus, secundum quod incipit ab alio et terminatur in id quod movetur, vocatur *actio*. Remoto igitur motu, actio nihil aliud importat quam ordinem originis, secundum quod a causa aliqua vel principio procedit in id quod est a principio"; see also *Ver.*, q.4, a.2 ad 7; *Pot.*, q.8, a.1c ad fin..

[480] Thomas said in *In I Sent.*, d.8, q.4, a.3 ad 3, that the predicament of action meant something flowing from an agent with movement; but, in *Pot.*, q.7, a.8c; a.9 ad 7; *In III Phys.*, lect.5, n.15, he said that action need imply a real movement or change only in the patient. See B.J. Lonergan, "Saint Thomas's Theory of Operation," *Theological Studies*, 3 (1942), 375-81.

[481] See *Pot.*, *ibid.*; *Sum. Theol.*, I, q.13, a.7c ad 3; *In V Meta.*, lect.17, nn.1026-27.

[482] See *Sum. Theol.*, I, q.45, a.2 ad 2; a.3c.

Thomas did say that we get our first impression of act from movement because all our knowledge originates in sensible experiences.[483] In movement an act occurs when an agent contacts a patient: so it always appears, for bodies act by touching one another; and so it must be understood, for nothing could give itself what it lacked.[484] Consequently, movement is an act of both agent and patient,[485] but of an agent as an action and of a patient as a passion.[486] The reality of the movement, though, including the action of the agent, must be in the patient.[487] For, first, movement is of its nature an imperfect act, proper to what is in potency as such;[488] and, secondly, nothing would ever move if an agent moved precisely because it was moved itself,[489] since there would be nothing that by itself could make an agent move and no agent could move another by itself.[490] Therefore, the act in movement is such that whatever is moved is moved by another,[491] but not every agent acts because moved,[492] and so we must suppose agents which act without having to be moved by another either

---

[483] See *In IX Meta.*, lect.3, n.1805; lect.5, n.1824; and fnn.122-35.

[484] See fnn.137-39.

[485] See *In III Phys.*, lect.4, nn.8-10; lect.5, nn.2, 7, 10-11, 13; VIII, lect.3-lect. 4. This is especially evident in physical contact (see *ibid.*, III, lect.4, nn.1-7).

[486] See *In III Phys.*, lect.4, nn.10, 11; lect.5, nn.2, 12-13, 15-16; *In XI Meta.*, lect.9, nn.2312-13; and *In II Sent.*, d.40, q.1, a.4 ad 1.

[487] See *ibid.*, lect.4, nn.6-7; lect.5, n.9; *In V Meta.*, lect.17, nn.1026-27; and *Sum. Theol.*, I-II, q.110, a.2c.

[488] See *In III Phys.*, lect.2, nn.3, 5, 7; lect.3, nn.2-6; lect.4, n.7; lect.5, nn.7, 9, 17-18; *VIII*, lect.1, n.2.

[489] See *ibid.*, VII, lect.1, n.7f.; VIII, lect.10, nn.5-9; lect.11, nn.3-5; *In I de Anim.*, lect.10; III, lect 2, n.592; *In XI Meta.*, lect.9, nn.2308-13.

[490] See *ibid.*, lect.2.

[491] See *ibid.*, VII, lect.1; VIII, lect.3-lect.4; and fn.136.

[492] See *ibid.*, VII, lect.2.

because they move themselves or because they are immobile.[493]

Since the act in movement is so imperfect that it needs to be explained by an act in another, we get a better idea of act from operation, which is an act of the perfect, the "perfect" being things that can move by themselves;[494] and we attribute act to movement only because it actuates matter much as operation actuates form.[495] In some sense, everything with an inner principle of movement and rest operates,[496] but in a stricter sense only the living operate, for only the living have natures capable of initiating movement or operation.[497] In either case, though, operation is contingent if the nature of the thing from which it proceeds is corruptible.[498] But if everything were corruptible, there would be no operation, for nothing corruptible need be, and what need-not be can not-be, so that there would be nothing to operate.[499] Therefore, to account for the actual occurrence of contingent operations in particular causes, there

---

[493] See *ibid.* VIII, lect.9. See also *Sum. Theol.*, I, q.2, a.3, *Prima et secunde viae*; and the alternative ways to show God is intelligent in *C. Gent.*, I, c.44, nn.373-74.

[494] See fnn.234-41.

[495] See fnn.242-48.

[496] See fnn.220-27.

[497] See fnn.208-19, 228-33.

[498] The contingency of operation is evident in the intermittent activity of some agents (see *In VIII Phys.*, lect.1-lect. 2), in fortuitous events (see *In II Phys.*, lect.4-lect. 5; *In VI Meta.*, lect.3, n.1191f.), in the indeterminacy of propositions about the future (see *In I Periherm.*, leet.13-lect.14), and in the possibility of matter (see *In VI Meta.*, lect, 2, n.1186f.; lect.3; XI, lect.8, n.2283; *Sum. Theol.*, I, q.115, a.6c) and the freedom of choice (see *Sum. Theol.*, *ibid.*, a.4).

[499] See *C. Gent.*, I, cc.15-16; II, c.16; *Sum. Theol.*, I, q.2, a.3, *Tertia via*; *In I de Caelo*, lect.29, n.283; *In IX Meta.*, lect.9, n.1870. See also G. Jalbert, *Nécessité et contingence chez saint Thomas d'Aquin et chez ses prédécesseurs* (Ottawa, 1961), pp.224ff. The theorem of contingence is independent of any presupposition about the duration of the world (see *In XII Meta.*, lect.5, n.2499).

must be universal causes which operate necessarily,[500] whether that necessity is grounded upon a perfection of matter, a simplicity of form,[501]
or a subsistence in being.[502]

Since the act in operation is contingent upon the act of another, we
can get a proper notion of act only from the power of an agent able to act
of himself and resist the influence of another.[503] This we find only in a

---

[500] For Aquinas universal causality was a combination of the Aristotelian postulate
of perpetual, continuous, local, and circular heavenly movers to move regular but
intermittent earthly movers (see *In VIII Phys.*, lect.12; lect.13, nn.7-9; lect.14-lect.21;
In XII Meta., lect.6, n.2510f.; and *Pot.*, q.3, a.7c) and the Platonic postulate of universal
causes to be essentially and necessarily what particular causes are participatively and
contingently (see *In Lib. de Caus.*, prop.1, 4, 6, 18; *Subst. sep.*, cc.8, 12; and *Ver.*, q.5, a.9;
Sum. Theol., I, q,115, a.3). It entailed a hierarchical universe in which the higher helped
to conserve and apply the lower (see *In II Sent.*, d.15, q.1, a.2c; *Ver.*, q.5, aa.7-10; *C.
Gent.*, III, cc.77-83; *Pot.*, q.5, aa.8-10; *Sum. Theol.*, I, q.22, a.3; q.103, a.6; q.104, a.2;
q.110, a.1; q.115, a.3; and *In II de Caelo*, lect.4, n.13; *In VI Meta.*, lect.3, nn.1207-09).
See Lonergan, "Saint Thomas's Theory," 383-87, 391-92.

[501] G. Jalbert, *op. cit.*, pp.137ff., has shown that, beginning with *C. Gent.*, II, c.30, Thomas
developed a notion of absolute necessity in existence for beings that were incorruptible
because their forms were separate, or substantial, or perfect.

[502] B.J. Lonergen, *op. cit.*, pp.387-91, has shown that Thomas came to base the causal
certitude of God's providence upon His transcendence of both the contingent and the
necessary (see *III C. Gent*, c.94 [also cc.72, 86]; *Sum. Theol.*, I, q.115, a.6; q.116, a.1; *In
VI Meta.*, lect.3; *In I Periherm.*, lect.14, n.197) and God's own necessity in being upon
the simplicity of His essence, from which every kind of composition is excluded (see
Sum. Theol., I, q.3 and the *loc. par.* going back to *Ente et ess.*, c.6).

[503] *In I Sent.*, d.42, q.1, a.1 sol.: "...nomen potentiae primo impositum fuit ad
significandum potestatem hominis, prout dicimus aliquos homines esse potentes, ut
Avicenna dicit (tract. 4 Metaph., cap. 2), et deinde translatum fuit ad res naturales. Videtur
autem in hominibus esse potens qui potest facere quod vult de aliis sine impedimento; et
secundum quod impediri potest, sic minuitur potentia eius. Impeditur autem potentia
alícuius vel naturalis agentis vel etiam voluntarii, inquantum potest pati ab aliquo. Unde
de ratione potentiae, quantum ad primam impositionem sui, est non posse pati"; *Pot.*,
q.1, a.lc (fn.246; see also ad 1, ad 3); a.2c: "...quantitas potentiae sequitur quantitatem
actus; unumquodque enim tantum abundat in virtute agendi quantum est in actu" (see
also a.8, ad 6); *Sum. Theol.*, I, q.25, a.lc: "Manifestum est enim quod unumquodque,
secundum quod est actu et perfectum, secundum hoc est principium activum alicuius:
patitur autem unumquodque, secundum quod est deficiens et imperfectum...Ratio
autem activi principii convenit potentiae activae. Nam potentia activa est principium

human agent, who is master of his actions,[504] free to judge whether to act or not,[505] since he acts for his own sake and not for another.[506] Animals may be said to move themselves inasmuch as they are not bound to one place and can go wherever their appetites direct them, but since the end for which they act is naturally determined for them, they are really more acted upon than acting.[507] Hence, it is proper to man alone to know the

---

agendi in aliud: potentia vero passiva est principium patiendi ab alio, ut Philosophus dicit, *V Metaphys.*"; ad 1: "...potentia activa non dividitur contra actum, sed fundatur in eo: nam unumquodque agit secundum quod est actu"; see also *In V Meta.*, lect- 5, n.955; IX, lect.1, nn.1770, 1776; lect.5, n.1824; lect.8, n.1857. See fn.249f..

[504] See fn.403.

[505] *Ver.*, q.24, a.1c: "*Homo* vero per virtutem rationis iudicans de agendis, potest de suo arbitrio iudicare, in quantum cognoscit rationem finis et eius quod est ad finem, et habitudinem et ordinem unius ad alterum: et ideo non est solum causa sui ipsius in movendo, sed in iudicando; et ideo est liberi arbitrii, ac si diceretur liberi iudicii de agendo vel non agendo"; a.4c: Hoc autem quod additur *libere*, similiter vim potentiae non excedit. Nam secundum hoc aliquid libere fieri dicitur quod est in potestate facientis"; and fnn.397, 416-21.

[506] *In I Meta.*, lect.3, n.58: "Ille homo proprie dicitur liber, qui non est alterius causa, sed est causa suiipsius. Servi enim dominorum sunt, et propter dominos operantur, et eis acquirunt quicquid acquirunt. Liberi autem homines sunt suipsorum, utpote sibi acquirentes et operantes". Aquinas interpreted "*sui causa*" to mean a voluntary agent (*C. Gent.*, I, c.72, n.624), a free agent (*ibid.*; c.88, n.734), an agent with free judgment (*ibid.*, II, c.48, n.1243), someone valuable in himself (*ibid.*, III, c.112, n.2857), a responsible and loving son (*ibid.*, IV, n.22, 3588), man as moving himself to, though not necessarily as first causing, his own actions (*Sum. Theol.*, I, q.83, a.1 ad 3), and one who directs himself to his end (*ibid.*, q.103, a.1 ad 1 [implicit citation]). One thing Aquinas did not mean by *sui causa* was a cause that could make itself be; see *Sum. Theol.*, I, q.3, a.4c: "Impossibile est autem quod esse sit causatum tantum ex principiis essentialibus rei: quia nulla res sufficit quod sit sibi causa essendi, si habeat esse causatum. Oportet ergo quod illud cuius esse est aliud ab essentia sua, habeat esse causatum ab alio".

[507] *Ver.*, q.5, a.9 ad 4: "Quod autem inducitur, quod corpora tantum aguntur et non agunt, debet intelligi secundum hoc quod illud dicitur agere quod habet dominium super actionem suam; secundum quem modum loquendi dicit Damascenus [lib. II, cap. XXVIII], quod animalia bruta non agunt, sed aguntur. Per hoc tamen non excluditur quin agant secundum quod agere est aliquam actionem exercere"; see also *Unio. Verbi*, a.5c; *In II de Anim.*, lect.15, nn.818, 831; lect.16, nn.836, 840; and fnn.396, 399-402.

truth and to act.[508]

What is distinctive of a human act is that a man can voluntarily, intentionally, and freely decide for himself the end for which he will act.[509] Because a man has a mind, he can will the good as such, which is the end for which anything acts;[510] because he is intelligent, he can intend his end, which is the principle moving anything to choose means;[511] and because he is rational, he can apply his knowledge of the universal to the particular, which is the point where freedom of action is in question.[512] Hence, what makes man properly the agent of his actions is that he knows the meaning of end, can appreciate the proportion of end to means, and is able to deliberate about the means to his end.[513]

From this study of human acts it is evident that an agent is one who

---

[508] *In VI Eth.*, lect.2, n.1126: "...duo opera dicuntur esse propria homini: scilicet cognitio veritatis et actus: inquantum scilicet homo agit tamquam dominus proprii actus, et [non] sicut actus vel ductus ab aliquo: super haec igitur duo videntur habere dominium et potestatem, tria quae sunt in anima, scilicet sensus, intellectus, et appetitus. His tribus moventur animalia, ut dicitur in tertio *de Anima* [lect.15, nn.818-19]"; see also I, lect.1, nn.3, 8. (The amendation to the text seems obviously necessary.)

[509] *Sum. Theol.*, I-II, q.1, a.1c: "...actionum quae ab homine aguntur, illae solae proprie dicuntur *humanae*, quae sunt propriae hominis inquantum est homo. Differt autem homo ab aliis irrationalibus creaturis in hoc, quod est suorum actuum dominus. Unde illae solae actiones vocantur proprie humanae, quarum homo est dominus. Est autem homo dominus suorum actuum per rationem et voluntatem: unde et liberum arbitrium esse dicitur *facultas voluntatis et rationis*. Illae ergo actiones proprie humanae dicuntur, quae ex voluntate deliberata procedunt. Si quae autem aliae actiones homini conveniant, possunt dici quidem *hominis* actiones; sed non proprie humanae, cum non sint hominis inquantum est homo. - Manifestum est autem quod omnes actiones quae procedunt ab aliqua potentia, causantur ab ea secundum rationem sui obiectí. Obiectum autem voluntatis est finis et bonum. Unde oportet quod omnes actiones humanae propter finem sint"; see also aa.2c, 3c, 6c, 8c and the exposition in qq.6-21; and *C. Gent.*, II, c.2, n.1873; c.3, nn.1883-84.

[510] See fnn.404-407.

[511] See fnn.408-410.

[512] See *C. Gent.*, II, c.48, nn.1245-46 and fnn.411-14.

[513] See *C. Gent.*, II, c.23, n.994; *In I Meta.*, lect.15, n.233; and fnn.315-25, 415ff., 505.

acts for an end and one is an agent insofar as he is free to determine his end for himself.[514] But the end for which any agent acts is his own perfection,[515] and he is perfect insofar as he is in act.[516] Therefore, since the ultimate act or perfection of any agent is simply to be,[517] the act of acts is being itself.[518] This means that every agent acts for love of being,

---

[514] According to Aquinas the end is first cause because it makes an agent act (see the Aristotelian basis at *In II Phys.*, lect.4, n.8; lect.5, nn.5-6, 11; *In III Meta.*, lect.4, n.383; V, lect.2, n.771; lect.3, nn.781-82; the Platonist notion at *In Lib. de Caus.*, prop.1 [S, pp.8-9]; and Thomas's constant usage of the notion in *Ver.*, q.21, a.1 ad 4; *C. Gent.*, III, cc.2, 3, 17f., 25- 26; *Sum. Theol.*, I, q.18, a.3c; q.19, a.2 ad 2; q.44, a.4c; q.105, a.5c; I-II, q.1, a.2c; q.12, a.5c; see also fnn.260-68). Therefore Aquinas defined *acting* in terms of determining the end and *being acted* in terms of having the end determined (see fnn.503-13). See fn.268.

[515] *Sum. Theol.*, I, q.5, a.lc: "Ratio enim boni in hoc consistit, quod aliquid sit appetibile: unde Philosophus, in I *Ethic.*, dicit quod bonum est *quod omnia appetunt.* Manifestum est autem quod unumquodque est appetibile secundum quod est perfectum: nam omnia appetunt suam perfectionem. Intantum est autem perfectum unumquodque, inquantum est actu: unde manifestum est quod intantum est aliquid bonum, inquantum est ens"; q.6, a.1c; I-II, q.1, a.5c; *C. Gent.*, III, c.3, n.1879f.. This does not preclude an agent from acting for a good beyond himself inasmuch as he is part of a whole (a species, a genus, the order of being) upon which his individual good depends (see *C. Gent.*, III, c.24, n.2053; *Sum. Theol.*, I-II, q.1, a.8; q.2 vs. q.3), especially when he can know the good as such (*Sum. Theol.*, I, q.60, a.5c; I-II, q.109, a.3c). See also J. de Finance, *Être et agir*, 259ff., 298; F. Marty, *La perfection de l'homme selon saint Thomas d'Aquin*: Ses fondements ontologiques et leur verification dans l'orde actuel (Analecta Gregoriana, 123: Rome, 1962).

[516] *Ibid.*, a.3c: "...omne ens, inquantam est ens, est bonum. Omne enim ens, inquantun est ens, est in actu, et quodammodo perfectum: quia omnis actus perfectio quaedam est. Perfectum vero habet rationem appetibilis et boni, ut ex dictis patet. Unde sequitur omne ens, inquantum huiusmodi, bonum esse". Thus act is infinite unless it is just the perfection of something in particular; see De Finance, *Être et agir*, 51f.

[517] *Sum. Theol.*, I, q.3, a.4c: "...esse est actualitas omnis formae vel naturae: non enim bonitas vel humanitas significatur in actu, nisi prout significamus eam *esse.* Oportet igitur quod ipsum esse comparetur ad essentiam quae est aliud ab ipso, sicut actus ad potentiam"; see also q.4, a.1 ad 3; q.5, a.1c. Thus the substance of what something is is the final cause of its operations (see *Sum. Theol.*, I, q.77, a.6 ad 3).

[518] *C. Gent.*, I, c.22, n.208: "*Esse* actum quendam nominat: non enim dicitur esse aliquid ex hoc quod est in potentia, sed ex eo quod est in actu"; *Pot.*, q.7, a.2 ad 9: "...*esse* est inter omnia perfectissimum: quod ex hoc patet quia actus est semper perfectior potentia.

communicating what he has and desiring what he lacks.[519] Love, then,

---

Quaelibet autem forma signata non intelligitur in actu nisi per hoc quod esse ponitur. Nam humanitas vel igneitas potest considerari ut in potentia materiae existens, vel ut in virtute agentis, aut etiam ut in intellectu: sed hoc quod habet *esse*, efficitur actu existens. Unde patet quod hoc quod dico *esse* est actualitas omnium actuum, et propter hoc est perfectio omnium perfectionum"; *Sum. Theol.*, I, q.14, a.9c: "Simpliciter enim sunt, quae actu sunt. Ea vero quae non sunt actu, sunt in potentia vel ipsius Dei, vel creaturae; sive in potentia activa, sive in passiva, sive in potentia opinandi, vel imaginandi, vel quocumque modo significandi"; *Q. de Anim.*, a.6 ad 2: "...ipsum esse est actus ultimus qui participabilis est ab omnibus, ipsum autem nihil participat". For Thomas's exposition of the meaning of being see esp. *In Boeth. de Hebdom.*; *Subst. sep.*; and *In Lib. de Caus.*, all of which are Platonist. See also De Finance, *Être et agir*, esp. 95-111ff., and W.E. Carlo, *The Ultimate Reducibility of Essence to Existence in Existential Metaphysics* (The Hague, 1966), esp. pp.5-17, 92-105; "The Role of Essence in Existential Metaphysics: A Reappraisal," *International Philosophical Quarterly*, 2 (1962), 557-90, and the corrective by D. O'Grady, "Further Notes on 'Being', '*Esse*,' and 'Essence' in an Existential Metaphysics," *ibid.*, 3 (1963), 610-16; the survey by H.J. John, "The Emergence of the Act of Existing in Recent Thomism," *ibid.*, 2 (1962), 595-620; and C. Fabro, "Per la determinazione dell'essere tomistico," *Aquinas*: Ephemerides Thomisticae, 5 (1962), 170-205; "Le retour au fondement de l'étre," *Saint Thomas Aujourd'hui* (Recherches de Philosophie, 6: Paris, 1963).

[519] *Ver.*, q.21, a.2c: *Duo* autem sunt de ratione finis; ut scilicet sit appetitum vel desideratum ab his quae finem nondum attingunt, aut sit dilectum, et quasi delectabile, ab his quae finem participant: cum eiusdem rationis sit tendere in finem, et in fine quodammodo quiescere"; *Quodl.* I, a.8 ad 3: "...inclinatio rei naturalis est ad *duo*: scilicet ad moveri, et ad agere. Illa autem inclinatio naturae quae est ad *moveri*, in seipsa recurva est, sicut ignis movetur sursum propter sui conservationem. Sed illa inclinatio naturae quae est ad *agere*, non est recurva in seipsa: non enim ignis agit ad generandum ignem propter seipsum, sed propter bonum generati, quod est forma eius; et ulterius propter bonum commune quod est conservatio speciei. Unde patet quod non universaliter verum est quod omnis dilectio naturalis sit in se recurva"; *Sum. Theol.*, I, q.19, a.1c: "Quaelibet autem res ad suam formam naturalem hanc habet habitudinem, ut quando non habet ipsam, tendat in eam; et quando habet ipsam, quiescat in ea...Unde et natura intellectualis ad bonum apprehensum per formam intelligibilem, similem habitudinem habet: ut scilicet, cum habet ipsum, quiescat in illo; cum vero non habet, quaerat ipsum"; a.2c: "Res enim naturalis non solum habet naturalem inclinationem respectu proprii boni, ut acquirat ipsum cum non habet, vel ut quiescat in illo cum habet; sed etiam ut proprium bonum in alia diffundat, secundum quod possibile est. Unde videmus quod omne agens, inquantum est actu et perfectum, facit sibi simile. Unde et hoc pertinet ad rationem voluntatis, ut bonum quod quis habet, aliis communicet, secundum quod possibile est"; *In IV de Div. Nom.*, lect.5, n.352: "Sed causa agens, quaedam agit ex desiderio finis, quod est agentis imperfecti, nondum habentis quod desiderat; sed agentis perfecti est ut agat per amorem eius quod habet et propter hoc subdit quod pulchrum,

is, first of all, a simple act of complacency or joy in the good of being,[520] but it becomes the basis for any intention of being as an end,[521] and it functions as a vital impulse or inspiration to act.[522] Therefore, every agent

---

quod est Deus, est causa effectiva et motiva et continens, *amore propriae pulchritudinis*. Quia enim propriam pulchritudinem habet, vult eam multiplicare, sicut possible est, scilicet per communicationem suae similitudinis". See also fnn.405-07 and J. deFinance, *op. cit.*, pp.70f., 181f., 188f.. Love and tendency of this sort is proper only to an agent who understands the good of being and can love it as such (see *In I Sent.*, d.7, q.1, a.1 sol.; *Pot.*, q.2, a.1c; *Sum. Theol.*, I, q.27, a.2c; a.3 ad 3; a.4c ad 1; q.76, a.lc), but because perfection is in being and not just in knowing about being, goodness is in things, not in the intellect (see *In II Sent.*, d.39, q.1, a.2; III, d.27, q.1, a.4; *Ver.*, q.1, a.lc; q.21, a.1c; *Sum. Theol.*, I, q.16, a.lc; q.82, a.3c), and the will is distinct from the intellect (see in *In II Sent.*, d.39, q.1, a.2; *Ver.*, q.1, a.2c; q.4, a.2 ad 7; q.8, a.4 ad 5; q.10, a.10 ad 8, q.14, a.11 ad 4 2a ser.; q.22, a.10; *C. Gent.*, I, c.72; *In IV de Div. Nom.*, lect.10; *Sum. Theol.*, I, q.16, a.lc; q.19, a.3 ad 6; q.72, a.3c; I-II, q.22 a.2; q.66, a.6 ad 1; II-II, q.26, a.1 ad 2; q.27, a.4). Thus the intellect is a function of someone's perfection in himself, but the will a function of his relation to the good in others: see De Finance, *Être et agir*, 295f.. See also J.-Y. Jolif, "Le subjet practique selon saint Thomas d'Aquin," *Saint Thomas d'Aquin Aujourd'hui* (Recherches de Philosophie, 6: Paris, 1963).

[520] *Sum. Theol.*, I, q.59, a.4 ad 2: "...amor et gaudium, secundum quod sunt passiones, sunt in concupiscibili: sed secundum quod nominant simplicem voluntatis actum, sic sunt in intellectiva parte; prout amare est velle bonum alicui, et gaudere ese quiescere voluntatem in aliquo bono habito"; see also q.82, a.5 ad 1, and fn.405.

[521] Intention is a tendency to the end (see *Sum. Theol.*, I-II, q.12, a.1c) in the will of an agent intending it and in the operation of an instrument intended as a medium (see *ibid*; ad 4; a.5c; I, q.44, a.4c; *Princ. nat.*, c.3 [P, pp.87-88]; *In II Phys.*, lect.4, n.10; *Quodl.*, VII, a.2c ad 3). Thus intention is an action in an agent but a passion in an instrument; in an agent it means the virtue of a natural perfection but in an instrument the lack of the perfection it communicates; see Hayen, *L'intentionnel*, esp. 47ff., 94-105, 164-76, 189-194, and Lonergan, "St. Thomas's Theory," 391-95.

[522] The beloved is in a lover as actually loved (*C. Gent.*, IV, c.19, n.3563; *Comp.*, c.49). This presence is a certain likeness, connaturality, anticipation, proportion, aptitude, ordination, or inclination (*Sum. Theol.*, I-II, q.8, a.lc; q.26, a.1c; *Ver.*, q.14, a.2c; q.27, a.2c; *In IV de Div. Nom.*, lect.9; *Sum. Theol.*, I, q.87, a.4c), by which the lover is transformed into the beloved (*Malo*, q.6, a.1 ad 13) through an attraction (*Comp.*, c.46, n.63) to move to the beloved. This love is the origin of the movement of love, or loving movement (*Sum. Theol.*, I, q.60, a.lc; I-II, q.26, a.2c; q.27, a.3c; a.4c; q.28; a.lc; a.3c), which proceeds from the lover in love as a vital impulse or motion toward the beloved (*In III Sent.*, d.27, q.1, a.1 sol.; *C. Gent.*, IV, c.20, nn.3571, 3574; c.23, n.3592; *Sum. Theol.*, I, q.27, a.4c; q.82, a.4c). Thus Thomas taught that the beloved causes love in a lover, but the lover in love acts out of love; the supernatural equivalent is *gratia operans*

acts insofar as it is in act,[523] its potency to act consists in the way it is in act,[524] and its virtue to act is the form of its potency.[525]

Because an agent acts insofar as it is in act, action means a procession, or a generation, or an emanation of act from act.[526] At best, the effect of an action will be a communication of the act by which the agent

---

et cooperans: see B.J. Lonergan, "St. Thomas's Thought on *Gratia Operans*," *Theological Studies*, 3 (1942), 69-88, 533-78. One conclusion was that charity, not intelligence, would determine the perfection with which one knew God in the beatific vision (see *Sum. Theol.*, I, q.12, a.6c). This interpretation is opposed to the interpretation that Thomas considered love as essentially an extroversion of the lover to something or someone totally other, such as R. Johann urged in *The Meaning of Love* (London, 1954).

[523] This axiom occurs in almost every chapter in *C. Gent.* and every question in *Sum. Theol.*, but perhaps the best summary statement is *Pot.*, q.2, a.1c: "...natura cuiuslibet actus est, quod seipsum communicet quantum possibile est. Unde unumquodque agens agit secundum quod in actu est. Agere vero nihil aliud est quam communicare illud per quod agens est actu, secundum quod est possibile".

[524] *Pot.*, q.2, a.1 ad 6: "...omne illud quod est principium actionis, ut quo agitur, habet potentiae rationem; sive sit essentia, sive aliquod accidens medium, puta qualitas quaedam inter essentiam et actionem"; *Sum. Theol.*, I, q.25, a.3c: "Est autem considerandum quod, cum unumquodque agens agat sibi simile, unicuique potentiae activae correspondet possibile ut obiectum proprium, secundum rationem illius actus in quo fundatur potentia activa"; see also *In V Meta.*, lect.14, n.955, and fn.503.

[525] Virtue is what makes a subject and his work good (*In II Eth.*, lect.6, nn.306-09; IV, lect.17, n.874; VI, lect.2, n.1124; IX, lect, 4, n.1805); it is the complement of the potency (*Ver.*, q.12, a.1c; q.14, a.3c) found in the form by which a thing is (*Ente et ess.*, c.2; *C. Gent.*, I, c.26, n.240: c.27, n.252; II, c.54, nn.1290-92; c.68, n.1450), for a form gives a subject both being and operation (*Sum. Theol.*, I, q.42, a.1 ad 1; q.80, a.1c; I-II, q.111, a.2c; II-II, q.179, a.1 ad 1). Thus an agent acts by its form (*Sum. Theol.*, I, q.3, a.2c; q.76, a.1c), and makes something similar to itself (*In III Sent.*, d.23, q.3, a.1, sol.1; *Pot.*, q.2, a.2c; q.3, a.1c; q.7, a.5c; *C. Gent.*, I, c.29; II, cc. 21, 22, 23, 24, 40, 43, 45, 46, 53; *Sum. Theol.*, I, q.5, a.3c; q.45, a.6c; and *passim*). See G. Girardi, *Metafisica della causa esemplare in S. Tommaso d'Aquino* (Biblioteca del "Salesianum": Turin, 1954).

[526] Action flows (*In I Sent.*, d.13, q.1, a.1 sol., ad 1) or proceeds (*Pot.*, q.10, a.1c; *Sum. Theol.*, I, q.27, a.1c), generates (*In I Sent.*, d.4, q.1, a.1c ad 1; *Pot.*, q.6, a.3; *C. Gent.*, II, cc.86, 88-89; III, c.69; *Sum. Theol.*, I, q.27, a.2c; q.46, a.3 ad 7; q.118, a.2c; *Comp.*, c.93; *Spir. creat.*, a.3; and the Aristotelian bases at *In I Phys.*, lect.12f.; VIII, lect.15, n.2; *In I de Gen. et cor.*, lect.6; lect.10; *In VII Meta.*, lect.7), emanates (*Sum. Theol.*, I, q.27, a.1c ad 2, ad 3; a.2c ad 3; a.3c), and originates (*Sum. Theol.*, I, q.41, a.1 ad 2).

himself is in act,[527] but it may be simply a participation in his potency to act,[528] or even just an analogous assimilation to the form of his virtue and the virtue of his form.[529] At any rate, by acting an agent is cause for

---

[527] *Pot,*, q.2, a.lc (fn.523). Communication occurs properly when a rational agent acts rationally toward another rational agent (see *In VIII Eth.*, lect.9 and lect.12, regarding human society; *Sum. Theol.*, I, q.105, regarding angelic speech; I-II, q.14, regarding counsel; *ibid.*, q.90, aa.1 and 2, regarding the basis for and the promulgation of law), and so rational activity is the most appropriate analogy for divine communication (*Pot.*, q.2, a.1c; *Sum. Theol.*, I, q.27, a.lc). See Hayen, *La communication*, I, 135-61; II, 46-56, 62-124, 136-80.

[528] Thomas accepted Aristotle's critique of Platonic participation (see chapter 4, section 2.2) and disparaged any causality of ideas or spirits upon concrete individuals (see, e.g., *Sum. Theol.*, I, q.22, a.3c; q.44, a.3 ad 2; q.45, a.8c; q.65, esp. aa.3, 4, 8; q.75, a.5 ad 4; q.77, a.1 ad 6; a.6c; q.79, a.4c; q.84, aa.1, 4, 5; q.85, a.1 ad 2; q.88, a.1c; q.90, a.1 ad 2; a.2 ad 1; a.3c; q.91, a.2c; q.105, a.3c; q.115, a.1c; a.3 ad 2); see R.J. Henle, *Saint Thomas and Platonism*: A Study of the *Plato* and *Platonici* Texts in the Writings of Saint Thomas (The Hague, 1956), pp.323-86, 422-25. But G. Klubertanz (in *St. Thomas Aquinas on Analogy*: A Textual Analysis and Systematic Synthesis [Chicago, 1960], pp.104ff.) to the contrary not withstanding, Thomas used participation as a *leitmotif* for the analogy of being, creation, causality, and the image of God in men. For a glimpse of his line of thought see *Ente et ess.*, c.4; *In Boeth. de Hebdom.*, lect.2, nn.23-24; lect.3, nn.44-47; *Subst. sep.*, c.9; *Pot.*, q.3, a.5c; *C. Gent.*, II, c.15; *Sum. Theol.*, I, q.3, a.4c; q.44, aa.1-4. For a study of the literature see De Finance, *Être et agir*, 120-59; C. Fabro, *La nozione metafisica di partecipazione secondo S. Tommaso d'Aquino* (Turin, ²1950), esp. pp.187-272; *Partecipazione e causalità secondo S. Tommaso d'Aquino* (Turin, 1960), esp. pp.170-240, 397-468; L.B. Geiger, *La participation dans la philosophie de S. Thomas d'Aquin* (Bibliothèque Thomiste, 23: Paris, ¹²1953); K. Krenn, *Vermittlung und Differenz?* Vom Sinn des Seins in der Befindlichkeit der Partizipation beim hl. Thomas von Aquin (Analecta Gregoriana, 121: Roma, 1962); B. Mondin, *The Principle of Analogy in Protestant and Catholic Theology* (The Hague, 1963), pp.7-34, 62-102; B. Montagnes, *La doctrine de l'analogie de l'être d'après saint Thomas d'Aquin* (Philosophes Médiévaux, 6: Louvain-Paris, 1963), pp.23-114.

[529] For the inverse likeness between cause and effect see *Sum. Theol.*, I, q.5, a.4c; for the distinctions between trace, image, and likeness see *ibid.*, q.93; for the likeness of effect to cause in both being and causing see *Malo*, q.16, a.4 ad 5; *Spe*, a.1 ad 2; *Quodl.*, I, c.8; *C. Gent.*, III, cc.16-18, 20-21, 24, 69; *Comp.*, c. 103; *Sum. Theol.*, I, q.50, a.lc; q.60, a.5c; q.103, a.2 ad 3; q.105, a.lc; I-II, q.109, a.3c; II-II, q.26, a.3c; for causality in an effect as an appetite for assimilation to the cause see *Sum. Theol.*, I, q.6, a.lc (see De Finance, *Être et agir*, 174f.). Thomas interpreted the order of the universe as a likeness to God's intelligent and voluntary agency in creation and man's cooperation with this order as the medium for his assimilation to God (*Sum. Theol.*, I, q.50, a.1c); see J. Legrand,

something to be,[530] and the most basic effect of any cause is being itself.[531] Yet nothing whose essence is not to be is actually being,[532] and
so nothing finite in being can create anything,[533] and every finite agent
causes something to be only in virtue of the first cause of being,[534] who is

---

L'univers et l'homme dans la philosophie de saint Thomas, Museum Lessianum, Section
Philosophique, n. 28 (Brussels-Paris, 1946); J. Wright, *The Order of the Universe in the
Theology of St. Thomas Aquinas* (Analecta Gregoriana, 89: Rome, 1957); P.F. Giardini,
Similitudine e ordine nell'universo (Rome, 1961). Thus Thomas interpreted man's desire
for happiness as the way which the intellect as a passive principle sought to be joined to
the active principle at the source of its perfection (see *Q. de Anim.*, a.5c). See also fn.525.

[530] A cause is a principle from which something proceeds to be (*Princ. nat.*, c.3 [P, pp.87-
91]; *In I Phys.*, lect.1, n.5; lect.10, n.15; *In V Meta.*, lect.1, n.751); but the cause of causes
is the end, since an agent needs it to act and it supposes nothing (*In II Meta.*, lect.3,
nn.314-15; lect.4); therefore, the end is the cause of causes (*In V Meta.*, lect.2, n.771;
lect.3, nn.781-82), for it causes things to be (*In VII Meta.*, lect.17, nn.1659-60) and is
the act (*In IX Meta..*, lect.8, n.1861) to which things assimilate by being (*Ver.*, q.21, a.1
ad 4). See also fn.514.

[531] *Pot.*, q.7, a.2c: "Omnes autem causae creatae communicant in uno effectu qui est esse,
licet singulae proprios effectus habeant, in quibus distinguuntur"; see also *Subst. sep.*,
c.10, n.104; *C. Gent.*, III, c.66, n.2412; *Sum. Theol.*, I, q.45, a.4 ad 1; a.5c. The source
for this notion was the *Liber de Caus.*, prop.4 (S, p.26f.): "Prima rerum creaturarum est
esse et non est ante ipsam creatum aliud". See fn.518 and De Finance, *Être et agir*, 111f..

[532] See fn.528 and De Finance, *Être et agir*, 94f.; A. Forest, *La structure métaphysique du
concret selon saint Thomas d'Aquin* (Études de philosophie médiévale, 14: Paris, ²1956).
pp.135-65.

[533] See *Pot.*, q.3, a.1c, and the string of texts, *In II Sent.*, d.l, q.1, a.3 sol.: IV, d.5, q.1,
a.3, sol.3; *Ver.*, q.5, a.9c; *Pot.*, q.3, a.4c; *Subst. sep.*, c.10, nn.101-106; *In Lib. de Caus.*,
prop.9; prop.18; *Quodl.*, III, q.3, a.1; *Sum. Theol.*, I , q.45, a.5c; q.65, a.3c; q.90, a.3c;
q.103, a.1 ad 3; q.105, a.5c; *Comp.*, c.70, nn.121-22. See also De Finance, *Être et agir*,
120-59. C. Tresmontant has shown the importance of the fact of creation for Christian
thought in *La métaphysique du christianisme et la naissance de la philosophie chrétienne*:
Problèmes de la création et de l'anthropologie des origenes a saint Augustin (Paris, 1961).
The classie work on Thomas's thought on the matter remains A.G. Sertillanges, *L'idée de
création et ses retentissements en philosophie* (Paris, 1945).

[534] *Pot.*, q.3, a.1c: "Causalitates enim entis absolute reducuntur in primam causam
universalem; causalitas vero aliorum quae ad esse superadduntur; vel quibus esse
specificatur, pertinet ad causas secundas, quae agunt per informationem, quasi supposito
effectu causae universalis: et inde etiam est quod nulla res dat esse, nisi in quantum est
in ea participatio divinae virtutis. Propter quod etiam dicitur in lib. *de Causis* [prop. 3],

being itself subsisting by itself.[535]

Since the first cause must be pure act, there can be in him none of the potency by which in finite being being (*ens*) is distinct from essence,[536] substance from accident,[537] being (*esse*) from operation,[538] operation within from operation without,[539] and procession of operation from procession of effect.[540] Finite beings may act by the mediate action or

---

quod anima nobilis habet operationem divinam in quantum dat esse". Thus it is not true to say either that created agents only cause becoming (as does De Finance, *Être et agir,* 155) or that they can cause being without God's action (as did J. Stufler, *Divi Thomas Aquinatis doctrina de Deo operante in omni operatione naturæ creatæ præsertim liberi arbitrii* [Innsbruck, 1923] pp.81-121 and *Gott, der erste Beweger aller Dinge,* cited in De Finance, *Être et agir,* 235), but that they are instruments of the first cause of being in making things be (see *In I Sent.,* d.38, q.1, a.5 sol.; d.45, q.1, a.3 ad 4; II, d.1, q.1, a.4; *In XI de Div. Nom.,* lect.4, nn.931-38; *In Lib. de Caus.,* prop.3; prop.18; prop.23; *Pot.,* q.3, a.5c; q.5, a.1 ad 4, ad 5; q.6, a.1c; q.7, a.2 ad 10; *C. Gent.,* III, c.66; *Sum. Theol.,* I, q.45, a.1c; a.5 ad 1; q.104, a.2c; *Comp.,* c.130, nn.260-62). See J. de Finence, *op. cit.,* p.235f..

[535] God's essence is to be (see *Sum. Theol.,* I, q.3, a.4c, and also *In I Sent.,* d.8, q.4, aa.1 and 2; q.5, a.2 sol.; d.34, q.1, a.1c; *Ente et esse.,* c.5; *In Boeth. de Hebdom.,* lect. 2; *C. Gent.,* I, c.22; II, c.52; *Pot.,* q.7, a.2c; *Comp.,* c.11; *Quodl.,* II, q.2, a.1; *Quat. opp.,* c.4), so that He is *ipsum esse per se subsistens* (see *Sum. Theol.,* I, q.44, a.1c), and that puts Him *supra ens,* the state of anything finite (*In Lib. de Caus.,* prop. 6 [S, p.47]), but not beyond *esse* or being known to be (see *Sum. Theol.,* I, q.3, a.4 ad 2). See L.B. Geiger, "Saint Thomas et la métaphysique d'Aristote," *Aristote et Saint Thomas d'Aquin,* Journées d'études internationales (Louvain-Paris, 1957), pp.175-220.

[536] See *Ente et ess.,* cc.4-6; *In I Sent.,* d.8, q.4, a.2 sol.; d.19, q.4, a.2 sol.; II, d.3, q.1, a.1 ad 1; *Pot.,* q.7, a.3c; a.8 ad 2; *C. Gent.,* I, c.25; *Comp.,* c.12, nn.22-23; c.13, nn.24-2; *Sum. Theol.,* I, q.3, a.5c. See also fnn.528, 535.

[537] See *In I Sent.,* d.8, q.4, a.3 sol.; *Pot.,* q.7, a.4c; *C. Gent.,* I, c.23; *Comp.,* c.23, nn.48-50; *Sum. Theol.,* I, q.3, a.6c. Thus there is no distinction in God between substance and potency (see *C. Gent.,* II, c.8 et loc. par.) or between potency and action (see *C. Gent.,* II, c.9 et loc. par.).

[538] *Subst. sep.,* c.13; *C. Gent.,* I, c.45; *Sum. Theol.,* I, q.54, aa.1-3; q.77, a.1c; q.79, a.1c.

[539] See fn.241, and also fnn.234-48, 260-68. But the act proper to both these operations pertains to God (see *C. Gent.,* II, c.1, n.854; c.6, n.884), and this is the organizing principle for both the *C. Gent.,* I, cc.44-102 vs. II, cc.1-44 and *Sum. Theol.,* I, qq.27- 43 vs. I, qq.45-119.

[540] See *Ver.,* q.4, a.2c ad 7; *C. Gent.,* IV, c.14, n.3499; *Pot.,* q.8, a.1c; q.10, a.1c; *Sum.*

operation which makes them perfect enough to cause an effect,[541] but the first cause, who has nothing to gain by acting, acts with an immediacy of virtue,[542] and through his virtue applies the operation of everything finite to act.[543]

The virtue of the first cause is what we feel when we intend our final end, for, since we are not in act to being as such, we would never intend it unless we were moved to deliberate about it.[544] Hence, the first cause

---

Theol., I, q.25, a.1 ad 3; q.27, a.1c; q.41, a.lc ad 2.

[541] See *In II Sent.,* d.18, q.2, a.3 sol.; *Sum. Theol.,* I, q.45, a.3 ad 2; q.54. a.1 ad 3; q.104, a.1 ad 3; *Spir. creat.,* a.4 ad 6; *In III Phys.,* lect.4, n.11; lect.5, n.9. See also De Finance, *Être et agir,* 244, 259; Lonergan, "St. Thomas's Theory," 376. The literary source for a mediate action between cause and effect is at *In V Meta.,* lect.20, n.1062.

[542] God is the only fully liberal agent (see *C. Gent.,* I, c.93, n.785, and also *In II Sent.,* d.3, q.4, a.un. ad 3; d.1l, q.2, a.1 ad 2; *Sum. Theol.,* I, q.105, a.5c; I-II, q.49, a.3c; a.4 ad 1; q.56, a.lc). God acts by his own virtue (*In I Sent.,* d.37, q.l, a.1 ad 4; *Pot.,* q.3, a.7c; *In Lib. de Caus.,* prop.20) without any mediating virtue (*In II Sent.,* d.15, q.3, a.1 ad 3) and with an immediacy of virtue (*In I Sent.,* d.37, q.1, a.1 ad 4; *Pot.,* q.3, a.7c; *C.Gent.,* III, c.70; and *In II Phys.,* lect.6, n.10; *In II Post. Anal.,* lect.19, n.6); see.Lonergan, *ibid.*.

[543] See esp. *Pot.,* q.3, a.7c; *C. Gent.,* III, e.67; *Sum. Theol.,* I, q.105, a.5c. The explanation of the process is in Lonergan, "St. Thomas's Theory," 383-402.

[544] Every creature is changeable but the only real changeability in spiritual creatures is in choice (*In Boeth. de Trin.,* q.5, a.3 ad 7; *Sum. Theol.,* I, q.9, a,2c). To choose, though, one must take counsel (*Sum. Theol..* I, q.83, a.3c), and to take counsel one must choose it; and so, if God did not move us initially to take counsel we would never begin to act (*C. Gent.,* III, c.89, n.2651; c.92, nn.2667-79; *Sum. Theol.,* I, q.22, a.2 ad 4; q.21, a.4c; q.79, a.4c; q.82, a.4 ad 3; *Malo.* q.3, a.3 arg.11; q.6, a. un. c; *Sum. Theol.,* I-II, q.9, a.4c; q.68, a.1c; q.80, a.1 arg. & ad 3; q.109, a.2 ad 1; *Quodl.,* I, a.1; *In Rom.,* c.3, lect.3; *In II Cor.,* c.3, lect.1: *In Phil.,* c.1, lect.1; and *In X Eth.,* lect.14, n.2145). This is the solution which Lonergan proposed in "St. Thomas's Thought," 539, to the conundrum about whether intellect or will is first in acting. Unless we suppose a first Unmoved Mover to counsel us, we are left with only the endless controversy, with various unsatisfactory rationalizations, which Lebacqz records and continues in 55-80, 111-56. Thus Thomas said that God acts directly on the will in the soul of man (*In II Sent.,* d.25, q.1, a.2 ad 5; *Ver.,* q.22, aa.8-9; *C. Gent.,* III, cc.87-89; I, q.105, a.4; q.115, a.4); His action is like the *motio moventis* and the will's choice like the *motus mobilis* (*Sum. Theol.,* I-II, q.113, a.6c; see also q.23, a.4c; q.26, a.2c); this enables man to participate in God's government of the universe (*C. Gent.,* III, c.113, n.2873; *Sum. Theol.,* I, q.103, a.5 ad 3; I-II, q.19, aa.9-10; q.93, a.2).

moves everything as last end, and he is last end because he is pure act.[545]

According to Aquinas, then, act in God is neither movement nor operation but simply being. But Aquinas took this notion of act from human act, an act in which the agent is free to determine for himself the end for which he acts. Therefore, Aquinas based his notion of act upon understanding, the act proper to man as man.[546]

2.3.3. ACT IN THE INTELLECT

Since Thomas Aquinas considered the intellect to be in act to the extent it could understand anything by and of itself and, correlatively, drew his notion of act essentially from the intelligence of the intellect, naturally he thought of the act of understanding as the intellect simply being it-self. This was the basis on which he interpreted the Aristotelian axioms that the intellect actually understood when it was actually the intelligible,

---

[545] See *Sum. Theol.*, I, q,44, a.4c, and also q.65, a.2c; q.103, a.2c; *In II Sent.*, d.1, q.2, a.1; a.2; *Ver.*, q.22, a.2c; *C. Gent.*, III, cc.17-18; *Comp.*, cc.100-101. In this way Thomas exploited the Aristotelian notion of God as object of desire (see *In VIII Phys.*, lect.12; lect.13; lect.21; *In I-II de Caelo*; *In XII Meta.,* lect.7f.) and developed it into the notion of God as the principle and end of being (see *In I Eth.*, lect.7, esp. n.96; *In I Meta.*, lect.15, n.233). According to Aristotle, a counseler was an efficient cause who was first cause or agent of an action by giving the end and form of the action to a principal (but second) cause (*In V Meta.*, lect.2, n.769); thus, while every end is efficient as the motive for an action (see fnn.514, 530), a counselor is an end who is efficient as the first agent of an action. By taking God's finality as agency and not just motivation, Aquinas carried through the Aristotelian critique of Platonic ideals and grasped the basis for affirming that God was intelligent, not just as the term, but also as the source of all perfections. See G. Ducoin, "Saint Thomas commentateur d'Aristote," *Histoire de la philosophie et métaphysique* (Recherches de Philosophie, 1: Paris, 1955), pp.85-108.

[546] *C. Gent.*, I, c.44, n.377: "Inter perfectiones autem rerum potissima est quod aliquid sit intellectivum: nam per hoc ipsum *est quodammodo omnia*, habens in se omnium perfectionem. Deus igitur est intelligens". The inspiration for this section was P. Rousselot's *L'intellectualisme de saint Thomas*, esp. pp.3-52, 201-30; the medium for most of the sets of citations was, obviously, De Finance's *Être et Agir dans la philosophie de saint Thomas*. J.B. Metz, in *Christliche Anthropozentrik: über die Denkformen des Thomas von Aquin* (Munich, 1962), pp.41-95, has traced the pervasive anthropocentrism of Thomas's notion of being.

that the intelligibility of the intelligible to the intellect was proportionate to the intellect's own intelligence, and that the intelligence of the intellect was commensurate to its actually being an intellect. Hence, Aquinas thought of the act of understanding as the intelligence of the intellect.[547]

In the first place, Aquinas thought that the adage, like is known to like, applies to knower and known only in the act of knowledge and does not obtain when either is in potency.[548] Empedocles erred by supposing that the soul must be composite of all it could know[549] and the skeptics by assuming that noting is anything but what it appears to be.[550] In both cases, there was a failure to distinguish between act and potency, with the result that Empedocles thought a knower must be in potency what he is in act and the skeptics that a thing might not be knowable except when it is known.[551] Aristotle, however, made the distinction between

---

[547] *Sum. Theol.*, I, q.79, a.10c: "...hoc nomen *intelligentia* propie significat ipsum actum intellectus qui est intelligere"; *In III de Anima.*, lect.10, n.741 (fn.329).

[548] See *In I Sent.*, d.35, q.1, a.1 ad 3; *C. Gent.*, I, c.51, n.434; II, c.59, nn.1365-66; *Sum. Theol.*, I, q.84, a.4 arg.1; *Q. de Anim.*, a.5 ad 1. Thomas acknowledged the propriety of the adage in his own works (*Sum. Theol.*, I, q.84, a.2c) and in commenting on Aristotle (*In I de Anim.*, lect.4, n.43; lect.5, nn.59, 65-66; II, lect.10, n.350f.; III, lect, 2, nn.590-93). See chapter 2, section 2.1.

[549] See *In I de Anim.*, lect.4, n.43; lect.12-lect. 13; III, lect.10, nn.350-52.

[550] See *In III de Anim.*, lect.2, nn.594-95; *Sum. Theol.*, I, q.84, a.1c.

[551] *In II de Anim.*, lect.10, n.357: "*Ostendit secundum praedicta, quomodo antiquorum positio non possit esse vera, scilicet quod simile simili sentitur.* Dicit ergo, quod omnia quae sunt in potentia, patiuntur et moventur ab activo, et existente in actu; quod scilicet dum facit esse in actu ea, quae patiuntur, assimilat ea sibi: unde quodammodo patitur aliquis aliquid a simili, et quodammodo a dissimili, ut dictum est; quia a principio dum est in transmutari et pati, est dissimile; in fine autem, dum est in transmutatum esse et passum, est simile. Sic igitur et sensus postquam factus est in actu a sensibili, est similis ei: sed ante non est similis. Quod antiqui non distinguentes erraverant"; III, lect.2, n.596: "Cum enim dupliciter dicatur sensus et sensibile; scilicet secundum potentiam et secundum actum; de sensu et sensibili secundum actum accidit quod ipsi dicebant, quod non est sensibile sine sensu. Non autem hoc verum est de sensu et sensibili secundum potentiam. Sed ipsi loquebantur simpliciter, id est sine distinctione, de his quae dicuntur multipliciter".

act and potency. As he explained it, knower and known are dissimilar in potency, but for knowledge to occur the knower must be assimilated to the known.[552] Thus Aristotle interpreted the adage to mean that the act of knowledge is identical with the thing known.[553] He said, therefore, that sense in act is the sensible in act[554] and that the intellect in act is identical with the understood.[555] Now we take for granted that the intellect in act is the intelligible in act.[556]

-----

[552] *In II de Anim.*, lect.12, n.382: "...secundum quod patitur a principio, non est similis sensus sentienti; sed secundum quod iam est passum, est assimilatum sensibili, et est tale quale est illud. Quod quia distinguere nescierunt antiqui philosophi, posuerunt sensum esse compositum ex sensibilibus"; see all of nn.381-82. Thus Thomas always spoke of the necessity for assimilation when knower and known are in potency (see *Ver.*, q,1, a.1c; q.2, a.14c; q.8, a.5c; a.6c ad 3; a.8c; *Pot.*, q.7, a.5c; *C. Gent.*, I, c.51, n.434; c.65, n.537; II, c.59, nn.1365-66, 1371; c.77, nn.1581-82; c.98, n.1829; *Sum. Theol.*, I, q.5, a.4 ad 1; q.76, a.2 ad 4; *Malo*, q.16, a.7 ad 6).

[553] *In III de Anim.*, lect.10, n.740: "...scientia in actu, est idem rei scitae"; lect.11, n.764: "...scientia secundum actum est idem rei scitae secundum actum"; see also lect.9, n.724. Thomas urged this notion in *In I Sent.*, d.35, q.1, a.1 ad 3; *Pot.*, q.7, a.10c; *C. Gent.*, II, c.44, n.376; *Sum. Theol.*, I, q.13, a.7c; *Q. de Anim.*, a.5 ad 1, and interpreted it in *Spir. creat.*, a.10 ad 3.

[554] *In III de Anim.*, lect.2, n.590: "...actus cuiuslibet sensus, est unus et idem subiecto cum actu sensibilis, sed ratione non est unus"; see nn.590-93.

[555] *In III de Anim.*, lect.9, n.724: "Dicit ergo primo, quod intellectus possibilis est intelligibilis non per suam essentiam, sed per aliquam speciem intelligibilem, sicut et alia intelligibilia. Quod probat ex hoc, quod intellectum in acta et intelligens in actu, sunt unum, sicut et supra dixit, quod sensibile in actu et sensus in actu sunt unum. Est autem aliquod intelligibile in actu, per hoc quod est in actu a materia abstractum: sic enim supra dixit, quod sicut res sunt separabiles a materia, sic sunt et quae sunt circa intellectum. Et ideo hic dicit, quod 'in his quae sunt sine materia'. Id est si accipiamus intelligibilia actu, idem est intellectus et quod intelligitur, sicut idem est sentiens in actu et quod sentitur in actu. Ipsa enim scientia speculativa, 'et sic scibile', idest scibile in actu, est idem. Species igitur rei intellectae in actu, est species ipsius intellectus; et sic per eam seipsum intelligere potest"; see also lect.12, n.784. Thomas repeated the phrase in *C. Gent.*, I, c.44, n.376; c.47, nn.396, 397, 398; c.48, n.408; c.51, n.435; II, c.55, n.1307; c.59, nn.1365-66; c.98, n.1845; *Comp.*, c.75, n.130.

[556] This was Thomas's own formulation of the notion: see *Quodl.*, VII, a.2c; *C. Gent.*, I, c.55, n.456; II, c.59, n.1365; c.98, n.1841; *Sum. Theol.*, I, q.12, a.2 arg.3; a.9 arg.1; q.14, a.2c; q.55, a.1 ad 2; I-II, q.28, a.1 ad 3. He tempered the phrase with "quodammodo" in

Aristotle located the similarity of knower and known in the act of knowledge because he based his theory of knowledge upon the act itself. From his experience of the act he realized that sometimes we do understand and sometimes we do not and that we do understand only when we turn to sensible imagery and render it intelligible. Hence, he concluded that the human intellect must be like a clean slate, devoid of likeness to anything, and yet have the native ability to make sensible species intelligible.[557]

On this basis it must be supposed that assimilation is necessary only when knower and known are in potency; when they are in act, the intellect is not perfected by the intelligible nor is it assimilated to it but is its own perfection and its own intelligible.[558] Therefore, only accidentally is the intellect an agent or a patient, that is, only if an action or a passion is necessary to unite the intelligible to it, as when the agent intellect makes species intelligible and the possible intellect receives them.[559] But inasmuch as the one understanding and the one understood are identical, by essence or by likeness, they are a single principle of the act of understanding,[560] which

---

Sum. Theol., I, q.84, a.4 arg.1.

[557] See section 2.1.3.

[558] *Sum. Theol.*, I, q.14, a.2 ad 2: "Similiter etiam quod intellectus perficiatur ab intelligibili vel assimiletur ei, hoc convenit intellectui qui quandoque est in potentia; quis per hoc quod est in potentia, differt ab intelligibili, et assimilatur ei per speciem intelligibilem, quae est similtudo rei intellectae; et perficitur per ipsam, sicut potentia per actum. Sed intellectus divinus, qui nullo modo est in potentia, non perficitur per intelligibile, neque assimilatur ei: sed est sua perfectio et suum intelligibile"; see also q.56, a.1 ad 3; *Q, de Anim.*, a.3 ad 4; *In III de Anim.*, lect.9, n.727.

[559] *Ver.*, q.8, a.6c (fn.156); see also *Q. de Anim.*, a.4 ad 8 (fn.155).

[560] *Ver.*, q.8, a.6c: "Actio autem appetitus et sensus et intellectus non est sicut actio progrediens in materiam exteriorem, sed sicut actio consistens in ipso agente, ut perfectio eius; et ideo oportet quod intelligens, secundum quod intelligit, sit actu; non autem oportet quod intelligendo intelligens sit ut agens, intellectum ut passum. Sed intelligens et intellectum, prout ex eis est effectum unum quid, quod est intellectus in actu, sunt unum principium huius actus qui est intelligere. Et dico ex eis effici unum

follows assimilation as effect follows cause.[561] This act does not, however, make the knower an active cause, any more than a form is active as a form;[562] it is simply the perfection of the knower as a knower in act.[563] Hence, the act of understanding is not an action between the intellect and the understood, as if one were acting upon the other, but is an action or operation proceeding from the union of the two.[564]

Now the knowledge which occurs because of the identity of the intellect with the understood—and this is the second point—takes the mode of the knower and not of the known, for the intelligible is in the intellect insofar as it is understood.[565] Both the ancient materialists and Pla-

---

quid, inquantum intellectum coniungitur intelligenti sive per essentiam suam, sive per similitudinem"; see also ad 3.

[561] See fn.559.

[562] *Ver.*, q.2, a.14c: "Sciendum tamen, quod scientia inquantum scientia, non dicit causam activam, sicut nec forma inquantum est forma; actio enim est ut in exeundo aliquid ab agente; sed forma inquantum huiusmodi, habet esse in perficiendo illud in quo est, et quiescendo in ipso"; see also *Sum. Theol.*, I, q.14, a.8c.

[563] See fn.559 and also fnn.734-48, 311-14, 326-46.

[564] *Ver.*, q.8, a.6 ad 11: "...operatio intelligibilis non est media secundum rem inter intelligens et intellectus, sed procedit ex utroque, secundum quod sunt unita"; *Sum. Theol.*, I, q.54. a.1 ad 3: "...actio quae transit in aliquid extrinsecum, est realiter media inter agens et subiectum recipiens actionem. Sed actio quae manet in agente, non est realiter medium inter agens et obiectum, sed secundum modum significandi tantum: realiter vero consequitur unionem obiecti cum agente. Ex hoc enim quod intellectum fit unum cum intelligente, consequitur intelligere, quasi quidam effectus differens ab utroque"; see also *Spir. creat* , a.9c (K, p.109); ad 6 (K, pp. 112-13). Thomas did speak of vision as a medium at one point (*Ver.*, q.8, a.2 ad 2: " *Tertius* est [modus] ipsius visionis, quae est medium inter videntem et rem visam; et dicit modum videntis per comparationem ad rem visam; ut tunc dicatur aliquis alterum videre totaliter, quando scilicet visio habet modum totalem. Et hoc est quando ita est perfectus modus visionis ipsius videntis, sicut est modus visibilitatis ipsius rei"), but it is apparent from the context that Thomas was speaking of the proportion between the intelligence of the intellect and the intelligibility of the understood (see *c. art.*; and *Sum. Theol.*, I, q.12, as.6-7). See fn.541 for the notion of mediate action.

[565] *In I Sent.*, d.35, q.1, a.2c: "Similiter intellectum primum est ipsa rei similitudo, quae est in intellectu; et est intellectum secundum quod est ipsa res, quae per similitudinem illam

to erred by assuming that the way we understand an object must be the way it really is.[566] Democritus, because he realized that the objects to be understood were concrete and particular, supposed everything, including the intellect, to be material;[567] Plato, because he realized that the objects understood were abstract and universal, postulated a participation of both the intellect and things in the reality of ideas.[568] But, as Aristotle said, what is understood is as such in the intellect,[569] and so the way we understand anything may or may not be the same as the way it really is,[570] but at any rate it is in our intellects according to the way we under-

---

intelligitur"; *Ver.*, q.10, a.4c (chapter 2, fn.40); q.14, a.8 ad 5 (chapter 2, fn.45); *C. Gent.*, I, c.52, n.435: "Intellectum oportet esse in intelligente"; II, 98, n.1844: "Intelligibile est intra intellectum quantum ad id quod intelligitur"; *Sum. Theol.*, I, q.12, a.2c (fn.438); a.4c (chapter 2, fn.28); q.14, a.15 ad 1: "...secundum hoc est unumquodque intellectum in actu, quod est in intelligente".

[566] *Sum. Theol.*, I, q.84, a.lc: "Videtur autem in hoc Plato deviasse a veritate, quia, cum aestimaret omnem cognitionem per modum alicuius similitudinis esse, credidit quod forma cogniti ex necessitate sit in cognoscente eo modo quo est in cognito" (see also *In I Meta.*, lect.10, n.158); a.2c: "...antiqui philosophi posuerunt quod anima per suam essentiam cognoscit corpora. Hoc enim animis omnium communiter inditum fuit, quod *simile simili cognoscitur*. Existimabant autem quod forma cogniti sit in cognoscente eo modo quo est in re cognita". See chapter 1, fn.191; chapter 2, fn.42; chapter 3, fn.11; chapter 4, fnn.22, 61.

[567] See *ibid.*, aa.2 & 6. See chapter 2, fnn.33-42.

[568] See *ibid.*, aa.1-6; q.6, a.4c; q.18, a.4 ad 3; *C. Gent.*, II, c.75, n.1551; *In II Phys.*, lect.3, n.6; *In Meta.* (see chapter 4, section 2.2.).

[569] *C. Gent.*, II, c.98, nn.1844-45: "Intelligibile est intra intellectum quantum ad id quod intelligitur...Et hoc quidem oportet verum esse secundum sententiam *Aristotelis*, qui ponit quod intelligere contingit per hoc quod *intellectum in actu sit unum cum intellectu in actu*...Secundum autem positionem Platonis, intelligere fit per contactum intellectus ad rem intelligibilem". Thus, the possible intellect in understanding is the thing as understood: see *C. Gent.*, II, c.78, nn.1593, 1599; *Comp.*, c.83, n.145; *Q. de Anim.*, a.5c ad 1; *Spir. creat.*, a.10 ad 3 (K, p.128).

[570] See *C. Gent.*, II, c.75, n.1551; *Sum. Theol.*, I, q.44, a.3 ad 3; q.84, a.1c; *In II de Anim.*, lect.24, nn.551-52; *Spir. creat.*, a.9 ad 6. See fn.566.

stand things.[571] Therefore, we reveal the proportions of our intellects by the way we understand things.[572]

Once again, Aristotle arrived at his conclusion by an analysis of the act of knowing. He said that sense received the forms of things in a spiritual and intentional way different from the way they are in things,[573] for sense can sense not only what it senses but also that it senses.[574] He also said that the intellect can understand the forms of things abstractly and universally,[575] for the intellect can reflect upon its act and understand

---

[571] *In I Meta.*, lect.10, n.158: "Nam intellectus etsi intelligat res per hoc, quod similis est eis quantum ad speciem intelligibilem, per quam fit in actu; non tamen oportet quod modo illo sit species illa in intellectu quo in re intellecta: nam omne quod est in aliquo, est per modum eius in quo est. Et ideo ex natura intellectus, quae est alia a natura rei intellectae, necessrium est quod alius sit modus intelligendi quo intellectus intelligit, et alius sit modus essendi quo res existit. Licet enim id in re esse oporteat quod intellectus intelligit, non tamen eodem modo". Thus we understand things *other* than they are, not because we mistake them but because we know them in our own way; see *Sum. Theol.*, I, q.12, a.6 ad 1; a.7c; a.8c; q.13, a.12 ad 3; q.14, a.6 ad 1; q.85, a.1 ad 1. See chapter 4, fn.61.

[572] See fnn.276-314, esp. 298-301, and chapter 2, fn.28. Thus we can have no proper natural knowledge of God and can never comprehend Him because he exceeds the proportion of our way of knowing (see *Pot.*, q.7, a.5c; a.6c: *Sum. Theol.*, I, q.12, a.4c; a.11c). Likewise, God's way to know is of a different proportion from ours: see *Pot.*, q.8, a.1c; q.9, a.5c; *Sum. Theol.*, I, q.14, a.1 ad 3.

[573] *In II de Anim.*, lect.24, n.553 (fn.294); see nn.551-54 and *Sum. Theol.*, I, q.78, a.3c.

[574] *Ibid.*, III, lect.2, n.591: "Cum igitur visus percipiat sensibile et actum eius, et videns sit simile sensibili, et actus videntis sit idem subiecto cum actu sensibilis, licet non ratione, relinquitur quod eiusdem virtutis est, videre colorem et immutationem quae est a colore, et visum in actu et visionem eius. Potentia ergo illa, qua videmus nos videre, non est extranea a potentia visiva, sed differt ratione ab ipsa"; see nn.584-93; II, lect.13, n.384; III, lect.1, n.581; lect.3, n.6l3; lect.4, n.762; lect.6, nn.661-63; lect.11, n.762; and also *Ver.*, q.1, a.9c; *C. Gent.*, II, c.66, n.1440; *Sum. Theol.*, I, q.17, a.2c; q.78, a.4 ad 2. See fnn.344, 370.

[575] See chapter 4, sections 2.2. & 2.3. A favorite way for Aquinas to indicate that the soul was immaterial but finite was to mention that one could comprehend one contrary by understanding the other (see *In IV Sent.*, d.50, q.2, a.4, sol.1; *C. Gent.*, I, c.1, n 6; II, c.50, n.1265; c.55, n.1303; c.76, n.1568; *Sum. Theol.*, I, q.14, a.8c; q.48, a.1c; I-II, q.42, a.5 ad 3; q.45, a.1 ad 3; q.54, a.2 ad 1; II-II, q.145, a.4c; and the two sources in Aristotle, *In VII Meta.*, lect.6, n.1405; IX,. lect.2, nn.1787-94; *In III de Anim.*, lect.11,

its own nature from the species by which it understands the nature of anything else.[576] Therefore, we can tell that sense is formally perfect and intellect is essentially immaterial because they must *be* the way they *know* the objects to which they are united in the act of knowledge.[577]

Consequently, Aristotle said, the intellect by which we understand things reveals itself in its operation as a potency of the soul separate from the body.[578] It was ridiculous for Averroes to assert that by "separate" Aristotle meant a separation of the intellect from all men, for Aristotle had said that we would never investigate the nature of the intellect unless we realized that we understood.[579] Averroes tried to circumvent that difficulty by arguing that we are aware we understand simply because we have an imagination with sensible imagery in it,[580] but that would mean

---

n.759). See fn.431.

[576] See *In VI Meta.*, lect.4, n.1236: "Cum enim intellectus concipit hoc quod est animal rationale mortale, apud se similitudinem hominis habet; sed non propter hoc cognoscit se hanc similitudinem habere, quia non iudicat hominem esse animal rationale et mortale: et ideo in hac sola secunda operatione intellectus est veritas et falsitas, secundam quam non solum intellectus habet similitudinem rei intellectae, sed etiam super ipsam similitudinem reflectitur, cognoscendo et diiudicando ipsam"; see also fnn.345-46, 366ff.; chapter 2, sections 2.2. & 2.3.

[577] *In II de Anim.*, lect.12, n.377 (chapter 1, fn.192); see also III, lect.7, nn.687-88; lect.12, nn.770-78. Thus, the intellect knows everything as intelligible (*Quodl.*, VII, a.2c; *C. Gent.*, I, c.47, n.399; c.50, n.456), and it must be as immaterial as what it understands (*C.Gent.*, c.55, n.1307; *Comp.*, c.75, n.130; *Sum. Theol.*, I, q.84, aa.2 & 6). See fnn.276-97.

[578] *In III de Anim.*, lect.7, n.690 (fn.390); see also nn.671-74; I, lect.10, n.150; *C. Gent.*, II, c.59., nn.1353-58; c.60, nn.1371, 1378; c.61; c.69, n.1467f.; c.73, nn.1491, 1493; *Sum. Theol.*, I, q.79, aa.1-2; *Q. de Anim.*, aa.2-3; *Spir. creat.*, aa.2c, 9c; *Unit. intell.*, c.1; c.3 (K, nn.60-61, 71-79); c.4 (K, nn.90-91). See also fnn.182-92, 311-14, 366-422, and chapter 1, section 2.1.

[579] See *In III de Anim.*, lect.7, nn.689-90, 695-99; *In II Sent.*, d.17, q.2, a.1 sol.; *C. Gent.*, II, c.59, n.1362 (see also nn.1353-69); c.75, n.1577; *Sum. Theol.*, I, q.76, a.1c; *Comp.*, c.85; *Q. de Anim.*, a.2c; a.3c; a.5c; *Unit. intell.*, c.3 (K, n.61).

[580] See *In III de Anim.*, lect.7, n.691; *C. Gent.*, II, c.59, nn.1359-60; c.60, n.1370; c.73, n.1494; *Spir. creat.*, a.2c; *Unit. intell.*, c.3 (K, nn.63-66).

rather that each of us was understood, for the species of sensible imagery are only potentially intelligible in the imagination and become actually intelligible only when we abstract them from sensible imagery and unite them to the intelligence of the intellect itself.[581] Therefore, the intellect by which each man is naturally able to understand everything before he has ever understood anything is a capacity in his soul.[582] It is "separate" in the sense that it can operate independently of the body[583] with an immateriality that opens it to every perfection in the universe[584] and frees it from the corruptibility of material things.[585]

The intellect, or soul, then becomes intelligible to itself by its es-

---

[581] See *In II Sent.*, d.17, q.2, a.1 sol.; *C. Gent.*, II, c.50, n.1261; c.59, nn.1361, 1365-66; c.73, n.1495; c.77, n.1582; *Comp.*, c.85; *Sum. Theol.*, I, q.76, a.1c; *Q. de Anim.*, a.2c; a.5; *In III de Anim.*, lect.7, nn,692-96; *Spir. creat.*, a.2c; a.9c; *Unit. intell.*, c.3 (K, n.65); c.4 (K, nn.91, 96-98).

[582] *C. Gent.*, II, c.59, n.1369: "Si homo speciem sortitur per hoc quod est rationalis et intellectum habens, quicumque est in specie humana, est rationalis et intellectum habens. Sed puer, etiam antequam ex utero egrediatur, est in specie humana: in quo tamen nondum sunt phantasmata, quae sint intelligibilia actu. Non igitur est homo intellectum habens per hoc quod intellectus continuatur homini mediante specie intelligibili cuius subiectum est phantasma"; see also c.60, nn.1375, 1379.

[583] *In III de Anim.*, lect.7. n.699: "Mirum est autem quomodo tam leviter erraverunt, ex hoc quod dicit quod intellectus est separatus, cum ex litera sua huius rei habeatur intellectum, dicit enim separatus intellectus, quia non habet organum, sicut sensus. Et hoc contingit propter hoc, quia anima humana propter suam nobilitatem supergreditur facultatem materiae corporalis, et non potest totaliter includi ab ea. Unde remanet ei aliqua actio, in qua materia corporalis non communicat. Et propter hoc potentia eius ad hanc actionem non habet organum corporale, et sic est intellectus separatus"; see also lect.10, n.742; I, lect.10, n.150; *Spir. creat.*; a.9 ad 8. See fnn.286-89, 296-97, 301, 384-89, 391.

[584] See *Ver.*, q.2, a.1c; q.2, a.2c; *C. Gent.*, I, c.44, n.376; II, c.62, n.1409; *Sum. Theol.*, I, q.14, a.1c; q.84, a.2c; *In III de Anim.*, lect.13, n.790; and fn.432. See also *Sum. Theol.*, I, q.75, a.5 et loc. par..

[585] See *In III de Anim.*, lect.10, n.743; lect.1, n.21; *C. Gent.*, II, c.78, n.1596; *Sum. Theol.*, I, q.50, a.5 (et loc. par.); q.75, a.6 (et loc. par.).

sence.[586] Because the human intellect is the form of a body, it cannot understand its own nature except when it becomes fully itself by being informed with the species of something intelligible to it.[587] But a pure spirit is intelligible to itself, without having to understand anything else, by the actual intelligibility of is immaterial essence.[588] And God, whose essence is to be, understands Himself and everything else in the pure act of His understanding.[589] Thus, the way an intellect understands is proportionate to the actuality of its intelligence.[590]

Thirdly, then, the intelligence by which we understand consists in the light of our own intellects.[591] With this light we can formulate the

---

[586] See chapter 1, fnn.35-37, 48.

[587] See *In Boeth. de Trin.*, a.3c; *Ver.*, q.8, a.6c; q.10, a.8c; *C. Gent.*, II, c.75, n.1556; c.98, n.1828; III, c.26; c.46; *Pot.*, q.3, a.11c; *Sum. Theol.*, I, q.14, a.2 ad 3; q.87, a.1c; q.88, a.2 ad 3; q.89, a.2c; *Q. de Anim.*, a.3 ad 4; a.13c; and *In II de Anim.*, lect.6, nn.304-05; III, lect.8, nn.704, 713; lect.9; nn.724-25.

[588] *Sum. Theol.*, I, q.87, a.1 ad 2: "...essentia angeli est sicut actus in genere intelligibilium, et ideo se habet et ut intellectus, et ut intellectum. Unde angelus suam essentiam per seipsum apprehendit". The basic notion is that in whatever is without matter the intellect and the understood are identical (*In III de Anim.*, lect.9, n.724); the notion is based upon the identity of the intellect knowing with the thing known (fn.553), but it applies properly to spirits which are essentially intelligible (*In III de Anim.*, lect, 8, esp. n.710; *Sum. Theol.*, I, q.87, a.1 ad 3) and actually intelligent (*Sum. Theol.*, I, q.55, a.1 ad 2) because of their immateriality.

[589] *In XII Meta.*, lect.11, n.2620 (fn.471); see nn.2617-20; *In I Sent.*, d.35, q.1, aa.1-2; *Ver.*, q.2, aa.1-3; *C. Gent.*, I, cc.44-48 and 49-55; *Sum. Theol.*, I, q.14, aa.1-4 and 5f..

[590] See chapter 4, section 2.1.

[591] *In II Sent.*, d.17, q.2, a.lc: "...et superaddo etiam, intellectum agentem esse in diversis diversum: non enim videtur probabile quod in anima rationali non sit principium aliquod quod naturalem operationem explere possit; quod sequitur, si ponatur unus intellectus agens, sive dicatur Deus, vel intelligentia"; *Ver.*, q.9, a.lc: "Unde et lumen intellectuale potest dici ipse vigor intellectus ad intelligendum, vel etiam id quo aliquid fit nobis notum"; q.11, a.2c: "...absque dubio aliquis potest per lumen rationis sibi inditum, absque exterioris doctrinae magisterio vel adminiculo, devenire in cognitionem ignotorum multorum, sicut patet in omni eo qui per inventionem scientiam acquirit; et sic quedammodo aliquis est sibi ipsi causa sciendi, non tamen potest dici sui ipsius magister, vel seipum docere...Doctrina autem importat perfectam actionem scientiae in docente

principles by which we investigate, analyze, and demonstrate whatever we have to understand;[592] we can intend to understand something in particular and turn to sensible imagery to elucidate it, abstract intelligible species from it, and discern reality from appearances;[593] and we can

---

vel magistro; unde oportet quod ille qui docet vel magister est, habeat scientiam quam in alio causat, explicite et perfecte, sicut in addiscente per doctrinam. Quando autem alicui acquiritur scientia per principium intrinsecum, illud quod est causa agens scientiae, non habet scientiam acquirendam, nisi in parte: scilicet quantum ad rationes seminales scientiae, quae sunt principia communia; et ideo ex tali causalitate non potest trahi nomen doctoris vel magistri, proprie loquendo"; q.12, a.lc: "In intellectu igitur humano lumen quoddam est quasi qualitas vel forma permanens, scilicet lumen essentiale intellectus agentis, ex quo anima nostra intellectualis dicitur"; *C. Gent.*, II, c.76, n.1575 (fn.274); n.1579 (fn.403) (see also n.1584; c.78, nn.1585-1590); *Sum. Theol.*, I, q,76, a.1c (fn.313); *ibid.*: "Natura enim uniuscuiusque rei ex eius operatione ostenditur. Propria autem operatio hominis, inquantum est homo, est intelligere: per hanc enim omnia animalia transcendit. Unde et Aristoteles, in libro *Ethic.*, in hac operatione, sicut in propria hominis, ultimam felicitatem constituit. Oportet ergo quod homo secundum illud speciem sortiatur, quod est huius operationis principium. Sortitur autem unumquodque speciem per propriam formam. Relinquitur ergo quod intellectivum principium sit propria hominis forma" (see also a.2c); q.79, a.5 ad 3: "...omnia quae sunt unius speciei, communicant in actione consequente naturam speciei, et per consequens in virtute, quae est actionis principium: non quod sit eadem numero in omnibus. Cognoscere autem prima intelligibilia est actio consequens speciem humanam. Unde oportet quod omnes homines communicent in virtute quae est principium huius actionis: et haec est virtus intellectus agentis. Non tamen oportet quod sit eadem numero in omnibus"; *Comp.*, c.87, n.160: "Omnis actio quae est propria alicui speciei, est a principiis consequentibus formam quae dat speciem. Intelligere autem est operatio propria humanae speciei. Oportet igitur quod intellectus agens et possibilis, qui sunt principia huius operationis, sicut ostensum est [cap. 79 ss.], consequantur animam humanam, a qua homo habet speciem" (see also c.89, n.165); *Q. de Anim.*, a.5c: "...requiritur in nobis principium activum proprium, per quod efficiamur intelligentes in actu; et hoc est intellectus agens"; *Spir. creat.*, a.10c (chapter 1, fn.80) (see also ad 8); *In III de Anim.*, lect.10, nn.728-31; *In X Eth.*, lect.10, n.2080f..

[592] This is the function Thomas emphasized in his earlier works: see *In II Sent.*, d.17, q.2, a.lc; *In Boeth. de Trin.*, q.6, a.2c; *Ver.*, q.9, a.lc; q.10, a.6c; a.13c; q.11, aa.1-3; q.12, a.lc; *Comp.*, c.83, n.145; *Sum. Theol.*, I, q.79, aa.8-9; I-II, q.57, a.2 ad 2; q.66, a.5 ad 4; and also *Q. de Anim.*, a.4 ad 6; a.5c ad 1, ad 4; *In III de Anim.*, lect.10, n.729; *In II Post Anal.*, lect.20, n.15; *In VI Eth.*, lect.3. See section 2.1.1 and fnn.349-54.

[593] This is the function Thomas concentrated upon in the works of his middle period when the influence of Aristotle was predominant: see *Quodl.*, VIII, a.3c; *Ver.*, q.9, a.1 ad 8; *C. Gent.*, II, cc.76-78; *Comp.*, c.83, n.144; c.86, n.163; *Sum. Theol.*, I, q.54, a.4c; q.79, aa.3-5; q.84, aa.6-7; q.85, a.1 ad 3, ad 4, ad 5; *Q. de Anim.*, a.3 ad 8; a.4c; *Spir. creat.*,

state the meaning of whatever we have understood.[594] Thus Plato was mistaken in asserting the intellect was something separate, like the sun, radiating information into the soul; and Aristotle was correct to compare the agent intellect, as he called it, to sunlight in the atmosphere, since it is a virtue in the soul.[595] Here again, Aristotle was relying upon experience to substantiate his theory.[596] Once he had eliminated Plato's theory that abstract universals were the proper objects of the human intellect and had shown, instead, that sensible images were our proper objects, he had to postulate an agent intellect to render the images intelligible.[597] But he based his postulate upon the fact that, whenever we want to understand anything, we turn to sensible images and abstract from them the intelligible species of what we want to understand.[598]

---

a.10c ad 6; *In III de Anim.*, lect.10; *In Post. Anal.*, lect.20. See sections 2.1.3 and 2.2.3. Because the agent intellect is like art to matter (*In III de Anim.*, lect.10, n.728), sensible imagery are only preparatory, instrumental, secondary, and material for understanding (*Quodl.*,VIII, a.3c; *Ver.*, q.10, a.6 ad 7; *C. Gent.*, II, c.77, n.1582; *Sum. Theol.*, I, q.78, a.4 ad 5; q.84, a.7c; *In II Meta.*, lect.1, n.282; *Q. de Anim.*, a.5c; a.15 ad 9; *Unit. intell.*, c.4 (K, n.91).

[594] This is the function (of judging and speaking) which Thomas developed for Trinitarian theory; it represents a Platonic and an Augustinian influence which became increasingly evident: see *Ver.*, q.1, aa.3 & 9; q.3, aa.1-2; q.4, aa.1-2; q.11, a.2 ad 13, ad 17; *C. Gent.*, IV, c.11; *Sum. Theol.*, I, q.14; q.15; q.27, a.1c; *Spir. creat.*, a.10c (K, p.125), ad 8 (K, pp. 131-33). See fnn.344-48, 355-65.

[595] See *Sum. Theol.*, I, q.79, a.4c; also a.5 ad 3; *C. Gent.*, II, c.77, n.1584; *Unit. intell.*, c.5 (K, n.120); and the source at *In III de Anim.*, lect.10, n.730 (also lect.7, n.672). See Lonergan, ""The Concept of *Verbum*," *Theological Studies*, 8 (1947), 68-70 and *Verbum*, 83-85.

[596] *Sum. Theol.*, I, q.88, a.1c (chapter 1, fn.49).

[597] See *In III de Anim.*, lect.10, n.751; and *C. Gent.*, II, c.77, n.1584; *Sum. Theol.*, I, q.54, a.4; q.79, a.3c; q.84, a.6c; *Comp.*, c.83, n.144; *Q. de Anim.*, a.3 ad 8; a.4c ad 1; *Spir. creat.*, a.9c (K, p.107); ad 6 (K, pp, 113-14); a.10c.

[598] *Sum. Theol.*, I, q.79, a.4c: "Et hoc experimento cognoscimus, dum percipimus nos abstrahere formas universales a conditionibus particularibus, quod est facere actu intelligibilia"; see also q.84, a.7c (chapter 1, fn.110); *C. Gent.*, II, c.76, n.1577 (fn.158); *Q. de Anim.*, a.5c (fn.158); *Spir. creat.*, a.10c (chapter 1, fn.80).

Most Greek and Arabian philosophers, even Avicenna, have erred in thinking that, because Aristotle said the agent intellect was separate and substantially actual, he meant it was something apart from the human intellect[599]—a position not unlike Plato's.[600] And some Christian theologians have tried to argue that this agent intellect must be God Himself.[601] Both interpretations, however, contradict our own experience and Aristotle's very words. From our experience we know it is natural and proper for us to understand[602]—not just to become informed by receiving species from sensible imagery, but also to intend to make the species in sensible imagery intelligible[603]—and no one can be the agent of an act for which he lacks the power.[604] From Aristotle's words it is obvious that he

———————

[599] See *In III de Anim.*, lect.10, n.732-34; and *In II Sent.*, d.17, q.2, a.1 sol.; *C. Gent.*, II, c.76, n.1560f.; *Comp.*, c.86, n.156; *Sum. Theol.*, I, q.79, a.4c; a.5c; *Spir. creat.*, c.10, nn.126-27; *Unit. intell.*, c.5 (K, nn.119-21).

[600] See *C. Gent.*, II, c.74, n.1531; c.75, n.1564; *Sum. Theol.*, I, q.65, a.4c; q.84, a.4c.

[601] See *In II Sent.* II, d.17, q.2, a.1 sol.; *Sum. Theol.*, I, q.79, a.4c; *Q. de Anim.*, a.5c; *Spir. creat*, a.10c. Thomas never directly contradicted this position, and each time he mentioned it he became more favorable to it. The position he took on eternal truth in *Ver.*, q.10, a.8c *ad fin.* was similar to this.

[602] *C. Gent.*, II, c.76, n.1575 (fn.325) (see also n.1565); *Sum. Theol.*, I, q.76, a.1c (fn.591); *Q. de Anim.*, a.16c.

[603] *C. Gent.*, II, c.76, n.1574: "Intentio effectus demonstrat agentem...Hic autem effectus qui est abstrahere formas universales a phantasmatibus, est in intentione nostra, non solum in intentione agentis remoti. Igitur oportet in nobis ponere aliquod proximum principium talis effectus. Hoc autem est intellectus agens. Non est igitur substantia separata, sed aliqua virtus animae nostrae"; see also fn.598.

[604] *Ibid.*, n.1579: "Unumquodque quod non potest exire in propriam operationem nisi per hoc quod movetur ab exteriori principio, magis agitur ad operandum quam seipsum agat. Unde animalia irrationalia magis aguntur ad operandum quam seipsa agant, quia omnis operatio eorum dependet a principio extrinseco movente: sensus enim, motus a sensibili exteriori, imprimit in phantasiam, et sic per ordinem procedit in omnibus potentiis usque ad motivas. Operatio autem propria hominis est intelligere: cuius primum principium est intellectus agens, qui facit species intelligibiles, a quibus patitur quodammodo intellectus possibilis, qui factus in actu, movet voluntatem. Si igitur intellectus agens est quaedem substantia extra hominem, tota operatio hominis dependet a principio extrinseco.

called the agent intellect a potency of the soul, no more separate from the soul than is the possible intellect which it complements.[605] By saying the agent intellect was substantially actual, Aristotle did not mean to assert it understood everything but only to contrast its constant activity with the intermittence and passivity in the operation of the possible intellect.[606] For the act of the agent intellect is not to understand anything but to make things intelligible to the possible intellect.[607]

The insufficiency of the agent intellect is what proves it is not God but rather the basis for supposing the existence of God.[608] For anything partial, mobile, and imperfect supposes something essential, actual, and perfect; the human intellect is initially partial in understanding, always in the process of understanding, and never perfectly understands; therefore, there must be a higher intellect whose understanding is essential, actual, and perfect to apply it to understand.[609] But the act of this higher

---

Non igitur erit homo agens seipsum, sed actus ab alio. Et sic non erit dominus suarum operationum; nec merebitur laudem aut vituperium; et peribit tota scientia moralis et conversatio politica; quod est inconveniens. Non est igitur intellectus agens substantia separata ab homine"; see also nn.1576, 1578. For the full impact of this argument it is necessary to appreciate Thomas's notion of act: see section 2.3.2, esp. fnn.503-46.

[605] See *C. Gent.*, II, c.60, n.1388; c.76, nn.1561-64; c.78, n.1588; *Sum. Theol.*, I, q.79, a.5 ad1; q.88, a.1c; *Q. de Anim.*, a.5c; *Spir. creat.*, a.9c (K, p.107); *In III de Anim.*, lect.10, n.735.

[606] See *In II Sent.*, d.3, q.3, a.4 ad 4; III, d.14, q.1, a.1 sol.2 ad 2; *Ver.*, q.10, a.8 ad 11; *C. Gent.*, II, c.78, n.1592; *Sum. Theol.*, I, q.54, a.4 ad 1.

[607] See *In III de Anim.*, lect.10, n.739; *Q. de Anim.*, a.5c ad 6.

[608] *Q. de Anim.*, a.5 ad 6: "Ulterius autem, cum posuerimus intellectum agentem esse quamdam virtutem participatam in animabus nostris, velut lumen quoddam, necesse est ponere aliam causam exteriorem a qua illud lumen participetur. Et hanc dicimus Deum, qui interius docet; in quantum huiusmodi lumen animae infundit"; see also ad 9.

[609] See *Sum. Theol.*, I, q.79, a.4c ad 1, ad 3, ad 5; *Spir. creat.*, a.10c (K, p.124). This is a specific case of the general argument which Thomas used to prove a first cause of being (see *Pot.*, q.3, a.5c; *Subst. sep.*, c.9; *Sum. Theol.*, I, q.44, a.2c) and the complement to his argument for the intelligence of God (see *In I Sent.*, d.35, q.1, a.1 sol.; *Ver.*, q.2, a.1c; *C. Gent.*, I, c.44; *Sum. Theol.*, I, q.14, a.1c). See also Thomas's notion of primary movement

intellect must be to understand being as such, for the intention of our intellect is to understand being:[610] we can understand anything insofar as it is in act,[611] we realize the truth of the intellect is to be adequate to being,[612] and we desire to be forever.[613] Therefore, the light of our intellects is a share in the light of an intellect, whose being is to understand,[614] and this intellect, we know from the documents of faith, is God Himself.[615]

The difference between the human and the divine intellects is most evident in the nature of the inner word which each speaks in the act of understanding. It is of the nature of the intellect in the act of understanding to utter through its own power an inner word which expresses the meaning of what it knows.[616] This inner word is both understood by

---

as changeable being (in *In IV Phys.*, lect.17, n.4; lect.20, n.2; VIII, lect.2) and his sketch of the three movements of the soul to God (*Ver.*, q.8, a.15 ad 3).

[610] See fnn.423-42; chapter 1, section 2.6; and chapter 2, section 2.1. Thus it is the intention of the agent intellect that unites the intellect in act to the understood in act so that we understand one thing at a time: see *Quodl.*, VII, a.2c; *C. Gent.*, I, c.50, n.458.

[611] See *In IX Meta.*, lect.10, n.1888f..

[612] See *ibid.*, nn.1896-98.

[613] See *C. Gent.*, II, c.55, n.1309.

[614] See *In IV Sent.*, d.49, q.2, a.7 ad 9; *Quodl.*, X, a.7c; *In Boeth. de Trin.*, q.1, a.3c ad 1; *Ver.*, q.1, a.4 ad 5; q.9, a.1c; q.10, a.6c; a.8c ad fin.; q.11, a.1c ad 13, ad 17; q.12, a.1c; *Sum. Theol.*, I, q.12, a.11 ad 3; q.16, a.6 ad 1; q.84, a.5c; q.88, a.3 ad 1; I, q.105, a.3c; I-II, q.109, a.1c; *Spir. creat.*, a.10c ad 8. See B.J. Lonergen, "The Concept of *Verbum*," *Theological Studies*, 8 (1947), 69; *Verbum*, p.84.

[615] See *In II Sept.*, d.17, q.2, a.1 sol.; *Sum. Theol.*, I, q.79, a.4c; *Q. de Anim.*, a.5c; *Spir. creat.*, a.10c (K, pp.126-28). Thus God is the only substance able to enter the mind since He already is in everything by His essence, presence, and power: see *C. Gent.*, II, c.98, n.1844; *Sum. Theol.*, III, q.8, a.8 ad 1; also *IV Sent.*, d.43, a.5, sol.2, arg.2; *Sum. Theol.*, I, q.56, a.2, arg.3; q.89, a.2, arg.2; III, q.64, a.1c.

[616] *C. Gent.*, IV, c.11, n.3473: "Est autem de ratione interioris verbi, quod est intentio intellecta, quod procedat ab intelligente secundum suum intelligere, cum sit quasi terminus intellectualis operationis: intellectus enim intelligendo concipit et format intentionem sive rationem intellectam, quae est interius verbum"; *Sum. Theol.*, I, q.27, a.1c (fn.453). See also fnn.355-65 and chapter 1, section 2.6.

the intellect and also expressed by it in the act of understanding.[617] The former property is essential to understanding as such, the latter only to human understanding.[618] For the inner word is primarily and essentially what the intellect understands because the understood is united as understood to the intellect in the act of understanding.[619] Therefore, the greater the efficacy of the intellect the fewer, the more universal, and the more closely united to it are both the species by which it understands[620] and the inner words in which it understands.[621] Hence, the inner word is distinct from the human intellect, its act, and its object only because the human intellect is not its own act of understanding.[622] Since the act of

---

[617] *Ver.*, q.4, a.2c: "Ita ergo verbum intellectus in nobis *duo* habet de sua ratione; scilicet quod est intellectum, et quod est ab alio expressum"; see also chapter 1, fnn.199ff..

[618] *Ibid.*, ad 5: "...in nobis *dicere* non solum significat intelligere, sed intelligere cum hoc quod est ex se exprimere aliquam conceptionem; nec aliter possumus intelligere, nisi huiusmodi conceptionem exprimendo; et ideo omne intelligere in nobis, proprie loquendo, est dicere. Sed Deus potest intelligere sine hoc quod aliquid ex ipso procedat secundum rem, quia in eo idem est intellectus et intellectum et intelligere: quod in nobis non accidit; et ideo non omne *intelligere* in Deo, proprie loquendo, dicitur *dicere*".

[619] *Pot.*, 4.8, a.lc (chapter 1, fn.212); q.9, a.5c: "Id autem quod est per se intellectum non est res illa cuius notitia per intellectum habetur, cum illa quandoque sit intellecta in potentia tantum, et sit extra intelligentem, sicut cum homo intelligit res materiales, ut lapidem vel animal aut aliud huiusmodi: cum tamen oporteat quod intellectum sit in intelligente, et unum cum ipso" (see also fn.355); *C. Gent.*, IV, c.11, n.3469: "Omne autem intellectum, inquantum intellectum, oportet esse in intelligente: significat enim ipsum intelligere apprehensionem eius quod intelligitur per intellectum; unde etiam intellectus noster, seipsum intelligens, est in seipso, non solum ut idem sibi per essentiam, sed etiam ut a se apprehensum intelligendo...Intellectum autem in intelligente est intentio intellecta et verbum".

[620] See *In II Sent.*, d.3, q.3, a.2 sol.; *C. Gent.*, I, c.47, n.396; c.98, n.1836; *Sum. Theol.*, I, q.14, a.6 ad 1; q.55, a.3c; q.89, a.1c; *Q. de Anim.*, a.18c; *Sub. sep.*, c.15, nn.133-35. See also chapter 2, section 2.3.

[621] *Pot.*, q.9, a.5c post med.; *Rat. fid.*, c.3; *Comp.*, c.41, n.75; c.52, n.91; c.56, nn.95-96.

[622] *C. Gent.*, IV, c.11, n.3471: "Cum enim intellectus noster seipsum intelligit, aliud est esse intellectus, et aliud ipsum eius intelligere: substantia enim intellectus erat in potentia intelligens antequam intelligeret actu. Sequitur ergo quod aliud sit esse intentionis intellectae, et aliud intellectus ipsius: cum intentionis intellectae esse sit ipsum intelligi".

the human intellect is only to intend to understand, the forms by which it understands are not the natures of things but intentional species,[623] any act of understanding is a passion limited to a certain object,[624] and the intellect itself remains partial, mobile, and imperfect.[625] Therefore, an inner word of the human intellect, or of any finite essence, is only an understood intention, distinct from the intellect itself, since the being of an intention is to be understood but it is not of the essence of any finite substance to understand.[626] Yet this distinction is not of the nature of the intellect as such, for the intellect itself is the principle of its intention and the intention remains within it as the term of understanding.[627] There-

---

Unde oportet quod in homine intelligente seipsum, verbum interius conceptum non sit homo verus, naturale hominis esse habens; sed sit *homo intellectus* tantum, quasi quaedam similitudo hominis veri ab intellectu apprehensa".

[623] Something can be known either by its own presence, or by the presence of its likeness, or by the likeness of something else like it (see *Sum. Theol.*, I, q.56, a.3c; also *In Boeth. de Trin.*, q.1, a.2c [D, pp.64-65]; *In I Sent.*, d.35, q.1, a.2 sol.; III, d.23, q.1, a.2 sol.; *Ver.*, q.8, a.5c; q.10, a.8c; a.9 ad 1 2ae ser.; *Sum. Theol.*, I, q.12, a.2c; a.9c; *Q. de Anim.*, a.18 ad 6; *Spir. creat.*, a.1 ad 11). The human soul, however, can know anything else only by the presence of its likeness, or species, or intention (see *Ver.*, q.10, a.8c; q.14, a.8 ad 5; *C. Gent.*. I, c.46, n.393; c.53, n.442; II, c.98, n.1835; c.99, n.1852; *Sum. Theol.*, I, q.14, a.5 ad 2; a.6 ad 1; q.55, a.1 ad 2; q.57, a.1 ad 1; q.85, a.2c ad 1; *Spir. creat.*, a.8 ad 14), contrary to the opinion of some of the ancient philosophers (see chapter 2, fnn.43-49). With this notion of assimilation Thomas could explain how several knowers could each know the same thing: see *Comp.*, c.85; *Spir. creat.*, a.9 ad 6; *Unit. intell.*, c.5 (K, nn.106-13).

[624] See *In III Sent.*, d.14, q.1, a.1, sol. 2; *C. Gent.*, II, c.98, n.1835; *Sum. Theol.*, I, q.79, a.2c; *In III de Anim.*, lect.11, n.759 (fn.431). See also chapter 2, section 2.2.

[625] See fnn.608-609.

[626] *C. Gent.*, IV, c.11, n.3466: "Quod autem intentio intellecta non sit ipse intellectus in nobis, ex hoc patet quod esse intentionis intellectae in ipso intelligi consistit: non autem esse intellectus nostri, cuius esse non est suum intelligere"; n.3471 (fn.622); *Sum. Theol.*, I, q.27, a.2 ad 2: "...intelligere in nobis non est ipsa substantia intellectus: unde verbum quod secundum intelligibilem operationem procedit in nobis, non est eiusdem naturae cum eo a quo procedit"; see also *c. art.* and *Comp.*, c.50, n.87; and also *Sum. Theol.*, I, q.54, a.2 ad 2.

[627] The argument in *C. Gent.*, IV, c.11, nn.3461-67, is from the notion of emanation; the

fore, in God—the act of whose intellect is to understand—the intellect, the act of understanding, the one understood, and the understood intention are all one and the same.[628] So the divine word is identical with the divine intellect, except for the relative distinction of "being understood" from "understanding."[629]

According to Aquinas, therefore, the intellect is identical with the intelligible when, in one and the same act, it understands and the intelligible is understood. This act occurs within the intellect as a consequence of its natural perfection so that, though the intellect may understand something else, concrete and particular, it understands the thing in its own abstract and universal way. The intelligence which the intellect reveals in understanding things in its own way is an effect of its own power, for it intends to make intelligible whatever it actually understands. Hence, Aquinas thought of understanding as the intelligence of an intellect being itself.

3. Comparison and Summary

Here again, the differences between what Thomas Aquinas really taught and what many modern Thomists interpret him to have taught do come down to particulars, but the number and consistency of the differences indicate that the basic difference actually consists in diverse approaches to the meaning of act in understanding. Thus it will be better to begin the comparison with the last point considered in both the interpretation and the original teaching, since in both cases it seems to have been the guiding principle for the conception of the particular theories along the way.

First, then, Thomas Aquinas developed his theory of understanding from the supposition that it was basically the act of the intellect being

---

one in *Sum. Theol.*, I, q.27, a.1c, is from the nature of understanding.

[628] See *C. Gent.*, IV, c.11, n.3467f.; *Sum. Theol.*, I, q.14, a.4c (see also a.2c); q.27, a.1c.

[629] See *C. Gent.*, IV, c.11, nn.3470f.; *Sum. Theol.*, I, q.28, esp. a.4c.

itself, but modern Thomists generally have proceeded from the assumption that it must be an act of the intellect's knowing another as such. Thomas based his supposition upon what he said was the experience of understanding. He said that one understands only information from sensible data, that one becomes aware of understanding it whenever he actually does understand, and that one can understand because he wonders about the causes of everything. Therefore, Aquinas supposed that the human intellect had the power to understand whatever information it could gain from sensible data. Modern Thomists, however, have worked on the theoretical assumption, common to much of modern philosophy, that the object of the intellect is something distinct from it. Thus they do not suppose the intellect actually understands anything, nor do they admit the intellect has the power to understand any more than can be demonstrated of it. This speculative starting-point is at antipodes with Thomas's empirical one.

The second difference between Thomas and these modern Thomists follows from the first. Whereas Thomas made his theory of understanding an explanation of the facts as he experienced them, the Thomists whom we have cited have made his explanation into a statement of fact to support their theory. In his theory Thomas tried to explain, first, how, on the one hand, the intellect could know the concrete abstractly and, on the other, how the intelligible could be concrete; secondly, what the intellect and the understood must be if the intellect can know things for what they are and things are intelligible to the intellect as they are; and, thirdly, why the intellect has the power to intend to understand and yet is not total, complete, or perfect in understanding. Modern Thomists, however, who operate on the assumption that the object of understanding is the other as such have tried to use Thomas's explanation as an assertion that the intellect in understanding does indeed know the object as object, or the object as other. But this interpretation contradicts Thomas's general principle (adopted from Aristotle) that the intellect and the understood are not other but the same in the act of understanding and all the particular corollaries of the principle—that the understood as other is unintelligible, that the intellect understands things other than they are in its own way, and that the intellect can understand only because it is actually intelligent and not because anything is actually intelligible to it. So far was Thomas from conceiving of understanding as a function of knowing another that he explained the pure act of God's being as an understanding of everything by and of itself. Therefore, Thomas's theory of understanding was an effort to explain the nature of intelligence as it becomes manifest to the intellect in the act of understanding, whereas the Thomistic interpretation which we have outlined consisted in making the explanation into an assertion that the intellect in understanding knows an object as object, or another as other.

The difference over the function of intelligence has also meant that the Thomists we have mentioned have differed from Thomas on the notion of act in understanding. Thomas got his idea of act from the freedom a human agent has in acting because of his intelligence. He did say that we get the term, "act,' from the description of physical movement and that the notion of act applies properly to the operations of living things, but he also said that it was proper to man alone to act and not to be acted upon since man has the intelligence to determine for himself the ends for which he acts. Therefore, when Thomas called understanding an act, he was using a term he had understood from intelligence itself, and by the term he meant the power of the intellect to be the agent of its own acts. By contrast, the Thomists who have prescinded from the intellect's self-awareness in its activity have either refused to explain the act of understanding or have based their explanations upon a notion of act taken from physical movement in general or from vital operation in particular. Even Thomists such as Rousselot and Maréchal, who recognized the intellectualism in St. Thomas's explanation of understanding; or De Finance, who clarified the meaning of act as being; or Lonergan, who demonstrated the empirical basis for Thomas's theory of understanding—even they did not show that Thomas got his idea of act from understanding itself or that he applied it to understanding in the unique way understanding is an act. Therefore, whereas Thomas thought of the act of understanding as self-explanatory, Thomists generally have construed him to mean that understanding needs to be explained in terms either of another kind of act or of the act of being.

The fourth difference between original thought and consequent interpretation concerns only the Thomists who call life a vital act, in the sense of a self-produced act in the potency of a living thing, and apply the notion of vital act to understanding in the intellect. Thomas himself had said that life consisted primarily in the substantial perfection of anything alive and only secondarily in the operations deriving from that perfection. Thus he held that whatever perfection there is in the operation of any potency comes from the life of the soul and that, in particular, the life of intellect was an operation of the soul through the intellect. What is more, Thomas thought the life of intellect to be generically different from any other form of life since the presence of the intellectual soul to itself in the act of understanding shows it to be immaterial, whereas other living things are intrinsically corporeal. Therefore, Aquinas treated the attribution of life to the intellect as a metaphor for man's self-initiative and not, as some Thomists have thought, as a proper definition of understanding considered as a species of life.

Finally, the self-movement some Thomists ascribe to understanding is different from the self-movement Thomas spoke of. By self-movement in understanding Thomas meant simply the initiative of the intellect in its own act, but some Thomists, whom we have cited, have taken him to mean that the intellect produces by understanding the objects it understands. Thomas rejected any literal self-movement as a contradiction in terms, for he agreed with Aristotle that movement could be understood only by supposing that whatever is moved is moved by another, and he applied the supposition rigorously to his analysis of every aspect of understanding. When he explained reasoning, he said that the mutual movement of intellect and sensible data in the process of induction was not reciprocal and, in any case, demanded the distinction of the agent from the possible intellect and that the self-movement of the intellect in deduction consisted only in its drawing out the conclusions of what it already understood in principle when it discovered the appropriate sensible data. When Thomas treated the operation of understanding in the strict sense, he said that speculation consisted in a movement of the intellect by sensible images, a certain passion in the intellect, and a conception only after understanding and that practice involved self-movement only in the sense of freedom of judgment, not in the sense of self-making. When he came to the act of intelligence in the intellect, he denied that the intellect could act by itself if its act of understanding was partial, mobile, and imperfect and argued that God's pure act of intelligence was a repose which precluded any movement whatsoever. Thus Thomas contrasted the repose of even human understanding with the movements of bodies and of the emotions. Finally, whenever Thomas spoke of the emanation of the inner word, in the context of reasoning or of understanding or of intelligence, he always said it proceeded from the intellect in the act of understanding; by saying the inner word was what the intellect primarily and essentially understood, he meant it was the term of understanding, not the principle which was the form of the intellect in act. Therefore, the interpretation of some Thomists that the intellect produces by some kind of vital act the object it understands is simply not the thought of Thomas Aquinas himself.

In summary, it may be said that, whereas Thomas Aquinas considered understanding the act of an intellect in identity with whatever it understood, the Thomists whose interpretation we have challenged said he explained understanding as an act by which an intellect became identical with whatever it intended to understand. Hence, though Thomas explained the life of understanding as the repose of an intellect which knows its object, these Thomists have claimed he meant by the life of intellect a vital act in which the intellect moves itself to understand an object as yet unknown. The manifest reason for the differences between

Aquinas's original thought and this Thomistic interpretation of it is that Thomas's theory of the meaning of act in understanding was an analysis of his own experience of the act, but the Thomistic notion of understanding as a vital act was an attempt to substitute theory for practice in the defense of objectivity in understanding.

BIBLIOGRAPHY

1. Sources: Works of St. Thomas Aquinas

Opusculum de Ente et Essentia. Ed. C. Boyer. Textus et Documenta, Series Philosophica, 5. Rome: Gregorian University, ³1950.

De Principiis Naturae. Textus Philosophici Friburgenses. Introduction & Critical Text J.J. Paulson. Fribourg: Société Philosophique; Louvain: Nauwelaerts, 1950.

Commentum in Quattuor Libros Sententiarum Magistri Petri Lombardi. Vol. I (complectens primum et secundum librum). Opera Omnia sec. Ed. Permae, VI. New York: Misurgia, 1948. *Scriptum super Sententiis Mag. P. Lombardi.* Vol. III-IV. Ed. M.F. Moos. Paris: Lethiellieux, 1947-56.

Exposito super librum Boethii de Ttinitate. Ed. B. Decker. Leiden: Brill, ²1959.

Quaestiones Disputatae. Ed. R. Spiazzi, P. Bazzi, M. Calcaterra, T.S. Centi, E. Odetto, P.M. Pession. Rome-Turin: Marietti, ⁹1946.

Quaestiones Quodlibetales. Ed. R. Spiazzi. Rome-Turin: Marietti, ⁹1956.

331

Liber de Veritate Catholicae Fidei contra errores Infidelium seu Summa contra Gentiles. Vol. II-III. Ed. C. Pera, P. Marc, P. Caramello. Rome-Turin: Marietti, 1961.

Summa Theologiae. Alba-Rome: Editiones Paulinae, 1962.

In Librum beati Dionysii de Divinis Nominibus Expositio. Ed. C. Pera. Rome-Turin: Marietti, 1950.

In Aristotelis Librum de Anima Commentarium. Ed. A.M. Pirotta. Rome-Turin: Marietti, 1959.

In Aristotelis Libros de Sensu et Sensato, de Memoria et Reminiscentia Commentarium. Ed. R.M. Spiazzi. Rome-Turin: Marietti, ³1949.

Tractatus de spiritualibus creaturis. Critical ed. L.W. Keeler. Textus et Documenta, Series Philosophica, 13. Rome: Gregorian University, 1938.

In octo libros Physicorum Aristotelis Expositio. Ed. P.M. Maggiolo. Rome-Turin: Marietti, 1954.

In duodecim libros Metaphysicorum Aristotelis Expositio. Ed. M.-R. Cathala & R.M. Spiazzi. Rome-Turin: Marietti, 1964.

In decem libros Ethicorum Aristotelis ad Nicomachum Expositio. Ed. R.M. Spiazzi. Rome-Turin: Marietti, ³1964.

In Aristotelis libros Peri Hermeneias et Posteriorum Analyticorum Expositio. Ed. R.M. Spiazzi. Rome-Turin: Marietti, 1955.

Super Evangelium S. Ioannis Lectura. Ed. R. Cai. Rome-Turin: Marietti, ⁵1952.

Super Epistolas S. Pauli Lectura. Ed. R. Cai. 2 vols. Rome-Turin: Marietti, ⁸1953.

Super librum de Causis Expositio. Textus Philosophici Friburgenses 4/5. Ed. H.D. Saffrey. Fribourg: Société Philosophique; Louvain: Nauwelaerts, 1954.

In Aristotelis libros de Caelo et Mundo, de Generatione et Corruptione Meteorologicorum Expositio. Ed. R.M. Spiazzi. Rome-Turin: Marietti, 1952.

Tractatus de unitate intellectus contra Averroistas. Critical ed. L.W. Keeler. Textus et Documenta, Series Philosophica, 12. Rome: Gregorian University, 1946.

Opuscula Philosophica. Ed. R.M. Spiazzi. Rome-Turin: Marietti, 1954.

Opuscula Theologica. 2 vols. Ed. R. Verardo, R.M. Spiazzi, M. Calcaterra. Rome-Turin: Marietti, 1954.

2. STUDIES

Adamczyk, Stanislaus. *De obiecto formali intellectus nostri secundum doctinem S. Thomae Aquinatis.* Analecta Gregoriana, 2. Rome: Gregorian University Press, [2]1955.

_____. "De valore obiecti formalis in epistomologia thomista," *Gregorianum,* 38 (1957), 630-657.

Alacorta, J. Ignacio. "La spontanéité de la connaissance théorique et practique selon Saint Thomas," *L'homme et son destin d'après les penseurs du moyen âge.* Actes du premier congrès international de philosophie médiéval, Louvain-Bruxelles, 1958. Louvain-Paris: Béatrice-Nauwelaerts, 1960.

Arnou, Renatus. *De subiecto et obiecto in cognitione nostra intellective* secundum textus selectos aliquos philosophorum recentium et sancti Thomae. Textus et Documenta, Series Philosophica, 17. Rome: Gregorian University Press, 1960.

Balthasar, Nicolas. "Cognoscens fit aliud in quantum aliud," *Revue néo-scholastique de philosophie,* (1923), 294-310.

Bouillard, Henri. *Conversion et grâce chez s. Thomas d'Aquin*: Étude historique. Collection "Théologie," 1. Paris: Aubier, 1944.

Boyer, Charles "Le sens d'un texte de S. Thomas: *De Verit.* I, a.9," *Gregorianum,* 5 (1924), 424-43.

_____. *Cursus philosophiae, ad usum seminariorum.* 2 vols. Paris: Desclée, 1950.

Breidenbach, Francis J. *The Meaning of Nature in Aristotle.* Unpublished Dissertation. St. Louis, Missouri, 1953.

Brennan, Robert Edward. *General Psychology. An Interpretation of the Science of Mind Based on Thomas Aquinas*. New York: Macmillan, 1937.

_____. *Thomistic Psychology. A Philosophic Analysis of the Nature of Man*. New York: Macmillan, 1941.

Breton, Stanislas. "Saint Thomas et la métaphysique du vivant," *Aquinas*, 4 (1961), 257-92.

Brown, James. *Kierkegaard, Heidegger, Buber and Barth* (originally published as *Subject and Object in Modern Theology*). New York: Collier, 1962.

Burrell, David B. "Aquinas on Naming God," *Theological Studies*, 24 (1963), 183-212.

Callus, Daniel Angelo Philip. "Les sources de saint Thomas: état de la question," *Aristote et Saint Thomas d'Aquin*. Journées d'études internationales. Louvain: Publications Universitaires; Paris: Éditions Béatrice-Nauwelaerts, 1957.

Carlo, William E. "The Role of Essence in Existential Metaphysics: A Reappraisal," *International Philosophical Quarterly*, 2 (1962), 557-90.

_____. *The Ultimate Reducibility of Essence to Existence in Existential Metaphysics*. Pref. W.N. Clarke. The Hague: Martinus Nijhoff, 1966.

Chenu, Marie-Dominique. 'L'homme-dans-le-monde," *Saint Thomas d'Aquin Aujourd'hui*. Recherches de Philosophie, 6. Paris: Desclée de Brouwer, 1963.

_____. *Introduction a l'Étude de Saint Thomas d'Aquin*. Montreal: Institut d'Études Médiévales; Paris: Vrin, ²1954.

Crowe, Frederick E. "Universal Norms and the Concrete *Operabile* in St. Thomas Aquinas," *Sciences ecclésiastiques*, 7 (1955), 115-49, 257-91.

_____. "Complacency and Concern in the Thought of St. Thomas," *Theological Studies*, 20 (1959), 1-39, 198-230, 343-87.

De Finance, Joseph. *Cogito cartesien et réflexion thomiste*. Archives de Philosophie, 17/2. Paris: Beauchesne, 1946.

_____. *Être et agir dans la philosophie de saint Thomas*. Rome: Gregorian University Press, ²1960.

_____. *Essai sur l'agir humain*. Rome: Gregorian University press, 1962.

_____. "La victoire sur l'autre: Chaîne de réflexions sur une réflexion de saint Thomas," *Gregorianum*, 46 (1965), 5-35.

De Petter, John Emiel Robrecht. "Intentionaliteit en Identiteit," *Tijdschrift voor Philosophie*, 2 (1940), 515-550.

De Vries. Josef. "Die Mehrseitigkeit der Einzelerkenntnis," *Scholastik*, 26 (1951), 161-76.

Dhavamony, Mariasusai. *Subjectivity and Knowledge in the Philosophy of Saint Thomas Aquinas*. Analecta Gregoriana, 148. Rome: Gregorian University Press, 1965.

D'Izzalini, Luigi *Il principio intellettivo della ragione umana nelle opere di S. Tommaso d'Aquino*. Analecta Gregoriana, 31. Rome: Gregorian University Press, 1943.

Dubarle, Dominique. "G. Rabeau: "Species. Verbum." L'activité intellectuelle élémentaire selon S. Thomas," *Bulletin Thomiste*, 5 (1938), 282-299.

Ducoin, Georges. "Saint Thomas commentateur d'Aristote," *Histoire de la philosophie et métaphysique*. Recherches de Philosophie, 1. Paris: Declée de Brouwer, 1955.

Etcheverry, Auguste. *L'homme dans le monde*: La connaissance humaine et sa valeur. Museum Lessianum, Section Philosophique, 51. Paris-Bruges: Desclée de Brouwer, 1963.

Fabro, Cornelio. *La nozione metafisica di partecipazione secondo S. Tommaso d'Aquino*. Turin: Società Editrice Internazionale, ²1950.

_____. *Partecipazione e causalità secondo S. Tommaso d'Aquino*. Turin: Società Editrice Internazionale, 1960.

_____. "Per la determinazione dell'essere tomistico," *Aquinas*, Ephemerides Thomisticae, 5 (1962), 170-205.

_____. "Le retour au fondemont de l'être," *Saint Thomas d'Aquin Aujourd'hui*. Recherches de Philosophie, 6. Paris: Desclée de Brouwer, 1963.

_____. "La percezione intelligibile dei singolari materiali," *Angelicum*, (1939), 429-62.

Forest, Aimé. "Pour une science de l'individuel: notes sur l'individualité et la contingence," *Revue Thomiste*, 7 (1924), 79-92.

_____. *La structure métaphysique du concret selon saint Thomas d'Aquin.* Études de Philosophie Médiévale (Dir.: E. Gilson), 14. Paris: Vrin, ²1956.

Frank. Carolo. *Philosophia naturalis in usum scholarum.* Institutiones Philosophiae Scholasticae, IV. Freiburg-im-Br.- Barcelona: Herder, ²1949.

Fröbes, Joseph. *Psychologia Speculativa.* 2 vols. Freiburg-im-Br.: Herder, 1927.

Garceau, Benoît. "La doctrine thomiste du jugement: interpretations recentes et conditions de recherche," *Revue de l'Université d'Ottawa,* 32 (1962), 215-37; 33 (1963), 5-27.

Gardeil, Ambroise. "La perception experimentale de l'âme par elle-même," *Mélanges Thomiste*, pp.219-36. Kain: Le Saulchoir, 1923.

Gardeil, Henri-Dominique. *Initiation à la philosophie de S. Thomas d'Aquin.* 3 vols. Paris: Cerf, ³1957.

Garrigou-Lagrange, Réginald. "Cognoscens quodammodo fit vel est aliud a se," *Revue néo-scholastique de Philosophie*, 25 (1923), 420-429.

_____. "Dieu," *Dictionaire apologétique de le foi catholique*: contenant les preuves de la vérité de la religion et les réponses aux objections tirées des sciences humaines, I, c.1002

Geiger, Louis Bertrand. "Abstraction et separation d'après S. Thomas *In de Trinitate*, q.5, a.3," *Revue des sciences philosophiques et théologiques*, 31 (1947), 3-40.

_____. *La participation dans la philosophie de S. Thomas d'Aquin.* Bibliothèque Thomiste (Dir.: M.-D. Chenu), 23. Paris: Vrin, ¹²1953.

_____. "Saint Thomas et la métaphysique d'Aristote," *Aristote et Saint Thomas d'Aquin.* Journées d'études internationales. Louvain: Publications Universitaires: Paris: Éditions Béatrice-Nauwelaerts, 1957.

Giardini, P. Fabio. *Similitudine e ordine nell'universo*. Rome: Pontifical Athanaeum Angelicum, 1961.

Gilson, Etienne. *The Christian Philosophy of St. Thomas*. Trans. L.K. Shook. New York: Random House, 1957.

_____. *La réalisme méthodique*. Paris: Pierre Téqui Éditeur, 1935.

_____. *Réalisme thomiste et critique de la connaissance*. Paris: Desclée de Brouwer, 1939.

_____. *Being and Some Philosophers*. Toronto: Pontifical Institute of Medieval Studies, ²1952.

_____. *Elements of Christian Philosophy*. Garden City, New York: Doubleday, 1960.

Girardi, Giulio. *Metafisica della causa esemplare in S. Tommaso d'Aquino*. Biblioteca del "Salesianum", 28. Turin: Società Editrice Internazionale, 1954.

Grabmann, Martin. *Die Werke des hl. Thomas von Aquin*: Eine Literarhistorische Untersuchung und Einführung. Beiträge zur Geschichte der Philosophie und Theologie des Mittelalters, XXII, 1-2. Münster: Aschendorf, ³1949.

Gredt, Josef. *Elementa Philosophiae Aristotelico-Thomisticae*. 2 vols. Rev. & ed.: E. Zenzen. Barcelona-Freiburg-im-Br.-Rome-New York: Herder, ¹³1961.

Guérard des Lauriers, Louis-Bertrand. "A. Maier, *Die Impetus-Theorie der Scholastik*," *Bulletin Thomiste*, 6 (1940-42), 205-214.

Hayen, André. "Intentionalité de l'être et métaphysique de la participation," *Revue néo-scholastique de Philosophie*, 42 (1939), 385-410.

_____. *L'intentionnel selon Saint Thomas*. Museum Lessianum: Section Philosophique, n.25. Paris-Bruges-Brussels: Desclée de Brouwer, ²1954.

_____. "Le 'cercle' de la connaissance humaine selon saint Thomas d'Aquin," *Revue philosophique de Louvain,* 54 (1956), 561-604.

———. *La communication de l'être d'après saint Thomas d'Aquin*. Vol. I: La métaphysique d'un théologien. Museum Lessianum: Section Philosophique, n.40. Paris-Louvain: Desclée de Brouwer, 1957.

———. *La communication de l'être d'après saint Thomas d'Aquin*. Vol. II: L'Ordre philosophique de Saint Thomas. Museum Lessianum: Section Philosophique, n.41. Paris-Louvain: Desclée de Brouwer, 1959.

Heidegger, Martin. *Sein und Zeit*. Tübingen: Niemeyer, [9]1960; published in English as *Being and Time*. The Library of Philosophy and Theology. Trans.: J. Macquarrie & E. Robinson. London: SCM, 1962.

———. *Kant und das Problem der Metaphysik*. Frankfurt: Klosterman, [2]1951.

Henle, Robert J. *Saint Thomas and Platonism*: A Study of the *Plato* and *Platonici* Texts in the Writings of Saint Thomas. The Haque: Martinus Nijhoff, 1956.

Hoenen, Pierre. *Cosmologia*. Rome: Greogrian University Press, [5]1956.

———. *Réality and Judgment according to St. Thomas*. Appendix: C. Boyer. Trans.: H.F. Tiblier. Chicago: Regnery, 1952.

Jalbert, Guy. *Necessité et contingence chez saint Thomas d'Aquin et chez ses prédécesseurs*. Ottawa: Éditions de l'Université d'Ottawa, 1961.

John of St. Thomas. *Cursus Philosophicus Thomisticus*. Ed. B. Reiser. 3 vols. Turin: Marietti, [2]1949.

———. *Cursus Theologicus*. Ed. Monks of Solesmes. 4 vols. (incomplete). Paris: Desclée, 1931ff.

Johann, Robert. *The Meaning of Love*. London: Geoffrey Chapman, 1954.

John, Helen James. "The Emergence of the Act of Existing in Recent Thomism," *International Philosophical Quarterly*, 2 (1962), 595-620.

———. *The Thomist Spectrum*. New York: Fordham University Press, 1966.

Jolif, Jean-Yves. "Le subjet practique selon saint Thomas d'Aquin," *Saint Thomas d'Aquin Aujourd'hui*. Recherches de Philosophie, 6. Paris: Desclée de Brouwer, 1963.

Klubertanz, George. "The Unity of Human Operation," *The Modern Schoolman*, 24 (1950), 85-89, 102-103.

_____. "St. Thomas and the Knowledge of the Singular," *New Scholasticism*, 26 (1952), 135-166.

_____. *The Philosophy of Human Nature*. New York: Appleton-Century-Crofts, 1953.

_____. "Where is the Evidence for Thomistic Metaphysics?" *Revue Philosophique de Louvain*. 56 (1958), 294-315.

_____. *St. Thomas Aquinas on Analogy*: A Textual Analysis and Systematic Synthesis. Chicago: Loyola University Press, 1960.

Krenn, Kurt. *Vermittlung und Differenz?* Vom Sinn des Seins in der Befindlichkeit der Partizipation beim hl. Thomas von Aquin. Analecta Gregoriana, 121. Rome: Gregorian University Press, 1962.

Lebacqz, Joseph. *Libre arbitre et jugement*. Museum Lessianum: Section Philosophique, n.47. Paris: Desclée, 1960.

Legrand, Joseph. *L'univers et l'homme dans la philosophie de saint Thomas*. Museum Lessianum: Section Philosophique, n. 28. 2 vols. Brussels-Paris: Desclée, 1946.

_____. "Connaissance de Dieu et philosophie," *Nouvelle revue théologique*, 85 (1963), 239-69, 357-86.

Lobkowicz, Nickolaus. "Deduction of Sensibility: The Ontological Status of Sense Knowledge in St. Thomas," *International Philosophical Quarterly*, 3 (1963), 201-226.

_____. "*Quidquid Movetur ab Alio Movetur*," *New Scholasticism*, 42 (1968), 401-421.

Lonergan, Bernard J. "St. Thomas' Thought on *Gratia Operans*," *Theological Studies*, 2 (1941), 290-324; 3 (1942), 69-88, 375-402, 533-578.

_____. "Saint Thomas's Theory of Operation," *Theological Studies*, 3 (1942), 375-81.

_____. "The Concept of *Verbum* in the writings of St. Thomas Aquinas," *Theological Studies,* 7 (1946), 349-392; 8 (1947), 35-79; 9 (1947), 404-444; 10 (1949), 3-40; 359-393.

_____. *Divinarum Personarum Conceptionem Analogicam.* Rome: Gregorian University Press, 1957.

_____. *De Verbo Incarnato* (ad usum auditorum: Rome, ³1964)

_____. *De Deo Trino*: I. Pars Systematica. (3rd rev. ed. of *Divinarum Personarum*) Rome: Gregorian University Press, 1964.

_____. *Verbum*: Word and Idea in Aquinas. Ed. D.B. Burrell. Notre Dame, Ind.; University of Notre Dame Press, 1967.

_____. *Insight*: A Study of Human Understanding. New York: Philosophical Library; London: Longmans, 1957.

Maier, Anneliese. *Die Impetus-Theorie der Scholastik.* Veroeffentlichungen des Kaiser-Wilhelm-Instituts für Kulturwissenschaft im Palazzo Zuccari, Rom. Abhandlungen. Vienna: A. Schroll & Co., 1940.

Mansion, Auguste. "*'Universalis dubitatio de veritate'*: S. Thomas in *Metaph.* Lib. III, lect.1," *Revue philosophique de Louvain,* 57 (1959), 513-42.

Marc, André. *Psychologie réflexive.* 2 vols. Paris: Desclée, 1948-1949.

Maréchal, Joseph. *Le point de depart de la métaphysique.* Cahier I: De l'antiquité a la fin du moyen âge: la critique ancienne de la connaissance. Brussels: L'Édition Universelle; Paris: Desclée de Brouwer, ³1944.

_____. *Le point de depart de la métaphysique.* Cahier V: Le thomisme devant la philosophie critique. Brussels: L'Édition Universelle; Paris: Desclée de Brouwer, ²1949.

Maritain, Jacques. *Réflexions sur l'intelligence et sur sa vie proper.* Paris: Desclée de Brouwer, ⁴1938.

_____. *La philosophie bergsonienne.* Paris: Desclée de Brouwer, ²1930.

_____. *Sept leçons sur l'être et les premiers principes de la raison speculative.* Paris: Desclée de Brouwer,1934.

_____. *Distinguer pour unir ou les degrés du savoir.* Bibliothèque Française de Philosophie. Paris: Desclée de Brouwer, ⁵1948.

_____. *The Philosphy of Nature.* Append. Y. Simon. Trans. I.C. Byrne. New York: Scribners, 1951.

Marty, François. *La perfection de l'homme selon saint Thomas d'Aquin*: Ses fondements ontologiques et leur verification dans l'ordre actuel. Analecta Gregoriana, 123. Rome: Gregorian University Press, 1962.

McCool, Gerald A. "The Primacy of Intuition," *Thought*, 37 (1962), 57-73.

McInerny, Ralph M. *The Logic of Analogy*: An Interpretation of St. Thomas. The Haque: Martinus Nijhoff, 1961.

Mercier, Désiré J. *Psychologie.* 2 vols. Bibliothèque de l'Institut Supérieur de Philosophie, Cours de Philosophie, III-IV. Louvain-Paris: Alcan, ¹¹1923.

Merlan, Philip. "Abstraction and Metaphysics in St. Thomas' *Summa*," *Journal of the History of Ideas,* 14 (1953), 284-91.

Metz, Johann Baptist. *Christliche Anthropozentrik:* über die Denkform des Thomas von Aquin. Munich: Kösel, 1962.

Miller, Barry. *The Range of Intellect.* London: Geoffrey Chapman, 1961.

Mondin, Battista. *The Principle of Analogy in Protestant and Catholic Theology.* The Hague: Martinus Nijhoff, 1963.

Montagnes, Bernard. *La doctrine de l'analogie de l'être d'après saint Thomas d'Aquin.* Philosophes Médiéveux, 6. Louvain: Publications Universitaires; Paris: Béatrice-Nauwelaerts, 1963.

Muck, Otto. *Die transzendentale Methode in der scholastischen Philosophie der Gegenwart.* Innsbruck: Rauch, 1964. Translated as *The Transcendental Method.* New York: Herder and Herder, 1968.

Murnion, William E. *The Meaning of Act in Understanding*: A Study of the Thomistic Notion of Vital Act and Thomas Aquinas's Original Teaching. Rome: Pontifical Gregorian University, 1973.

_____. "St. Thomas's Theory of the Act of Understanding," *The Thomist*, 37 (1973), 88-118.

Naus, John E. *The Nature of the Practical Intellect according to Saint Thomas Aquinas.* Analecta Gregoriana, 108. Rome: Gregorian University Press, 1959.

Noël, Léon. "La theorie de la connaissance selon 'l'école de Louvain'," *Revue Thomiste*, 22 (1914), 205-12.

_____. "Le réal et l'intelligence," *Revue néo-scholastique de philosophie*, 26(1925), 5-28.

_____. *Notes d'épistémologie thomiste.* Louvain-Paris, 1925.

_____. "La presence immediate des choses," *Revue néo-scholastique de philosophie*, 28 (1927), 179-196.

_____. "La presence des choses a l'intelligence," *Revue néo-scholastique de philosophie*, 31 (1930), 145-162.

_____. *Le réalisme immédiat.* Louvain, 1938.

_____. "Le 'réalisme critique' et le bon désaccord," *Revue néo-scholastique de philosophie*, 43 (1940), 41-66.

Nugent, Francis. "Immanent Action in St. Thomas and Aristotle," *New Scholasticism*, 37 (1963), 164-87.

O'Connell, Matthew J. "St. Thomas and the Verbum: an Interpretation," *Modern Schoolman,* 24 (1947), 224-234.

O'Grady, Donald. "Further Notes on 'Being', *'Esse',* and 'Essence' in an Existential Metaphysics," *International Philosophical Quarterly,* 3 (1963), 610-16.

Owen, Gwilym Ellis Lane "τιθέναι τά φαινόμενα," *Aristote et les problèmes de méthode*, pp.83-103. Louvain: Publications Universitaires; Paris: Béatrice-Nauwelaerts, 1961.

Peghaire, Julien. *Intellectus et Ratio selon Saint Thomas.* Ottawa-Paris: Vrin, 1936.

Peifer, John. *The Concept In Thomism*. New York: Bookman, 1952.

Peter, Carl J. *Participated Eternity in the Vision of God*: A Study of the Opinion of Thomas Aquinas and his Commentators on the Duration of the Acts of Glory. Analecta Gregoriana, 142. Rome: Gregorian University Press, 1964.

Philippe, Marie-Dominique. "Abstraction, addition, séparation dans la philosophie d'Aristote," *Revue Thomiste*, 48 (1948), 461-66.

Rabeau, Gaston. *"Species. Verbum." L'activité intellectuelle élémentaire selon S. Thomas d'Aq..* Bibliothèque Thomiste, 22. Paris: Vrin, 1938.

Rahner, Karl. *Geist in Welt*: Zur Metaphysik der endlichen Erkenntnis bei Thomas von Aquin. Ed. J. Metz. Munich: Kösel, [2]1957. English edition: *Spirit in the World*. Trans. W. Dych. New York: Herder & Herder, 1968.

Remer, Vincent. *Psychologia*. Ed. Paul Gény. Summa Philosophiae Scholasticae, V. Rome: Gregorian University Press, [6]1928.

Renard, Henri. *The Philosphy of Man*. Milwaukee: Bruce, 1948.

Richard, Robert. *The Problem of an Apologetical Perspective in the Trinitarian Theology of St. Thomas Aquinas*. Analecta Gregoriana, 131. Rome: Gregorian University Press, 1963.

Robert, Jean-Dominique. "Eléments d'une définition analogique de la connaissance chez S. Thomas," *Revue philosophique de Louvain*, 55 (1957), 443-69.

Rousselot, Pierre. *L'intellectualisme de Saint Thomas*. Bibliothèque des Archives de Philosophie. Paris: Beauchesne, [3]1936.

Sanseverino, Gaetano. *Philosophiae Christianae cum antiqua et nova comparatae Compendium*. Ed. N. Signoriello. 2 vols. Naples: Officina Bibliothecae Catholicae Scriptorum, [10]1900.

Sertillanges, Antonin-Gilbert. "L'idée général de la connaissance d'après saint Thomas d'Aquin," *Revue des sciences philosophiques et théologiques*, 2 (1908).

_____. *St. Thomas d'Aquin*. 2 vols. Paris: Alcan, 1925.

_____. *L'idée de création et ses retentissements en philosophie.*(Paris: Aubier, 1945.

Sikora, Joseph J. "Maritain on the Knowledge of Nature," *Revue de l'Université d'Ottawa,* 34 (1964), 500-514.

Siwek, Pawel. *Psychologia Metaphysica.* Rome: Gregorian University, ⁶1962.

_____. "La conscience du libre arbitre dans la philosophie de S. Thomas d'Aquin," *L'homme et son destin d'après les penseurs du moyen âge,* Actes du premier congrès international de philosophia médiévale, Louvain-Bruxelles, 1958. Louvain-Paris: Nauwelaerts, 1960, pp.595-600.

Stewart, William S. "Abstraction: Conscious or Unconscious? The *Verbum* Articles," *Spirit as Inquiry:* Studies in Honor of Bernard Lonergan. *Continuum,* 2 (1964) 409-19.

Stufler, Johann. *Divi Thomas Aquinatis doctrina de Deo operante in omni operatione naturæ creatæ præsertim liberi arbitrii.* Innsbruck: Buchdruckerei Tyrolia, 1923.

_____. *Gott, der erster Beweger aller Dinge*: ein neuer Beitrag zum Verständnis der Konkurslehre des hl. Thomas von Aquin. Innsbruck: F. Rauch, 1936.

Szaszkiewicz, Georgius. *Psychologia rationalis*: Thesium schemata ad usum exclusivum auditorium. Rome: Gregorian University Press, 1964/65.

"Thomas d'Aquin (Saint)," *Dictionnaire de Théologie Catholique* 15/1, cc.618-761. Paris, 1946.

Tresmontant, Claude. *La métaphysique du christianisme et la naissance de la philosophie chrétienne*: Problèmes de la création et de l'anthropologie des origenes a saint Augustin. Paris: Seuil, 1961.

Van Riet, Georges. *L'épistémologie thomiste*: Recherches sur le problème de la connaissance dans l'école thomiste contemporaine. Bibliothèque philosophique de Louvain, 3. Louvain: L'Institut Supérieur de Philosophie, 1946.

_____. "La doctrine thomiste du jugement," *Revue philosophique du Louvain,* 46 (1948), 97-108.

_____. *Problèmes d'épistémologie.* Louvain-Paris: Université de Louvain, 1960.

Verneaux, Roger. *Philosophie de l'homme.* Cours de philosophie thomiste. Paris: Beauchesne, ²1956.

Wébert, Jourdain. *"Reflexio.* Étude sur les opérations réflexives dans la psychologie de S. Thomas," *Mélanges Mandonnet.* Bibliothèque Thomiste, XIII-XIV. Paris: J. Vrin, 1930. I, 285-325.

Weisheipl, James A. "The Concept of Nature," *New Scholasticism,* 38 (1954), 377-408.

_____. "The Principle *Omne quod movetur ab alio movetur* in Medieval Physics," *Isis,* 56 (1965), 26-45.

_____. *"Quidquid Movetur ab Alio Movetur*: A Reply," *New Scholasticism,* 42 (1968), 422-31.

Willwoll, Alexandro. *Psychologia metaphysica in usum scholarum.* Institutiones Philosophiae Scholasticae, Vol.5. Freiburg-im-Br.-Barcelona: Herder, 1952.

Wright, John H. *The Order of the Universe in the Theology of St. Thomas Aquinas.* Analecta Gregoriana, 89. Rome: Gregorian University Press, 1957.

Zigliara, Thoma Maria. *Summa Philosophica.* 3 vols. Paris: Beauchesne, ¹⁷1926.

Lightning Source UK Ltd.
Milton Keynes UK
UKHW042239250521
384163UK00011BC/573/J